De rainmaker

John Grisham

De rainmaker

A.W. Bruna Uitgevers B.V., Utrecht

Oorspronkelijke titel
The Rainmaker
© 1995 by John Grisham
All rights reserved
Vertaling:
Jan Smit
© 1995 A.W. Bruna Uitgevers B.V., Utrecht

ISBN 90 229 8226 2
NUGI 331

To American trial lawyers

Bij het schrijven van dit boek heb ik op alle punten hulp gehad van Will Denton, een vooraanstaand advocaat en pleiter uit Gulfport in Mississippi. Vijfentwintig jaar lang zet Will zich al in voor de rechten van consumenten en gewone mensen. Zijn overwinningen in de rechtszaal zijn legendarisch en toen ik zelf nog advocaat was, wilde ik worden zoals Will Denton. Hij heeft me zijn oude dossiers gegeven, mijn eindeloze vragen beantwoord en zelfs het hele manuscript gelezen.

Jimmy Harvey is een vriend en een goede arts uit Birmingham in Alabama. Hij heeft me zorgvuldig door het ondoordringbare labyrint van medische procedures geloodst. Het is aan hem te danken dat die delen van dit boek correct en leesbaar zijn.

Mijn dank.

Mijn besluit om advocaat te worden stond onherroepelijk vast toen ik besefte dat mijn vader een gruwelijke hekel aan advocaten had. Ik was een jaar of dertien, een onhandig en verlegen jochie, gefrustreerd door het leven en doodsbang voor de puberteit. Omdat ik zo lastig was, had mijn vader besloten me naar een streng internaat te sturen. Hij was een ex-marinier, die vond dat jongens met de zweep moesten worden opgevoed. Ik was niet op mijn mondje gevallen en ik had de pest aan discipline. De enige oplossing die mijn vader kon bedenken was me de deur uit te schoppen. Het duurde jaren voordat ik hem vergaf.

Hij was industrieel constructeur en werkte zeventig uur per week voor een bedrijf dat onder meer ladders produceerde. Omdat ladders nu eenmaal gevaarlijke dingen zijn, werd de firma regelmatig aangeklaagd. Als ontwerper moest mijn vader dan komen opdraven om voor de rechtbank de degelijkheid van de ladders aan te tonen. Ik begrijp wel dat hij een hekel had aan advocaten, maar ik kreeg juist bewondering voor ze, omdat ze hem het leven zuur maakten. Als hij na een lange en frustrerende dag in de rechtszaal thuiskwam, greep hij meteen naar de fles. Geen begroeting, geen zoen, geen eten. Een uur lang zat hij dan te kankeren, sloeg vier martini's achterover en viel daarna in zijn oude fauteuil in slaap. Een van die procedures duurde maar liefst drie weken. Toen vaders bedrijf ten slotte tot een aanzienlijke schadevergoeding werd veroordeeld, moest mijn moeder de dokter erbij halen en werd mijn vader naar het ziekenhuis gebracht, waar hij een maand nodig had om bij te komen.

Het bedrijf ging uiteindelijk failliet, en natuurlijk was dat de schuld van de advocaten. Niet één keer gaf mijn vader toe dat slechte bedrijfsvoering er misschien ook iets mee te maken had.

Hij zocht troost in de drank en werd steeds depressiever. Jarenlang had hij geen vaste baan, tot mijn grote ergernis, omdat ik nu als ober moest werken en pizza's moest rondbrengen om mijn studie te kunnen bekostigen. De eerste vier jaar dat ik het huis uit was, heb ik misschien twee keer met mijn vader gesproken. De dag nadat ik mijn propaedeuse had gehaald, kwam ik trots naar huis om het goede nieuws te vertellen. Later hoorde ik van mijn moeder dat hij een week in bed was gebleven.

Kort na mijn triomfantelijke bezoekje wilde hij een lamp in de bijkeuken verwisselen (ik zweer dat het de waarheid is), toen het trapje het begaf en hij op zijn hoofd viel. Hij kwam in een verpleeghuis terecht en lag een jaar in coma voordat iemand zo menselijk was de stekker eruit te trekken.

Een paar dagen na de begrafenis stelde ik voor de fabrikant van het trapje aansprakelijk te stellen, maar mijn moeder had daar geen zin in. Ik heb altijd vermoed dat hij dronken was toen hij viel. En omdat hij niets verdiende, had zijn leven volgens ons rechtssysteem weinig economische waarde.

Hij had wel een levensverzekering, die mijn moeder het geweldige bedrag van vijftigduizend dollar uitkeerde. Later hertrouwde ze. Weer met zo'n sukkel. Hij is een simpele kerel, mijn stiefvader – een gepensioneerde postbeambte uit Toledo. Het grootste deel van hun tijd trekken ze rond in een camper en doen ze aan volksdansen. Ik houd afstand. Mijn moeder heeft me geen cent van het geld aangeboden. Ze had het zelf hard nodig, zei ze. En ik niet, omdat ik inmiddels had bewezen dat ik heel goed van niets kon leven. Bovendien zou ik als advocaat genoeg verdienen. Haar financiële toekomst zag er veel minder rooskleurig uit. Ik weet zeker dat Hank, haar nieuwe echtgenoot, haar die adviezen had ingefluisterd. Onze wegen zullen elkaar nog wel eens kruisen – die van mij en Hank.

In mei, over een maand, studeer ik af en in juni doe ik mijn rechtbankexamen. Ik zal niet als de beste van mijn jaar eindigen, maar ik zit wel bij de bovenste helft. Het enige slimme wat ik de afgelopen drie jaar heb gedaan was de lastigste tentamens zo snel mogelijk af te leggen, zodat ik het dit laatste semester wat rustiger aan kan doen. De colleges die ik nu nog moet volgen zijn echt een aanfluiting: sportwetgeving, kunstwetgeving, capita uit het Napoleontisch recht, en (mijn favoriete onderwerp) ouderenrecht.

Vanwege dat laatste college zit ik nu hier op een gammele stoel achter een wrakke klaptafel in een heet en vochtig plaatijzeren gebouw, met een bont gezelschap 'senioren', zoals ze zichzelf graag noemen. Boven de enige zichtbare deur hangt een handgeschilderd naambordje met de tekst SENIORENCENTRUM DE CIPRESSENTUIN hoewel er in de wijde omgeving geen boom, bloem of plant te bekennen is. De saaie muren zijn kaal, afgezien van een oude, verbleekte foto van Ronald Reagan in een hoek tussen twee zielige kleine vlaggen, de 'Stars and Stripes' en de vlag van Tennessee. Het is een klein en somber gebouw, haastig neergezet van een paar dollar onverwacht subsidiegeld. Ik zit wat te tekenen op een notitieblok, bang om naar de oudjes te kijken die langzaam oprukken in hun klapstoeltjes.

Het zijn er minstens vijftig, een gelijk aantal blanken en zwarten met een gemiddelde leeftijd van minstens vijfenzeventig – sommigen blind, een stuk of twaalf in een rolstoel, en de meesten met een gehoorapparaat. We hadden gehoord dat ze hier elke dag om een uur of twaalf bijeenkwamen voor een warme maaltijd, een paar liedjes, en zo nu en dan een bezoekje van een wanhopige politicus op verkiezingstoernee. Na een gezellig sa-

menzijn gaan ze dan weer naar huis en tellen de uren tot ze mogen terugkomen. Volgens onze professor is dit het hoogtepunt van hun dag.

We hadden de fout gemaakt om nog op tijd te komen voor de lunch. Met
ons vieren kregen we een plaatsje op de hoek van de tafel, samen met onze leider, professor Smoot. Belangstellend keken de oudjes toe hoe we in
de plastic kip met bevroren erwten prikten. Ik had een geel puddinkje,
dat de aandacht trok van een baardige oude geit die op het borstzakje
van zijn vuile overhemd een naamplaatje droeg met 'Hallo, mijn naam is
Bosco'. Hij begon te smakken en ik bood hem meteen mijn puddinkje
aan, samen met de kip, maar juffrouw Birdie Birdsong greep hem in zijn
kraag en duwde hem ruw in zijn stoel terug. Juffrouw Birdsong is een jaar
of tachtig, maar nog heel vief voor haar leeftijd, en ze treedt op als moeder, dictator en uitsmijter van het seniorencentrum. Ze bespeelt de menigte als een ervaren hoofdzuster, deelt schouderklopjes uit, smoest met
de andere blauwharige dametjes, lacht met een schrille stem en houdt een
oogje op Bosco, de schavuit van het stel. Bestraffend zei ze dat hij niet om
mijn puddinkje mocht bedelen, maar ze zette later toch een extra schaaltje met gele stopverf voor zijn stralende ogen neer. Hij werkte het met zijn
korte, dikke vingers naar binnen.

Een uur verstreek. De lunch telde zeven gangen en de oudjes aten alsof
het hun laatste maaltijd was. Trillend bewogen de messen en vorken zich
naar hun mond, op en neer, in en uit, alsof ze edelmetaal naar binnen
schepten. De tijd speelde hier geen enkele rol. Ze schreeuwden tegen elkaar als er woorden bij hen opkwamen. Ze morsten en lieten hun eten op
de grond vallen totdat ik het niet langer aan kon zien. Toch at ik alles op,
zelfs mijn puddinkje. Jaloers volgde Bosco al mijn bewegingen. Juffrouw
Birdie fladderde door de zaal, tsjilpend over van alles en nog wat.

Professor Smoot, een klungelige intellectueel met een scheef strikje, warrig haar en rode bretels, zat erbij met de voldaanheid van iemand die
heerlijk heeft gegeten. Welwillend liet hij zijn blik over de menigte dwalen. Hij is een vriendelijke man van voor in de vijftig, maar hij gedraagt
zich net als Bosco en zijn makkers. Al twintig jaar geeft hij de sociale colleges die niemand anders wil doceren en die maar weinig studenten inte-
resseren: jeugdwetgeving, gehandicaptenrecht, geweld binnen het gezin,
geesteszieken en hun problemen, en natuurlijk 'mummelrecht', zoals dit
college achter zijn rug steevast wordt genoemd. Ooit kwam hij met een
college over de rechten van de ongeboren vrucht, maar dat leidde tot heftige reacties, waarop professor Smoot haastig een paar maanden vrij
nam.

De allereerste keer had hij ons al uitgelegd dat het zijn bedoeling was ons
te confronteren met èchte mensen met èchte juridische problemen. Hij
gaat ervan uit dat alle studenten met een zeker idealisme aan hun studie

beginnen en graag de gemeenschap willen dienen, maar dat iedereen na drie jaar van keiharde concurrentie alleen nog geïnteresseerd is in een goede baan bij een goede firma, waar je het binnen zeven jaar tot maat kunt schoppen om het grote geld binnen te halen. Daar heeft hij gelijk in. Het college is niet verplicht. We begonnen met elf studenten, maar na een maand van saaie colleges en Smoots voortdurende aansporingen om de kapitalistische maatschappij af te zweren en pro deo te gaan werken, waren er nog maar vier over. Het is een waardeloos college, en het telt slechts voor twee uur, maar je hoeft er bijna geen werk voor te doen. Dat was ook de reden waarom ik het had gekozen. Maar als ik nog langer dan een maand zou moeten doorgaan, had ik er ook de brui aan gegeven. Op dit moment heb ik schoon genoeg van mijn rechtenstudie – en grote twijfels aan de praktische toepassing ervan.

Dit is mijn eerste confrontatie met echte cliënten, en ik ben doodsbang. Oud en zwak als ze zijn, staren ze me aan alsof ik de wijsheid in pacht heb. Ik ben immers bijna advocaat, ik draag een donker pak, ik heb een gewichtig notitieboek bij me waarin ik vierkantjes en cirkels teken, en ik trek een bijzonder intelligent gezicht. Dus móet ik hen wel kunnen helpen. Naast me aan onze klaptafel zit Booker Kane, een zwarte jongen die mijn beste studievriend is. Hij is net zo benauwd als ik. We hebben kaartjes voor ons staan waarop met zwarte viltstift onze namen zijn geschreven: Booker Kane en Rudy Baylor. Dat ben ik. Naast Booker is het podium waarachter juffrouw Birdie zit te gillen, en aan de andere kant staat nog een tafel met de naamkaartjes van F. Franklin Donaldson de Vierde, een verwaande etter die nu al drie jaar met zijn initialen en zijn volgnummer loopt te pronken. Naast hem zit een echt kreng, N. Elizabeth Erickson, een stoere meid die streepjespakken en zijden dassen draagt en die zwaar gefrustreerd is. Veel studenten verdenken haar ervan dat ze herenondergoed draagt.

Smoot staat tegen de muur achter ons. Juffrouw Birdie leest de boodschappen voor. Ziekenhuisberichten en overlijdensadvertenties. Ze gilt in een microfoon met een versterker die bijzonder goed werkt. In de vier hoeken van de zaal hangen grote speakerboxen en haar stem dreunt van alle kanten op ons toe. Mensen tikken op hun gehoorapparaatjes en halen ze uit hun oor. Iedereen is opeens klaarwakker. Vandaag zijn er drie overledenen te betreuren. Als juffrouw Birdie eindelijk is uitgesproken, zie ik wat traantjes onder het publiek. God, laat mij dit nooit gebeuren. Geef me nog vijftig jaar werk en plezier, en dan een snelle dood in mijn slaap.

Links tegen de muur komt de pianiste in actie en zet haar bladmuziek tegen het houten rekje op de piano. Juffrouw Birdie ziet zichzelf als een soort politieke commentator. Midden in haar tirade tegen de voorgestelde verhoging van de BTW ramt de pianiste haar handen op de toetsen. *America the Beautiful*, geloof ik. Met een woest genot slingert ze de openingsmaten de zaal in. De oudjes grijpen hun liederenboekjes en wachten op het eerste couplet. Juffrouw Birdie past zich bliksemsnel aan en neemt de rol van koordirigente op zich. Ze steekt haar armen omhoog, klapt in haar handen om de aandacht te trekken en begeleidt het gezang met wilde armgebaren. Wie nog op zijn benen kan staan, komt langzaam overeind.

Bij het twee couplet neemt het gejank al af. De woorden zijn minder bekend en de meesten van die arme stumpers zijn bijziend en kunnen de tekst niet meer lezen. Bosco's mond klapt dicht, maar hij blijft luid naar het plafond neuriën.

De piano stopt abrupt als de bladmuziek van het rekje valt en de bladen over de vloer dwarrelen. Einde van het gezang. Ze staren naar het podium als de pianiste – God zegene haar – wild om zich heen grijpt naar het muziekpapier aan haar voeten.

'Dank u!' gilt juffrouw Birdie in de microfoon en iedereen laat zich met een klap weer op zijn stoel vallen. 'Dank u. Muziek is zoiets heerlijks. Laten we God danken voor die prachtige muziek.'

'Amen!' brult Bosco.

'Amen,' herhaalt een ander relikwie met een knikje vanaf de achterste rij. 'Dank u,' zegt juffrouw Birdie nog eens. Ze draait zich om en glimlacht naar Booker en mij. We buigen ons naar voren op onze ellebogen en staren naar de menigte. 'En nu de rest van ons programma,' vervolgt ze op dramatische toon. 'We zijn zeer verheugd dat we weer een beroep mogen doen op professor Smoot met zijn slimme en knappe studenten.' Ze zwaait naar ons met een slap handje en glimlacht haar grauwe, gele tanden bloot tegen Smoot, die zachtjes naar haar toe is gelopen en nu naast haar staat. 'Zijn ze niet knap?' vraagt ze, wuivend in onze richting. 'Zoals u weet,' vervolgt juffrouw Birdie in de microfoon, 'doceert professor Smoot rechten aan de staatsuniversiteit van Memphis. Daar heeft mijn jongste zoon ook gestudeerd, moet u weten, hoewel hij zijn studie niet heeft afgemaakt. Ieder jaar komt professor Smoot met een paar van zijn studenten hiernaartoe om naar uw juridische problemen te luisteren en een goed advies te geven – dat ook nog gratis is.' Ze draait zich om en werpt Smoot weer een weke glimlach toe. 'Professor Smoot, uit naam van onze hele groep heet ik u opnieuw welkom in de Cipressentuin. We danken u voor uw interesse in de problemen van onze senioren. Nogmaals dank. We houden van u.'

Ze stapt van het podium af, begint luid te applaudisseren en gebaart naar de anderen dat ze haar voorbeeld moeten volgen. Maar niemand klapt, zelfs Bosco niet.

'Hij is een doorslaand succes,' mompelt Booker.

'Ja, ze zijn dol op hem,' fluister ik terug. Ze zitten hier nu al tien minuten, ze hebben hun eten op en ik zie de oogleden zwaar worden. Tegen de tijd dat Smoot zijn zegje heeft gedaan, is iedereen allang in slaap gevallen.

De professor loopt naar het podium, stelt de microfoon wat hoger, schraapt zijn keel en wacht tot juffrouw Birdie haar plaats op de voorste rij weer heeft ingenomen. Terwijl ze gaat zitten, sist ze nijdig tegen een bleke man naast haar: 'Jullie hadden moeten klappen!' Hij hoort haar niet.

'Dank u, juffrouw Birdie,' piept Smoot. 'Wij komen altijd graag naar de Cipressentuin.' Zijn stem klinkt oprecht en ik ben ervan overtuigd dat professor Howard L. Smoot het inderdaad een voorrecht vindt dat hij hier nu staat, in dit deprimerende gebouw, voor dat trieste groepje bejaarden, met de vier studenten die hij nog over heeft. Smoot leeft voor deze momenten.

Hij stelt ons voor. Ik sta haastig op, met een lachje, en laat me met een intelligente frons in mijn stoel terugzakken. Smoot spreekt over gezondheidszorg, bezuinigingen, testamenten, belastingvrijstellingen, mishandeling en verzekeringen. Eén voor één sukkelen de oudjes in slaap. Mazen in de sociale voorzieningen, nieuwe wetgeving, verpleeghuizen, bestemmingsplannen, wondermedicijnen... Smoot gaat maar door, net als op college. Ik begin te geeuwen en voel me ook slaperig worden. Bosco kijkt om de tien seconden op zijn horloge.

Eindelijk nadert Smoot het eind van zijn betoog. Hij bedankt juffrouw Birdie en het publiek nog eens, belooft dat hij volgend jaar – en het jaar daarop – terug zal komen en gaat weer aan het einde van de tafel zitten. Juffrouw Birdie klapt twee keer in haar handen, maar geeft de moed dan op. Niemand verroert een vin. De helft zit al te snurken.

Juffrouw Birdie wijst naar ons en roept: 'Daar zitten ze! Ze kunnen u helpen en ze zijn gratis.'

Aarzelend en verlegen komen ze naar ons toe. Bosco is de eerste van de rij. Blijkbaar heeft hij nog de pest in over de pudding, want hij kijkt me nijdig aan en loopt dan door naar N. Elizabeth Erickson. Iets zegt me dat hij niet de laatste is die mijn tafeltje voorbij zal lopen. Een bejaarde zwarte man kiest Booker als zijn advocaat en ze steken de koppen bij elkaar. Ik probeer niet mee te luisteren. Iets over een ex-echtgenote en een echtscheiding van jaren geleden die wel of niet officieel bekrachtigd is. Booker maakt aantekeningen als een echte advocaat en luistert aandachtig, alsof hij precies weet wat hij moet doen.

In elk geval heeft hij een cliënt. Ik blijf vijf minuten moederziel alleen en voel me nogal onnozel, terwijl mijn medestudenten aandachtig luisteren, fluisterend advies geven en meelevend hun hoofd schudden bij het aanhoren van de problemen.

Mijn eenzame positie blijft niet onopgemerkt. Eindelijk pakt juffrouw Birdie Birdsong haar tasje, haalt er een envelop uit en komt naar me toe. 'Jou wilde ik juist spreken,' fluistert ze terwijl ze haar stoel naar de hoek van de tafel schuift. Ze buigt zich naar me toe op hetzelfde moment dat ik naar links buig. Onze hoofden botsen bijna tegen elkaar.

Als ik aan mijn eerste gesprek als juridisch adviseur begin, zie ik nog net dat Booker met een boosaardig lachje mijn kant op kijkt.

Mijn eerste gesprek... De vorige zomer heb ik als assistent op een klein kantoor in de stad gewerkt. Twaalf advocaten die strikt op uurbasis werkten. Geen vaste tarieven. Daar heb ik de kunst van het uren schrijven geleerd, met als belangrijkste regel dat een advocaat van 's ochtends vroeg tot 's avonds laat in gesprek is. Gesprekken met cliënten, gesprekken via de telefoon, gesprekken met collega's, medewerkers, advocaten van de tegenpartij, rechters en verzekeringsexperts, gesprekken bij de lunch, gesprekken op de rechtbank, vergaderingen, schikkingen, voorbesprekingen, nabesprekingen. Wat het onderwerp ook mag zijn, advocaten houden overal een bespreking over.

Juffrouw Birdie kijkt om zich heen. Dit wordt een serieus en vertrouwelijk gesprek en ze wil niet dat er iemand meeluistert. Mij best. Ik heb liever ook niet dat iemand mijn halfslachtige en onnozele adviezen hoort. 'Lees dit eens,' zegt ze. Ik pak de envelop aan en maak hem open. Halleluja! Een testament. De laatste wilsbeschikking van Colleen Janiece Barrow Birdsong. Smoot had ons al gezegd dat meer dan de helft van deze cliënten zijn testament zou willen herzien en aanpassen, en dat komt goed uit, want vorig jaar hebben we een verplicht college erfrecht gevolgd en dus voelen we ons wel opgewassen tegen dat soort problemen. Testamenten zijn vrij simpele documenten, waar zelfs een onervaren jurist zich geen buil aan kan vallen.

Dit is een officieel, keurig getypt stuk. In de eerste twee alinea's lees ik dat juffrouw Birdie weduwe is, met twee kinderen en een hele sloot kleinkinderen. Bij de derde alinea valt mijn mond bijna open. Ik lees hem nog eens door. Ze glimlacht zelfvoldaan. Het testament geeft haar executeur de volmacht om haar beide kinderen elk de som van twee miljoen dollar toe te wijzen, met een fonds van één miljoen voor ieder van de kleinkinderen. Ik tel ze, langzaam. Acht kleinkinderen. Dat maakt een totaal van minstens twaalf miljoen dollar.

'Lees maar verder,' fluistert ze, alsof ze de kassa in mijn hoofd hoort rinkelen. Bookers cliënt, de oude zwarte man, zit te huilen. Kennelijk gaat het om een huwelijk dat jaren geleden is stukgelopen. Zijn kinderen hebben de man verwaarloosd. Ik probeer niet mee te luisteren, maar dat is onmogelijk. Booker maakt fanatiek aantekeningen en probeert de tranen te negeren. Aan de andere kant van de tafel zit Bosco luid te lachen.

In de vijfde alinea van het testament wordt nog eens drie miljoen dollar nagelaten aan een kerk, en twee miljoen aan een universiteit. Dan volgt een lijst van goede doelen, te beginnen met de diabetesvereniging en eindigend met de dierentuin van Memphis. Naast iedere naam staat een bedrag; vijftigduizend dollar is het laagste. Fronsend maak ik een tweede berekening en stel vast dat juffrouw Birdie ongeveer twintig miljoen dollar waard moet zijn.

Toch klopt er iets niet. Om te beginnen is dit testament veel te dun. Juffrouw Birdie is rijk, en rijke mensen hebben geen dun, eenvoudig testament. Die laten een dik, uitvoerig testament opmaken, met allerlei fondsen, beheerders, ingewikkelde clausules en voorwaarden die zijn opgesteld door dure advocaten van grote kantoren.

'Wie heeft dit opgesteld?' vraag ik. Het is een blanco envelop, en nergens zie ik de naam van een notaris of een advocaat.

'Mijn vroegere advocaat, maar die is nu dood.'

'Gelukkig maar. Hij heeft een wanprestatie gepleegd toen hij dit testament voor u schreef.'

Dus dit lieve dametje met haar grauwe, gele tanden en haar zangerige stem bezit een kapitaal van twintig miljoen dollar. En blijkbaar heeft ze niet eens een advocaat. Ik kijk haar even aan en geef het testament weer terug. Ze draagt geen dure kleren en diamanten of gouden sieraden, en aan haar kapsel is ook niet veel tijd of geld besteed. De jurk is goedkope confectie en de versleten rode blazer komt waarschijnlijk van een postorderbedrijf. Ik heb wel eens vaker rijke oude dametjes ontmoet, en meestal herken je ze al van verre.

Het testament is bijna twee jaar oud. 'Wanneer is uw advocaat overleden?' vraag ik poeslief. We zitten nog steeds naar elkaar toe gebogen, bijna neus aan neus.

'Vorig jaar. Kanker.'

'En sinds die tijd hebt u geen advocaat meer?'

'Anders zat ik nu niet met jou te praten, is het wel, Rudy? Een testament is niet zo ingewikkeld. Ik dacht dat je daar wel verstand van had.'

Hebzucht is een vreemd verschijnsel. Ik loop nog stage, maar op 1 juli begin ik bij Brodnax & Speer, een saai en stijf advocatenkantoor met vijftien juristen die weinig anders doen dan verzekeringsmaatschappijen vertegenwoordigen bij schadeclaims. Het is niet wat ik op het oog had, maar Brodnax & Speer waren de enigen die me wilden hebben. Als ik daar een paar jaar blijf om het vak te leren, kan ik misschien wat anders vinden. Wat zouden die kerels bij Brodnax & Speer onder de indruk zijn als ik meteen al een cliënt van twintig miljoen dollar binnenbracht! Dan ben ik in één klap de *rainmaker*, het jonge talent met de gouden handjes. Misschien zou ik zelfs om een groter kantoor kunnen vragen.

14

'Natuurlijk heb ik er verstand van,' zeg ik sullig. 'Maar het gaat om erg veel geld, en ik...'

'Ssst!' sist ze scherp en buigt zich nog verder naar me toe. 'Zeg alsjeblieft niks over dat geld.' Ze kijkt schichtig om zich heen, alsof er een bende dieven achter haar staat. 'Daar wil ik niet over praten,' zegt ze.

'Oké. Mij best. Maar misschien kunt u beter een belastingadviseur in de arm nemen.'

'Dat zei mijn vorige advocaat ook, maar daar heb ik geen zin in. De ene adviseur of de andere, wat maakt het uit? Een advocaat is een advocaat, en een testament is een testament.'

'Dat is waar, maar u zou heel wat belasting kunnen besparen als u uw erfenis anders zou regelen.'

Ze schudt haar hoofd alsof ik geschift ben. 'Ik zou geen cent besparen.'

'Neemt u me niet kwalijk, maar daar vergist u zich in.'

Ze legt haar bruingevlekte hand op mijn pols en fluistert: 'Rudy, ik zal het je uitleggen. De belasting is niet belangrijk, omdat ik dan al dood ben. Begrijp je?'

'Eh, jawel. Maar uw erfgenamen dan?'

'Daar gaat het juist om. Ik ben kwaad op mijn erfgenamen en ik wil ze uit mijn testament schrappen. Allebei mijn kinderen en de meesten van mijn kleinkinderen. Weg ermee. Ze krijgen geen cent. Begrijp je? Helemaal niets. Zelfs de meubels niet. Niks.'

Opeens verharden haar ogen zich en trekken de rimpels om haar mond zich samen. Ze knijpt me stevig in mijn pols, zonder het te merken. Heel even is juffrouw Birdie niet alleen kwaad, maar ook gekwetst.

Aan de andere kant van de tafel is een discussie ontstaan tussen Bosco en N. Elizabeth Erickson. Bosco gaat tekeer tegen het ziekenfonds en de Republikeinen, terwijl Erickson op een vel papier wijst en hem probeert uit te leggen waarom bepaalde doktersrekeningen niet worden vergoed. Smoot komt langzaam overeind, loopt naar hen toe en vraagt of hij misschien kan helpen.

Bookers cliënt probeert wanhopig zich te beheersen, maar de tranen stromen over zijn wangen en Booker krijgt het er steeds moeilijker mee. Hij verzekert de oude heer dat hij, Booker Kane, de zaak zal onderzoeken om het probleem uit de wereld te helpen. De airconditioning slaat aan en overstemt een deel van de gesprekken. De borden en kopjes zijn afgeruimd en er worden allerlei spelletjes gedaan: halma, pesten, bridge en een of ander bordspel met dobbelstenen. Gelukkig zijn de meeste mensen hier voor het eten en de gezelligheid, niet voor juridisch advies.

'Waarom wilt u hen onterven?' vraag ik.

Ze laat mijn arm los en wrijft in haar ogen. 'Dat is nogal persoonlijk. Dat zeg ik liever niet.'

'Goed. Wie moet het geld dan krijgen?' vraag ik en opeens voel ik me dronken door de macht die ik nu heb om de magische formules op te stellen waarmee ik van gewone mensen miljonairs kan maken. Mijn warme glimlach is zo vals als wat. Ik hoop dat ze het niet merkt.

'Ik weet het eigenlijk niet,' zegt ze peinzend en ze kijkt om zich heen alsof dit ook een spelletje is. 'Ik weet niet aan wie ik het dan zou moeten nalaten.'

Wat dacht je van een miljoen voor mij? Texaco kan me nu ieder moment aanklagen voor vierhonderd dollar. We hebben de onderhandelingen gestaakt en hun advocaat heeft me al geschreven. Mijn huisbaas dreigt me de deur uit te zetten omdat ik al twee maanden geen huur heb betaald. En nu zit ik hier te praten met de rijkste vrouw die ik ooit heb ontmoet – een vrouw die niet zo lang meer te leven heeft en die niet weet aan wie ze haar geld moet nalaten.

Ze geeft me een vel papier met vier namen in blokletters, keurig onder elkaar. 'Dat zijn de kleinkinderen die ik wil beschermen,' zegt ze. 'Die houden nog van me.'

Ze houdt haar hand voor haar mond, buigt zich naar mijn oor en zegt: 'Geef die elk maar een miljoen dollar.'

Mijn hand trilt als ik een aantekening maak. Verdomme! Met één pennestreek heb ik vier miljonairs geschapen. 'En de anderen?' vraag ik zacht.

Ze deinst terug, recht haar rug en zegt: 'Geen cent. Ze bellen me nooit op en ze sturen me nooit een cadeautje of een kaartje. Schrap ze maar uit het testament.'

Als ik een oma had die twintig miljoen bezat, zou ik haar elke week bloemen sturen, iedere twee dagen een kaartje, chocolaatjes als het regende en champagne als de zon scheen. Ik zou haar iedere ochtend bellen en 's avonds nog twee keer. Ik zou elke zondag met haar naar de kerk gaan en hand in hand met haar naar de dominee luisteren. En na de brunch gingen we naar een veiling, een toneelstuk, een expositie of waar ze maar heen wilde. Nee, ik zou mijn grootmoeder niet verwaarlozen. Beslist niet. En ik overweeg sterk om ook naar juffrouw Birdie om te zien.

'Goed,' zeg ik plechtig, alsof ik dit al heel vaak heb gedaan. 'En uw twee kinderen wilt u ook schrappen?'

'Dat zei ik toch? Geen cent krijgen ze.'

'Wat hebben zíj u misdaan, als ik vragen mag?'

Ze slaakt een diepe zucht van frustratie en rolt met haar ogen alsof ze geen zin heeft om het me te vertellen. Maar dan leunt ze op haar ellebogen naar voren en vertelt het me toch. 'Nou,' fluistert ze, 'Randolph, de oudste, is bijna zestig. Hij is kort geleden voor de derde keer getrouwd, met een kleine slet die steeds maar naar het geld vraagt. Als ik het aan

hem nalaat, krijgt zij het ten slotte toch in handen, en daarom geef ik het nog liever aan jou, Rudy, dan aan mijn eigen zoon. Of voor mijn part aan professor Smoot, of wie dan ook. Maar niet aan Randolph. Begrijp je?'
Mijn hart staat stil. Bijna... bijna heb ik mijn grote slag geslagen. Met mijn allereerste cliënt. Dit is heel wat beter dan Brodnax & Speer en die eindeloze besprekingen die me te wachten staan.
'U kunt het niet aan mij nalaten, juffrouw Birdie,' zeg ik met mijn charmantste glimlach. Mijn ogen... en waarschijnlijk ook mijn lippen, mijn mond en mijn neus... smeken haar om ja te zeggen. Ja, verdomme! Het is míjn geld en ik kan het nalaten aan wie ik maar wil. En als ik het aan jou wil geven, Rudy, dan mag jc het hebben!
In plaats daarvan zegt ze: 'De rest gaat naar dominee Kenneth Chandler. Ken je hem? Hij is vaak op de televisie, vanuit Dallas, en hij doet geweldige dingen met onze giften. Overal op de wereld bouwt hij huizen, geeft hij kinderen te eten en onderwijst hij het evangelie. Daarom wil ik mijn geld aan hèm nalaten.'
'Een televisiepredikant?'
'O, hij is veel meer dan een predikant. Hij is een leermeester, een staatsman en een raadgever. Hij heeft met ieder staatshoofd gedineerd. En bovendien is het een schattige man, met van die grijze krulletjes. Hij is nog te jong om al grijs te zijn, maar hij wil zijn haar niet verven.'
'Natuurlijk niet. Maar...'
'Een paar avonden geleden belde hij me op. Stel je voor! Die mooie stem van de televisie. Door de telefoon klonk hij nog verleidelijker, als je begrijpt wat ik bedoel.'
'Ja, ik geloof het wel. Waarom belde hij u?'
'Nou, toen ik hem mijn bijdrage voor maart stuurde, had ik er een briefje bij gedaan om hem te vertellen dat ik erover dacht mijn testament te wijzigen omdat mijn kinderen me zo lelijk in de steek hadden gelaten. Ik schreef hem dat ik hem misschien wat geld voor zijn goede werk wilde nalaten. Nog geen drie dagen later belde hij me, zo enthousiast, zo vol van zichzelf. Hij vroeg me om hoeveel geld het ging. Ik noemde een globaal bedrag en sindsdien belt hij me steeds. Hij wou zelfs met zijn Lear Jet hiernaartoe vliegen als ik dat wilde.'
Ik zoek naar woorden. Smoot heeft Bosco bij zijn arm gegrepen en probeert hem te kalmeren en hem weer op zijn stoel te duwen tegenover N. Elizabeth Erickson, die opeens niet meer zo zelfverzekerd is en het liefst door de grond zou zakken. Ze kijkt snel om zich heen en ik grijns even tegen haar, zodat ze weet dat het niet onopgemerkt is gebleven. Naast haar is F. Franklin Donaldson de Vierde in druk gesprek gewikkeld met een bejaard echtpaar. Zo te zien gaat het ook over een testament. Maar ik weet zeker dat ik over heel wat meer geld zit te praten dan hij.

Ik besluit het over een andere boeg te gooien. 'Eh, juffrouw Birdie, u zei dat u twee kinderen hebt. Randolph en...'

'En Delbert, ja. Die kun je ook wel vergeten. Ik heb al drie jaar niets meer van hem gehoord. Hij woont in Florida. Schrap hem maar uit het testament. Weg ermee.'

Ik zet een streep en Delbert is zijn miljoenen kwijt.

'Ik moet even naar Bosco toe,' zegt ze abrupt en ze springt overeind. 'Hij is zo'n zielig mannetje. Geen familie en geen vrienden, behalve ons.'

'We zijn nog niet klaar,' zeg ik.

Ze buigt zich weer dicht naar me toe. 'Jawel, Rudy. Doe maar gewoon wat ik zei. Een miljoen voor die vier kleinkinderen en de rest voor Kenneth Chandler. Verder blijft het zoals het is: de executeur, de fondsen, de beheerders. Heel simpel, Rudy. Ik doe het zo vaak. Professor Smoot zegt dat je het binnen twee weken kunt laten uittypen. Dat is toch zo.'

'Eh, ja.'

'Mooi zo. Dan zie ik je wel weer, Rudy.' Ze loopt haastig naar het eind van de tafel en slaat haar arm om Bosco heen, die meteen kalmeert en onschuldig om zich heen kijkt.

Ik bestudeer het testament en maak aantekeningen. Ik ben blij dat ik de hulp van professor Smoot en anderen kan inroepen en dat ik nog twee weken heb om te beslissen wat ik moet doen. Dit gaat zo niet, houd ik mezelf voor. Dit leuke dametje met haar twintig miljoen heeft betere adviezen nodig dan ik haar kan geven. Iemand moet een testament voor haar opstellen dat zíj misschien niet begrijpt, maar de belastingdienst wel. Ik voel me niet echt stom, maar gewoon te onervaren. Na drie jaar rechtenstudie besef ik heel goed hoe weinig ik nog weet.

Bookers cliënt probeert dapper zijn emoties in bedwang te houden, maar zijn advocaat weet niets meer te zeggen. Hij maakt wat aantekeningen en bromt zo nu en dan ja of nee. Ik kan nauwelijks wachten om hem te vertellen over juffrouw Birdie en haar fortuin.

Mijn blik dwaalt over de slinkende menigte en op de tweede rij zie ik een echtpaar dat mijn kant uit kijkt. Op dat moment ben ik de enige die vrij is, maar ze schijnen nog te aarzelen of ze hun geluk met mij willen beproeven. De vrouw heeft een dikke stapel papieren bij zich, met elastiekjes eromheen. Ze mompelt iets tegen haar man, die zijn hoofd schudt alsof hij liever op een van die andere slimme jonge advocaten wacht.

Maar dan staan ze langzaam op en komen mijn richting uit. Ze staren me allebei aan. Ik glimlach. Welkom op mijn kantoor.

Zij gaat zitten op de stoel van juffrouw Birdie. Hij neemt de stoel aan de andere kant en blijft op afstand.

'Hallo,' zeg ik met een lachje en een uitgestoken hand. Hij geeft me een slap handje en ik richt me tot haar. 'Ik ben Rudy Baylor.'

'Ik ben Dot en hij is Buddy,' zegt ze met een knikje naar Buddy. Ze negeert mijn uitgestoken hand.

'Dot en Buddy,' herhaal ik. Ik noteer hun namen. 'En uw achternaam?' vraag ik met de warmte van een ervaren raadsman.

'Black. Dot en Buddy Black. Eigenlijk heten we Marvarine en Willis Black, maar iedereen noemt ons Dot en Buddy.' Dots haar is gepermanent en aan de bovenkant zilvergrijs geverfd. Het ziet er schoon uit. Ze draagt goedkope witte gympen, bruine sokken en een te wijde spijkerbroek. Ze is een magere, pezige vrouw die zich niet snel uit het veld laat slaan.

'Adres?' vraag ik.

'Squire 863, in Granger.'

'Wat doet u voor werk?'

Buddy heeft zijn mond nog niet opengedaan en ik krijg de indruk dat Dot al jarenlang het woord doet. 'Ik heb een WAO-uitkering,' zegt ze. 'Ik ben pas achtenvijftig, maar ik heb een hartkwaal. Buddy heeft een klein pensioen.'

Buddy staart me aan. Hij draagt een bril met dikke glazen. De plastic poten reiken maar nauwelijks tot aan zijn oren. Zijn wangen zijn rood en vlezig. Hij heeft warrig grijs haar met nog een zweem van bruin. Het lijkt al in geen week gewassen. Hij draagt een rood-zwart geruit overhemd, nog vuiler dan zijn haar.

'En hoe oud is meneer Black?' vraag ik haar, niet zeker wetend of hij wel antwoord zal geven als ik het hem zou vragen.

'Geen meneer. Daar houden we niet van. Zeg maar gewoon Buddy, oké? Hij is tweeënzestig. Mag ik wat zeggen?'

Ik knik haastig. Buddy kijkt naar Booker aan de andere kant van de tafel.

'Hij is niet helemaal goed,' fluistert ze met een knikje in Buddy's richting. Ik kijk hem aan. Hij kijkt terug.

'Een oorlogsverwonding,' zegt ze. 'Korea. Kent u die metaaldetectoren die ze op een vliegveld gebruiken?'

Ik knik weer.

'Als hij daar poedelnaakt voorbij zou lopen, zou zo'n ding nog gaan rinkelen.'

Buddy's overhemd is tot op de draad versleten en de knopen springen er bijna af, zo strak spant het over zijn dikke buik. Hij heeft minstens twee onderkinnen. In gedachten zie ik een poedelnaakte Buddy op het vliegveld van Memphis langs de controle lopen terwijl het alarm afgaat en de bewakers in paniek op hem afstormen.

'Hij heeft een plaat in zijn hoofd,' licht ze toe.

'Wat... wat erg,' fluister ik terug, en ik noteer dat meneer Buddy Black een plaat in zijn hoofd heeft. Meneer Black draait zich naar links en staart nijdig naar Bookers cliënt, een meter bij hem vandaan.

Opeens schiet ze naar voren. 'En nog iets,' zegt ze. Vol verwachting buig ik me naar haar toe. 'Ja?'

'Hij heeft een drankprobleem.'

'Ach nee.'

'Maar dat komt ook door die oorlogswond,' zegt ze behulpzaam. Binnen drie minuten heeft deze vrouw haar man tot een imbeciele alcoholist gedegradeerd.

'Is het goed als ik rook?' vraagt ze, rommelend in haar tasje.

'Mag dat hier wel?' vraag ik. Ik kijk om me heen, in de hoop dat er een bordje met NIET ROKEN hangt. Maar ik kan het niet ontdekken.

'Ja hoor.' Ze steekt een sigaret tussen haar gebarsten lippen, geeft zichzelf vuur, rukt de sigaret weer uit haar mond en blaast een rookwolk naar Buddy, die totaal niet reageert.

'Wat kan ik voor u doen?' vraag ik, met een blik op de stapel papieren met de elastiekjes eromheen. Ik schuif het testament van juffrouw Birdie onder mijn notitieblok. Mijn eerste cliënte was een multimiljonaire en nu zit ik tegenover twee WAO-ers. Mijn hoge verwachtingen worden wreed de bodem in geslagen.

'We hebben niet veel geld,' zegt ze zachtjes, alsof het een groot geheim is dat ze liever niet wil prijsgeven. Ik kijk haar meelevend aan. Wat hun financiële situatie ook mag zijn, in elk geval zijn ze rijker dan ik, en waarschijnlijk staan ze niet op het punt te worden aangeklaagd.

'Maar we hebben een advocaat nodig,' vervolgt ze terwijl ze de elastiekjes van de papieren haalt.

'Wat is het probleem?'

'We worden belazerd door een verzekeringsmaatschappij.'

'In welk opzicht?' Ze geeft me de papieren en veegt meteen haar handen af, alsof ze blij is dat ze het probleem aan een wonderdokter kan overlaten. Boven op de stapel ligt een vuile, gekreukte en versleten verzekeringspolis. Dot blaast nog een rookwolk uit en Buddy wordt heel even aan het gezicht onttrokken.

'Het is een ziektekostenpolis,' zegt ze. 'We hebben hem vier jaar geleden afgesloten bij Great Eastern Life, toen onze jongens achttien waren. Maar nu Donny Ray aan leukemie dreigt te sterven, willen die schoften zijn behandeling niet betalen.'

'Great Eastern Life, zeg je?'

'Ja.'

'Nooit van gehoord,' zeg ik zelfverzekerd terwijl ik de polisvoorwaarden doorlees met een houding alsof ik al tientallen van dit soort zaken heb behandeld en alles van verzekeringen weet. Er worden twee verzekerden genoemd, Donny Ray en Ronny Ray Black. Ze zijn op dezelfde dag geboren.

'Sorry dat ik het zeg, maar het is een stelletje tuig.'

'Dat zijn de meeste verzekeringsmaatschappijen,' zeg ik peinzend, en Dot glimlacht. Ik heb haar vertrouwen gewonnen. 'Dus je hebt deze polis vijf jaar geleden afgesloten?'

'Zo ongeveer. Ik heb altijd keurig op tijd mijn premie betaald en we hebben nooit iets gedeclareerd, totdat Donny Ray ziek werd.'

Ik ben student. Ik heb geen ziektekostenverzekering, geen levensverzekering, zelfs geen autoverzekering. Ik kan me niet eens een nieuwe achterband voor mijn aftandse kleine Toyota veroorloven.

'En hij is eh... stervende, zeg je?'

Ze knikt, met de sigaret tussen haar lippen. 'Acute leukemie. Hij heeft het nu negen maanden. De doktoren gaven hem nog een jaar, maar dat redt hij niet eens als hij geen beenmergtransplantatie krijgt. Het is nu toch al te laat, ben ik bang.'

Het duurt even voordat ik haar uitspraak van 'beenmergtransplantatie' begrijp.

'Een transplantatie?' herhaal ik verbaasd.

'Weet je helemaal niets van leukemie?'

'Nee, niet echt.'

Ze klakt met haar tong en rolt met haar ogen alsof ik niet goed wijs ben. Dan neemt ze nog een flinke trek van haar sigaret, blaast de rook uit en zegt: 'Mijn jongens zijn een eeneiige tweeling. Ron... we noemen hem Ron omdat hij een hekel heeft aan Ronny Ray... is dus de ideale donor voor een beenmergtransplantatie bij Donny Ray. Dat zei de dokter. Maar zo'n transplantatie kost ongeveer honderdvijftigduizend dollar. En die hebben we niet. Dat zou de verzekering moeten betalen, want dat staat in de polis. Maar die klootzakken verdommen het. En daarom gaat Donny Ray straks dood.'

Ze weet het probleem kernachtig samen te vatten.

Ik heb al een tijd niet op Buddy gelet, maar hij zit aandachtig te luisteren. Langzaam zet hij zijn bril af en wrijft in zijn ogen met de harige rug van zijn linkerhand. Geweldig. Buddy zit te grienen. Bosco zit te janken aan de overkant en Bookers cliënt heeft weer een aanval van spijt of schuldgevoel en zit te snikken achter zijn knuisten. Smoot staat bij het raam en houdt ons in de gaten. Hij zal zich wel afvragen wat voor advies we die oudjes geven.

'Waar woont hij?' vraag ik om tijd te winnen, zodat ik een paar aantekeningen kan maken en de tranen kan negeren.

'Hij woont nog altijd thuis. Dat is ook een reden waarom de verzekering niet wil betalen. Ze zeggen dat hij nu volwassen is en daarom niet meer

21

onder de dekking valt.'

Ik blader de papieren door en lees een paar brieven van Great Eastern. 'Staat dat in de polis?'

Ze schudt haar hoofd en glimlacht nerveus. 'Welnee, Rudy. Daar staat geen woord over. Ik heb hem al tien keer doorgelezen. Er wordt niets over gezegd, ook niet in de kleine lettertjes.'

'Weet je het zeker?' vraag ik, met nog een blik op de polis.

'Honderd procent. Ik ken die polis uit mijn hoofd.'

'Bij wie hebben jullie hem afgesloten? Wie is de tussenpersoon?'

'Een of andere zak die een keer aanbelde en ons erin heeft geluisd. Hij heette Ott, of zoiets. Een gladde prater. Ik heb al geprobeerd om hem te vinden, maar het schijnt dat hij is verhuisd.'

Ik neem nog een brief van het stapeltje en lees hem door. Hij is verstuurd door een schaderegelaar in Cleveland, een paar maanden na de eerste brief die ik heb gelezen. De claim wordt afgewezen op grond van het feit dat Donny's leukemie al bestond op het moment dat de verzekering werd aangegaan. De kosten komen dus niet in aanmerking voor vergoeding. De polis is vier jaar oud en Donny heeft pas één jaar leukemie. Dat klopt dus niet. 'Hier staat dat Donny al veel langer leukemie zou hebben.'

'Ze hebben alle smoezen gebruikt die ze konden verzinnen, Rudy. Lees alle stukken maar eens goed. Ze komen steeds weer met een nieuw excuus waarom ze niet willen betalen.'

'Zijn beenmergtransplantaties van de dekking uitgesloten?'

'Helemaal niet. We hebben de polis ook aan onze dokter laten zien, en die zei dat Great Eastern moet betalen omdat een beenmergtransplantatie op dit moment een algemeen aanvaarde behandeling is.'

Bookers cliënt wrijft met twee handen over zijn gezicht, staat op en excuseert zich. Hij bedankt Booker en Booker bedankt hem. De oude man gaat aan een tafeltje zitten waar een fanatiek spelletje halma aan de gang is. Juffrouw Birdie heeft N. Elizabeth Erickson eindelijk van Bosco en zijn problemen verlost. Smoot drentelt achter ons heen en weer.

De volgende brief is ook afkomstig van Great Eastern en ziet er op het eerste gezicht net zo uit als alle andere: kort, zakelijk en onaangenaam. De inhoud luidt als volgt: 'Geachte mevrouw Black. Al zeven keer heeft onze maatschappij uw claim schriftelijk afgewezen. Dit is de achtste en laatste keer. U moet wel heel stom zijn. Stom, stom, stom!' De brief is ondertekend door de bureauchef van de afdeling Vergoedingen. Verbijsterd wrijf ik over het in reliëf gedrukte logo boven aan de brief. Vorig jaar herfst heb ik een college verzekeringsrecht gevolgd en ik herinner me nog hoe verbaasd ik was over het schandelijke gedrag van sommige maatschappijen als het op uitbetalen aankomt. Onze gastdocent was een communist die de pest had aan verzekeringsmaatschappijen – aan àlle maatschappijen, trouwens – en ons met veel genoegen had verteld over de onterechte afwijzingen van volstrekt legitieme claims van allerlei verzekerden. Hij was ervan overtuigd dat er nog tienduizenden van zulke zaken bestonden die nooit voor de rechter kwamen. Hij had er boeken over geschreven en had statistieken om aan te tonen dat veel mensen de afwijzing van hun claims zomaar accepteren.

Ik lees de brief nog eens door, terwijl ik weer met mijn vinger over het dure briefhoofd van Great Eastern strijk.

'En jullie hebben trouw de premie betaald?' vraag ik aan Dot.

'Ja. Zonder mankeren.'

'Ik zou graag Donny's medische gegevens willen inzien.'

'De meeste heb ik thuis. Hij is de laatste tijd niet vaak meer bij een dokter geweest. We kunnen het gewoon niet betalen.'

'Weet je de exacte datum waarop er leukemie bij hem werd geconstateerd?'

'Nee, maar dat was in augustus vorig jaar. Hij kon meteen in het ziekenhuis blijven voor zijn eerste chemokuur. Maar toen schreven die oplichters dat ze geen verdere behandeling wilden betalen, en dus werd Donny naar huis gestuurd. Het ziekenhuis zei dat het te duur werd om hem een transplantatie te geven. Dat neem ik ze ook niet kwalijk.'

Buddy staart naar Bookers volgende cliënt, een zwak vrouwtje dat ook een stapel papieren bij zich heeft. Dot peutert nog een sigaret uit haar pakje Salems en steekt hem tussen haar lippen.

Als Donny inderdaad leukemie heeft en de ziekte pas negen maanden geleden bij hem is geconstateerd, kan hij onmogelijk worden uitgesloten op grond van het feit dat hij al ziek was. En als er in de polis geen voorbehoud wordt gemaakt voor leukemie, zal Great Eastern moeten betalen, nietwaar? Dat lijkt helder en logisch. Maar omdat de wet zelden helder en logisch is, weet ik dat er ergens in die stapel brieven een addertje onder het gras moet schuilen.

'Ik begrijp het niet,' zeg ik, starend naar de 'Stomme Brief'.

Dot blaast een dichte blauwe rookwolk naar haar man. Zijn hele hoofd verdwijnt erin. Ik geloof dat hij niet meer huilt, maar ik weet het niet zeker. Ze smakt met haar kleverige lippen en zegt: 'Heel eenvoudig, Rudy. Het is een stel oplichters. Ze denken dat wij simpele zielen zijn die geen geld hebben om iets te ondernemen. Maar ik heb dertig jaar bij een jeansfabriek gewerkt en ik was lid van de vakbond. Iedere dag leverden we strijd met de directie. Dit is net zoiets. Een groot bedrijf dat probeert de kleine man te pakken.'

Mijn vader had niet alleen de pest aan advocaten, hij spuwde ook herhaaldelijk zijn gal uit over de vakbonden. Natuurlijk stelde ik me daarom op als een vurig pleitbezorger van de arbeidende klasse. 'Die brief is werkelijk ongelooflijk,' zeg ik tegen haar.

'Welke?'

'Die brief van meneer Krokit, waarin hij zegt dat jullie "stom, stom, stom" zijn.'

'De klootzak. Ik wou dat hij hierheen durfde te komen om me dat in mijn gezicht te zeggen. Vuile Yankee.'

Buddy wuift de rook weg en bromt wat. Ik kijk hem aan in de hoop dat hij iets zal zeggen, maar hij laat het erbij. Voor het eerst valt het me op dat de linkerkant van zijn hoofd wat platter is dan de rechterkant. Opeens zie ik weer dat beeld waarin hij poedelnaakt door de controle op het vliegveld glipt. Ik vouw de 'Stomme Brief' op en leg hem boven op de stapel.

'Het zal me wel een paar uur kosten om dit allemaal door te werken,' zeg ik.

'Als je maar opschiet. Donny Ray heeft niet lang meer te leven. Hij weegt nog maar vijftig kilo. Hij is bijna twintig kilo afgevallen. Soms is hij zo zwak, dat hij nauwelijks meer kan lopen. Ik wou dat je hem kon zien.'

Ik heb helemaal geen behoefte om Donny Ray te zien.

'Later misschien.' Eerst zal ik de polis en de brieven bestuderen, en Donny's medische gegevens. Daarna wil ik met Smoot overleggen en een nette brief aan de Blacks schrijven om hen heel verstandig te adviseren dat ze de zaak moeten opnemen met een echte advocaat die gespecialiseerd is in procedures tegen verzekeringsmaatschappijen. Ik zal hun een paar telefoonnummers van geschikte kandidaten geven, en dan ben ik ervan af. Dan ben ik eindelijk klaar met dit waardeloze college, en met Smoot en zijn passie voor de rechten van de oudjes.

Nog achtendertig dagen en dan heb ik mijn bul.

'Ik moet de papieren meenemen,' zeg ik tegen Dot terwijl ik alles verzamel en de elastiekjes er weer omheen doe. 'Over twee weken kom ik hier terug, met een advies.'

'Waarom moet dat twee weken duren?'

'Nou eh... omdat ik ook wat onderzoek moet doen, begrijp je? Ik wil het met mijn professoren bespreken en wat dingen controleren. Kun je me Donny's medische gegevens opsturen?'

'Natuurlijk. Maar ik hoop wel dat je er vaart achter zet.'

'Ik zal mijn best doen, Dot.'

'Denk je dat we een kans hebben?'

Hoewel ik nog maar student ben, heb ik al aardig geleerd hoe ik me op de vlakte moet houden. 'Dat kan ik nu nog niet zeggen. Het lijkt veelbelovend. Ik zal me er uitvoerig in moeten verdiepen, maar ik heb goede hoop.'

'Wat betekent dat, verdomme?'

'Volgens mij hebben jullie een goede claim, maar ik moet eerst het hele dossier doornemen voordat ik een definitieve uitspraak kan doen.'

'Wat ben je eigenlijk voor een advocaat?'

'Ik studeer nog.'

Daar moet ze even over nadenken. Ze klemt haar lippen stevig om het witte filter en kijkt me strak aan. Buddy bromt weer wat. Gelukkig duikt Smoot op om te vragen hoe het gaat.

Dot staart eerst naar zijn strikje en dan naar zijn woeste haar.

'Goed,' zeg ik. 'We zijn bijna klaar.'

'Mooi zo,' zegt hij alsof de tijd om is en de volgende cliënten staan te wachten. Hij trekt zich weer terug.

'Dan zie ik jullie over twee weken,' zeg ik hartelijk, met een valse glimlach. Dot drukt haar sigaret uit in een asbak en buigt zich weer naar me toe. Opeens begint haar lip te trillen en worden haar ogen vochtig. Ze legt zachtjes haar hand op mijn pols en kijkt me hulpeloos aan. 'Maak alsjeblieft voort, Rudy. Mijn jongen gaat dood.'

We staren elkaar een hele tijd aan. Ten slotte knik ik tegen haar en mompel wat. Die arme mensen hebben zojuist het leven van hun zoon aan me toevertrouwd – aan míj, een derdejaarsstudent rechten aan Memphis State University. Ze denken echt dat ik met een paar telefoontjes en een paar dreigbrieven al hun verzekeringsproblemen kan oplossen. Dat ik Great Eastern op de knieën kan dwingen, zodat ze de behandeling voor Donny Ray zullen betalen. Zomaar. Binnen een paar dagen.

Ze staan op en nemen onhandig afscheid. Ik weet bijna zeker dat er ergens in de polisvoorwaarden wel een uitzonderingsbepaling zal staan, nauwelijks leesbaar en volkomen onbegrijpelijk, maar geformuleerd door ervaren juristen die al tientallen jaren voor een vet salaris de kleine lettertjes van verzekeringspolissen schrijven.

Dot zigzagt tussen de klapstoeltjes en de fanatieke kaartspelers door, met Buddy in haar kielzog. Ze blijft staan bij de koffiepot, waar ze een papieren bekertje met décafé inschenkt en nog een sigaret opsteekt. Dicht bij elkaar blijven ze achter in het zaaltje staan, drinkend van hun koffie, terwijl ze me van twintig meter afstand in de gaten houden. Ik lees de polis door – dertig dichtbedrukte bladzijden – en maak een paar aantekeningen. Ik probeer hen te negeren.

De meeste mensen zijn al vertrokken. Ik ben het zat om voor advocaat te spelen. Dit waren wel genoeg klanten voor één dag. Mijn gebrek aan wetskennis is schokkend en ik huiver bij de gedachte dat ik over een paar maanden zelf in de rechtszaal zal staan om voor jury's en rechters de degens te kruisen met andere advocaten. Ik ben er nog niet aan toe om als jurist op de samenleving te worden losgelaten.

Die rechtenstudie is niets anders dan verspilde stress. We zijn urenlang bezig met het spitten naar informatie die we nooit nodig zullen hebben. We worden bedolven onder colleges die we meteen weer vergeten. We bestuderen precedenten en wetten die morgen weer veranderd zullen worden. Als ik de afgelopen drie jaar praktijkervaring had opgedaan bij een goede advocaat, was ik nu voldoende voorbereid. In plaats daarvan ben ik een zenuwachtige derdejaarsstudent die terugschrikt voor de eenvoudigste juridische problemen en doodsbang is voor zijn naderende rechtbankexamen.

Ik zie enige beweging. Als ik opkijk, schuifelt er een oud baasje met een groot gehoorapparaat mijn richting uit.

– 2 –

Een uur later lopen de trage spelletjes halma en gin-rummy ten einde en staan de laatste oudjes op om naar huis te gaan. Een conciërge blijft bij de deur staan wachten als Smoot ons om zich heen verzamelt voor een nabespreking. In het kort beschrijven we de problemen van onze nieuwe cliënten. We zijn moe en we willen hier zo snel mogelijk weg.

Smoot geeft een paar adviezen – niet erg origineel of creatief – en stuurt ons naar huis met de belofte dat hij er donderdag tijdens college op terug zal komen. Ik kan het nauwelijks afwachten.

Ik stap bij Booker in de auto, een oude Pontiac, niet mooi maar wel in betere conditie dan mijn aftandse Toyota. Booker heeft twee kleine kinderen en een vrouw die parttime lesgeeft, zodat hij nog juist boven de armoedegrens zweeft. Hij studeert hard en haalt goede cijfers. Daarom heeft hij de aandacht getrokken van een welvarende, vooraanstaande zwarte advocatenfirma in de stad, gespecialiseerd in burgerrechten. Als hij is afgestudeerd, kan hij beginnen met een salaris van veertigduizend per jaar, zesduizend dollar meer dan Brodnax & Speer mij hebben aangeboden.

'Ik heb de pest aan rechten,' zeg ik als we van het parkeerterrein van de Cipressentuin wegrijden.

'Dat is heel normaal,' antwoordt Booker. Hij heeft de pest aan niets of niemand. Soms beweert hij zelfs dat hij zijn rechtenstudie als een uitdaging ziet.

'Waarom willen wij in godsnaam advocaat worden?'

'Om het publiek te dienen, het onrecht te bestrijden, de maatschappij te veranderen, je weet wel. Luister je nooit naar professor Smoot?'
'Laten we een biertje gaan drinken.'
'Het is nog geen drie uur, Rudy.' Booker drinkt weinig en ik nog minder, omdat het een dure liefhebberij is en ik maar net genoeg geld heb om te kunnen eten.
'Geintje,' zeg ik. Hij rijdt in de richting van de universiteit. Het is donderdag. Morgen heb ik sportwetgeving en Napoleontisch recht, twee colleges die net zo waardeloos zijn als ouderenrecht en waarvoor je nòg minder hoeft te doen. Maar mijn rechtbankexamen nadert en ik krijg al trillende handen als ik daaraan denk. Als ik zak, schoppen die vriendelijke maar onvermurwbare jongens bij Brodnax & Speer me meteen de straat op. Dan krijg ik nog een maand salaris en daarna is het afgelopen. Zakken voor je rechtbankexamen heeft afschuwelijke gevolgen: schande, werkloosheid, de bedelstaf, de hongerdood. Maar waarom kan ik de hele dag aan niets anders meer denken? 'Zet me maar af bij de bibliotheek,' zeg ik. 'Ik zal eerst deze zaken afwikkelen en daarna stort ik me nog even op de studie.'
'Goed idee.'
'Ik haat de bibliotheek.'
'Iederéén haat de bibliotheek, Rudy. Daar is hij voor bedoeld, enkel en alleen om door studenten te worden gehaat. Dat is heel normaal.'
'Dank je.'
'Dat oude dametje, juffrouw Birdie, heeft die geld?'
'Hoe weet je dat?'
'Ik heb een paar woorden opgevangen.'
'Ja. Ze is steenrijk. En ze wil een nieuw testament laten maken. Ze wordt door haar kinderen en kleinkinderen verwaarloosd. Daarom wil ze hen uit haar testament schrappen.'
'Hoeveel geld heeft ze dan?'
'Twintig miljoen of daar in de buurt.'
Booker kijkt me achterdochtig aan.
'Dat zègt ze tenminste,' voeg ik eraan toe.
'En aan wie wil ze het nu nalaten?'
'Aan een sexy tv-dominee die een eigen Lear Jet heeft.'
'Nee!'
'Ik zweer het je.'
Booker moet dat even verwerken en concentreert zich op het drukke verkeer. 'Hoor eens, Rudy,' zegt hij twee straten verder, 'vat het niet verkeerd op. Je bent een aardige vent en zo, een goede student en een slimme kerel, maar ben jij wel de aangewezen persoon om een testament op te stellen voor iemand met zoveel geld?'

'Nee. Jij wel?'

'Natuurlijk niet. Wat ben je van plan?'

'Misschien sterft ze wel in haar slaap.'

'Dat denk ik niet. Ze is nog kerngezond. Ze overleeft ons allemaal.'

'Ik bespreek het wel met Smoot, en misschien met een van de fiscale experts. Of ik zeg tegen juffrouw Birdie dat ik haar helaas niet kan helpen en dat ze voor vijfduizend dollar een goede advocaat moet inhuren om haar testament op te stellen. Wat kan mij het schelen? Ik heb al genoeg problemen.'

'Zoals Texaco?'

'Ja. Die zitten me op mijn huid. En mijn huisbaas ook.'

'Ik wou dat ik je kon helpen,' zegt Booker, en ik weet dat hij het meent. Als hij het geld had, zou hij het me zeker lenen.

'Ik red het nog wel tot 1 juli. Daarna ben ik een belangrijk man bij Brodnax & Speer en zijn mijn dagen van armoede voorgoed voorbij. Hoe ter wereld, mijn beste Booker, moet ik in godsnaam vierendertigduizend dollar per jaar opmaken?'

'Dat lijkt onmogelijk, ja. Dan ben je rijk.'

'Ik bedoel, verdomme, ik leef al zeven jaar van fooien en gevonden kwartjes. Wat moet ik in vredesnaam met al dat geld?'

'Nog een pak kopen?'

'Waarom? Ik heb er al twee.'

'Een paar schoenen dan?'

'Dat is een idee, Booker. Dat zal ik doen. Nieuwe schoenen kopen. Schoenen, dassen, een paar onderbroeken en eten dat niet uit een blikje komt.'

Al drie jaar lang word ik bijna twee keer per week door Booker en zijn vrouw te eten gevraagd. Zijn vrouw heet Charlene. Ze komt uit Memphis en ze kan heel lekker koken van een klein budget. Ze zijn mijn vrienden, maar ze hebben ook medelijden met me. Booker grijnst en kijkt weer voor zich. Hij houdt niet van al die grappen over onprettige dingen.

Hij stopt op de parkeerplaats aan Central Avenue, tegenover de juridische faculteit van Memphis State.

'Ik moet nog wat dingen doen,' zegt hij.

'Oké. Bedankt voor de lift.'

'Om een uur of zes ben ik weer terug. Dan kunnen we samen studeren.'

'Goed. Ik zit beneden.'

Ik gooi het portier dicht en steek snel de straat over.

In een beschut en donker hoekje van de bibliotheek, achter stapels oude, half vergane wetboeken, zoek ik mijn favoriete studiehokje op. Het wacht al maanden trouw op me. Het is officieel voor mij gereserveerd.

Het heeft geen ramen en het kan er koud en vochtig zijn; daarom komt er zelden iemand. Vele uren heb ik hier in afzondering voor mijn tentamens gestudeerd en rechtszaken uitgeplozen.

En de afgelopen weken heb ik me vaak afgevraagd wat er met Sara is gebeurd en hoe ik haar ben kwijtgeraakt. Kwellende vragen. Het bureaublad wordt aan drie kanten omgeven door houten wanden en ik ken alle nerven van het hout. Ik kan hier huilen zonder dat iemand het ziet. Ik kan zelfs zachtjes vloeken, en niemand zal me horen.

Toen alles nog goed was, kwam Sara vaak bij me zitten en studeerden we hier samen, met onze stoelen knus tegen elkaar aan. We konden giechelen en lachen zonder dat het iemand iets kon schelen. We konden knuffelen en vrijen, en niemand die het zag. Nu ik hier zo zit, somber en ongelukkig, kan ik haast de geur van haar parfum weer ruiken.

Ik moet eigenlijk een andere plek in dit labyrint zoeken om te studeren. Als ik naar de houten wanden staar, zie ik overal haar gezicht, voel ik haar benen tegen de mijne en word ik overmand door een verlammend verdriet. Nog maar een paar weken geleden zat ze hier naast me. En nu laat ze haar benen door iemand anders strelen.

Ik neem de papieren van de Blacks onder mijn arm en loop naar boven, waar de afdeling verzekeringsrecht is ondergebracht. Ik loop heel langzaam, maar ik kijk snel om me heen. Sara komt hier niet vaak meer, maar soms zie ik haar nog.

Ik leg Dots papieren op een leeg tafeltje tussen de kasten en lees de 'Stomme Brief' nog eens. Hij is shockerend grof, kennelijk geschreven door iemand die ervan overtuigd was dat Dot de brief nooit aan een advocaat zou laten zien. Ik lees hem opnieuw en merk dat mijn verdriet naar de achtergrond verdwijnt. De depressie komt in golven en ik leer er steeds beter mee om te gaan.

Sara Plankmore zit ook in haar derde jaar. Ze is het enige meisje van wie ik ooit gehouden heb. Vier maanden geleden heeft ze me de bons gegeven voor een of andere corpsbal. Ze kenden elkaar nog van school, zei ze, en in de kerstvakantie hadden ze elkaar toevallig opnieuw ontmoet. Ze hadden de draad van hun oude romance weer opgepakt. Ze vond het heel lullig voor mij, zei ze, maar het leven gaat door. Het gerucht gaat dat ze zwanger is. Toen ik dat hoorde, moest ik braken.

Ik verdiep me in de verzekeringspolis van de Blacks en maak uitvoerig aantekeningen. De tekst lijkt wel Sanskriet. Ik schep wat orde in de brieven, de ingediende nota's en de medische gegevens. Sara is even uit mijn gedachten verdwenen en ik voel me steeds meer betrokken bij deze zaak, waar duidelijk een luchtje aan zit.

Het is een goedkope verzekering voor achttien dollar per week, betaalbaar aan de Great Eastern Life Company uit Cleveland in Ohio. Ik neem de kwitanties door. In het begin kwam de agent, een zekere Bobby Ott, de premie nog iedere week persoonlijk innen.

Mijn tafeltje ligt nu vol met keurige stapeltjes en ik lees alles wat ik van Dot gekregen heb. Ik denk maar steeds aan Max Leuberg, de communistische gastdocent met zijn vurige haat tegen verzekeringsmaatschappijen. Ze houden het land in hun greep, beweerde hij. Ze beheersen de financiële wereld. Ze hebben de onroerend-goedmarkt in handen. Als zij kou vatten, heeft Wall Street een flinke griep. En als de rente daalt en hun investeringen in waarde zakken, rennen ze naar het Congres om maatregelen te eisen. Al die rechtszaken doen ons de das om, schreeuwen ze. Die verdomde advocaten grijpen elk excuus aan om een procedure te beginnen en overtuigen onnozele jury's ervan dat ze tonnen aan uitkeringen moeten toewijzen. Als daar niet snel een eind aan komt, gaan we allemaal failliet.

Leuberg kon daar zo kwaad om worden, dat hij zijn boeken tegen de muur smeet. We vonden hem een geweldige kerel.

En hij geeft hier nog steeds college. Ik geloof dat hij aan het eind van dit semester naar Wisconsin vertrekt. Als ik voldoende moed kan verzamelen, zou ik hem kunnen vragen om de zaak Black eens door te nemen. Hij beweert dat hij heeft geassisteerd bij een paar belangrijke procedures in het noorden, waarbij verzekeringsmaatschappijen door de jury tot grote uitkeringen en boetes zijn veroordeeld.

Ik schrijf een samenvatting van de zaak, te beginnen met de datum waarop de polis is afgesloten, met daarna alle belangrijke ontwikkelingen in chronologische volgorde. Acht keer heeft Great Eastern de claim schriftelijk afgewezen – de achtste keer met de 'Stomme Brief'. Ik hoor Max Leuberg al lachen en tussen zijn tanden fluiten als hij die brief te lezen krijgt.

Ik ruik bloed.

Ik hoop dat professor Leuberg het ook zo ziet. Zijn kantoortje ligt ingeklemd tussen twee voorraadkasten op de tweede verdieping van de juridische faculteit. De deur zit vol geplakt met pamfletten voor homoprotestmarsen, boycot-acties, demonstraties tegen het uitroeien van bedreigde diersoorten en meer van dat soort zaken, waar in Memphis maar weinig belangstelling voor bestaat. De deur staat half open en ik hoor Leuberg in de telefoon blaffen. Ik haal diep adem en klop zachtjes aan. 'Binnen!' roept hij en langzaam duw ik de deur open. Hij wuift me naar de enige stoel, die vol ligt met boeken, dossiers en tijdschriften. Het kantoor is één grote puinhoop. Papieren, rotzooi, flessen. De boekenplanken puilen uit en buigen door. Aan de muren hangen graffiti-posters. De vloer is bedekt met snippers papier. Tijd en orde hebben geen enkele betekenis voor Max Leuberg.

Hij is een magere, kleine man van zestig, met warrig stroblond haar en beweeglijke handen. Hij draagt verschoten spijkerbroeken, provocerende T-shirts en oude gympen. Als het heel koud is, trekt hij wel eens sokken aan. Hij is zo hyperactief, dat ik er zenuwachtig van word.

Hij gooit de hoorn op de haak. 'Baker!'

'Baylor. Rudy Baylor. Verzekeringsrecht, vorig semester.'

'Natuurlijk, natuurlijk! Ik weet het weer. Ga zitten.' Hij wijst nog eens naar de stoel.

'Nee, bedankt.'

Hij schuift een stapel papieren opzij. 'Wat kan ik voor je doen, Baylor?' Max is populair bij de studenten omdat hij de tijd neemt om te luisteren.

'Eh, heb je even?' Normaal zou ik hem 'meneer' noemen, maar Max heeft een hekel aan formaliteiten. Hij staat erop dat we Max zeggen.

'Ja, natuurlijk. Waar gaat het over?'

'Nou, ik volg college bij professor Smoot...' Ik geef hem een korte samenvatting van mijn belevenissen tijdens de bejaardenlunch en mijn gesprek met Dot en Buddy over hun problemen met Great Eastern. Hij luistert geïnteresseerd.

'Heb je ooit van Great Eastern gehoord?' vraag ik hem.

'Ja. Het is een grote firma die veel goedkope verzekeringen slijt aan blanken en zwarten op het platteland. Een dubieuze firma.'

'Ik had de naam nog nooit gehoord.'

'Nee. Ze adverteren ook niet. Hun agenten bellen gewoon aan en komen iedere week de premie innen. De onfrisse oksel van het verzekeringswezen. Laat me de stukken eens zien.'

Ik geef hem de polis en hij bladert hem door. 'Op welke gronden weigeren ze uit te betalen?' vraagt hij zonder me aan te kijken.

'Alles wat ze maar kunnen bedenken. Eerst uit principe, toen omdat leukemie niet gedekt zou zijn, vervolgens omdat die jongen al ziek zou zijn geweest toen de verzekering werd aangegaan en ten slotte omdat hij al volwassen is en alleen kinderen waren meeverzekerd. Ze zijn heel creatief, dat moet ik zeggen.'

'Is de premie steeds op tijd betaald?'

'Volgens mevrouw Black wel.'

'De schoften.' Hij leest nog wat verder en grijnst boosaardig. Max Leuberg geniet hiervan. 'En je hebt het hele dossier al doorgenomen?'

'Ja. Ik heb alles gelezen wat ik van de cliënten gekregen heb.'

Hij legt de polis weer neer. 'Dit is zeker de moeite waard,' zegt hij. 'Maar bedenk wel dat cliënten je nooit meteen àlles vertellen.'

Ik geef hem de 'Stomme Brief'. Hij leest hem door en weer glijdt er een vals lachje over zijn gezicht. Hij leest hem nog eens en kijkt me dan aan.

'Ongelooflijk.'

'Dat vond ik ook,' beaam ik als een veteraan in de strijd tegen het groot-kapitaal.

'Waar zijn de andere stukken?' vraagt hij.

Ik leg de hele stapel op zijn bureau. 'Dit is alles wat ik van mevrouw Black heb gekregen. Ze zei dat haar zoon nu stervende is omdat ze de behandeling niet kunnen betalen. Hij weegt nog maar vijftig kilo en hij heeft niet lang meer te leven.'

Zijn handen liggen stil op het blad van zijn bureau. 'De schoften,' zegt hij nog eens, bijna in zichzelf. 'De vuile schoften.'

Ik ben het volledig met hem eens, maar ik zeg niets. In de hoek zie ik nog een paar joggingschoenen staan, heel oude Nikes. Op college heeft hij eens gezegd dat hij ooit Converse droeg, maar het merk nu boycot vanwege hun recycling-politiek. Hij vecht een privé-oorlog uit met het Amerikaanse bedrijfsleven en weigert nog iets te kopen van een fabriek die op de een of andere manier in de fout is gegaan. Hij heeft geen levensverzekering en geen ziektekostenverzekering of andere polissen, maar volgens de geruchten komt hij uit een rijke familie en kan hij het zich veroorloven om onverzekerd door het leven te gaan. Ik niet, maar toch heb ik ook geen enkele verzekering.

De meesten van mijn docenten zijn saaie professoren met een stropdas, die hun jasje keurig dichtknopen als ze college geven. Max heeft al tientallen jaren geen stropdas meer gedragen. Je kunt ook niet zeggen dat hij college geeft. Hij treedt op. Ik zal hem missen als hij hier weggaat.

Zijn handen komen weer in beweging. 'Ik zou dit vanavond graag doorlezen,' zegt hij zonder me aan te kijken.

'Geen probleem. Kan ik morgenochtend langskomen?'

'Natuurlijk. Wanneer je maar wilt.'

Zijn telefoon gaat en hij grist de hoorn van de haak. Opgelucht en met een glimlach verlaat ik zijn kantoortje. Morgenochtend kan ik met hem overleggen en zijn advies aanhoren. Daarna zal ik een rapportje van twee pagina's typen om zijn goede raad aan de Blacks over te brengen.

Nu heb ik alleen nog iemand nodig die me kan vertellen wat ik met het testament van juffrouw Birdie moet doen. Ik heb wel een paar kandidaten, docenten in het belastingrecht, die ik morgen wil benaderen. Ik loop de trap af naar de studentenlounge naast de bibliotheek. Dat is de enige plaats in het gebouw waar je mag roken en er hangt permanent een blauwe walm onder de tl-buizen. Er staan een televisie en een verzameling oude sofa's en stoelen. Aan de muren hangen jaarfoto's – ernstige, ingelijste gezichten van studenten die al lang geleden de juridische loopgraven in zijn gestuurd. Als er niemand in de lounge is, kijk ik vaak naar de foto's van mijn voorgangers en vraag me af wie van hen al zijn geschorst, wie werkelijk plezier heeft in al die strafzaken en wie spijt heeft dat hij ooit rechten is gaan studeren. Eén wand is gereserveerd voor berichten, mededelingen en kleine advertenties met de meest uiteenlopende teksten. Daarnaast staat een rij frisdrank- en hamburgerautomaten. Ik eet hier vaak. Automatenvoedsel wordt zwaar onderschat.

In een hoek zie ik de edelachtbare F. Franklin Donaldson de Vierde smoezen met drie van zijn makkers, ook van die etters, die voor het juridisch tijdschrift schrijven en de rest van de wereld met minachting behandelen. Hij ziet me binnenkomen en kijkt geïnteresseerd mijn kant op. Vreemd. Hij glimlacht zelfs als ik langs hem loop, wat zelden voorkomt, omdat zijn gezicht permanent een minachtende uitdrukking vertoont.

'Zeg, Rudy,' roept hij luid, 'jij gaat toch naar Brodnax & Speer, is het niet?' De tv staat uit. Zijn vrienden staren me aan. Twee meisjes op de divan kijken nu ook mijn kant uit.

'Ja. Hoezo?' vraag ik. F. Franklin de Vierde heeft al een baan geregeld bij een firma met veel tradities, geld en pretenties, een veel belangrijker kantoor dan Brodnax & Speer. De studenten met wie hij staat te praten zijn W. Harper Whittenson, een arrogante slijmerd die Memphis gelukkig gaat verlaten voor een baan bij een gigantisch kantoor in Dallas; J. Townsend Gross, die door een andere grote firma is aangenomen; en James Straybeck, een niet onaardige jongen die drie jaar rechten heeft moeten studeren zonder extra initialen voor zijn naam of een rugnummer erachter. Met zo'n korte naam heeft hij weinig toekomst bij een vooraanstaand kantoor. Ik vrees het ergste voor hem.

F. Franklin de Vierde doet een stap naar me toe, een en al glimlach. 'Nou, hoe staat het ermee?'

'Wáármee?' Ik heb geen idee waar hij het over heeft.

'Met de fusie, je weet wel.'

Ik probeer niets te laten merken. 'Welke fusie?'

'Weet je het dan niet?'

'Wàt?'

F. Franklin de Vierde wisselt een blik met zijn drie kameraden, die geamuseerd mijn kant uit kijken. Zijn glimlach wordt nog breder. 'Toe nou, Rudy. De fusie van Brodnax & Speer met Tinley Britt.'

Ik blijf doodstil staan en probeer een handig of intelligent antwoord te bedenken. Maar er schiet me niets te binnen. Het is duidelijk dat ik niets over die fusie weet en deze klootzak wèl. Brodnax & Speer is een klein kantoor met vijftien advocaten, en ik ben de enige rekruut die ze uit mijn jaar hebben aangenomen. Toen we twee maanden geleden tot een akkoord kwamen, is er met geen woord over een fusie gesproken.

Tinley Britt is de grootste, conservatiefste, deftigste en rijkste advocatenfirma in de staat. Bij de laatste telling werkten er honderdtwintig juristen,

33

grotendeels afkomstig van de duurdere universiteiten. Ze behoren tot de besten van hun lichting of ze komen uit rijke families. Het is een machtige firma die grote bedrijven en overheidsinstellingen vertegenwoordigt. Ze hebben een kantoor in Washington, om te lobbyen onder de elite. Tinley Britt is een bastion van de conservatieve politiek. Er zit een voormalige senator in de directie, de maten werken tachtig uur per week en ze lopen allemaal rond in zwarte of marineblauwe pakken met witte button-down overhemden en gestreepte stropdassen. Ze dragen hun haar kort, en snorren of baarden zijn niet toegestaan. Een advocaat van Tinley Britt herken je van kilometers afstand aan zijn houding en zijn kleding. Het kantoor wemelt van de blanke yups, die allemaal naar de juiste universiteit zijn geweest en tot de juiste clubs hebben behoord. Daarom staat de firma bij de collega's in Memphis algemeen bekend als Trent & Brent.

J. Townsend Gross steekt zijn handen in zijn zakken en kijkt me spottend aan. Hij is de nummer twee van ons jaar, draagt gesteven polohemden en rijdt in een BMW. Natuurlijk voelde hij zich meteen aangetrokken tot Trent & Brent.

Ik voel mijn knieën knikken omdat ik weet dat Trent & Brent mij nooit zou aannemen. Als Brodnax & Speer inderdaad gaat fuseren met deze moloch, zou ik wel eens uit de boot kunnen vallen.

'Ik weet van niets,' zeg ik zwakjes. De meisjes op de divan kijken me verwachtingsvol aan. Er valt een stilte.

'Je bedoelt dat ze het je niet hebben verteld?' vraagt F. Franklin de Vierde ongelovig. 'Jack heeft het al om twaalf uur gehoord,' zegt hij, met een knikje naar J. Townsend Gross.

'Het is waar,' bevestigt J. Townsend, 'maar de naam van de firma verandert niet.'

De officiële naam van Trent & Brent is Tinley, Britt, Crawford, Mize & St. John. Gelukkig heeft iemand al jaren geleden voor de verkorte versie gekozen. Met de opmerking dat die naam niet zal veranderen laat J. Townsend weten dat Brodnax & Speer zo klein en onbeduidend is, dat Tinley Britt het kantoor in één hap kan verzwelgen, zonder zelfs maar een boertje te laten.

'Dus het blijft Trent & Brent?' zeg ik tegen J. Townsend, die snuift bij het horen van die afgezaagde bijnaam.

'Ik kan me niet voorstellen dat ze je niets hebben verteld,' zegt F. Franklin de Vierde nog eens.

Ik haal mijn schouders op alsof het er niet toe doet en loop naar de deur.

'Je moet je niet zoveel zorgen maken, Frankie.' Ze werpen elkaar een voldane grijns toe, alsof ze hebben bereikt wat ze wilden. Ik loop van de lounge naar de bibliotheek. De jongen achter de balie wenkt me.

'Ik heb een boodschap voor je,' zegt hij, en hij geeft me een velletje papier. Het is een verzoek om Loyd Beck te bellen, een van de vennoten van Brodnax & Speer, de man die mij in dienst heeft genomen.

Er zijn telefooncellen in de lounge, maar ik heb geen zin om F. Franklin de Vierde en zijn beulsknechten weer onder ogen te komen. 'Mag ik hier even bellen?' vraag ik aan de jongen achter de balie, een tweedejaarsstudent die doet alsof de bibliotheek van hem is.

'Er zijn telefooncellen in de lounge,' zegt hij wijzend, alsof ik na drie jaar studie de lounge nog niet zou kunnen vinden.

'Daar kom ik net vandaan. Alle toestellen zijn bezet.'

Hij fronst en kijkt om zich heen. 'Goed, maar snel dan.'

Ik toets het nummer van Brodnax & Speer. Het is bijna zes uur en de secretaressen gaan om vijf uur naar huis. Na negen keer overgaan hoor ik een mannenstem die niets anders zegt dan: 'Hallo?'

Ik draai me met mijn rug naar de bibliotheek toe en probeer me te verbergen achter een kast. 'Hallo, met Rudy Baylor. Ik bel vanaf de juridische faculteit. Loyd Beck had een berichtje achtergelaten of ik hem wilde bellen. Het schijnt dringend te zijn.' Dat staat niet in het briefje, maar ik ben nogal zenuwachtig.

'Rudy Baylor? En waar gaat het over?'

'Jullie hebben me pas in dienst genomen. Met wie spreek ik?'

'O ja. Baylor. Je spreekt met Carson Bell. Eh, Loyd is in bespreking en ik kan hem nu niet storen. Probeer het over een uur nog eens.'

Ik herinner me dat ik een paar woorden met Carson Bell heb gewisseld toen ze me een rondleiding gaven op kantoor. Typisch een advocaat, druk en gehaast. Hij gaf me vriendelijk een hand en ging meteen weer verder met zijn werk. 'Eh, meneer Bell, ik zou hem toch graag spreken.'

'Het spijt me, maar dat gaat nu niet. Oké?'

'Ik heb gehoord dat er een fusie op stapel staat met Trent... eh, met Tinley Britt. Is dat zo?'

'Hoor eens, Rudy, ik heb het druk en ik kan nu niets zeggen. Als je over een uurtje terugbelt, vangt Loyd je wel op.'

Me opvangen? 'Heb ik nog steeds een baan?' vraag ik met angst en wanhoop in mijn stem.

'Bel straks maar terug. Over een uur,' herhaalt hij geïrriteerd en gooit de hoorn erop.

Ik schrijf haastig een briefje en geef het aan de student achter de balie. 'Ken je Booker Kane?' vraag ik.

'Ja.'

'Mooi. Hij komt straks hier. Geef hem deze boodschap, als je wilt, en zeg hem dat ik over een uurtje terug ben.'

Hij mompelt wat en pakt het briefje aan. Ik stap de gang op en sluip langs de lounge in de hoop dat niemand me zal zien. Buiten gekomen steek ik haastig de straat over naar de parkeerplaats waar mijn Toyota staat. Ik hoop dat het kreng wil starten. Een van mijn duisterste geheimen is dat ik een financieringsmaatschappij nog bijna driehonderd dollar schuldig ben. Zelfs tegen Booker heb ik gelogen. Hij denkt dat dit wrak is afbetaald.

– 3 –

Het is geen geheim dat er in Memphis te veel advocaten rondlopen. Toen we rechten gingen studeren, werd ons al verteld dat er een overschot aan juristen was – niet alleen hier, maar overal – en dat sommigen van ons na drie jaar hard studeren tot de ontdekking zouden komen dat ze geen werk konden krijgen. Op de introductiedagen zeiden ze al dat ze minstens dertig procent van de eerstejaars zouden laten zakken. En dat hebben ze ook gedaan.
Ik kan minstens tien jaargenoten noemen die na hun afstuderen tijd genoeg zullen hebben om zich op hun rechtbankexamen voor te bereiden, omdat ze voorlopig toch geen werk krijgen. Zeven jaar studie in totaal, en dan werkeloos. Ik ken ook studenten die bereid zijn om als onderbetaalde duvelstoejagers voor pro-deo-advocaten, officieren van justitie of rechters te gaan werken – baantjes waar niemand ons iets over heeft verteld toen we aan onze studie begonnen.
In veel opzichten ben ik daarom best trots op mijn baan bij Brodnax & Speer, een echt advocatenkantoor. Ik gedraag me zelfs nogal arrogant in het gezelschap van minderbedeelden die nog nooit voor een sollicitatiegesprek zijn uitgenodigd. Maar opeens is er van die arrogantie weinig over. Zenuwachtig rijd ik de stad in. Er is geen plaats voor mij bij een firma als Trent & Brent. De Toyota sputtert en knalt, zoals gewoonlijk, maar hij rijdt, en dat is al heel wat.
Ik probeer de fusie te analyseren. Een paar jaar geleden heeft Trent & Brent een kantoor van dertig man opgeslokt. Dat was groot nieuws, maar ik kan me niet herinneren dat er toen ontslagen zijn gevallen. Wat moeten ze met zo'n klein kantoor als Brodnax & Speer? Het dringt nu pas tot me door hoe weinig ik van mijn toekomstige werkgever af weet. De oude heer Brodnax is al jaren dood. Zijn vlezige gezicht is vereeuwigd in een lelijk bronzen borstbeeld bij de ingang van het kantoor. Speer is zijn

36

schoonzoon, hoewel hij al lang van Brodnax' dochter is gescheiden. Ik heb Speer heel kort ontmoet. Hij was erg vriendelijk. In het tweede of derde gesprek vertelden ze me dat hun grootste cliënten een paar verzekeringsmaatschappijen waren en dat tachtig procent van hun praktijk uit het behandelen van autoschades bestond.

Misschien zoeken Trent & Brent versterking van hun verzekeringspoot. Wie zal het zeggen?

Het is druk op Poplar, maar het meeste verkeer gaat de andere kant uit. Ik zie de kantoorflats van het centrum al opdoemen. Maar Loyd Beck en Carson Bell en de rest van Brodnax & Speer zullen me toch niet hebben aangenomen en me allerlei toezeggingen hebben gedaan om me dan als een baksteen te laten vallen – alleen vanwege het geld? Ze zullen toch geen fusie met Trent & Brent zijn aangegaan zonder hun eigen mensen te beschermen?

Het afgelopen jaar hebben mijn medestudenten stad en land afgezocht om werk te vinden. Er kan onmogelijk nog ergens een vacature zijn. Zelfs het kleinste parttime baantje kan niet door de mazen zijn geglipt.

Hoewel de parkeerplaatsen leegstromen en er genoeg ruimte is, parkeer ik illegaal aan de overkant van de acht verdiepingen hoge kantoorflat waar Brodnax & Speer gevestigd is. Twee straten verderop staat een bank, het hoogste gebouw van de stad, waarvan Trent & Brent uiteraard de bovenste helft heeft gehuurd. Vanaf hun hoge positie kunnen ze met minachting neerzien op de rest van de stad. Ik haat die lui.

Ik steek snel over en stap de vuile lobby van het Powers Building binnen. Links zijn de twee liftdeuren, maar rechts zie ik een bekend gezicht. Het is Richard Spain, een jurist bij Brodnax & Speer, een aardige vent die tijdens mijn eerste bezoek met me ging lunchen. Hij zit op een smalle marmeren bank en staart uitdrukkingsloos naar de grond.

'Richard,' zeg ik, en ik loop naar hem toe. 'Ik ben het, Rudy Baylor.'

Hij blijft naar de grond staren. Ik ga naast hem zitten. Tegenover ons zijn de liften, tien meter verderop.

'Wat is er, Richard?' vraag ik. Hij lijkt wel in trance. 'Alles in orde, Richard?' De kleine lobby is verlaten en stil.

Langzaam draait hij zijn hoofd naar me toe en zijn mond valt half open. 'Ze hebben me ontslagen,' zegt hij zacht. Zijn ogen zijn rood. Hij heeft gedronken of gehuild.

Ik haal diep adem. 'Wie?' vraag ik met hoge stem, hoewel ik het antwoord al weet.

'Ze hebben me ontslagen,' zegt hij nog eens.

'Richard, vertel eens wat meer. Wat is er aan de hand? Wie zijn er ontslagen?'

'Iedereen. Alle medewerkers,' zegt hij langzaam. 'Beck heeft ons bijeengeroepen in de vergaderzaal. De maten hadden besloten om de zaak te verkopen aan Tinley Britt, zei hij. Voor de medewerkers was geen plaats meer. Zomaar. We hadden een uur om onze bureaus uit te ruimen en te vertrekken.' Hij knikt op een vreemde manier terwijl hij het zegt, en hij staart nu naar de liftdeuren achter me.

'Zomaar,' herhaal ik zacht.

'Je vroeg je zeker af hoe het met jouw baantje stond,' zegt Richard, nog steeds met die starende ogen.

'Ja, ik was wel benieuwd.'

'Die klootzakken trekken zich geen reet van je aan.'

Dat had ik al begrepen. 'Maar waarom hebben ze jullie ontslagen?' vraag ik, nauwelijks verstaanbaar. Het zal me een zorg zijn waarom de medewerkers op straat zijn gezet, maar ik probeer oprechte belangstelling te veinzen.

'Trent & Brent zijn alleen maar in onze cliënten geïnteresseerd,' zegt hij. 'Daarvoor moeten ze ook de vennoten overnemen. Maar de medewerkers hebben ze niet nodig.'

'Het spijt me,' zeg ik.

'Mij ook. Jouw naam is nog genoemd tijdens de vergadering. Iemand vroeg naar je, omdat jij de enige nieuwe was. Beck zei dat hij al had geprobeerd je te bellen met het slechte nieuws. Jij bent ook aan de dijk gezet, Rudy. Het spijt me.'

Ik laat mijn hoofd hangen en tuur naar de grond. Mijn handen zweten.

'Weet je hoeveel ik vorig jaar heb verdiend?' vraagt hij.

'Hoeveel dan?'

'Tachtigduizend dollar. Ik heb me hier zes jaar rot gewerkt, zeventig uur per week. Ik heb mijn gezin verwaarloosd en me afgebeuld voor Brodnax & Speer, en dan zeggen die teringlijers tegen je dat je een uur hebt om je bureau uit te ruimen en je biezen te pakken. Er stond zelfs een bewaker bij om toezicht te houden op wat ik meenam. Tachtigduizend dollar betaalden ze me, maar ik schreef jaarlijks vijfentwintighonderd uren, tegen honderdvijftig dollar per uur. Ik heb vorig jaar driehonderdvijfenzeventigduizend dollar voor ze verdiend. Daarvan kreeg ik er zelf tachtigduizend, plus een gouden horloge, plus een schouderklopje en de belofte dat ik een goede kans maakte om over een paar jaar tot maat te worden benoemd – één grote, gezellige familie, weet je wel? Maar opeens komen Trent & Brent met hun miljoenen en heb ik geen werk meer. En jij ook niet. Besef je dat wel? Je bent nu al ontslagen, nog voordat je begonnen bent.'

Daar heb ik geen antwoord op.

Zijn hoofd zakt langzaam op zijn linkerschouder en hij zwijgt een tijdje. 'Tachtigduizend,' zegt hij dan. 'Dat is een leuk salaris, vind je ook niet, Rudy?'

'Ja.' Het klinkt me als een vermogen in de oren.

'Waar moet ik een andere baan vinden die zo goed betaalt? Niet in deze stad. Dat kan ik wel vergeten. Er zijn geen vacatures meer. Veel te veel advocaten.'

Ik weet er alles van.

Hij veegt met zijn vingers langs zijn ogen en komt langzaam overeind. 'Ik ga het mijn vrouw maar vertellen,' mompelt hij bij zichzelf als hij met afhangende schouders de lobby oversteekt, naar buiten stapt en uit het gezicht verdwijnt.

Ik neem de lift naar de derde verdieping en kom uit in een kleine hal. Bij de receptie achter de dubbele glazen deur staat een forsgebouwde bewaker in uniform. Hij kijkt me argwanend aan als ik binnenkom.

'Kan ik u helpen?' gromt hij.

'Ik kom voor Loyd Beck,' zeg ik terwijl ik langs hem heen probeer te kijken, de gang door. Hij maakt zich wat breder om me het uitzicht te benemen.

'En wie bent u dan?'

'Rudy Baylor.'

Hij buigt zich opzij en pakt een envelop van de balie. 'Dit is voor u,' zegt hij. Mijn naam staat erop, in rode inkt. Er zit een velletje papier in. Een kort briefje. Mijn handen trillen als ik het lees.

Er klinkt een stem via een zendertje en de bewaker doet een stap naar achteren. 'Lees het maar en verdwijn,' zegt hij. Dan loopt hij de gang door.

De brief is maar één alinea lang. Loyd Beck brengt me vriendelijk op de hoogte van het nieuws en wenst me al het goede voor de toekomst. De fusie was 'plotseling en onverwacht'.

Ik gooi de brief op de grond en zoek iets anders om mee te smijten. Alles lijkt rustig op het kantoor. Ze hebben zich verschanst achter hun gesloten deuren en wachten tot het voetvolk verdwenen is. Bij de ingang staat een borstbeeld op een betonnen voetstuk – een lelijke bronzen buste van Brodnax' dikke kop. Ik spuw erop als ik erlangs loop. De kop verblikt of verbloost niet. Daarom geef ik hem een zet als ik de deur open. Het voetstuk wankelt en de buste valt eraf.

'Hé!' hoor ik een zware stem achter me. Juist op het moment dat het borstbeeld tegen de glazen deur valt en het voetstuk in tweeën breekt, zie ik de bewaker op me af komen.

Nog even overweeg ik te blijven staan om mijn excuses aan te bieden, maar dan ren ik de hal door en ruk de deur van het trappenhuis open. Hij schreeuwt weer iets. Ik storm hijgend de trappen af. Hij is te oud en te zwaar om me te kunnen inhalen.

Door een deur naast de liften kom ik in de lobby beneden uit. Niemand te zien. Rustig stap ik naar buiten, de straat op.

Het is zeven uur en bijna donker als ik zes straten verderop bij een super-markt blijf staan. Ze hebben een aanbieding van goedkoop licht bier voor drie dollar per verpakking van zes stuks. Dat is precies waar ik be-hoefte aan heb, een kartonnetje met zes blikjes goedkoop licht bier.

Loyd Beck heeft me twee maanden geleden aangenomen. Hij verzekerde me dat mijn cijfers goed, mijn sollicitatiebrief in orde en de gesprekken bevredigend waren en dat iedereen op kantoor ervan overtuigd was dat ik goed in het team zou passen. Geweldig. Een stralende toekomst bij Brodnax & Speer.

Maar zodra Trent & Brent met wat dollars zwaaiden, hebben de venno-ten het kantoor verkocht. Die hebzuchtige klootzakken verdienden al driehonderdduizend dollar per jaar, maar ze wilden nog méér.

Ik loop de supermarkt in en koop het bier. Na aftrek van belasting heb ik nog vier dollar en wat kleingeld op zak. Mijn bankrekening staat er niet veel beter voor.

Ik blijf in mijn auto naast de supermarkt zitten en maak het eerste blikje soldaat. Ik heb niets meer gegeten sinds die heerlijke lunch een paar uur geleden met Dot en Buddy en Bosco en juffrouw Birdie. Misschien had ik een extra puddinkje moeten nemen, net als Bosco. Zodra het koude bier mijn maag bereikt, voel ik de alcohol al toeslaan.

Snel drink ik de overige blikjes leeg. De uren verstrijken als ik doelloos door de straten van Memphis rijd.

– 4 –

Mijn appartement bestaat uit twee armoedige kamers op de eerste verdie-ping van een vervallen bakstenen gebouw dat The Hampton heet. De huur bedraagt tweehonderdvijfenzeventig dollar per maand, die ik zel-den op tijd betaal. Het gebouw ligt vlak bij een drukke straat, anderhalve kilometer van de universiteit. Ik woon er nu bijna drie jaar. De laatste tijd heb ik vaak overwogen om midden in de nacht te vertrekken en daar-na een regeling te treffen om mijn huurschuld in twaalf maanden af te be-talen. Maar daarbij ging ik er wel van uit dat ik een redelijk salaris zou verdienen bij Brodnax & Speer. Er wonen nog meer studenten in The Hampton, klaplopers zoals ik, en de huisbaas is gewend aan onderhande-lingen over huurschuld.

De parkeerplaats is donker en rustig als ik tegen twee uur 's nachts eindelijk thuiskom. Ik parkeer bij de vuilniscontainer. Als ik wankelend uit mijn auto stap en het portier afsluit, zie ik iets bewegen in het donker. Iemand anders komt ook zijn auto uit, slaat het portier dicht en loopt snel naar me toe. Ik verstijf. De nacht is duister en stil.

'Bent u Rudy Baylor?' vraagt hij als hij voor me staat. Hij is gekleed als een cowboy: laarzen met puntneuzen, een strakke Levi's, een denimshirt, kortgeknipt haar en een baardje. Hij kauwt kauwgom en maakt de indruk dat hij niet vies is van een vechtpartij.

'En wie ben jij?' vraag ik.

'Bent u Rudy Baylor, ja of nee?'

'Ja.'

Hij haalt wat papieren uit zijn achterzak en steekt ze me toe. 'Sorry,' zegt hij oprecht.

'Wat is dit?' vraag ik.

'Een dagvaarding.'

Langzaam pak ik de papieren aan. Het is te donker om ze te kunnen lezen, maar ik begrijp nu wat er aan de hand is. 'De deurwaarder,' zeg ik gelaten.

'Precies.'

'Texaco?'

'Ja. En The Hampton. U wordt het huis uitgezet.'

Als ik nuchter was, zou ik misschien geschokt zijn, maar ik heb vandaag al genoeg klappen gehad. Ik kijk naar het donkere, sombere gebouw met de rotzooi in het gras en het onkruid tussen de tegels, en ik vraag me af hoe ik me ooit door zo'n zielige steenklomp heb laten verslaan.

Hij doet een stap terug. 'Het staat allemaal in de papieren,' zegt hij. 'De datum van de zitting, de naam van de advocaat, enzovoort. Een paar telefoontjes zijn voldoende. Dat is mijn zaak verder niet. Ik doe alleen mijn werk.'

Wat een baan. Wachten in het donker om nietsvermoedende burgers een dagvaarding onder hun neus te duwen, met een gratis juridisch advies, en er dan weer vandoor te gaan om iemand anders de stuipen op het lijf te jagen.

Hij draait zich om, maar blijft dan staan en zegt: 'Hoor eens, ik zat vroeger bij de politie en ik heb nog een scanner in mijn auto. Een paar uur geleden hoorde ik een vreemde oproep. Een zekere Rudy Baylor zou vernielingen hebben aangericht in een advocatenkantoor in het centrum. Het signalement past bij jou. De auto klopt ook. Maar het zal wel een misverstand zijn.'

'En zo niet?'

'Dat zijn mijn zaken niet. Maar de politie is naar je op zoek wegens ver-

nieling van privé-eigendom.'
'Je bedoelt dat ze me willen aanhouden?'
'Ja. Ik zou vannacht maar ergens anders gaan slapen.'
Hij stapt in zijn auto, een BMW. Ik kijk hem na als hij wegrijdt.

Booker verschijnt op de veranda van zijn keurige duplexwoning. Hij draagt een badjas met paisley-motief over zijn pyjama. Hij heeft geen pantoffels aan zijn blote voeten. Booker mag dan een arme rechtenstudent zijn die de dagen telt tot hij eindelijk een fatsoenlijk salaris gaat verdienen, maar hij besteedt altijd zorg aan zijn uiterlijk. Zijn kleerkast hangt niet vol, maar hij heeft gevoel voor mode. 'Wat moet je?' vraagt hij nijdig, met kleine oogjes van de slaap. Ik heb hem gebeld vanuit een telefooncel bij de supermarkt om de hoek.
'Sorry,' zeg ik als we naar zijn studeerkamer lopen. Ik zie Charlene in de kleine keuken staan, ook in een paisley-ochtendjas, met haar haar naar achteren gebonden en slaperige ogen. Ze is bezig koffie te zetten of zo. Ergens achter in het huis hoor ik een kind roepen. Het is drie uur in de nacht en ik heb de hele familie wakker gemaakt.
'Ga zitten,' zegt hij. Hij pakt me bij de arm en duwt me zachtjes naar de bank. 'Je hebt gedronken.'
'Ik ben bezopen, Booker.'
'Een speciale reden?' Hij blijft voor me staan als een boze vader.
'Dat is een lang verhaal.'
'Je had het over de politie.'
Charlene zet een kop koffie op het tafeltje naast me. 'Alles in orde, Rudy?' vraagt ze zo vriendelijk mogelijk.
'Geweldig.' Lullig antwoord.
'Ga maar even bij de kinderen kijken,' zegt Booker tegen haar en ze verdwijnt.
'Sorry,' zeg ik weer. Booker gaat vlak bij me zitten, op de rand van het koffietafeltje, en wacht af.
Ik raak de koffie niet aan. Ik voel mijn hoofd bonzen. Langzaam doe ik hem het hele relaas, vanaf het moment dat hij me die middag bij de universiteit heeft afgezet. Mijn tong is dik en zwaar, en het kost me moeite om me op mijn verhaal te concentreren. Charlene komt terug, laat zich voorzichtig op de dichtstbijzijnde stoel zakken en luistert bezorgd. 'Het spijt me,' fluister ik tegen haar.
'Het geeft niet, Rudy. Geen punt.'
Charlenes vader is dominee, ergens op het platteland van Tennessee, en ze heeft een hekel aan drank en onbeschoft gedrag. Als ik soms een biertje ga drinken met Booker, gebeurt dat altijd stiekem.
'Dus je hebt twaalf blikjes bier gedronken?' vraagt hij ongelovig.

Charlene staat op om naar het kind te gaan kijken, dat weer ligt te huilen. Ik besluit mijn verhaal met de dagvaarding en het bevel tot uithuiszetting. Het is een geweldige dag geweest.

'Ik moet werk vinden, Booker,' zeg ik terwijl ik een grote slok koffie neem.

'Je hebt nu wel dringender problemen. Over drie maanden hebben we ons rechtbankexamen en daarna moeten we nog voor de antecedentencommissie verschijnen. Een arrestatie en een strafblad kunnen je ondergang betekenen.'

Daar had ik nog niet aan gedacht. Ik heb barstende koppijn. 'Heb je misschien een boterham voor me?' Ik word misselijk. Bij de tweede six-pack bier heb ik een zak zoutjes gegeten, maar dat is alles sinds de lunch met Bosco en juffrouw Birdie.

Charlene hoort het vanuit de keuken. 'Eieren en spek?'

'Graag, Charlene. Dank je.'

Booker is diep in gedachten verzonken. 'Morgenochtend zal ik Marvin Shankle bellen. Zijn broer heeft invloed bij de politie. Misschien kunnen we die arrestatie nog voorkomen.'

'Dat zou mooi zijn.' Marvin Shankle is de belangrijkste zwarte advocaat in Memphis, en Bookers toekomstige baas. 'En vraag hem gelijk of hij nog een baantje voor me heeft.'

'O ja? Wil je bij een kantoor werken dat zich met burgerrechten bezighoudt?'

'Op dit moment vind ik alles best. Voor mijn part een Koreaans kantoor dat echtscheidingen doet. Het is niet persoonlijk bedoeld, Booker, maar ik heb werk nodig. Ik heb geen rooie cent meer. Misschien duiken er straks nog een paar schuldeisers op met dwangbevelen. Ik red het niet meer.' Langzaam strek ik me op de divan uit. Charlene staat spek te bakken en de doordringende lucht zweeft de kleine studeerkamer binnen.

'Waar heb je de papieren?' vraagt Booker.

'In de auto.'

Hij verdwijnt en komt een minuut later terug. Hij laat zich op een stoel vallen en bestudeert de dagvaarding van Texaco en het uithuiszettingsbevel. Charlene rommelt wat in de keuken en brengt me nog een kop koffie met een aspirientje. Het is half vier 's nachts. De kinderen zijn weer in slaap gevallen. Ik voel me veilig, warm, onder vrienden.

Ik zie de kamer tollen. Ik sluit mijn ogen en val langzaam in slaap.

Als een slang door het struikgewas glip ik het gebouw van de juridische faculteit binnen. Het is ver na twaalven en mijn laatste colleges (sport-wetgeving en Napoleontisch recht, wat een flauwekul!) zijn al lang afge-lopen. Binnengekomen loop ik snel naar mijn afgelegen hoekje van de bi-bliotheek in het souterrain.

Booker had me wakker gemaakt met het veelbelovende nieuws dat hij Marvin Shankle had gebeld en dat de raderen in beweging waren gezet. Er werd overlegd met een of andere hoofdinspecteur en Shankle had goe-de hoop dat ze iets konden regelen. Shankles broer is strafrechter, en als de aanklacht niet werd ingetrokken, zouden ze wel iets anders bedenken. Maar ik weet niet of ik nog steeds door de politie word gezocht. Booker heeft beloofd dat hij regelmatig zal bellen om me op de hoogte te houden. Booker heeft een eigen kamer bij Marvin Shankle. Hij werkt er al twee jaar parttime als assistent, en in die tijd heeft hij meer geleerd dan wij alle-maal. Tussen de colleges door belt hij zijn secretaresse, houdt ijverig zijn agenda bij en vertelt me over zijn cliënten. Ja, Booker redt het wel.

Het is onmogelijk om helder te denken met een kater. Ik maak aanteke-ningen op een blocnote. Het is me gelukt om binnen te komen – maar wat nu? Eerst moet ik een paar uur wachten, tot bijna iedereen weg is. Het is vrijdagmiddag, dus het wordt al stil. Aan het eind van de middag kan ik naar het Plaatsingskantoor sluipen om Madeline Skinner mijn verhaal te doen. Als ik geluk heb, is er misschien nog een overheidsdienst te vinden waar geen enkele student wil werken maar die toch twintigduizend dollar per jaar over heeft voor een goed juridisch brein. Of misschien heeft er op het laatste moment nog een bedrijf gebeld dat een juridisch medewerker nodig heeft. Maar veel kans geef ik mezelf niet.

Iedereen in Memphis kent het verhaal van Jonathan Lake, een rech-tenstudent die ook geen werk kon krijgen bij de grote kantoren in de stad. Dat was zo'n twintig jaar geleden. Lake werd door alle gevestigde firma's afgewezen. Daarom huurde hij een eigen ruimte, hing een bord boven de deur en riep zichzelf uit tot advocaat. Een paar maanden had hij nauwelijks te eten, totdat hij op een avond een ongeluk met zijn motor kreeg en met een gebroken been in het St. Peter's Ziekenhuis belandde. Niet veel later werd er nog iemand binnengebracht die met zijn motor was verongelukt. Die vent had alle botten in zijn lijf gebroken en zware brandwonden opgelopen. Zijn vriendin was er nog ernstiger aan toe en overleed een paar dagen daarna. Lake raakte bevriend met de motorrijder en noteerde hem als zijn eerste cliënt. Het toeval wilde dat de Jaguar die het rode licht had genegeerd en de motor met Lakes cliënten had aangereden, werd bestuurd door de oudste maat van het op twee na grootste advocatenkantoor in Memphis. Het was dezelfde vent die Lake zes maanden eerder bij zijn sollicitatiegesprek had afgewezen. Hij was dronken toen hij door het rode licht reed.

Lake begon met veel genoegen een procedure. De advocaat die dronken achter het stuur had gezeten was goed verzekerd en de verzekeringsmaatschappij probeerde het meteen op een akkoordje te gooien met Lake. Zes maanden nadat hij zijn rechtbankexamen had afgelegd, regelde Lake de zaak voor twee komma zes miljoen dollar. Contant.

Volgens de verhalen had de motorrijder in het ziekenhuis tegen Lake gezegd dat hij de helft van het smartegeld zou mogen houden, omdat hij nog zo jong was en pas van de universiteit kwam. Lake herinnerde zich die belofte, en de motorrijder hield woord. Lake hield er één komma drie miljoen dollar aan over. Volgens de verhalen.

Zelf zou ik met het geld naar de Stille Zuidzee zijn vertrokken om lekker met mijn eigen boot rond te varen en de hele dag rumpunch te drinken. Lake niet. Die liet een kantoor neerzetten en begon een serieuze advocatenpraktijk. Hij werkte achttien uur per dag en nam alle cliënten aan die hij kon krijgen. Hij volgde cursussen, hij bleef studeren en al snel was hij de bekendste strafpleiter van Tennessee.

Twintig jaar later werkt Jonathan Lake nog steeds achttien uur per dag. Hij heeft nu een kantoor met elf medewerkers, is zelf de enige maat, doet meer zaken dan enige andere advocaat in de stad en schijnt zo'n drie miljoen dollar per jaar te verdienen.

En dat geld geeft hij graag uit. Drie miljoen per jaar is in Memphis moeilijk te verbergen, dus is Jonathan Lake bijna altijd in het nieuws. Hij is een levende legende. Alleen vanwege zíjn voorbeeld besluit ieder jaar een onbekend aantal jongelui om rechten te gaan studeren. Zij hebben een droom. En ieder jaar zijn er mensen die na hun studie niets anders willen dan een klein kantoortje met hun naam boven de deur. Ze zijn bereid om droog brood te eten, net zoals Lake begonnen is.

Ik vermoed dat ze ook motor rijden. Misschien is dat mijn toekomst. Misschien is er nog hoop voor mij. Net als voor Lake.

Ik tref Max Leuberg op een ongelukkig moment. Hij zit te bellen. Hij praat met zijn handen en hij vloekt als een dronken zeeman. Het gaat over een procedure in St. Paul waarbij hij moet getuigen. Ik staar naar de grond, krabbel wat op mijn blocnote en probeer hem te negeren terwijl hij heen en weer stampt achter zijn bureau en woest aan het telefoonsnoer rukt.

Ten slotte hangt hij op en zoekt iets in de rommel op zijn bureau. 'Je hebt ze bij de strot,' zegt hij tegen mij.

'Wie?'

'Great Eastern. Gisteravond heb ik het hele dossier gelezen. Een typische colportagepost.' Hij pakt een dossier van een hoek van het bureau en laat zich in zijn stoel vallen. 'Weet je wat dat is?'

Ik geloof het wel, maar dan moet ik een toelichting geven en dat kan ik niet. 'Nee, niet precies.'

'Straatverzekering, noemen de zwarten het. Goedkope polissen die langs de deur worden verkocht aan mensen met weinig geld. De agenten die ze verkopen, komen iedere week aan de deur om de premie te incasseren en maken een aantekening in het premieboekje van de verzekerde. Ze speculeren op de onwetendheid van de mensen. Zodra iemand een claim indient, weigeren ze bij voorbaat om uit te keren. Sorry, maar dit is niet gedekt, met welk excuus dan ook. Ze zijn bijzonder vindingrijk in het verzinnen van smoezen.'

'Worden ze nooit voor de rechter gesleept?'

'Niet vaak. Uit onderzoek blijkt dat maar ongeveer één op de tien gevallen van kwade trouw voor de rechter komt. Dat weten de maatschappijen ook, en daar rekenen ze op. Vergeet niet dat ze zich uitsluitend op de onderlaag van de maatschappij richten, op mensen die bang zijn voor advocaten en de wet.'

'Maar wat gebeurt er als ze wèl worden aangeklaagd?' vraag ik. Hij slaat naar een mug of een vlieg en twee vellen papier dwarrelen van zijn bureau naar de grond.

Hij laat zijn knokkels kraken. 'Niet veel, meestal. Soms wordt een hoge boete opgelegd. Ik ben zelf bij twee of drie van die zaken betrokken geweest. Maar de gemiddelde jury voelt er weinig voor om iemand die zich voor een koopje heeft verzekerd opeens tot miljonair te bombarderen. Ga maar na. Een maatschappij moet bijvoorbeeld vijfduizend dollar aan medische kosten betalen die door de polis worden gedekt. Maar de maatschappij weigert. Laten we zeggen dat die maatschappij zo'n tweehonderd miljoen dollar waard is. De advocaat van de verzekerde vraagt de jury om de eiser vijfduizend dollar toe te wijzen en de maatschappij een boete van een paar miljoen op te leggen. Die laatste eis wordt maar zelden toegewezen. De jury verplicht de verzekeringsmaatschappij om die vijfduizend dollar uit te keren, met daarbovenop een boete van tienduizend dollar. Einde van de zaak, en de maatschappij springt er gunstig uit.'

'Maar Donny Ray Black is stervende omdat hij geen beenmergtransplantatie kan krijgen waar hij volgens zijn polis recht op heeft. Ja toch?'

Leuberg grijnst boosaardig. 'Jazeker. Aangenomen dat zijn ouders je alles hebben verteld. En dat is nog maar de vraag.'

'Maar als het allemaal klopt wat er in die stukken staat?' Ik wijs op het dossier.

Hij haalt zijn schouders op en knikt. 'Dan staan ze sterk,' zegt hij grijnzend. 'Niet ijzersterk, maar sterk.'

'Ik begrijp het niet.'

'Heel simpel, Rudy. Dit is Tennessee, de staat van de vijf-cijfer-boetes. Niemand krijgt hier ooit een hoog bedrag toegewezen. De jury's zijn hier heel voorzichtig. Het inkomen per hoofd van de bevolking is vrij laag. Daarom voelen juryleden er niets voor om hun buurman stinkend rijk te maken. Memphis is niet de geschikte stad om hoge schadevergoedingen te eisen.'

Ik durf te wedden dat Jonathan Lake er wel een flink bedrag uit kan slepen. En misschien biedt hij mij wel een percentage als ik hem die zaak aanbreng. Ondanks de kater beginnen de radertjes weer te draaien.

'Wat raad je me aan?' vraag ik.

'Daag ze maar voor de rechter.'

'Ik ben officieel nog geen advocaat.'

'Ik heb het ook niet over jou. Verwijs die mensen naar een goede advocaat. Bel er een op en leg hem de zaak voor. Daarna schrijf je een verslag voor Smoot, en dat is dat.' Hij springt overeind als de telefoon gaat en schuift de stapel papieren over het bureau naar me toe. 'Hier heb je een overzicht van bijna veertig procedures tegen verzekeringsmaatschappijen. Lees het maar, als het je interesseert.'

'Bedankt,' zeg ik.

Hij wuift me de deur uit. Als ik vertrek, zit Max Leuberg alweer in de telefoon te schreeuwen.

De universiteit heeft me een afkeer van onderzoek bijgebracht. Ik studeer hier nu al drie jaar en minstens de helft van die moeizame uren heb ik met mijn neus in oude, versleten boeken gezeten, op zoek naar oude rechtszaken als ondersteuning van primitieve rechtskundige theorieën waar geen enkele zinnige jurist zich de laatste veertig jaar mee bezig heeft gehouden. Ze vinden het heerlijk om je op spokenjacht te sturen. Al die professoren, van wie de meesten alleen maar lesgeven omdat ze niet goed functioneren in de echte maatschappij, vinden het een nuttige training voor ons om obscure rechtszaken op te diepen en te analyseren. Zo halen we goede cijfers en kunnen we als hoogopgeleide jonge advocaten het juridische wereldje betreden.

Dat gold zeker voor de eerste twee jaar van de studie. Dit laatste jaar valt het wel mee. En misschien heeft die krankzinnige aanpak toch enig nut. Ik ken duizenden verhalen over de grote advocatenkantoren en hun gewoonte om nieuwkomers de eerste twee jaar naar de bibliotheek te verbannen om onderzoek te doen voor allerlei procedures.

De tijd lijkt stil te staan als je met een kater in de boeken duikt. Mijn hoofdpijn wordt nog erger en mijn handen blijven trillen. Tegen het eind van die vrijdagmiddag vindt Booker me in mijn studiehoekje met Leubergs overzicht en tientallen opengeslagen boeken op mijn bureau. 'Hoe voel je je?' vraagt hij.

Booker draagt een jasje en een stropdas. Hij heeft vanmiddag op kantoor gezeten, mensen gebeld en memo's gedicteerd als een echte advocaat. 'Redelijk.'

Hij knielt naast mijn stoel en bekijkt de stapel boeken. 'Wat hebben we hier?' vraagt hij.

'Dit is niet voor het rechtbankexamen. Ik doe wat onderzoek voor het college van Smoot.'

'Je hebt nog nooit onderzoek gedaan voor het college van Smoot.'

'Dat weet ik. Daarom voelde ik me schuldig.'

Booker staat op en leunt tegen de wand van de nis. 'Twee dingen,' zegt hij bijna fluisterend. 'Marvin Shankle heeft dat incident op het kantoor van Brodnax & Speer voor je geregeld. Hij heeft wat mensen gebeld en de belofte gekregen dat de gedupeerden geen aanklacht zullen indienen.'

'Gelukkig,' zeg ik. 'Bedankt, Booker.'

'Graag gedaan. Ik denk dat je je weer veilig op straat kunt vertonen. Als je je tenminste los kunt scheuren van je onderzoek.'

'Ik zal mijn best doen.'

'Punt twee. Ik heb een lang gesprek gehad met Marvin Shankle. Ik kom net van zijn kantoor. Hij heeft geen werk voor je. Hij heeft al drie nieuwe medewerkers aangenomen, mij en twee anderen uit Washington. En dat is eigenlijk al te veel. Hij is op zoek naar meer kantoorruimte.'

'Dat had je niet hoeven doen, Booker.'

'Jawel. Ik wilde het zelf. Het was geen moeite. Marvin Shankle heeft beloofd dat hij zijn voelhorens zou uitsteken. Hij kent heel wat mensen.'

Ik ben oprecht geroerd. Vierentwintig uur geleden had ik nog uitzicht op een goede baan met een aardig salaris. Nu zijn mensen die ik helemaal niet ken al bezig om een ander baantje voor me te zoeken.

'Dank je,' zeg ik. Ik bijt op mijn lip en staar naar mijn handen.

Hij kijkt op zijn horloge. 'Ik moet weg. Wil je morgen nog voor het examen studeren?'

'Goed.'

'Ik bel je wel.' Hij geeft me een klopje op mijn schouder en verdwijnt.

Om precies tien voor vijf verlaat ik de bibliotheek en loop de trap op naar de begane grond. Ik ben niet bang meer om iemand tegen te komen – de politie, Sara Plankmore, een deurwaarder of een van mijn medestudenten. Het is vrijdagmiddag en de faculteit is verlaten.

Het Plaatsingskantoor bevindt zich op de begane grond, aan de voorkant van het gebouw, naast de administratie. Ik werp een blik op het mededelingenbord in de hal, maar ik blijf niet staan. Meestal hangt het vol met vacatures bij grote of middelgrote firma's, eenmanskantoren, bedrijven of de overheid. Eén blik op het bord is voldoende. Er hangt geen enkel briefje meer. De banenmarkt is verzadigd in deze tijd van het jaar.

Madeline Skinner zwaait al jaren de scepter over het Plaatsingskantoor. Volgens de geruchten gaat ze binnenkort met pensioen, maar volgens andere geruchten dreigt ze daar ieder jaar mee om de decaan onder druk te zetten. Ze is zestig, maar ze ziet eruit als zeventig: een pezige vrouw met kort grijs haar, een netwerk van rimpels om haar ogen en altijd een sigaret in de asbak op haar bureau. Ze schijnt vier pakjes per dag te roken. Officieel mag er in dit deel van het gebouw niet worden gerookt, maar niemand heeft nog de moed gehad om dat Madeline te vertellen. Ze heeft veel invloed, omdat zij contacten legt met de kantoren die banen te vergeven hebben. En als er geen banen meer zijn, kunnen ze de faculteit wel sluiten. Ze is heel goed in haar werk. Ze kent de juiste mensen bij de juiste firma's. Vaak hebben die mensen hun baan zelfs aan háár te danken. En ze deinst nergens voor terug. Als een ex-student van Memphis State bijvoorbeeld hoofd personeelswerving is bij een groot kantoor en te veel mensen van andere – duurdere – universiteiten aanneemt, belt ze rustig de rector van de universiteit om haar beklag te doen. De rector gaat dan lunchen met de vennoten van de grote kantoren om de zaken recht te trekken. Madeline kent alle vacatures in Memphis en weet precies wie wàt doet bij wèlke firma.

Maar haar werk wordt steeds moeilijker. Er komen te veel mensen met een rechtenbul. En dit is niet een van de 'betere' universiteiten.

Ze staat bij de waterkoeler en kijkt de gang door, alsof ze me al verwachtte. 'Hallo, Rudy,' zegt ze met haar hese stem. Ze is alleen. Iedereen is al weg. Ze heeft een glas water in de ene en een dun sigaretje in de andere hand.

'Hallo,' zeg ik met een glimlach, alsof ik de gelukkigste man van de wereld ben.

Ze wijst met haar glas naar de deur van haar kantoor. 'Laten we daar maar praten.'

'Goed,' zeg ik en ik loop met haar mee naar binnen. Ze doet de deur achter ons dicht en wijst naar een stoel. Zelf gaat ze op het puntje van haar stoel zitten, aan de andere kant van het bureau.

'Zware dag, niet?' zegt ze, alsof ze precies weet wat er de afgelopen vierentwintig uur is gebeurd.

'Ik heb wel eens betere dagen gehad.'

'Vanochtend heb ik Loyd Beck gesproken,' zegt ze langzaam.

Ik hoopte dat hij dood zou zijn. 'En wat had hij te zeggen?' vraag ik zo arrogant mogelijk.

'Gisteravond hoorde ik het nieuws over de fusie en ik was bezorgd om jou. Jij bent onze enige student die naar Brodnax & Speer zou gaan, daarom wilde ik weten wat voor plannen ze met je hadden.'

'En?'

'Die fusie kwam nogal onverwacht. Het was een gouden kans, en zo.'

'Ja, zoiets heb ik ook gehoord.'

'Ik vroeg hem wanneer ze jou op de hoogte hadden gebracht en hij hing een ontwijkend verhaal op. Iemand had een paar keer geprobeerd je te bellen, maar je telefoon was afgesloten.'

'Ja, ik ben al vier dagen afgesneden.'

'Nou ja, toen vroeg ik hem of hij me kopieën kon faxen van de briefwisseling tussen jou en Brodnax & Speer over de fusie en jouw positie als gevolg daarvan.'

'Ik heb nooit een brief gehad.'

'Dat weet ik. Dat gaf hij ook toe. Het komt erop neer dat ze helemaal niets hebben gedaan totdat de fusie een feit was.'

'Precies. Helemaal niets.' Het is wel een prettig gevoel om Madeline aan mijn kant te hebben.

'Toen heb ik hem ervan beschuldigd dat hij een van onze studenten had belazerd. Dat werd een onprettig gesprekje.'

Onwillekeurig moet ik grijnzen. Ik twijfel er geen moment aan wie die woordenwisseling heeft gewonnen.

'Beck zweert dat ze je wilden houden,' vervolgt Madeline. 'Ik weet niet of ik dat wel geloof, maar ik heb hem gezegd dat ze jou veel eerder hadden moeten inlichten. Je bent bijna afgestudeerd, je was al bijna een collega van ze, geen meubelstuk. Ik weet dat jullie slavendrijvers zijn, zei ik tegen hem, maar de slavernij is al lang afgeschaft. Jullie kunnen die jongen niet als oud vuil behandelen.'

Goed zo. Precies wat ik ervan denk.

'Na dat telefoongesprek heb ik met de decaan overlegd. Die heeft Donald Hucek gebeld, een van de vennoten van Tinley Britt. Die heeft het uitgezocht en kwam toen met hetzelfde verhaal. Beck wilde je wel houden, maar je voldeed niet aan de criteria van Tinley Britt. De decaan vertrouwde het niet helemaal, en Hucek beloofde dat hij je dossier nog eens zou bekijken.'

'Trent & Brent is niets voor mij,' zeg ik als iemand met vele mogelijkheden.

'Dan vond Hucek ook. Tinley Britt was niet geïnteresseerd, zei hij.'

'Mooi zo,' zeg ik, omdat ik niets anders weet te bedenken. Madeline hou ik toch niet voor de gek. Die weet dat ik grote problemen heb.

'We hebben niet veel invloed bij Tinley Britt. De afgelopen drie jaar hebben ze maar vier of vijf van onze mensen aangenomen. En ze zijn nu zo groot, dat we ze niet meer onder druk kunnen zetten. Ik zou er zelf niet graag werken, eerlijk gezegd.'

Ze probeert me te troosten, alsof ik blij mag zijn dat ik er zo afkom. Wie heeft Trent & Brent nog nodig, met hun beginsalaris van vijftigduizend dollar per jaar?

'Wat is er nog over?' vraag ik.

'Niet veel,' zegt ze snel. 'Helemaal niets, eigenlijk.' Ze raadpleegt haar aantekeningen. 'Ik heb iedereen gebeld die ik ken. Er was nog een baan als parttime medewerker van een pro-deo-advocaat, voor twaalfduizend per jaar, maar die vacature is twee dagen geleden al vervuld. Het is me gelukt om Hall Pasterini naar voren te schuiven. Ken je Hall? Pechvogel. Maar nu heeft hij eindelijk werk.'

Ik neem aan dat een heleboel mensen mij ook een pechvogel vinden.

'En er zijn goede vooruitzichten op een baan als intern juridisch medewerker bij een paar kleinere bedrijven, maar dan moet je eerst je rechtbankexamen gedaan hebben.'

Dat examen is in juli. Bijna alle firma's nemen nieuwe mensen aan zodra ze zijn afgestudeerd en laten ze na werktijd voor hun rechtbankexamen studeren. Dat is veel efficiënter.

Ze legt haar aantekeningen weer neer. 'Maar ik blijf zoeken, oké? Misschien doet zich nog iets voor.'

'Wat kan ik zelf nog doen?'

'Overal aankloppen. Er zijn drieduizend advocaten in deze stad. De meesten werken voor zichzelf of op kleine kantoren van twee of drie man. Die kennen we niet, omdat we ze nooit benaderen. Probeer het daar eens. Begin gewoon met de kleinste kantoren. Misschien kun je ze helpen met hun rotte-visdossiers of andere klusjes.'

'Hun rotte-visdossiers?' vraag ik.

'Ja. Iedere advocaat heeft wel een paar zaken die hij liever niet had aangenomen. Die dossiers blijven in een hoek liggen totdat ze beginnen te stinken als rotte vis.'

Wat ze je allemaal níet leren op de universiteit!

'Mag ik u wat vragen?'

'Natuurlijk. Ga je gang.'

'Die goede raad die u me geeft, dat ik zelf moet aankloppen en zo, hoe vaak hebt u dat de laatste drie maanden al tegen andere studenten gezegd?'

Ze glimlacht even en kijkt op een computeruitdraai. 'We hebben onge-

veer vijftien studenten die nog op zoek zijn naar werk.'
'Dus die schuimen nu ook de straten af?'
'Ik denk het wel, maar ik weet het niet zeker. Sommigen hebben andere plannen, die ze mij niet altijd vertellen.'
Het is na vijven en Madeline wil naar huis. 'Bedankt, mevrouw Skinner. Voor alles. Het is prettig te weten dat iemand je steunt.'
'Ik blijf zoeken, dat beloof ik je. Kom volgende week maar eens langs.'
'Dat zal ik doen. Dank u.'
Onopgemerkt loop ik terug naar mijn studiehoekje.

– 6 –

Het huis van juffrouw Birdsong ligt in Midtown, een oudere, welvarende wijk op een paar kilometer van de universiteit. De straat wordt omzoomd door oude eiken en het is er stil. Hier en daar staan mooie villa's, met keurig gemaaide gazons en glimmende auto's op de oprijlaan. Andere huizen maken een verlaten indruk en staren me van achter woeste struiken en ongesnoeide bomen broeierig aan. De rest van de woningen zit er zo'n beetje tussenin. Juffrouw Birdie woont in een wit stenen huis, een combinatie van fin-de-siècle en zuidelijke gotiek, met een brede veranda die aan één kant om de hoek verdwijnt. Het huis kan wel een verfje en een nieuw dak gebruiken, ook de tuin is niet echt goed onderhouden. De ramen zijn vuil en de goten verstopt met bladeren, maar het is duidelijk te zien dat er iemand woont die zijn best doet de zaak in stand te houden. Langs de oprijlaan staan twee wanordelijke heggen. Ik parkeer achter een stoffige Cadillac van een jaar of tien oud.
De planken van de veranda kraken als ik naar de voordeur loop. Ongerust kijk ik om me heen of ik nergens een grote hond met scherpe tanden zie aankomen. Het is laat, bijna donker, en er brandt geen licht op de veranda. De zware houten voordeur staat wijd open en door de hordeur zie ik de contouren van een kleine hal. Er is geen bel, dus klop ik zachtjes op de hordeur, die rammelt. Ik houd mijn adem in. Geen blaffende honden. Geen geluid, geen enkele beweging. Ik klop wat luider.
'Wie is daar?' roept een bekende stem.
'Juffrouw Birdie?'
Een gestalte verschijnt in de hal, het licht gaat aan en daar staat ze, in de-

zelfde katoenen jurk die ze gisteren in de Cipressentuin droeg. Ze tuurt door de hor.

'Ik ben het, Rudy Baylor. De rechtenstudent met wie u hebt gesproken.'

'Rudy!' Ze vindt het leuk om me te zien. Eerst vind ik dat gênant, daarna droevig. Ze woont helemaal alleen in dit enorme huis, ervan overtuigd dat haar familie haar in de steek gelaten heeft. Het hoogtepunt van haar dag is het verzorgen van die oude mensen die bijeenkomen voor een hapje eten en een paar liedjes. Juffrouw Birdie Birdsong is een heel eenzame dame.

Haastig opent ze de hordeur. 'Kom binnen, kom binnen,' zegt ze zonder een zweem van nieuwsgierigheid. Ze pakt me bij de elleboog en neemt me mee door de hal en een gangetje, terwijl ze onderweg een paar lampen aandoet. De muren zijn behangen met tientallen oude familiefoto's. De kleden zijn stoffig en versleten. Er hangt de muffe schimmellucht van een oud huis dat nodig moet worden schoongemaakt en opgeknapt.

'Wat aardig van je om langs te komen,' zegt ze vriendelijk, nog steeds met haar hand om mijn arm. 'Vond je het gisteren niet leuk bij ons?'

'Ja, mevrouw.'

'Kom je nog eens terug?'

'Zo gauw als ik kan.'

Ze zet me aan de keukentafel. 'Koffie of thee?' vraagt ze terwijl ze naar de kastjes loopt en nog wat lichten aandoet.

'Koffie,' zeg ik, met een blik om me heen.

'Is oplos goed?'

'Ja hoor.' Na drie jaar rechtenstudie proef ik het verschil niet meer.

'Melk en suiker?' vraagt ze, naar de koelkast gebogen.

'Zwart.'

Ze zet water op, pakt de kopjes en gaat tegenover me aan tafel zitten. Ze lacht van oor tot oor. Ik heb haar hele dag goedgemaakt.

'Ik vind het zo enig om je te zien,' zegt ze voor de derde of vierde keer.

'U hebt een mooi huis, juffrouw Birdie,' zeg ik, met de muffe geur nog in mijn neus.

'O, dank je. Thomas en ik hebben het veertig jaar geleden gekocht.'

De potten en pannen, de kranen en het aanrecht, de oven en de broodrooster zijn allemaal minstens veertig jaar oud. De koelkast is een klassiek model uit het begin van de jaren zestig.

'Thomas is al elf jaar dood. We hebben onze twee zoons in dit huis grootgebracht, maar ik praat liever niet over hen.' Haar vrolijke stem klinkt even somber, maar dan lacht ze weer.

'Nee, dat begrijp ik.'

'Ik praat liever over jou,' zegt ze. Dat is een onderwerp dat ik juist wil vermijden.

'Natuurlijk, waarom niet?' Ik zet me schrap.

'Waar kom je vandaan?'

'Ik ben hier geboren, maar ik ben opgegroeid in Knoxville.'

'Wat leuk. En op welke school heb je gezeten?'

'Austin Peay.'

'Austin wie?'

'Austin Peay. Dat is een kleine school in Clarksville. Een openbare school.'

'Wat leuk. En waarom ben je rechten gaan studeren aan Memphis State?'

'Omdat het een goede universiteit is. En ik hou van Memphis.' Er waren nog twee andere redenen. Op Memphis State werd ik toegelaten en het collegegeld was betaalbaar.

'Wat leuk. Wanneer ben je klaar met je studie?'

'Over een paar weken.'

'Dan ben je dus officieel advocaat? Wat leuk. En waar ga je werken?'

'Dat weet ik nog niet. Ik denk erover om voor mezelf te beginnen. Een eigen kantoor. Ik ben nogal onafhankelijk en ik weet niet of ik wel voor iemand anders wil werken. Ik doe de dingen graag op mijn eigen manier.'

Ze staart me aan. Haar glimlach is verdwenen. Haar ogen lijken bevroren. Ze begrijpt er niets van. 'Geweldig,' zegt ze ten slotte. Dan springt ze op om koffie in te schenken.

Als dit aardige dametje twintig miljoen dollar waard is, weet ze dat goed te verbergen. Mijn blik dwaalt door de keuken. De tafel heeft aluminium poten en een versleten formicablad. De borden en het keukengerei zijn tientallen jaren oud. Ze woont in een oud, enigszins verwaarloosd huis en rijdt in een oude auto. Zo te zien heeft ze geen personeel. Zelfs geen duur schoothondje.

'Wat leuk,' zegt ze nog eens als ze twee kopjes op de tafel zet. Er komt geen damp af. Mijn kopje is lauw. De koffie is slap en muf.

'Een lekker bakje,' zeg ik, smakkend met mijn lippen.

'Dank je. Dus je wilt een eigen kantoor beginnen?'

'Ik denk er nog over. Het zal niet meevallen, zeker niet in het begin. Maar als ik hard werk en de mensen eerlijk behandel, zal ik geen gebrek hebben aan cliënten.'

Ze lacht oprecht en schudt langzaam haar hoofd. 'Geweldig, Rudy. Wat flink van je. Dappere jonge mensen, dat is precies wat de advocatuur nodig heeft.'

Ik ben het laatste wat de advocatuur nodig heeft – weer zo'n jonge, hongerige aasgier die de straten afschuimt op zoek naar wanhopige, failliete cliënten, om ze nog een paar dollar lichter te maken.

Ik neem een slok koffie. 'U vraagt zich misschien af wat ik kom doen.'

'Ik vind het enig dat je gekomen bent.'

'Ja. Ik vind het ook leuk om u weer te zien. Maar ik wilde nog eens praten over uw testament. Ik kon gisteravond niet in slaap komen omdat ik me zorgen maakte over uw erfenis.'

Haar ogen worden vochtig. Ze is geroerd.

'Er zijn nog een paar problemen,' zeg ik met mijn meest juridische frons. Ik haal een pen uit mijn zak en neem hem in mijn hand alsof ik klaar ben voor actie. 'Om te beginnen... neemt u me niet kwalijk dat ik dit zeg... om te beginnen zie ik niet graag dat een cliënt zulke harde maatregelen neemt tegen zijn of haar familie. Daar moeten we nog eens uitvoerig over praten, vind ik.' Haar mond verstrakt, maar ze zegt niets. 'In de tweede plaats... het is heel vervelend, maar als advocaat moet ik het toch zeggen... in de tweede plaats heb ik moeite met een testament waarin het grootste deel van de erfenis aan een tv-persoonlijkheid wordt nagelaten.'

Ze spring meteen voor de eerwaarde Kenneth Chandler in de bres. 'Hij is een man van God,' zegt ze nadrukkelijk.

'Dat weet ik. Goed. Maar waarom zou u àlles aan hem nalaten, juffrouw Birdie? Waarom niet een kwart of een ander redelijk percentage?'

'Hij heeft veel vaste kosten. En zijn vliegtuig is al oud. Hij heeft het me allemaal uitgelegd.'

'Oké, maar de Heer verwacht toch niet van u dat u de hele campagne van de dominee bekostigt, is het wel?'

'Wat de Heer van mij verwacht is míjn zaak, dankjewel!'

'Natuurlijk. Ik wil alleen maar zeggen... en dat weet u zelf ook, juffrouw Birdie... dat veel van die predikanten van hun voetstuk zijn gevallen. Ze zijn betrapt op overspel, ze hebben miljoenen verspild aan een luxe leventje, aan dure huizen, auto's, vakanties, kleren. Er zijn nogal wat bedriegers onder.'

'Hij is geen bedrieger.'

'Dat zeg ik ook niet.'

'Wat zeg je dan wel?'

'Niets.' Ik neem een flinke slok koffie. Ze is niet kwaad, maar het scheelt niet veel. 'Ik ben hier als uw advocaat, juffrouw Birdie, dat is alles. U hebt me gevraagd een testament voor u op te stellen en het is mijn plicht daar zorgvuldig over na te denken. Die plicht neem ik serieus.'

De rimpels om haar mond ontspannen zich en er komt een mildere blik in haar ogen. 'Wat aardig,' zegt ze.

Ik veronderstel dat veel rijke oude mensen zoals juffrouw Birdie – vooral als ze het in de crisisjaren moeilijk hebben gehad en altijd hard hebben gewerkt – hun kapitaal laten beschermen door accountants, advocaten en achterdochtige bankiers. Maar niet juffrouw Birdie. Die is net zo naïef en goedgelovig als een arme weduwe met een pensioentje. 'Hij heeft het geld echt nodig,' zegt ze. Ze drinkt van haar koffie en kijkt me argwanend aan.

'Kunnen we even over het geld praten?'

'Waarom willen advocaten altijd over geld praten?'

'Om een heel goede reden, juffrouw Birdie. Als u niet oppast, zal de regering een groot deel van uw geld binnenhalen. Als u nu een paar verstandige maatregelen neemt, kunt u heel wat belasting besparen.'

Dat zint haar niet. 'Al dat juridische gehakketak.'

'Dat is nu eenmaal mijn vak, juffrouw Birdie.'

'Je wilt zeker dat ik jou ook in mijn testament zet?' zegt ze, nog steeds geïrriteerd door de juridische rompslomp.

'Natuurlijk niet.' Ik probeer geshockeerd te klinken, hoewel ik me betrapt voel.

'Advocaten willen altijd zelf een deel van het geld.'

'Het spijt me, juffrouw Birdie. Er zijn heel wat corrupte advocaten, dat is waar.'

'Dat zei dominee Chandler ook.'

'Dat zal wel. Hoor eens, ik hoef niet alle details te weten, maar kunt u me zeggen of het geld is belegd in onroerend goed, aandelen, obligaties of andere zaken? Of hebt u het in contanten? Dat is belangrijk voor het testament. Ik moet weten waar het geld zit.'

'Op één plaats.'

'Oké. Waar?'

'In Atlanta.'

'Atlanta?'

'Ja. Het is een lang verhaal, Rudy.'

'Vertelt u het maar.'

Anders dan gisteren in de Cipressentuin heeft juffrouw Birdie nu totaal geen haast. Ze heeft geen andere verplichtingen hier. Bosco is er niet. Ze hoeft geen toezicht te houden op de lunch, niet als scheidsrechter op te treden bij de bordspelletjes.

Langzaam draait ze haar koffiekopje rond, staart naar de tafel en denkt diep na. 'Niemand weet er iets van,' zegt ze zacht. Haar kunstgebit klappert. 'Niemand in Memphis, tenminste.'

'Waarom niet?' vraag ik, misschien wat te dringend.

'Zelfs mijn kinderen weten het niet.'

'Weten ze niets van het geld?' vraag ik ongelovig.

'O, ze weten wel íets. Thomas heeft altijd hard gewerkt en hij was heel spaarzaam. Toen hij elf jaar geleden stierf, heeft hij me ongeveer honderdduizend dollar aan spaargeld nagelaten. Mijn zoons, en vooral hun vrouwen, zijn ervan overtuigd dat het nu vijf keer zoveel moet zijn. Maar ze weten niets over Atlanta. Wil je nog wat koffie?' Ze is al opgestaan.

'Graag.' Ze neemt mijn kopje mee naar het aanrecht, doet er een klein schepje oploskoffie in, giet er wat lauw water bij en komt weer terug. Ik roer in het kopje alsof het een exotische cappuccino is.

Ze kijkt me aan en ik probeer zoveel mogelijk meegevoel in mijn blik te leggen. 'Hoor eens, juffrouw Birdie, als dit te pijnlijk voor u is, hoeft u het me niet te vertellen. Het gaat mij alleen om de belangrijkste feiten.'

'Ik bezit een vermogen. Waarom zou dat pijnlijk zijn?'

Dat vroeg ik me ook al af. 'Goed. Vertelt u me dan maar globaal hoe u het geld hebt geïnvesteerd. Het gaat vooral om onroerend goed.' Dat is waar. Contanten en andere liquide middelen worden in het algemeen het eerst door de belastingen opgeslokt. Onroerend goed komt pas het laatst aan de beurt. Mijn vragen worden dus ingegeven door meer dan alleen nieuwsgierigheid.

'Ik heb niemand ooit over het geld verteld,' zegt ze, nog steeds heel zacht.

'Maar gisteren zei u dat u er met Kenneth Chandler over had gesproken.'

Het blijft lange tijd stil terwijl ze haar kopje op het formica tafelblad ronddraait. 'Ja, dat is zo. Maar ik geloof niet dat ik alles heb gezegd. Misschien heb ik wel een beetje gelogen. En ik heb hem zeker niet verteld waar het geld vandaan komt.'

'Oké. Waar komt het dan vandaan?'

'Van mijn tweede man.'

'Uw tweede man?'

'Ja. Tony.'

'Thomas en Tony?'

'Ja. Een jaar of drie nadat Thomas was gestorven, ben ik met Tony getrouwd. Hij kwam uit Atlanta en hij was op doorreis in Memphis toen we elkaar ontmoetten. We zijn ongeveer vijf jaar samen geweest. We hadden voortdurend ruzie. Ten slotte is hij weer naar huis vertrokken. Hij was een klaploper die achter mijn geld aan zat.'

'Nou begrijp ik het niet meer. U zei toch dat uw geld van Tony kwam?'

'Dat is ook zo, maar dat wist hij zelf niet. Het is een lang verhaal. Het ging om een erfenis waar Tony en ik niets van af wisten. Hij had een rijke broer die geschift was... zijn hele familie was gestoord... en vlak voordat Tony stierf, erfde hij een fortuin van zijn rijke broer. Ik bedoel, twee dagen voordat Tony de pijp uit ging, overleed zijn broer in Florida. Tony had geen testament gemaakt, maar hij liet wel een echtgenote achter. Mij. En dus werd ik gebeld door een groot advocatenkantoor in Atlanta, om me te vertellen dat ik volgens de wetten van Georgia opeens een heel rijke vrouw was.'

'Hoe rijk?'

'Veel rijker dan na mijn huwelijk met Thomas. Maar ik heb het tot nu toe tegen niemand gezegd. En jij vertelt het toch niet verder, Rudy?'

'Juffrouw Birdie, als uw advocaat màg ik het aan niemand vertellen. Ik ben verplicht tot geheimhouding.'

'Fijn.'

'Waarom hebt u uw vorige advocaat niets over het geld verteld?' vraag ik.

'O, die. Ik vertrouwde hem niet erg. Ik heb hem wel gezegd hoe ik mijn erfenis wilde verdelen, maar niet hoeveel geld ik precies had. Toen het tot hem doordrong hoe rijk ik was, wilde hij dat ik hem ook in het testament zou opnemen.'

'Maar u hebt hem nooit het hele verhaal verteld?'

'Nee, nooit.'

'En ook niet hoeveel geld u precies had?'

'Nee.'

Als ik het goed uitreken, worden er in haar oude testament bedragen genoemd die bij elkaar opgeteld minstens op twintig miljoen dollar uitkomen. Dat moet haar vorige advocaat ook hebben geweten. De vraag is nu hoeveel geld dit lieve oude dametje werkelijk bezit.

'Wilt u me vertellen hoeveel?'

'Morgen misschien, Rudy. Morgen misschien.'

We staan op en lopen naar de achterveranda. Ze heeft een nieuwe fontein bij de rozestruiken die ze me wil laten zien. Ik bewonder het ding uitvoerig.

Het is me nu duidelijk. Juffrouw Birdie is een rijke oude vrouw, maar niemand mag dat weten, zeker haar familie niet. Ze heeft altijd genoeg geld gehad en daarom wekt het geen argwaan dat ze nu van haar spaarcentjes leeft.

We gaan op een fraai bewerkte ijzeren bank zitten en drinken koude koffie in het donker tot ik eindelijk genoeg excuses weet te verzinnen om te ontsnappen.

Om mijn luxe leventje in stand te kunnen houden heb ik de afgelopen drie jaar als barkeeper en ober gewerkt bij Yogi's, een studentencafé vlak bij de campus, bekend om zijn smakelijke uienburgers en het groene bier op St. Patrick's Day. Het is een rumoerige tent, altijd druk vanaf de lunch tot sluitingstijd. Op maandagavonden, tijdens het football, kost een glas tafelbier maar één dollar, en bij andere gelegenheden twee.

De eigenaar is Prins Thomas, een mafketel met een paardestaart, een enorm lichaam en een nog groter ego. De Prins is een bekend type in de stad, een echte showfiguur die zijn gezicht graag in de krant en op de televisie ziet. Hij organiseert kroegentochten en natte-T-shirtcompetities. Hij heeft het gemeentebestuur gevraagd om kroegen als de zijne een nachtvergunning te geven. De gemeente heeft gereageerd door hem een procedure aan te doen wegens allerlei overtredingen. Hij vindt het allemaal prachtig. Voor alle zonden die je kunt bedenken weet hij wel een actiegroep op te richten om ze legaal te maken.

Het regime bij Yogi's is vrij soepel. Wij, de werknemers, bepalen onze eigen werktijden, verdelen zelf de fooien en leiden de zaak zonder veel toezicht. Niet dat dat zo moeilijk is. Als je genoeg bier en gehakt in voorraad houdt, draait de tent vanzelf. De Prins staat liever bij de ingang om al die leuke jonge studentes te verwelkomen en naar hun plaats te brengen. Hij flirt met hen en stelt zich vreselijk aan. En hij zit graag bij een tafeltje in de buurt van het grote tv-scherm om weddenschappen af te sluiten op de wedstrijden. Hij is een zwaargebouwde vent met sterke armen. Als er soms wordt gevochten, grijpt hij persoonlijk in.

Maar de Prins heeft ook een duistere kant. Het schijnt dat hij iets met porno te maken heeft. De topless-clubs schieten als paddestoelen uit de grond en zijn partners zouden een strafblad hebben. Er heeft al eens iets in de krant gestaan en hij is twee keer aangeklaagd wegens illegaal gokken, maar de jury kon niet tot een uitspraak komen. Ik werk nu al drie jaar voor hem en twee dingen weet ik zeker. Om te beginnen drukt de Prins een deel van de contante inkomsten van Yogi's achterover – minstens tweeduizend dollar per week, dus een ton per jaar. En in de tweede plaats gebruikt hij Yogi's als een dekmantel voor zijn corrupte imperium. Het is een goede manier om geld wit te wassen en ieder jaar een verliespost op te voeren voor de belastingen. Hij heeft een kantoor beneden, goed beveiligd en zonder ramen, waar hij zijn relaties ontvangt. Het zal mij een zorg zijn. Hij heeft mij altijd goed behandeld. Ik verdien vijf dollar per uur en ik werk ongeveer twintig uur per week. Onze klanten zijn studenten, dus veel fooien krijg je niet. In de tentamentijd hoef ik minder te werken. Er komen minstens vijf studenten per dag om een baantje vragen, dus ik ben heel blij dat ik hier werk.

Bovendien is Yogi's een gezellig studentencafé. De Prins heeft het jaren geleden blauw en grijs laten schilderen, in de kleuren van de universiteit, en er hangen clubvlaggen en ingelijste foto's van sportsterren aan de muren. Overal Tigers. Het is vlak bij de campus en alle studenten komen er om te praten, te lachen en te flirten.

Vanavond zit hij naar een wedstrijd te kijken. Het honkbalseizoen is pas begonnen, maar de Prins is er al van overtuigd dat de Braves de Series zullen halen. Hij wedt overal op, maar de Braves zijn bij hem favoriet. Het maakt hem niet uit tegen wie ze spelen, of waar, wie er op de werpheuvel staat of wie er geblesseerd is. De Prins wedt altijd op de Braves. Ik sta vanavond achter de centrale bar. Mijn belangrijkste taak is ervoor te zorgen dat zijn glas rum-tonic nooit leeg is. Hij brult als Dave Justice een homerun slaat. Een student van een jaarclub betaalt hem wat geld. Ze hadden gewed wie de eerste homerun zou slaan, Dave Justice of Barry Bonds. Ik heb hem zelfs zien wedden op de vraag of de eerste bal op de tweede slagman in de derde inning slag of wijd zou zijn.

Het is maar goed dat ik vanavond niet aan de tafeltjes bedien. Ik heb nog steeds koppijn en ik beweeg me het liefst zo weinig mogelijk. Bovendien kan ik zo nu en dan een biertje pakken uit de koeler – de betere merken in de groene flesjes, Heineken en Moosehead. De Prins weet dat zijn barkeepers wel eens wat pikken.

Ik zal dit baantje nog missen. Tenminste...

Er komt een stel rechtenstudenten binnen, bekende gezichten die ik liever zou ontwijken. Het zijn mijn eigen jaargenoten, derdejaars, waarschijnlijk allemaal al van een baan voorzien.

Het is prima om bij Yogi's te werken als je nog studeert – dat geeft zelfs enige status – maar dat wordt heel anders als ik volgende maand ben afgestudeerd. Dan ben ik niet langer een ploeterende student, maar een mislukking, een cijfer in de statistieken, de zoveelste rechtenstudent die door de bodem van de juridische professie is gezakt.

– 7 –

Ik kan me werkelijk niet meer herinneren waarom ik het advocatenkantoor van Aubrey H. Long & Associates als mijn eerste adres heb uitgezocht, maar ik geloof dat het iets te maken had met hun aardige en vertrouwenwekkende advertentie in de gouden gids. Bij de advertentie stond een korrelige zwart-witfoto van Aubrey Long zelf afgedrukt. Juristen worden net als bottenkrakers: ze afficheren overal hun smoel. Op die foto leek hij een serieuze vent van een jaar of veertig, met een vriendelijke glimlach. Hij viel duidelijk op tussen de pasfotootjes in de rubriek rechtshulp. Het kantoor telt vier juristen, is gespecialiseerd in verkeersongelukken, zoekt gerechtigheid op ieder gebied, heeft een voorkeur voor letsel- en verzekeringszaken, zet zich honderd procent in voor zijn cliënten en dient pas een rekening in als er succes is geboekt.

Ach, wat maakt het uit? Ik moet toch ergens beginnen. Het adres blijkt een pleintje in de binnenstad te zijn. Het kantoor is een afgrijselijk bakstenen gebouw met gratis parkeerruimte ernaast. Dat laatste stond ook in de advertentie. Er rinkelt een bel als ik de deur openduw. Een mollige kleine vrouw achter een rommelig bureau ontvangt me met iets dat het midden houdt tussen een sneer en een frons. Met tegenzin houdt ze op met typen.

'Kan ik u helpen?' vraagt ze, met haar vingers vlak boven de toetsen. Jezus, dit valt niet mee. Ik forceer een glimlach. 'Ja. Kan ik meneer Long spreken?'

'Die is naar de federale rechtbank,' zegt ze, en twee van haar vingers raken de toetsen. Een klein woordje. Niet zomaar een rechtbank, maar een federale rechtbank! Daar spelen belangrijke zaken. Wanneer een doodgewone advocaat als Aubrey Long een zaak voor het federale gerechtshof heeft, wil hij dat weten ook! En dus heeft zijn secretaresse opdracht het overal rond te bazuinen. 'Kan ik u helpen?' vraagt ze weer.

Ik besluit om eerlijk te zijn. Ik kan altijd nog mijn toevlucht nemen tot list en bedrog. 'Ja. Mijn naam is Rudy Baylor. Ik ben derdejaarsstudent rechten aan Memphis State. Ik studeer binnenkort af en... nou, ik ben eigenlijk op zoek naar werk.'

Ze werpt me een hooghartige blik toe, haalt haar handen boven het toetsenbord vandaan, draait haar stoel naar me toe en schudt langzaam met haar hoofd. 'We nemen geen mensen aan,' zegt ze met enige voldoening, als de voorman van een fabriek.

'O. Maar mag ik toch mijn curriculum achterlaten, met een brief voor meneer Long?'

Ze pakt de papieren van me aan, heel voorzichtig, alsof ze met urine zijn bevlekt, en laat ze op haar bureau vallen. 'Ik zal ze opbergen bij de rest.'

Het lukt me zowaar om te grinniken. 'Ik ben dus niet de enige?'

'Nee. Er komt iedere dag wel iemand langs.'

'Juist. Nou, sorry dat ik u lastig heb gevallen.'

'Geeft niet,' bromt ze, en ze buigt zich weer over haar schrijfmachine. Ik hoor haar woest op de toetsen beuken als ik me omdraai en het kantoor verlaat.

Ik heb genoeg brieven en kopieën van mijn curriculum op zak. Het hele weekend heb ik besteed aan die papierwinkel, als voorbereiding op mijn grote offensief. Ik heb alle vertrouwen in de strategie, maar niet in de uitkomst. Ik ben van plan om dit een maand vol te houden en iedere dag, vijf dagen per week, bij twee of drie kleine kantoren langs te gaan. Wie weet. Booker heeft Marvin Shankle gevraagd zijn invloed aan te wenden en Madeline Skinner zit op dit moment waarschijnlijk ook aan de telefoon. Misschien dat het allemaal iets oplevert.

Mijn tweede adres is een firma van drie juristen, twee straten verderop. Ik heb mijn route zorgvuldig uitgestippeld, om niet te veel tijd te verliezen tussen de afwijzingen.

Volgens het juridisch vademecum is Nunley, Ross & Perry een algemeen advocatenkantoor met drie juristen van begin veertig, zonder medewerkers of assistenten. Ze doen veel in onroerend goed, waar ik niet van houd, maar ik kan me niet veroorloven om kieskeurig te zijn. Het kantoor bevindt zich op de tweede verdieping van een moderne betonflat. De lift is traag en benauwd.

De receptie is een prettige verrassing, met een oosters tapijt op een imitatie-parketvloer. Op een glazen koffietafeltje liggen nummers van *People* en *Us*. De secretaresse legt de telefoon neer en kijkt me glimlachend aan. 'Goedemorgen. Kan ik iets voor u doen?'

'Ja. Ik zou graag meneer Nunley spreken.'

Nog steeds met een glimlach raadpleegt ze een dikke agenda op haar nette bureau. 'Hebt u een afspraak?' vraagt ze, hoewel ze het antwoord al weet.

'Nee.'

'Juist. Meneer Nunley heeft het nogal druk.'

Omdat ik vorige zomer een tijdje op een advocatenkantoor heb gewerkt, weet ik ook wel dat meneer Nunley het 'nogal druk' heeft. Dat is altijd zo. Geen enkele jurist zal toegeven dat hij duimen zit te draaien.

Maar ik ben allang blij dat hij niet naar een federale rechtbank is.

Roderick Nunley is de oudste maat van de firma. Volgens het vademecum heeft hij aan Memphis State gestudeerd. Met opzet heb ik zoveel mogelijk kantoren gekozen waar oud-studenten van mijn eigen universiteit werken.

'Ik wacht wel even,' zeg ik met een glimlach. Ze lacht terug. Welwillendheid alom. In het gangetje gaat een deur open en een man in hemdsmouwen komt naar ons toe. Hij kijkt op als hij bijna naast me staat. Hij geeft de secretaresse een dossier.

'Goedemorgen,' zegt hij. 'Wat kan ik voor u doen?' Hij heeft een luide stem en hij maakt een vriendelijke indruk.

De secretaresse wil iets zeggen, maar ik ben haar vóór. 'Ik kom voor meneer Nunley,' zeg ik.

'Dat ben ik.' Hij steekt me zijn rechterhand toe. 'Rod Nunley.'

'Ik ben Rudy Baylor,' zeg ik met een krachtige handdruk. 'Ik ben derdejaarsstudent aan Memphis State. Binnenkort studeer ik af en ik zou graag met u praten over de mogelijkheden van een baan.'

We staan elkaar nog steeds de hand te schudden, maar ik voel zijn greep verslappen zodra hij hoort waar ik voor kom. 'Juist,' zegt hij. 'Een baan.' Hij kijkt naar haar alsof hij wil zeggen: waarom heb je niet ingegrepen?

'Inderdaad. Als ik tien minuten van uw tijd mag vragen? Ik weet dat u het druk hebt.'

'Eh, ja... je kent dat wel. Over een paar minuten moet ik mijn stukken deponeren en dan meteen naar de rechtbank.' Hij draait zich half om, kijkt nog eens naar haar, dan naar mij en dan op zijn horloge. Maar in wezen is hij een brave vent met een klein hartje. Misschien heeft hij nog niet zo lang geleden aan deze kant van het hek gestaan. Ik kijk hem vragend aan en steek hem mijn dunne dossier toe, met mijn curriculum en mijn brief. 'Natuurlijk. Kom mee. Maar wel snel.'

'Ik zal u over tien minuten waarschuwen,' zegt de secretaresse haastig, om de zaak te redden. Zoals alle drukke juristen kijkt hij weer op zijn horloge en zegt dan bezorgd: 'Ja, langer niet. En bel Blanche om te zeggen dat ik een paar minuten later kom.'

Ze hebben het front gesloten. Nunley wil wel met me praten, maar mijn snelle aftocht is al geregeld.

'Kom mee, Rudy,' zegt hij met een glimlach. Dicht achter hem aan loop ik door het gangetje.

Zijn kantoor is een vierkante kamer met een grote boekenkast achter het bureau en een trofeeënwand ertegenover. Ik laat mijn blik over de ingelijste certificaten glijden: minstens twee universitaire bullen, lid van de Rotary en de Kamer van Koophandel, advocaat van de maand, Rod in het gezelschap van een rood aangelopen politicus, vrijwilliger bij de verkenners – deze vent lijst àlles in.

Ik hoor een klok tikken als ik tegenover zijn grote, Amerikaans-antieke bureau ga zitten. 'Sorry dat ik u zo overval,' begin ik, 'maar ik heb echt werk nodig.'

Hij leunt naar voren op zijn ellebogen. 'Wanneer studeer je af?'

'Volgende maand. Ik weet dat ik laat ben, maar dat heeft een reden.' Ik vertel hem over mijn baan bij Brodnax & Speer en de fusie. Ik speculeer op zijn afkeer van grote kantoren als Tinley Britt. Meestal hebben gewone advocaten als mijn vriend Rod een hekel aan de hooghartige, dure firma's in de torenflats van de binnenstad. Ik lieg een beetje als ik zeg dat Tinley Britt wel met me wilde praten, maar dat ik geen zin heb om voor zo'n gigant te werken. Daar heb ik het karakter niet voor. Veel te onafhankelijk. Ik wil mènsen helpen, geen multinationals.

In minder dan vijf minuten ben ik klaar met mijn verhaal.

Hij kan goed luisteren, hoewel de rinkelende telefoon op de achtergrond hem zenuwachtig maakt. Hij weet dat hij me niet zal aannemen, dus hij wil het gesprek zo kort mogelijk houden.

'Wat een lullige toestand,' zegt hij met meegevoel als ik uitgesproken ben. 'Nou ja, misschien is het maar beter zo,' zeg ik op de toon van een offerlam. 'Maar ik wil wel werken. Ik zit bij de bovenste dertig procent van mijn jaar. Ik heb grote belangstelling voor onroerend goed. Ik heb er twee colleges in gevolgd en daar had ik goede cijfers voor.'

'We doen veel onroerend goed, ja,' zegt hij zelfvoldaan, alsof het een goudmijn is. 'En strafzaken,' voegt hij eraan toe, met nog grotere voldoening. Hij is weinig meer dan een pennelikker, een administrateur, die waarschijnlijk zijn werk goed doet en er een aardig inkomen aan overhoudt, maar toch wil hij de indruk wekken van een echte strafpleiter, een

tijger in de rechtszaal. Dat hoort er nu eenmaal bij. Zo zijn alle advocaten. Ik heb er nog niet zoveel gesproken, maar ik ben nog nooit een advocaat tegengekomen die niet beweerde dat hij in de rechtszaal met iedereen
de vloer aanveegde.

Mijn tijd raakt op. 'Ik heb mijn studie zelf verdiend. Ik heb er zeven jaar
bij gewerkt. Ik heb nooit een stuiver van mijn ouders gehad.'

'Wat heb je voor werk gedaan?'

'Van alles. Op dit moment werk ik bij Yogi's als ober en barkeeper.'

'Als barkeeper?'

'Ja. Onder andere.'

Hij bekijkt mijn curriculum. 'Je bent niet getrouwd,' zegt hij langzaam.
Dat staat er, zwart op wit.

'Nee.'

'Wel een vriendin?'

Het gaat hem niet aan, maar ik heb geen keus. 'Nee.'

'Je bent toch niet homofiel?'

'Nee, natuurlijk niet.' En we wisselen een snel, heteroseksueel lachje –
twee blanke macho's.

Hij leunt achterover en zijn gezicht staat opeens ernstig, alsof we nu ter
zake komen. 'We hebben al jaren niemand meer aangenomen. Gewoon
uit nieuwsgierigheid: wat betalen die grote jongens tegenwoordig als aan-
vangssalaris?'

Die vraag heeft een reden. Ongeacht mijn antwoord zal hij ongelovig en
geschokt reageren op de buitensporige salarissen die in de binnenstad
worden betaald. En dat is natuurlijk de basis voor eventuele onderhande-
lingen over mijn honorarium.

Liegen heeft geen zin. Waarschijnlijk weet hij heel goed hoe die salarissen
liggen. Advocaten roddelen graag.

'Tinley Britt betaalt het meest. Dat weet u, natuurlijk. Rond de vijftigduizend, schijnt het.'

Hij schudt al met zijn hoofd voordat ik uitgesproken ben. 'Allemachtig,'
zegt hij verbijsterd. 'Allemachtig.'

'Maar zo duur ben ik niet,' zeg ik snel. Ik heb besloten me goedkoop aan
te bieden aan iedereen die interesse heeft. Ik heb niet veel vaste kosten en
als ik mijn voet tussen de deur kan krijgen en bereid ben een paar jaar
hard te werken, komt er wel wat anders.

'Waar dacht je aan?' vraagt hij, alsof zijn machtige kleine kantoor gemakkelijk met de grote firma's kan concurreren en hij ieder lager bedrag
maar een aanfluiting vindt.

'De helft. Vijfentwintigduizend. Daarvoor wil ik tachtig uur per week
werken en alle vervelende klussen doen. Ook de rotte-visdossiers. U en
meneer Ross en meneer Perry kunnen me alle zaken toeschuiven waar u

niets in ziet, en in een half jaar heb ik ze rond. Gegarandeerd. Binnen twaalf maanden zal ik mijn salaris terugverdienen. Als dat niet lukt, stap ik op.'

Rod ontbloot zijn tanden. Zijn ogen glinsteren bij de gedachte dat hij al zijn troep op het bureau van iemand anders zou kunnen dumpen. De luide zoemer van de telefoon verstoort zijn dagdroom. 'Meneer Nunley,' meldt de secretaresse, 'er wordt op u gewacht bij de rechtbank.'

Ik kijk op mijn horloge. Acht minuten zijn verstreken.

Hij kijkt ook hoe laat het is. Dan zegt hij fronsend: 'Een interessant voorstel. Ik zal erover nadenken en het met mijn collega's bespreken. We vergaderen iedere donderdag.' Hij staat op. 'Dan zal ik het aan de orde stellen. We hebben er nog nooit over nagedacht, moet ik bekennen.' Hij loopt om het bureau heen om me naar de uitgang te brengen.

'Het is een goed idee, meneer Nunley. En vijfentwintigduizend is een koopje.' Ik schuifel naar de deur.

Hij lijkt even van zijn stuk gebracht. 'O, het geld is geen probleem,' zegt hij, alsof hij en zijn collega's er niet over zouden peinzen om minder te betalen dan Tinley Britt. 'Maar alles loopt heel soepel op dit moment. We halen een goede omzet. Iedereen is tevreden. We hebben geen moment aan uitbreiding gedacht.' Hij houdt de deur voor me open. 'Je hoort nog van ons.'

Hij loopt met me mee naar de receptie en drukt zijn secretaresse op het hart mijn telefoonnummer te noteren. Dan geeft hij me een ferme handdruk, wenst me het allerbeste en belooft dat hij gauw zal bellen. En ik sta weer op straat.

Het duurt even voordat ik mijn gedachten heb verzameld. Ik heb zojuist aangeboden mijn dure opleiding te prostitueren, met het gevolg dat ik binnen tien minuten weer op straat stond.

Maar uiteindelijk zal mijn korte gesprek met Roderick Nunley toch een van mijn vruchtbaarste bezoekjes blijken.

Het is bijna tien uur. Over een half uur begint mijn college Napoleontisch recht, waar ik echt naartoe moet omdat ik al een week niet ben geweest. In feite kan ik gerust drie weken overslaan zonder dat iemand het zou merken. Ik hoef er geen tentamen in te doen.

De laatste dagen loop ik onbekommerd door de faculteit. Ik schaam me niet meer om mijn gezicht te laten zien. Het semester is bijna afgelopen en de meeste derdejaars zijn vertrokken. Het collegejaar begint met een spervuur van tentamens waarvoor fanatiek moet worden geblokt, maar het eindigt met wat onnozele examentjes en scripties. De studenten besteden meer tijd aan hun naderende rechtbankexamen dan aan de laatste loodjes van hun studie.

De meesten bereiden zich al voor op hun eerste baan.

Madeline Skinner spant zich voor me in alsof haar leven ervan afhangt. En ze is net zo teleurgesteld als ik dat het nergens toe leidt. Een senator uit Memphis met een kantoor in Nashville heeft binnenkort misschien een jurist nodig om te helpen bij het opstellen van wetten – dertigduizend dollar per jaar, plus emolumenten. Maar de kandidaat moet wel zijn rechtbankexamen hebben afgelegd en twee jaar ervaring hebben. Dan is er nog een klein bedrijf dat een jurist zoekt met accountancy als bijvak. Ik heb geschiedenis gedaan.

'De sociale dienst van Shelby County heeft in augustus misschien plaats voor een juridisch medewerker.' Ze bladert in de papieren op haar bureau, wanhopig op zoek.

'De sociale dienst?' herhaal ik.

'Dat klinkt niet erg aantrekkelijk, wel?'

'Wat betalen ze?'

'Achttienduizend per jaar.'

'En wat voor werk zou ik moeten doen?'

'Vaders opsporen die hun alimentatie niet betalen. Voogdijkwesties, dat soort dingen.'

'Klinkt gevaarlijk.'

'Het is werk.'

'Maar wat doe ik dan tot augustus?'

'Studeren voor het rechtbankexamen.'

'O. En als ik hard studeer en het examen haal, mag ik voor het minimumloon bij de sociale dienst gaan werken?'

'Hoor eens, Rudy...'

'Sorry. Ik heb een slechte dag gehad.'

Ik beloof de volgende morgen terug te komen, ongetwijfeld voor een herhaling van dit gesprek.

– 8 –

Booker heeft de formulieren opgediept uit de spelonken van Shankles kantoor. Hij zei dat er in de kelder nog iemand moest werken die zich zo nu en dan met faillissementen bezighield en hij heeft de juiste papieren voor me gevonden.

De formulieren zijn heel simpel. Een lijstje van bezittingen en activa.

Daar ben ik snel mee klaar. Op de volgende pagina een lijst van verplichtingen. Gegevens over beroep, lopende procedures, enzovoort. Het staat bekend als een 'artikel 7', een simpel faillissement, waarbij alle activa worden aangewend om de schulden te voldoen, die daarmee gesaneerd zijn.

Officieel werk ik niet meer bij Yogi's. Ik werk er wel, maar ik krijg nu zwart betaald. Dan gaan mijn magere verdiensten niet rechtstreeks naar Texaco. Ik heb mijn situatie besproken met de Prins. Ik heb hem uitgelegd dat ik in de puree zat en ik heb de schuld gegeven aan de creditcards en het onderwijs. Hij vond het best om me zwart te betalen, want hij draait de overheid graag een loer. De Prins is een groot voorstander van een belastingvrije economie.

Hij bood me zelfs een lening aan om me uit de schulden te helpen, maar die heb ik niet aangenomen. Hij denkt dat ik binnenkort goed ga verdienen als advocaat, en ik had niet de moed hem te vertellen dat Yogi's voorlopig mijn enige werkgever zal blijven.

Ik heb hem ook niet verteld hoe groot die lening zou moeten zijn. Texaco eist $ 612,88 van me, inclusief advocaten- en procedurekosten. Mijn huisbaas wil $ 809 van me hebben, eveneens inclusief. Maar de echte aasgieren beginnen nu ook in mijn nek te hijgen. Ze schrijven beledigende brieven en dreigen met advocaten.

Ik heb een Visa- en een MasterCard van twee verschillende banken hier in Memphis. Tussen eind november en Kerstmis vorig jaar, een mooie tijd waarin ik nog rekende op een goede baan en bovendien wanhopig verliefd was op Sara Plankmore, heb ik een paar leuke kerstcadeaus voor haar gekocht – dure dingen van blijvende waarde. Met de MasterCard kocht ik een gouden tennisarmband, afgezet met diamantjes, voor een bedrag van zeventienhonderd dollar. De Visa-Card gebruikte ik voor twee antieke zilveren oorbellen ter waarde van elfhonderd dollar. De dag voordat Sara me vertelde dat ze me nooit meer wilde zien, ging ik naar een dure delicatessenzaak, waar ik een fles Dom Perignon, een half pond foie gras, wat kaviaar, een paar goede kaassoorten en nog wat andere lekkernijen voor ons kerstmaal insloeg. Bij elkaar zo'n driehonderd dollar, maar wat geeft het? Je leeft maar één keer.

Een paar weken voor de kerst hadden die verraderlijke banken mijn krediet vergroot. Opeens kon ik veel meer geld uitgeven. En met het vooruitzicht van een betaalde baan na mijn afstuderen, wist ik dat ik mijn uitgaven zonder probleem zou kunnen afbetalen. Dus smeet ik met geld, dromend van een prachtig leven met Sara.

Ik kan me nu wel voor mijn kop slaan, maar ik had alles van tevoren uitgerekend en het kon nèt.

De foie gras bedierf toen ik hem op een avond buiten de koelkast liet staan terwijl ik me volgoot met goedkoop bier. Met de kerst zat ik moederziel alleen in mijn donkere appartement en dineerde ik met kaas en champagne. De kaviaar raakte ik niet aan. Ik zat op mijn doorzakkende divan en staarde naar de sieraden die voor me op de grond lagen. Ik at brie, ik dronk Dom Perignon, ik keek naar de kerstcadeaus voor mijn geliefde en ik huilde.

Ergens tussen kerst en nieuwjaar kroop ik weer uit het dal omhoog en nam me voor de sieraden terug te brengen naar de winkel. Ik heb nog overwogen ze van een brug te gooien, net als Billy Joe, of een ander dramatisch gebaar te maken. Maar in die emotionele toestand wist ik dat ik beter uit de buurt van bruggen kon blijven.

De dag na nieuwjaar ging ik een eind joggen. Toen ik terugkwam, zag ik dat de deur van mijn appartement was geforceerd. De dieven hadden mijn oude tv, mijn stereo, een pot kwartjes op het dressoir en natuurlijk de sieraden voor Sara meegenomen.

Ik belde de politie en vulde formulieren in. Ik liet hun de creditcardafschriften zien. De brigadier schudde zijn hoofd en zei dat ik de verzekering maar moest bellen.

Met mijn plastic geld had ik bijna drieduizend dollar uitgegeven. En nu krijg ik de rekening gepresenteerd.

Officieel word ik morgen mijn appartement uitgezet. Maar iemand die failliet wordt verklaard heeft automatisch recht op een juridische adempauze. Zo luidt de wet. Dat is de reden waarom grote, rijke bedrijven – ook mijn vrienden van Texaco – zich onmiddellijk failliet laten verklaren als ze tijdelijk bescherming nodig hebben. Mijn huisbaas kan mij morgen niet op straat zetten. Hij mag me niet eens bellen om me uit te schelden. Ik stap uit de lift en haal diep adem. Het portaal wemelt van de advocaten. Er zijn drie rechters die zich fulltime met faillissementen bezighouden en ze zitten alle drie op deze verdieping. Iedere dag horen ze tientallen zaken, en bij iedere zaak komt een hele groep advocaten opdraven: één voor het slachtoffer en een handjevol voor de schuldeisers. Het lijkt wel een dierentuin. Overal hoor ik druk overleg als ik me door de menigte wring – advocaten die hakketakken over onbetaalde ziektekostenrekeningen of hoeveel de pick-up truck nog waard is. Ik stap het kantoortje van de griffier binnen en wacht tien minuten terwijl andere advocaten hun stukken deponeren. Ze kennen de meisjes van de griffie heel goed en er wordt veel gekletst en geflirt. Goh, ik zou ook wel een belangrijke advocaat willen zijn en door die meiden Fred of Sonny worden genoemd. Een professor vertelde ons vorig jaar dat faillissementen een groeimarkt zijn vanwege de onzekere economie, de reorganisaties en de massaontslagen. Hij zou het wel weten, zei hij. En dat voor iemand die nog nooit een eigen praktijk heeft gehad.

Maar vandaag ziet het er inderdaad winstgevend uit. Het ene faillissement na het andere. Heel Amerika lijkt wel bankroet.

Ik geef mijn stukken aan een jachtige assistente, een leuk meisje dat kauwgom kauwt. Ze werpt een vluchtige blik op het dossier en neemt me dan scherp op. Ik draag een denimshirt en een kakibroek.

'Bent u advocaat?' Ze vraagt het zo luid, dat sommige mensen mijn kant op kijken.

'Nee.'

'Bent u dan failliet?' vraagt ze nog luider, smakkend met haar kauwgom.

'Ja,' zeg ik snel. Je mag je eigen zaak bepleiten, ook als je geen advocaat bent, hoewel je daar zelden iets over hoort.

Ze knikt instemmend en zet een stempel op het dossier. 'De kosten zijn tachtig dollar, alstublieft.'

Ik geef haar vier briefjes van twintig. Ze bekijkt het geld argwanend. Op mijn lijst komt geen bankrekening voor. Die heb ik gisteren al afgesloten, nadat ik het restant van $ 11,48 had opgenomen. Tot mijn andere activa behoren: één oude Toyota, waarde $ 500; meubilair en inrichting ter waarde van $ 150; stereo-installatie en cd-collectie, waarde $ 200; juridische boeken, $ 125; kleding, $ 150. Dat zijn persoonlijke bezittingen en als zodanig gevrijwaard voor de procedure die ik zojuist in gang heb gezet. Ik mag alles houden, maar ik moet doorgaan met de afbetaling van de Toyota.

'Juist. Contant,' zegt ze, en ik krijg een kwitantie.

'Ik heb geen bankrekening,' schreeuw ik tegen haar, zodat iedereen die meeluistert het goed kan horen.

Ze kijkt me nijdig aan en ik kijk nijdig terug. Dan gaat ze weer verder met haar drukke bezigheden. Even later schuift ze me een kopie van de stukken toe, met een reçu. Ik lees de datum en het tijdstip van de zitting en de rechtszaal waar ik me moet vervoegen.

Ik ben al bijna bij de deur als ik word aangehouden door een jongeman met een bezweet gezicht en een zwarte baard. Zachtjes legt hij zijn hand op mijn arm. 'Neem me niet kwalijk, meneer,' zegt hij. Ik blijf staan en kijk hem aan. Hij steekt me een visitekaartje toe. 'Robbie Molk, advocaat. Ik ving toevallig een paar woorden op. Ik dacht dat u misschien hulp nodig had bij uw faillietje.'

Faillietje is turbotaal voor faillissement.

Ik kijk naar het kaartje en naar zijn pokdalige gezicht. Ik heb zijn naam wel eens gehoord en zijn advertenties in de krant gezien. Hij doet faillissementszaken voor een honorarium van honderdvijftig dollar. Daarom hangt hij hier rond als een aasgier, op zoek naar arme sloebers die hij nog honderdvijftig dollar afhandig kan maken.

69

Beleefd neem ik zijn kaartje aan. 'Nee, dank u,' zeg ik zo vriendelijk mogelijk. 'Ik regel het zelf wel.'

'Dat valt niet mee,' zegt hij snel. Het zal niet de eerste keer zijn dat hij dat zegt. 'Een faillissement is een lastige zaak. Ik doe er duizend per jaar. Voor tweehonderd dollar neem ik de zaak van u over. Ik heb het kantoor en het personeel ervoor.'

Dus nu is het tweehonderd dollar. Als hij je persoonlijk aanklampt, mag je vijftig dollar extra betalen voor het genoegen. Het is heel eenvoudig om iets terug te zeggen, maar ik vermoed dat Molk een type is dat zich niet laat beledigen.

'Nee, bedankt,' zeg ik nog eens en wring me langs hem heen.

De lift is afgeladen met advocaten, allemaal slecht gekleed, met oude koffertjes en afgetrapte schoenen. Ze discussiëren nog steeds over uitzonderingsclausules en over wat aard- en nagelvast zit en wat niet. Advocatenpraatjes. Vreselijk gewichtig. Ze kunnen er niet genoeg van krijgen.

Vlak voordat de lift beneden is, overvalt het me opeens. Ik heb geen idee wat ik volgend jaar om deze tijd zal doen, maar de kans is groot dat ik dan weer in deze lift sta, met dezelfde mensen, en aan die stompzinnige discussies mee moet doen. Dan kan ik ook de straten afschuimen om geld los te krijgen van mensen die geen cent meer hebben. Dan kan ik ook bij rechtbanken rondhangen, op zoek naar klantjes.

Het klinkt zo afschuwelijk, dat ik bijna duizelig word. Het is warm en benauwd in de lift. Ik ben bang dat ik moet kotsen. Eindelijk gaan de deuren open en stroomt het hele stel naar buiten, nog steeds bezig met onderhandelen.

In de frisse lucht knap ik wat op. Ik loop over de Mid-America Mall, een voetgangerspromenade met een trammetje waarin de zwervers heen en weer kunnen rijden. Vroeger heette het Main Street, en er zijn nog steeds veel advocaten gevestigd. De rechtbanken zijn hier vlakbij. Ik slenter langs de kantoorflats en vraag me af wat zich daarbinnen afspeelt – beginnende juristen die zich achttien uur per dag in het zweet werken om hun collega's te overtroeven, jonge vennoten die discussiëren over de strategie van het kantoor, oudere vennoten die monologen houden in hun fraai ingerichte hoekkantoren, tegenover een gehoor van jonge advocaten die ademloos op instructies wachten.

Dat is wat ik ook wilde toen ik rechten ging studeren: de stress, het machtsgevoel, de samenwerking met intelligente, ambitieuze mensen, die allemaal onder druk staan en voortdurend in tijdnood verkeren. Het kantoor waar ik vorige zomer een vakantiebaantje had, was maar klein. Er werkten twaalf juristen, maar ze hadden wel veel secretaressen, juridische medewerkers en andere assistenten, en soms vond ik die chaos heel stimulerend. Ik was maar een klein radertje in het geheel, maar ooit hoopte ik de baas te zijn.

Ik koop een ijsje op straat en ga op Court Square op een bankje zitten. De duiven houden me in het oog. Boven me uit torent het First Federal Building, het hoogste gebouw in Memphis, waar ook Trent & Brent gevestigd is. Ik zou er een moord voor doen om daar te kunnen werken. Het is heel gemakkelijk voor mij en mijn vrienden om af te geven op Trent & Brent. Dat doen we alleen omdat we niet goed genoeg voor hen zijn. We haten hen omdat ze ons geen blik waardig keuren, omdat we niet eens worden uitgenodigd voor een gesprek.

Ik neem aan dat iedere stad wel een Trent & Brent heeft, op alle gebieden. Ik heb het niet gered en ik hoor er niet bij, en daarom heb ik de pest aan hen.

Over werk gesproken, nu ik toch in de binnenstad ben, kan ik wel een paar kantoren afwerken. Ik heb een lijst van advocaten die in hun eentje werken of in een groepspraktijk met één of twee collega's. Het enige positieve van dat overschot aan advocaten is dat er genoeg adressen zijn om aan te kloppen. Ik blijf hopen dat ik toch een firma zal vinden die niemand nog heeft ontdekt, met een overwerkte advocaat die dolblij is met een beginneling om zijn routinezaken over te nemen. Of háár routinezaken. Maakt mij niet uit.

Ik loop een paar straten door naar het Sterick Building, de oudste kantoorflat van Memphis, waar nu honderden juristen werken.

Ik praat met een paar secretaressen en geef hun mijn curriculum. Ik verbaas me erover dat er zoveel kantoren zijn die prikkelbare of zelfs onbeschofte receptionistes in dienst hebben. Lang voordat ze weten dat ik voor een baantje kom, word ik al vaak als een bedelaar behandeld. Sommigen van die meiden smijten mijn brief meteen in een bureaula. Ik kom in de verleiding om me voor te doen als een cliënt, als de bedroefde echtgenoot van een jonge vrouw die door een vrachtwagen is overreden – een zwaar verzekerde vrachtwagen, met een dronken chauffeur achter het stuur. Een Exxon-truck misschien. Het zou wel leuk zijn om die bitse krengen van hun stoel te zien springen om grijnzend een kop koffie voor me te halen.

Ik werk een hele reeks kantoren af, steeds met een vriendelijke glimlach, hoe woedend ik ook ben. En iedere keer hetzelfde verhaal: 'Hallo, mijn naam is Rudy Baylor. Ik ben derdejaarsstudent aan Memphis State en ik zou meneer die-en-die graag willen spreken over een baan.'

'Een wàt?' vragen ze vaak. En glimlachend geef ik hun mijn curriculum en vraag nog eens of ik meneer de directeur kan spreken. Maar meneer de directeur is altijd bezet, en dus word ik weggestuurd met de belofte dat iemand me wel zal bellen.

71

Granger is een wijk ten noorden van de binnenstad van Memphis. De met bomen omzoomde straten en de kleine stenen huizen ademen de onmiskenbare sfeer van een nieuwbouwwijk uit het einde van de Tweede Wereldoorlog, toen de economie weer aantrok. De meeste mensen werkten toen in de nabijgelegen fabrieken. Ze plantten bomen in de voortuin en legden terrassen aan in de achtertuin. Wie carrière maakte, trok naar het oosten om een mooier huis te kunnen bouwen, zodat Granger langzamerhand verviel tot een wijk waar voornamelijk nog bejaarden en lagerbetaalden woonden – blank of zwart.

Het huis van Dot en Buddy Black verschilt nauwelijks van die duizend andere. Het staat op een vlak stukje grond, niet groter dan vijfentwintig bij dertig meter. De verplichte boom in de voortuin is ziek, in de garage staat een oude Chevrolet, maar het gras en de struiken zijn keurig bijgehouden.

De buurman links sleutelt aan een auto. Banden en onderdelen liggen overal verspreid. De buren rechts hebben een ijzeren hek om hun voortuin gezet, waar een halve meter onkruid tegenaan groeit. Twee Dobermans bewaken het zandpad.

Ik parkeer op de oprit achter de Chevrolet. De Dobermans grommen tegen me van anderhalve meter afstand.

Het is de heetste tijd van de middag, boven de dertig graden. De ramen en deuren staan open. Ik kijk door de hor naar binnen en klop zachtjes aan.

Ik was hier liever niet gekomen. Ik heb weinig zin om Donny Ray Black te zien. Als hij werkelijk zo ziek en zwak is als zijn moeder zei, kan ik daar niet goed tegen.

Ze komt zelf naar de deur, met een mentholsigaret in haar hand, en loert argwanend door de hor.

'Ik ben het, mevrouw Black. Rudy Baylor. We hebben elkaar vorige week gesproken in de Cipressentuin.'

Blijkbaar hebben ze in Granger veel last van huis-aan-huis-verkopers, want ze staart me nog steeds achterdochtig aan. Ze komt een stap dichterbij en steekt de sigaret tussen haar lippen.

'Weet u nog? Ik zou uw zaak tegen Great Eastern onderzoeken.'

'Ik dacht dat je een Jehova's Getuige was.'

'Nee, mevrouw Black.'

'Het is Dot. Dat had ik je toch gezegd?'

'Oké, Dot.'

'We worden gek van die lui. Van hen en van de Mormonen. En zaterdagochtend voor dag en dauw komen de padvinders langs om donuts te verkopen. Wat wil je?'

'Als u even tijd hebt, zou ik met u over de zaak willen praten.'

'Wat is er dan?'

'Ik wil nog een paar punten doornemen.'

'We hebben alles toch al besproken?'

'Nee.'

Ze blaast rook door de hor. Langzaam opent ze de deur. Ik loop met haar mee. Door een kleine woonkamer komen we in de keuken. Het is warm en vochtig in huis, en overal hangt de lucht van verschaalde sigarette-rook.

'Iets drinken?' vraagt ze.

'Nee, dank je.' Ik ga aan de keukentafel zitten. Dot schenkt een glas goedkope dieetcola in, doet er een paar ijsblokjes bij en leunt met haar rug tegen het aanrecht. Buddy is nergens te bekennen. Ik neem aan dat Donny Ray in een van de slaapkamers ligt.

'Waar is Buddy?' vraag ik opgewekt, alsof hij een oude vriend is die ik node mis.

Ze knikt naar het raam dat uitkijkt over de achtertuin. 'Zie je die oude auto daar?'

In een hoek, overwoekerd door takken en struiken, naast een vervallen schuurtje onder een esdoorn, staat een oude Ford Fairlane. Het is een wit model met twee deuren, die allebei open staan. Op de motorkap ligt een kat te slapen.

'Hij zit in zijn auto,' zegt ze.

De Ford heeft geen banden meer en wordt volledig omgeven door struik-gewas. Hij heeft al in geen tientallen jaren meer gereden.

'Waar moet hij naartoe?' vraag ik.

Dot lacht. Ze slurpt van haar cola. 'Buddy gaat nergens meer naartoe. We hebben die wagen in 1964 gekocht. Nieuw. Hij zit nog iedere dag in die auto, de hele dag. Samen met de katten.'

Misschien heeft hij wel gelijk. Hij zit daar niet in de sigarettewalm en hij wordt niet met Donny Ray geconfronteerd. 'Waarom?' vraag ik. Ze wil er best over praten, dat is duidelijk.

'Buddy is niet helemaal goed. Dat zei ik vorige week al.'

Hoe kon ik dat vergeten?

'Hoe is het met Donny Ray?' vraag ik.

Ze haalt haar schouders op en loopt naar een stoel aan de andere kant van de wrakke keukentafel. 'Dat wisselt nogal. Wil je hem zien?'

'Straks misschien.'

'Hij ligt meestal in bed, maar hij kan nog wel lopen. Ik zal kijken of ik hem uit bed kan krijgen voordat je vertrekt.'

'Ja. Misschien. Hoor eens, ik heb al heel wat tijd in jullie zaak gestoken. Het heeft me uren gekost om alle stukken door te nemen en ik heb dagen in de bibliotheek gezeten om onderzoek te doen. Volgens mij moeten jullie die schoften van Great Eastern een procedure aandoen.'

'Dat hadden we toch al besloten?' Ze kijkt me strak aan. Dot heeft een hard gezicht, ongetwijfeld een gevolg van een zwaar leven met die gestoorde vent in zijn Ford.

'Jawel, maar toen wist ik nog niet alles. Het is mijn advies om een rechtszaak aan te spannen. Zo snel mogelijk.'

'Waar wacht je dan nog op?'

'Maar je hoeft niet op een snelle uitspraak te rekenen. Great Eastern is een grote firma met een heel stel advocaten die voortdurend om uitstel zullen vragen. Dat is hun werk.'

'Hoe lang gaat het duren, denk je?'

'Maanden, misschien wel jaren. We kunnen proberen om snel een schikking te treffen. Maar ze kunnen het ook op een procedure laten aankomen en daarna in beroep gaan. Je kunt er niets van zeggen.'

'Over een paar maanden is hij dood.'

'Mag ik je wat vragen?'

Ze blaast een rookwolk uit en knikt in één harmonische beweging.

'De eerste keer dat Great Eastern de claim afwees is negen maanden geleden, vlak nadat de ziekte bij Donny Ray was geconstateerd. Waarom heb je zo lang gewacht voordat je een advocaat in de arm nam?' Ik gebruik de term 'advocaat' nogal ruim.

'Ik ben er niet trots op, oké? Ik dacht dat ze uiteindelijk wel over de brug zouden komen. Ik heb ze steeds geschreven, en zij schreven terug. Ik weet het niet. Het was gewoon stom van me. We hadden altijd zo trouw de premie betaald. Daarom dacht ik dat ze hun verplichtingen wel zouden nakomen. En ik was nooit eerder bij een advocaat geweest. Nooit gescheiden of zo. Dat had ik beter wèl kunnen doen.' Ze draait zich verdrietig naar het raam en staart somber naar de Ford en zijn passagier. ''s Ochtends drinkt hij een halve liter gin en 's middags nog een. Het kan me niet schelen. Hij voelt zich er gelukkig bij en hij blijft tenminste uit mijn buurt. Hij heeft toch niks anders te doen.'

We kijken allebei naar de gestalte die onderuitgezakt op de voorbank zit. De struiken en de esdoorn werpen hun schaduw over de auto. 'Koop jij die drank voor hem?' vraag ik alsof het er iets toe doet.

'O nee. Hij betaalt een jochie van hiernaast om stiekem de flessen voor hem te halen. Hij denkt dat ik het niet weet.'

Ik hoor wat achter in het huis. Er is geen airconditioning die de geluiden dempt. Iemand begint te hoesten. Ik praat snel verder. 'Hoor eens, Dot, ik wil de zaak graag op me nemen. Ik weet dat ik pas een beginner ben, vers van de universitcit, maar ik heb er veel tijd ingestoken en ik weet er meer van dan iemand anders.'

Ze kijkt me aan met een bijna wanhopige blik. De ene advocaat of de an-

74

dere, wat maakt het uit? Ze heeft net zoveel vertrouwen in mij als in mijn collega's – niet veel dus. Vreemd eigenlijk. Al die advocaten besteden zoveel geld aan schreeuwerige advertenties, goedkope tv-spotjes, armoedige aanplakborden en voordelige aanbiedingen in de krant, en toch zijn er nog steeds mensen als Dot Black die het verschil niet weten tussen een ervaren strafpleiter en een derdejaarsstudent rechten.

Ik speculeer op haar onnozelheid. 'Waarschijnlijk zal ik moeten samenwerken met een andere advocaat, om zijn naam onder de stukken te zetten tot ik examen heb gedaan en zelf bevoegd ben.'

Ook dat dringt kennelijk niet tot haar door.

'Hoeveel gaat het kosten?' vraagt ze met een flinke dosis argwaan.

Ik kijk haar met een warme glimlach aan. 'Geen cent. Ik neem het risico. Als we winnen, krijg ik een derde van het geld. Als we verliezen, kost het je niets.' Dat moet ze toch al eens in een advertentie hebben gelezen, maar ze kijkt me nog steeds ongelovig aan.

'Hoeveel kunnen we vragen?'

'Een paar miljoen,' verklaar ik dramatisch, en ik weet dat ik haar in de tang heb. Hebzucht is haar volkomen vreemd. Als ze ooit van het goede leven heeft gedroomd, zijn die dromen allang vervlogen. Maar het idee om Great Eastern te grazen te nemen bevalt haar wel.

'En jij krijgt dertig procent?'

'Ik verwacht niet echt dat we een paar miljoen zullen krijgen, maar ik vraag niet meer dan een derde. Na aftrek van de medische kosten voor Donny Ray's behandeling. Dus je hebt niets te verliezen.'

Ze slaat met haar vlakke linkerhand op het tafelblad. 'Dan doe ik het. Het kan me niet schelen wat jij eraan verdient. Begin maar een procedure. Nu meteen. Morgenochtend.'

Ik heb al een contract bij me, keurig opgevouwen in mijn zak, gekopieerd van een kant-en-klare tekst die ik in de bibliotheek heb gevonden. Ik zou haar nu om een handtekening moeten vragen, maar dat kan ik niet. Ethisch gesproken mag ik mensen geen contracten voor juridische bijstand laten tekenen totdat ik mijn rechtbankexamen heb gedaan. En ik denk dat Dot zich wel aan haar woord zal houden.

Ik kijk op mijn horloge, als een echte advocaat. 'Laat het maar aan mij over,' zeg ik.

'Wil je Donny Ray nog zien?'

'De volgende keer misschien.'

'Ik kan het je niet kwalijk nemen. Hij is vel over been.'

'Over een paar dagen kom ik terug. Dan heb ik wat meer tijd. We moeten nog heel wat bespreken en ik wil Donny Ray ook een paar vragen stellen.'

'Als je maar opschiet, oké?'

We praten nog even, over de Cipressentuin en alles wat daar voor de ouderen wordt georganiseerd. Zij en Buddy gaan er eens in de week naartoe, als ze hem 's ochtends nuchter kan houden. Het is de enige keer dat ze samen uitgaan.

Zij wil graag praten, maar ik wil weg. Ze loopt met me mee naar buiten, inspecteert mijn vuile, gedeukte Toyota, zegt iets minachtends over buitenlandse – vooral Japanse – produkten en blaft terug tegen de Dobermans.

Als ik wegrijd, blijft ze bij de brievenbus staan en kijkt me na, met een sigaret in haar mond.

Voor iemand die zojuist failliet is verklaard, weet ik nog aardig wat geld uit te geven. Ik betaal acht dollar voor een geranium, die ik meeneem naar juffrouw Birdie. Ze houdt van bloemen, heeft ze gezegd, ze is eenzaam, en ik vind het een leuk gebaar. Een zonnestraaltje in het leven van een oude vrouw.

Ik kom precies op het juiste moment. Ze zit op handen en knieën in het bloemperk opzij van het huis. Er loopt een betonnen pad langs dat naar een vrijstaande garage in de achtertuin loopt, tussen een dichte haag van struiken, bloemen en jonge sierboompjes door. Het grasveld achter het huis ligt in de schaduw van hoge bomen die net zo oud zijn als zijzelf. Op een bakstenen terras staan bakken met felgekleurde bloemen.

Ze omhelst me als ik haar de geranium geef. Ze trekt haar tuinhandschoenen uit, gooit ze tussen de bloemen en neemt me mee naar het terras. Ze weet precies het juiste plekje voor de geranium, zegt ze. Ze zal hem morgen meteen planten. Lust ik soms een kopje koffie?

'Een glas water graag,' zeg ik. De smaak van haar waterige oploskoffie is me bijgebleven. Ze wijst me een mooie tuinstoel en veegt haar modderige handen aan haar schort af.

'IJswater?' vraagt ze, blij dat ze me toch iets te drinken kan aanbieden. 'Graag,' zeg ik, en ze verdwijnt haastig naar de keuken. De achtertuin maakt een merkwaardig symmetrische indruk, ondanks de woekerende begroeiing. Hij is minstens vijftig meter lang en eindigt bij een dichte haag. Daarachter zie ik een dak tussen de bomen. Hier en daar liggen nette borders, die regelmatig worden bijgehouden – door juffrouw Birdie of iemand anders. Op een bakstenen terrasje bij het hek staat een fontein, maar er komt geen water uit. Tussen twee bomen is een oude hangmat gespannen. De rafelige touwen en het canvas wiegen in de wind. Het gras is vrij van onkruid, maar het moet wel worden gemaaid.

Mijn blik dwaalt naar de garage, die twee gesloten klapdeuren heeft. Ernaast staat een schuurtje met gordijnen achter de ramen. Boven de garage lijkt een klein appartement gebouwd. Een houten trap buigt zich om de hoek, naar boven. Twee grote ramen bieden uitzicht op het huis. Eén ervan is gebroken. Tegen de muren groeit klimop, die zich door het kapotte raam naar binnen heeft gedrongen.

Het geheel ademt een vreemde sfeer.

Juffrouw Birdie komt door de openslaande deuren naar buiten met twee grote glazen ijswater. 'Wat vind je van mijn tuin?' vraagt ze als ze naast me komt zitten.

'Heel mooi, juffrouw Birdie. En zo vredig.'

'Dit is mijn leven,' zegt ze met een weids gebaar om zich heen. Ze morst water op haar voeten, maar ze merkt het niet. 'Hier breng ik al mijn tijd door. Ik vind het heerlijk.'

'Het is erg mooi. Doet u al het werk alleen?'

'Het meeste wel. Ik betaal een jongen om eens in de week het gras te maaien. Dertig dollar, stel je voor! Vroeger kostte het maar vijf dollar.' Ze slurpt van het water en smakt met haar lippen.

'Is dat een appartementje, daar boven?' vraag ik, wijzend naar de garage.

'Vroeger wel, ja. Een van mijn kleinzoons heeft er een tijdje gewoond. Ik had het laten inrichten, met een badkamer en een keukentje. Heel leuk. Hij studeerde toen aan Memphis State.'

'Hoe lang heeft hij daar gewoond?'

'Niet zo lang. Ik praat liever niet over hem.'

Een van de mensen die ze uit haar testament wil schrappen.

Als je dagenlang bij advocatenkantoren aanklopt om naar werk te vragen en steeds door onbeschofte secretaressen wordt afgepoeierd, krijg je een behoorlijk dikke huid. Nee heb je, ja kun je krijgen.

'Zou u het niet willen verhuren?' waag ik na een korte aarzeling, zonder angst voor een afwijzing.

Ze houdt haar hand met het glas opgeheven en ze staart naar het appartement alsof ze het nu pas ontdekt. 'Aan wie?' vraagt ze.

'Aan mij. Ik zou er graag wonen. Het is hier zo mooi. En stil, neem ik aan.'

'Ja. Doodstil.'

'Voor een tijdje. Totdat ik een baan heb en een flat kan huren.'

'Zou jij er willen wonen, Rudy?' vraagt ze ongelovig.

'Graag zelfs,' zeg ik met een half oprechte glimlach. 'Het is ideaal voor mij. Ik ben vrijgezel, ik hou van rust en ik kan geen hoge huur betalen. Het is heel geschikt.'

'Hoeveel kun je betalen?' vraagt ze zakelijk, opeens als een advocaat die een failliete cliënt de duimschroeven aanlegt.

Ik ben even van mijn stuk gebracht. 'O, dat weet ik niet. U bent de huisbaas. Hoeveel vraagt u?'

Ze kijkt om zich heen en staart in paniek naar de bomen. 'Wat dacht je van vier... nee, driehonderd dollar per maand?'

Het is duidelijk dat juffrouw Birdie nooit eerder kamers heeft verhuurd. Ze roept maar wat. Ik ben allang blij dat ze niet met achthonderd per maand begint. 'Kan ik het eerst even zien?' vraag ik voorzichtig.

Ze staat op. 'Het is er wel een troep. Ik gebruik het al jaren als opslagzolder. Maar je kunt het opruimen, en het keukentje is nog wel bruikbaar, denk ik.' Ze pakt mijn hand en neemt me mee over het grasveld. 'Ik zal het water laten aansluiten. Ik weet niet of de verwarming en de airconditioning nog werken. Ik heb wel wat meubels – niet veel, oud spul dat ik niet meer gebruik.'

Ze beklimt de krakende trap. 'Heb je meubels nodig?'

'Niet veel.' De leuning geeft mee en het hele gebouw lijkt te wiebelen.

– 9 –

Iedereen maakt vijanden aan de rechtenfaculteit. De concurrentie kan moordend zijn. Mensen leren er vals spelen en bedriegen. In mijn eerste studiejaar heb ik zelfs een vechtpartij meegemaakt toen twee derdejaarsstudenten elkaar tijdens een oefenprocedure in de haren vlogen. Ze werden van de universiteit getrapt maar later toch weer aangenomen. De faculteit heeft het collegegeld hard nodig.

Er zijn hier heel wat mensen die ik niet mag, en een paar aan wie ik zwaar de pest heb. Toch probeer ik redelijk te blijven.

Maar op dit moment voel ik een blinde haat tegenover de etterbak die me dit geflikt heeft. Alle juridische en financiële transacties in Memphis worden gepubliceerd in *The Daily Record*. Behalve echtscheidingen en allerlei andere categorieën is er ook een rubriek Faillissementen. Een of meer van mijn medestudenten vonden het blijkbaar grappig om mijn naam uit de krant te halen en fotokopieën over de hele faculteit te verspreiden. De tekst luidt: 'Baylor, Rudy L., student. Activa: $ 1125 (vrijgesteld). Ingeloste schulden: $ 285 aan de Wheels & Deals Finance Company. Openstaande schulden: $ 5136,88. Lopende acties: (1) Inning uitstaande schulden door Texaco; (2) Ontruiming door The Hampton. Werkgever: Geen. Raadsman: Pro Se.'

'Pro Se' betekent dat ik geen advocaat kan betalen en mezelf vertegenwoordig. De student achter de balie van de bibliotheek gaf me vanochtend een kopietje zodra ik binnenkwam. Hij had ze overal zien liggen, zei hij. Er hing er zelfs een aan het mededelingenbord. 'Raar gevoel voor humor,' zei hij erbij.

Ik bedankte hem, rende naar mijn hoekje in het souterrain, verstopte me tussen de boeken en vermeed ieder contact met de bekende gezichten. De colleges zijn bijna afgelopen en dan ben ik vrij, eindelijk verlost van al die mensen die ik niet kan uitstaan.

Ik heb vanochtend een afspraak met professor Smoot. Ik ben tien minuten te laat, maar hij maakt er geen punt van. Zijn kantoor ligt vol met de gebruikelijke rotzooi van een geleerde die te briljant is om ordelijk te werken. Zijn strikje zit scheef, zijn glimlach is oprecht.

We praten eerst over de Blacks en hun conflict met Great Eastern. Ik geef hem een samenvatting van drie velletjes, met mijn gefundeerde conclusies en adviezen. Hij leest ze aandachtig, terwijl ik naar de proppen papier onder zijn bureau zit te staren. Hij is onder de indruk, herhaalt hij een paar keer. Ik adviseer de Blacks contact op te nemen met een ervaren advocaat om een procedure wegens wanprestatie aan te spannen tegen Great Eastern. Smoot is het volledig met me eens. Weet hij veel.

Het enige wat ik van hem wil is een goed cijfer, verder niets. Daarna bespreken we juffrouw Birdie Birdsong. Ik vertel hem dat ze aardig wat geld heeft en haar testament wil wijzigen. De details verzwijg ik. Ik geef hem het herziene testament van juffrouw Birdie, vijf bladzijden dik, en hij leest het haastig door. Het ziet er goed uit, vindt hij, zonder iets vreemds te ontdekken. Voor dit onderdeel van zijn college wordt geen examen afgenomen en hoeven we geen scripties in te leveren. Als je de colleges volgt, de oudjes bezoekt en een samenvatting schrijft, ben je klaar. Dan krijg je een voldoende van Smoot.

Smoot kent juffrouw Birdie al een paar jaar. Blijkbaar is ze de ongekroonde koningin van de Cipressentuin. Hij ziet haar elk half jaar, als hij met zijn studenten komt opdraven. Ze heeft nooit eerder van het gratis juridisch advies gebruik gemaakt, zegt hij terwijl hij peinzend aan zijn strikje plukt. Hij wist niet eens dat ze geld had.

Hij zou nog verbaasder zijn als hij wist dat ze mijn nieuwe huisbaas was. Het kamertje van Max Leuberg ligt vlak bij het kantoor van Smoot. Hij heeft een boodschap voor me afgegeven bij de balie van de bibliotheek. Hij wil me spreken. Max vertrekt aan het eind van het collegejaar. Hij is twee jaar uitgeleend door de universiteit van Wisconsin en hij gaat weer terug. Waarschijnlijk zal ik Max wel missen als we hier allebei weg zijn, maar op dit moment is het moeilijk om nog enige sympathie te koesteren voor iets of iemand op deze faculteit.

Max' kantoor staat vol met kartonnen wijndozen. Hij is aan het verhuizen. Ik heb nog nooit zo'n chaos gezien. We halen nog wat herinneringen op, in een wanhopige poging om deze studie een spannend tintje te geven. Voor het eerst maakt hij een terneergeslagen indruk, alsof hij het echt jammer vindt dat hij weggaat. Hij wijst naar een stapel papieren in een doos Wild Turkey. 'Die is voor jou. Materiaal dat ik de laatste tijd gebruikt hebt in procedures wegens wanprestatie. Neem maar mee. Misschien heb je er nog wat aan.'

Ik ben nog niet eens klaar met de vorige stapel die hij me heeft gegeven. 'Bedankt, Max,' zeg ik, met een blik op de rode kalkoen.

'Heb je al een klacht ingediend?' vraagt hij.

'Eh, nee. Nog niet.'

'Schiet dan maar op. Zoek een ervaren advocaat, iemand met een goede reputatie. Ik heb een hele tijd over deze zaak nagedacht. Het laat me niet los. Het is een ideale uitgangspositie. Het zou me niets verbazen als de jury Great Eastern tot een behoorlijke boete veroordeelt. Iemand moet er werk van maken.'

Dat doe ik al.

Hij springt overeind en rekt zich uit. 'Bij welk kantoor ga je werken?' vraagt hij terwijl hij een yoga-houding aanneemt en zijn kuiten strekt. 'Misschien kun je de zaak aan een van je collega's geven en zelf de fundamenten leggen. Er is vast wel iemand met voldoende ervaring. Je kunt me altijd bellen voor advies. Ik zit de hele zomer in Detroit voor een grote procedure tegen All-State, maar ik blijf geïnteresseerd. Oké? Dit zou wel eens een belangrijke zaak kunnen worden. Een mijlpaal. Ik zou het prachtig vinden als die lui een flinke douw krijgen.'

'Wat heeft All-State misdaan?' vraag ik voordat hij nog meer wil weten over 'mijn nieuwe baan'.

Hij grijnst breed en vouwt zijn handen boven op zijn hoofd, alsof hij het gewoon niet kan geloven. 'Onvoorstelbaar,' zegt hij, en hij begint aan een uitvoerige beschrijving van de zaak. Ik wou dat ik niets gevraagd had.

Ondanks mijn beperkte ervaring met advocaten, weet ik al dat ze een paar dingen gemeen hebben. En een van hun meest irritante trekjes is het vertellen van oorlogsverhalen. Als ze een procedure hebben gewonnen, zul je dat wéten ook! Als ze bezig zijn met een geweldige zaak die hen stinkend rijk zal maken, móeten ze je dat vertellen. Max kan nauwelijks slapen van opwinding bij het vooruitzicht dat hij All-State failliet zal doen gaan.

'Hoe dan ook,' zegt hij ten slotte, terug in de werkelijkheid, 'ik kan je misschien helpen met deze zaak. Ik kom komend najaar niet terug, maar je hebt mijn adres en telefoonnummer. Bel me als je me nodig hebt.'

Ik til de kartonnen doos op. Hij is zwaar en de bodem buigt door. 'Bedankt,' zeg ik, met mijn gezicht naar hem toe. 'Heel geschikt van je, echt waar.'

'Graag gedaan, Rudy. Er is niets leukers dan een verzekeringsmaatschappij de vernieling in helpen. Geloof me maar.'
'Ik zal mijn best doen. Bedankt.'
De telefoon gaat en hij duikt erop af. Langzaam loop ik met mijn zware doos zijn kantoor uit.

Juffrouw Birdie en ik sluiten een merkwaardige overeenkomst. Ze is geen echte onderhandelaar en ze heeft het geld ook niet nodig. Ik weet haar om te praten tot een huur van honderdvijftig dollar per maand, inclusief gas en licht. En ze belooft voor genoeg meubels te zorgen.
Van mijn kant beloof ik te helpen met allerlei klusjes om het huis – vooral grasmaaien en het onderhoud van de tuin. Als ik het gras maai, bespaart ze al dertig dollar per week. Dat is bijna net zoveel als mijn huur. Ik zal de heg knippen, de bladeren wegharken, alle gewone dingen. Ze had het ook nog over onkruid wieden, maar daar ben ik niet op ingegaan.
Het is een gunstige regeling voor mij en ik vind mezelf heel slim. Het appartement is minstens driehonderdvijftig dollar per maand waard, dus ik heb tweehonderd dollar bespaard. Voor de tuin heb ik zo'n vijf uur per week nodig, schat ik. Dat is dus twintig uur per maand of tien dollar per uur. Niet slecht in deze omstandigheden. Na drie jaar in de bibliotheek kan ik wel wat lichaamsbeweging en frisse lucht gebruiken. Niemand zal er ooit achterkomen dat ik de tuinman ben, en bovendien blijf ik dicht in de buurt van juffrouw Birdie, mijn cliënte.
Het is een mondelinge afspraak met een maand opzegtermijn. Als het geen succes wordt, vertrek ik weer.
Het is nog maar kort geleden dat ik op zoek was naar een leuk appartementje voor een jonge, ambitieuze advocaat. Ze vragen rustig zevenhonderd dollar voor een flat met twee slaapkamertjes en een oppervlakte van nog geen negentig vierkante meter. Toch had ik dat er zonder probleem voor betaald. De tijden zijn wel veranderd.
Nu neem ik dus mijn intrek in een Spartaanse bouwval, ontworpen door juffrouw Birdie en tien jaar lang totaal verwaarloosd. Er is een kleine woonkamer met een oranje kleed op de vloer en lichtgroene muren. Verder bestaat het appartement uit een slaapkamer, een keukentje en een aparte eethoek. De muren lopen in alle kamers aan de bovenkant schuin naar elkaar toe, wat een nogal claustrofobisch effect heeft.
Toch is het ideaal voor mij. Zolang juffrouw Birdie voldoende afstand houdt, zal het wel lukken. Ik heb haar moeten beloven dat ik geen woeste feesten zou geven of luide muziek zou draaien. Drank, drugs, honden, katten en lichte vrouwen zijn taboe. Ze heeft het appartementje zelf schoongemaakt, de vloeren en de muren geschrobd en de meeste rommel weggehaald. Ze ondersteunde me bijna letterlijk toen ik mijn schamele

bezittingen de trap op sjouwde. Ik weet zeker dat ze medelijden met me had.

Zodra ik de laatste doos de trap op had gezeuld en voordat ik de kans kreeg iets uit te pakken, moest ik koffie drinken op het terras.

We zaten een minuut of tien aan de koffie, lang genoeg voor mij om even uit te blazen. Maar toen verklaarde ze dat het tijd was voor de tuin. Ik trok onkruid uit de bloembedden tot ik er pijn in mijn rug van kreeg. Ze hielp een paar minuten mee, maar toen kwam ze achter me staan en gaf alleen nog aanwijzingen.

Eindelijk weet ik aan het werk in de tuin te ontsnappen door naar Yogi's te gaan. Ik heb bardienst tot aan sluitingstijd, na één uur 's nachts.

Het is druk vanavond, en tot mijn ontzetting ontdek ik een groep jaargenoten aan twee lange tafels in een hoek. Het is de laatste bijeenkomst van een van de talloze jaarclubs, eentje waarvan ik geen lid mocht worden. Ze noemen zich The Barristers en de meeste leden zitten in de redactie van het juridische tijdschrift – belangrijke studenten die zichzelf heel serieus nemen. Ze proberen een geheimzinnige, exclusieve sfeer op te houden, met duistere inwijdingsrituelen, Latijnse gezangen en meer van dat soort nonsens. Bijna allemaal weten ze zich verzekerd van een baan bij een van de grote kantoren of bij een federale rechtbank. Twee van hen zijn toegelaten tot de belastingstudie aan de universiteit van New York. Het is een pompeuze kliek, de meesten met initialen vóór en volgnummers achter hun naam.

Ik tap het ene glas na het andere en ze worden al snel dronken. De luidruchtigste van het stel is Jacob Staples, een kleine wezel. Hij is een veelbelovende jonge jurist, die alle gemene trucs al kende toen hij drie jaar geleden aan zijn studie begon. Staples heeft meer vormen van bedrog bedacht dan wie ook in de geschiedenis van deze rechtenfaculteit. Hij heeft examens gestolen, boeken achterovergedrukt, uittreksels van anderen gebietst en tegen docenten gelogen om uitstel te krijgen voor zijn essays en scripties. Binnenkort zal hij wel een miljoen per jaar verdienen. Ik verdenk hem ervan dat hij mijn gegevens in *The Daily Record* heeft gefotokopieerd en verspreid. Daar is hij echt het type voor.

Hoewel ik probeer het groepje te negeren, zie ik ze regelmatig mijn kant uit kijken. Een paar keer vang ik het woord 'failliet' op.

Maar ik ga gewoon door met mijn werk en neem zo nu en dan een slok bier uit een koffiemok. De Prins zit in de andere hoek televisie te kijken en houdt een wakend oogje op The Barristers. Er zijn windhondenrennen in Florida en de Prins wedt op iedere race. Zijn gok- en drinkmakker van vanavond is zijn advocaat, Bruiser Stone, een enorm dikke, brede man met lang, dik, grijs haar en een sikje. Hij weegt minstens honderdtwintig kilo en samen lijken ze wel twee beren die op een rots apenootjes zitten te kauwen.

Bruiser Stone is een advocaat met een zeer dubieuze reputatie. Hij en de Prins kennen elkaar al jaren. Ze hebben samen op school gezeten in het zuiden van Memphis en ze hebben heel wat duistere zaakjes afgehandeld. Ze tellen hun geld als er niemand in de buurt is. Ze kopen politici en politiemensen om. De Prins is de showman, Bruiser het brein. En als de Prins weer eens wordt aangehouden, belt Bruiser meteen de krant om zijn verontwaardiging uit te schreeuwen. Bruiser is een geslaagde strafpleiter, vooral omdat hij juryleden omkoopt. Nee, de Prins heeft weinig te vrezen van de rechterlijke macht.

Bruiser heeft zo'n vier à vijf medewerkers op kantoor. Ik zou wel heel wanhopig moeten zijn om hèm om een baantje te vragen. Ik kan me niets ergers voorstellen dan iemand te moeten zeggen dat ik voor Bruiser Stone werk.

De Prins zou het wel voor me regelen. Die zou het prachtig vinden om me een dienst te bewijzen, om te laten zien hoeveel invloed hij heeft.

Jezus, waar dènk ik aan?

– 10 –

Op aandringen van zijn vier overgebleven studenten gaat Smoot door de knieën en geeft ons toestemming om op eigen gelegenheid naar de Cipressentuin terug te gaan. Dan hoeven we niet nog zo'n vreselijke lunch mee te maken. Booker en ik komen binnen tijdens het gezang en blijven achterin zitten als juffrouw Birdie een praatje over vitamines en voldoende lichaamsbeweging houdt. Eindelijk krijgt ze ons in de gaten en roept ons naar het podium om ons aan de zaal voor te stellen.

Als het programma achter de rug is, trekt Booker zich terug in een verre hoek, waar hij met zijn cliënten overlegt en adviezen geeft die hij liever niet aan anderen laat horen. Omdat ik al bij Dot thuis ben geweest en al uren met juffrouw Birdie over haar testament heb gesproken, heb ik niet veel te doen. DeWayne Deweese, mijn derde cliënt van vorige maand, ligt in het ziekenhuis. Over de post heb ik hem mijn volstrekt nutteloze advies ten aanzien van zijn persoonlijke strijd met het Bureau Oorlogsinvaliden toegestuurd.

Het testament van juffrouw Birdie is nog steeds niet afgerond. De laatste dagen reageert ze nogal gevoelig. Ik vraag me af òf ze het wel wil wijzigen. Ze heeft al dagen niets van dominee Kenneth Chandler gehoord en ze aarzelt of ze hem wel zoveel geld moet nalaten. Ik probeer het haar af te raden.

We hebben een paar gesprekken over haar geld gehad. Ze wacht bij voorkeur tot ik zwetend en vuil tot aan mijn knieën in de aarde en de tuinturf sta om me dan nonchalant een vraag te stellen als: 'Kan Delberts vrouw bezwaar aantekenen als ik hem niets nalaat?' Of: 'Waarom kan ik het geld niet meteen weggeven? Nu al?'

Dan leg ik mijn hark neer, sleep me tussen de bloemen vandaan, veeg mijn gezicht af en probeer een intelligent antwoord te bedenken. Maar tegen die tijd is ze haar vraag alweer vergeten en wil ze weten waarom de azalea's het zo slecht doen.

Een paar keer heb ik het onderwerp aangesneden toen we op het terras aan de koffie zaten, maar dan reageert ze nerveus en geprikkeld. Ze heeft een gezond wantrouwen tegen advocaten.

Inmiddels heb ik een paar feiten gecontroleerd. Ze is inderdaad voor de tweede keer getrouwd, met een zekere Anthony Murdine. Dat huwelijk heeft vijf jaar geduurd, totdat hij vier jaar geleden in Atlanta is gestorven. Blijkbaar heeft hij haar een aanzienlijk vermogen nagelaten, waar veel over te doen was, maar het gerechtshof in De Kalb County in Georgia weigert informatie te verschaffen over het dossier. Verder ben ik nog niet gekomen. Ik wil zo snel mogelijk contact opnemen met de juristen die bij de zaak betrokken zijn geweest.

Juffrouw Birdie wil een gesprek. Dan voelt ze zich belangrijk tegenover die andere oudjes. Dus gaan we aan een tafeltje bij de piano zitten, uit de buurt van de anderen. We steken de koppen bij elkaar. Als je ons zo zag, zou je denken dat we elkaar al in geen maand hadden gesproken.

'Ik moet weten wat u van plan bent met uw testament, juffrouw Birdie,' zeg ik. 'En voordat ik iets definitiefs op papier kan zetten, moet u me ook wat meer vertellen over uw geld.'

Ze kijkt snel om zich heen, alsof ze bang is dat er iemand meeluistert. Zelfs als we zaten te schreeuwen, zouden de meesten van die stakkers ons nog niet kunnen horen. Ze buigt zich nog dichter naar me toe en fluistert achter haar hand. 'Het geld zit niet in onroerend goed, oké? Het is belegd in fondsen, aandelen en obligaties.'

Het verbaast me dat ze die termen zo goed kent. Vermoedelijk spreekt ze dus de waarheid.

'En wie gaat erover?' vraag ik. Een overbodige vraag. Het maakt voor het testament geen enkel verschil wie haar geld beheert. Maar ik sterf van nieuwsgierigheid.

'Een kantoor in Atlanta.'

'Een advocatenkantoor?' vraag ik geschrokken.

'Nee hoor. Ik zou het nooit aan advocaten toevertrouwen. Nee, een beleggingsmaatschappij. Al het geld zit in beleggingen. Daaruit krijg ik een inkomen tot mijn dood, en daarna kan ik het schenken. Zo heeft de rechter het bepaald.'

'Hoeveel krijgt u per maand?' vraag ik. Het is eruit voordat ik er erg in heb.

'Dat gaat je niets aan, Rudy.'

Nee, natuurlijk niet. Ik voel me op mijn vingers getikt en als een echte advocaat probeer ik me eruit te smoezen. 'Misschien kan dat belangrijk zijn. Vanwege de belastingen.'

'Ik heb je toch niet gevraagd mijn belastingbiljet in te vullen? Daar heb ik een accountant voor. Ik heb je alleen gevraagd een nicuw testament op te stellen, maar dat schijnt boven je pet te gaan.'

Bosco loopt naar de andere kant van de tafel en grijnst naar ons. Hij is zijn meeste tanden kwijt. Juffrouw Birdie vraagt hem beleefd om even een spelletje te doen. Ze is opvallend vriendelijk en begripvol tegenover deze mensen.

'Ik zal elk testament opstellen dat u wilt, juffrouw Birdie,' zeg ik ernstig, 'maar dan moet u wel een besluit nemen.'

Ze gaat rechtop zitten, slaakt een dramatische zucht en klapt haar kunstgebit dicht. 'Ik zal erover nadenken.'

'Goed. Maar in uw huidige testament staan een heleboel dingen die u niet bevallen, vergeet dat niet. Als u iets zou overkomen...'

'Ik weet het, ik weet het,' onderbreekt ze me, wapperend met haar handen. 'Je hoeft me niet de les te lezen. De afgelopen twintig jaar heb ik twintig verschillende testamenten laten opmaken. Ik weet er alles van.'

Bosco zit te huilen bij de keuken en ze loopt snel naar hem toe om hem te troosten. Booker is gelukkig klaar met zijn gesprekken. Zijn laatste cliënt is de oude man met wie hij de vorige keer zo lang heeft gesproken. De man is niet tevreden met Bookers advies, dat is duidelijk te zien. Als Booker opstaat om te vertrekken, hoor ik hem nog zeggen: 'Hoor eens, het is gratis. Wat verwacht u nou eigenlijk?'

We nemen afscheid van juffrouw Birdie en gaan er haastig vandoor. Dit college hebben we achter de rug. Over twee dagen zijn we klaar.

Na drie jaar vloeken, ploeteren en dromen krijgen we eindelijk onze vrijheid terug. Ik heb een advocaat eens horen zeggen dat je een paar jaar nodig hebt om de trauma's van je studie te verwerken. Maar ten slotte blijven alleen de goede herinneringen over, zoals bij de meeste dingen in het leven. Er klonk werkelijk heimwee in zijn stem toen hij terugdacht aan de gloriedagen van zijn studententijd.

Ik kan me niet voorstellen dat ik ooit met genoegen zal terugkijken op de afgelopen drie jaar. Misschien dat ik wat goede herinneringen overhoud aan de vriendschap met andere studenten, aan de gezellige momenten met Booker, aan mijn baantje bij Yogi's of aan andere dingen die me nu ontgaan. En ik weet zeker dat Booker en ik ooit zullen lachen om die brave oude mensen hier in de Cipressentuin en het vertrouwen dat ze in ons stelden.

Achteraf gezien zal dat misschien heel grappig zijn.

Ik stel voor om een biertje te gaan drinken bij Yogi's. Op mijn kosten. Het is twee uur 's middags op een natte vrijdag, de ideale tijd om je aan een tafeltje te laten zakken en de middag stuk te slaan. Misschien is het wel onze laatste kans.

Booker heeft er wel zin in, maar hij moet over een uur op kantoor zijn. Hij werkt voor Marvin Shankle aan een zaak die al op maandag voorkomt. Het ziet ernaar uit dat hij het hele weekend in de bibliotheek zal moeten zitten.

Shankle werkt zeven dagen per week. Zijn kantoor verrichtte baanbrekend werk in veel burgerrechtenkwesties in Memphis, en daarvan plukt hij nu de vruchten. Hij heeft tweeëntwintig juristen in dienst, allemaal zwart, de helft vrouwen, en iedereen werkt zich te pletter. De secretaressen draaien een ploegendienst, zodat er altijd minstens drie aanwezig zijn, vierentwintig uur per dag. Shankle is Bookers grote held en ik weet zeker dat hij over een paar weken zelf ook iedere zondag op kantoor zit.

Ik voel me als een bankrover die de voorsteden doorkruist, op zoek naar het geschiktste doelwit. Het kantoor dat ik zoek, bevindt zich in een modern, vier verdiepingen hoog gebouw van glas en beton. Het staat in het oosten van de stad, aan een drukke doorgangsweg naar het centrum en de rivier. Hier zijn de blanken neergestreken die de binnenstad zijn ontvlucht.

Het kantoor heeft vier juristen, alle vier halverwege de dertig en alle vier afgestudeerd aan Memphis State. Ik heb gehoord dat ze al bevriend waren op de universiteit. Toen ze een tijdje bij de grote firma's hadden gewerkt, werd de druk hun te groot en besloten ze samen een rustiger praktijk te beginnen. Ik heb hun naam in de gouden gids gevonden – een advertentie van een hele pagina, die vierduizend dollar per maand schijnt te kosten. Ze nemen alles aan, van echtscheidingen tot onroerend goed en bestemmingsplannen, maar in de advertentie werd vooral de nadruk gelegd op hun ervaring met schadeclaims wegens persoonlijk letsel.

Wat advocaten ook doen, ze beweren haast altijd dat ze alles weten van persoonlijk letsel. De meesten hebben geen cliënten bij wie ze hun uren kunnen declareren, daarom kunnen ze alleen veel geld verdienen door mensen te vertegenwoordigen wie een ongeluk is overkomen. Meestal zijn dat eenvoudige zaken. Neem bijvoorbeeld een vent die gewond is geraakt bij een aanrijding die de schuld was van een andere bestuurder die goed verzekerd is. Het slachtoffer breekt een been, ligt een week in het ziekenhuis, mist inkomsten, enzovoort. Als de advocaat er eerder bij is dan de verzekeringsmaatschappij, kan er een schikking worden getroffen voor vijftigduizend dollar. De advocaat verricht een paar administratieve handelingen, maar hoeft waarschijnlijk niet eens een procedure aan te spannen. Het kost hem maximaal dertig uur en hij verdient ongeveer vijftienduizend dollar. Dat is vijfhonderd dollar per uur.

Mooi meegenomen, als het lukt. Daarom vragen bijna alle advocaten in hun advertentie om slachtoffers van letsel. Je hebt er niet eens veel ervaring voor nodig, want negenennegentig van de honderd zaken worden buiten de rechtszaal geschikt. Als je de cliënten maar kunt vinden.

Het kan me niet schelen hoe ze adverteren, zolang ik maar een voet tussen de deur kan krijgen. Ik blijf even in mijn auto zitten, terwijl de regen tegen de voorruit klettert. Ik zou me liever laten vierendelen, maar toch zit er niets anders op dan dat kantoor binnen te stappen, tegen de receptioniste te glimlachen en mijn bekende verhaal op te hangen om de baas te spreken te krijgen.

Niet te geloven. Doe ik dit echt?

– 11 –

Mijn excuus om niet naar de uitreiking van de bul te komen is dat ik een paar sollicitatiegesprekken heb. Veelbelovende gesprekken, verzeker ik Booker, maar die trapt er niet in. Hij weet heel goed dat ik zonder succes alle advocatenkantoren afloop en kopieën van mijn curriculum door de hele stad rondstrooi.

Booker is de enige wie het iets interesseert of ik in toga en baret de uitreiking bijwoon. Hij vindt het jammer dat ik niet kom. Mijn moeder en Hank kamperen ergens in Maine en wachten op de lente. Ik heb haar een maand geleden nog gesproken, maar ze heeft geen idee wanneer ik afstudeer.

Ik heb gehoord dat het een langdradige ceremonie is, met veel speeches door breedsprakige oude rechters die de jonge juristen op het hart binden de wet hoog te houden, hun beroepseer te bewaken als een jaloerse minnaar en het blazoen van de juridische stand wat op te poetsen nadat het door onze voorgangers zo ernstig is bezoedeld. Enzovoort, enzovoort. Ik zit liever bij Yogi's om naar de Prins te kijken die op geitenrennen wedt. Booker komt met zijn hele familie – Charlene en de kinderen, zijn en haar ouders, een paar grootouders, tantes, ooms, neven en nichten. De Kanes rukken op volle sterkte uit. Veel tranen en foto's. Booker is de eerste in zijn familie die een titel haalt en iedereen is vreselijk trots op hem. Ik kom in de verleiding om me schuil te houden tussen het publiek, zodat ik zijn ouders kan zien als hij zijn bul krijgt uitgereikt. Waarschijnlijk barst ik dan ook in tranen uit, net als zij.

Ik weet niet of Sara Plankmores familie erbij zal zijn, maar dat risico loop ik liever niet. Ik zou het niet kunnen verdragen om haar naar de camera te zien lachen als ze wordt omhelsd door haar verloofde, S. Todd Wilcox. In die toga is in elk geval niet te zien of ze nu zwanger is of niet. Maar ik zou toch kijken. Hoe ik me ook zou verzetten, ik zou mijn ogen niet van haar middel kunnen afhouden.

Nee, het is beter dat ik de uitreiking maar oversla. Van Madeline Skinner hoorde ik twee dagen geleden dat al mijn jaargenoten werk hebben gevonden. De meesten hebben een mindere baan geaccepteerd dan waar ze op hoopten en minstens vijftien van hen zijn voor zichzelf begonnen. Ze hebben geld van hun ouders en familie geleend en een klein kantoortje gehuurd, met goedkope meubels. Madeline heeft alle gegevens. Zij weet wat iedereen nu doet. Ik verdom het om in mijn zwarte toga en baret tussen die honderdtwintig anderen te gaan zitten terwijl we allemaal weten dat ik, Rudy Baylor, als enige werkloze sukkel ben overgebleven. Dan kan ik net zo goed een roze toga aantrekken en een lichtgevende baret opzetten. Vergeet het maar.

Ik heb gisteren mijn bul al opgehaald.

De uitreiking begint om twee uur 's middags, precies op het moment dat ik het kantoor van Jonathan Lake binnenstap. Dit is de tweede keer dat ik hier kom. Een maand geleden ben ik hier ook geweest en heb ik met knikkende knieën mijn curriculum aan de receptioniste gegeven. Deze keer zal het anders gaan. Nu heb ik een plan.

Ik heb wat onderzoek gedaan naar het kantoor van Lake. Omdat Jonathan Lake zijn rijkdom liever niet deelt, is hij de enige vennoot. Hij heeft twaalf medewerkers in dienst, zeven advocaten en vijf jongere juristen die zich met andere zaken bezighouden. De zeven advocaten zijn ervaren strafpleiters. Ze hebben allemaal een eigen secretaresse en een assistent, en ook de assistent heeft een secretaresse. Zo vormen ze een sectie. Iedere sectie werkt geheel zelfstandig. Alleen Jonathan Lake springt zo nu en dan bij als het spannend wordt. Hij neemt de zaken die hij interessant vindt en waaraan de meeste eer valt te behalen. Hij klaagt graag kinderartsen aan die een fout hebben gemaakt, en kort geleden heeft hij een fortuin verdiend met een asbestzaak.

Iedere advocaat kan zijn eigen mensen aannemen en ontslaan en is ook verantwoordelijk voor het vinden van nieuwe cliënten. Bijna tachtig procent van de zaken komt binnen via verwijzingen door andere advocaten, tipgevers en makelaars die toevallig een benadeelde cliënt tegenkomen. Het inkomen van de advocaten wordt bepaald door verschillende factoren, onder meer de vraag hoeveel nieuwe zaken hij binnensleept.

Barry X. Lancaster is een rijzende ster binnen de firma. Hij begint nog maar pas, maar vorig jaar kerst heeft hij twee miljoen dollar smartegeld losgekregen van een arts in Arkansas. Hij is vierendertig, gescheiden, wóónt zo'n beetje op kantoor en heeft rechten gestudeerd aan Memphis State. Ik heb mijn huiswerk goed gedaan. In *The Daily Record* heeft hij een advertentie gezet voor een assistent. Als ik dan niet als jurist aan de slag kan komen, probeer ik het maar als assistent. Dat is leuk voor later, als ik het helemaal heb gemaakt. Toen hij van de universiteit kwam, kon Rudy niet eens een baantje krijgen, daarom is hij begonnen in de postkamer bij Jonathan Lake! En moet je zien hoe ver hij het heeft geschopt.

Om twee uur heb ik een afspraak met Barry X. De receptioniste kijkt me onderzoekend aan, maar ze zegt niets. Ik betwijfel of ze me nog herkent van mijn eerste bezoek. Sindsdien zijn er al duizend mensen langs haar balie gekomen. Ik verberg me achter een tijdschrift op een leren bank en bewonder de oosterse kleden, de parketvloer en de dikke, opengewerkte balken van het plafond. Het kantoor is gehuisvest in een oud pakhuis, niet ver van het medische district van Memphis. Volgens de verhalen heeft Lake drie miljoen dollar besteed aan de verbouwing van dit monument voor hemzelf. Al in twee tijdschriften heb ik er fotoreportages van gezien.

Een paar minuten later word ik door een secretaresse via een labyrint van gangen en halletjes naar een kantoor op een hogere verdieping gebracht. Beneden me zie ik een open bibliotheek zonder wanden – rijen en rijen boeken achter elkaar. Een eenzame student zit aan een lange tafel, omringd door verhandelingen, verdwaald in een stortvloed van tegenstrijdige theorieën.

Het kantoor van Barry X. is lang en smal, met bakstenen muren en een krakende vloer. Het is ingericht in antieke stijl. Hij geeft me een hand en we gaan zitten. Hij is mager en in goede conditie. Uit de fotoreportages herinner ik me de fitnesszaal die Lake in zijn kantoor heeft laten installeren. Er is ook een sauna.

Barry heeft het druk. Waarschijnlijk is hij al aan de late kant voor een strategische bespreking met zijn sectie over een nieuwe, grote zaak. Zijn telefoon is zo neergezet dat ik de lampjes voortdurend zie knipperen. Zijn handen liggen ontspannen op het bureau, maar hij kijkt regelmatig op zijn horloge.

'Vertel me eens wat meer over die zaak,' zegt hij nadat we een paar beleefdheden hebben uitgewisseld. 'Een afgewezen verzekeringsclaim, als ik het goed heb?' Hij is al argwanend omdat ik een jasje en een das draag – niet de kleding van de gemiddelde cliënt.

'Eigenlijk ben ik hier omdat ik werk zoek,' zeg ik moedig. Wat heb ik te verliezen? Het enige wat hij kan doen is me de deur wijzen.

Hij trekt een gezicht en kijkt in zijn agenda. Weer een vergissing van zijn secretaresse.

'Ik zag uw advertentie voor een assistent in *The Daily Record*.'

'Heb je de juiste opleiding?'

'Meer nog.'

'Wat bedoel je?'

'Ik ben afgestudeerd jurist.'

Hij kijkt me vijf seconden aan, schudt dan zijn hoofd en kijkt weer op zijn horloge. 'Ik heb het druk. Geef je papieren maar aan mijn secretaresse.' Opeens spring ik overeind en buig me naar voren over zijn bureau. Hij kijkt geschrokken op. 'Ik zal u een voorstel doen,' verklaar ik dramatisch. Snel raffel ik mijn vaste praatje af – dat ik zo intelligent en ijverig ben, dat ik goede cijfers heb gehaald, dat ik een baan bij Brodnax & Speer zou krijgen, en hoe dat misliep. Ik geef Tinley Britt de volle laag. Weg met die grote kantoren! Ik hoef niet veel te verdienen. Als ik maar werk heb.

Zo ga ik nog twee minuten door, zonder dat hij me in de rede valt. Ten slotte laat ik me weer op mijn stoel terugzakken.

Hij zit een tijdje te broeden en bijt op een nagel. Ik weet niet of hij verontwaardigd of enthousiast is.

'Weet je waar ik zo kwaad om word?' vraagt hij eindelijk. Hij is dus kennelijk niet enthousiast.

'Ja. Om mensen zoals ik die tegen uw secretaresse liegen om tot u door te dringen en om een baantje te vragen. Daar wordt u kwaad om, en dat kan ik best begrijpen. Ik zou ook woedend zijn, maar daarna zou ik denken: die vent is bijna advocaat, maar toch is hij bereid om alle vervelende klusjes op te knappen voor, laten we zeggen, vierentwintigduizend dollar per jaar.'

'Eenentwintig.'

'Akkoord,' zeg ik. 'Voor eenentwintigduizend dollar wil ik morgen al beginnen. En ik hoef het hele jaar geen loonsverhoging. Ik beloof dat ik twaalf maanden zal blijven, of ik mijn rechtbankexamen haal of niet. Ik zal zestig tot zeventig uur per week werken, zonder vakanties. Dat garandeer ik u. Laat me het contract maar tekenen.'

'We nemen alleen assistenten aan die minstens vijf jaar ervaring hebben. Het is geen gemakkelijk werk.'

'Ik leer snel. Vorig jaar heb ik vakantiewerk gedaan voor een advocatenkantoor in de binnenstad. Uitsluitend procedures.'

Dit is niet helemaal eerlijk, en dat weet hij. Ik kom binnenstormen met een kant-en-klaar verhaal. Ik heb hem volledig overvallen. Het is duidelijk dat ik dit al vaker heb gedaan, want ik heb een antwoord op alles wat hij zegt.

Maar ik heb geen medelijden met hem. Hij kan me gewoon de deur uit zetten als hij wil.

'Ik zal het aan Jonathan Lake voorleggen,' zegt hij, wat vriendelijker nu. 'We hebben strikte regels ten aanzien van het personeelsbeleid. Ik kan niet zomaar een assistent aannemen die niet aan de eisen voldoet.'

'Natuurlijk niet,' zeg ik teleurgesteld. Weer de deur in mijn gezicht. Toch word ik hier steeds beter in. Ik heb gemerkt dat advocaten, hoe druk ze het ook hebben, altijd sympathie koesteren voor iemand die pas van de universiteit komt en geen werk kan vinden. Maar die sympathie heeft wel grenzen.

'Misschien zegt hij ja. Dan heb je de baan.' Hij probeert de pil te vergulden. Ik herstel me. 'Maar er is nog iets. Ik heb inderdaad een zaak. En een heel interessante zaak.'

Nu wordt hij pas echt achterdochtig. 'Wat dan?' vraagt hij.

'Een verzekeringskwestie. Wanprestatie.'

'Ben je zelf de cliënt?'

'Nee. Ik ben de raadsman. Ik liep er toevallig tegenop.'

'Om hoeveel geld gaat het?'

Ik geef hem een samenvatting van twee bladzijden, sterk aangepast en met veel dramatische wendingen. Ik heb een maand aan die samenvatting gewerkt en ze iedere keer bijgeschaafd nadat een advocaat de synopsis had gelezen en me had afgewezen.

Barry X. leest het verhaal zorgvuldig door, met meer interesse dan ik gewend ben. Hij leest het zelfs een tweede keer, terwijl ik zijn oude bakstenen muren bewonder en van net zo'n kantoor zit te dromen.

'Niet slecht,' zegt hij als hij klaar is. Er glinstert iets in zijn ogen en ik geloof dat hij er meer in ziet dan hij wil toegeven. 'Laat me raden. Je wilt een baan en een percentage van het geld.'

'Nee. Alleen de baan. U mag de zaak doen. Ik onderhoud het contact met de cliënt, maar het geld gaat naar u.'

'Een deel van het geld. Jonathan Lake krijgt het meest,' zegt hij grijnzend.

Mij best. Het zal me een zorg zijn hoe ze de buit verdelen. Ik wil alleen een baan. Ik word bijna duizelig bij de gedachte dat ik misschien voor Jonathan Lake kan werken, in deze luxe omgeving.

Ik heb besloten juffrouw Birdie voor mezelf te houden. Als cliënte is ze minder aantrekkelijk, omdat ze geen geld aan advocaten besteedt. En waarschijnlijk wordt ze honderdtwintig, dus het heeft geen zin om haar als troefkaart uit te spelen. Er zijn vast wel handige advocaten die trucs weten te bedenken om geld van haar los te krijgen, maar dat spreekt Jonathan Lake niet aan. Zijn kantoor doet voornamelijk procedures. Zij zijn niet geïnteresseerd in testamenten of onroerend goed.

Ik sta op. Ik heb al genoeg beslag gelegd op Barry's tijd. 'Hoor eens,' zeg ik zo eerlijk mogelijk, 'ik weet dat u het druk hebt. Mijn verhaal klopt volledig. U kunt het natrekken. Bel Madeline Skinner maar, als u wilt.'

'Maffe Madeline? Werkt die daar nog steeds?'

'Ja, en op dit moment is ze mijn beste vriendin. Zij kan mijn verhaal bevestigen.'

'Goed. Je hoort zo snel mogelijk van me.'

Dat zal wel.

Ik verdwaal twee keer op weg naar de uitgang. Niemand let op me, dus ik doe het rustig aan, onder de indruk van al die grote kantoren in het gebouw. Bij de bibliotheek gekomen blijf ik staan en kijk omhoog naar de open gangetjes en promenades die drie verdiepingen hoog langs de boekenkasten lopen. Geen twee kantoren zijn precies gelijk. De vergaderzalen liggen verspreid door het gebouw. Secretaressen, assistenten en jongste bedienden lopen geruisloos over de parketvloeren.

Zelfs voor minder dan eenentwintigduizend per jaar zou ik hier nog willen werken.

Ik parkeer voorzichtig achter de lange Cadillac en glip uit mijn auto. Ik ben niet in de stemming voor het verpotten van chrysanten. Ik sluip om het huis heen en stuit op een hoge stapel grote witte plastic zakken. Houtsnippers met compost. Tonnen en tonnen. Iedere zak weegt veertig kilo. Ik herinner me nu dat juffrouw Birdie iets heeft gezegd over nieuwe compost voor alle borders, maar dat zei me toen niets.

Ik ren naar de trap van mijn appartement. Boven gekomen hoor ik haar roepen: 'Rudy! Rudy, wil je koffie?' Ze staat bij het monument van compostzakken en grijnst haar grauwgele tanden bloot. Ze is echt blij dat ik weer thuis ben. Het is bijna donker en ze drinkt graag koffie op het terras terwijl de zon ondergaat.

'Goed,' zeg ik. Ik hang mijn jasje over de leuning en trek mijn das los. 'Hoe gaat het, jongen?' roept ze vrolijk naar boven. Een week geleden is ze me 'jongen' gaan noemen. Jongen dit en jongen dat.

'Goed hoor. Een beetje moe. Last van mijn rug.' Ik klaag al een paar dagen over mijn rug, maar ze schijnt de hint niet te begrijpen.

Ik ga op mijn vaste stoel zitten terwijl zij in de keuken haar afschuwelijke brouwsel maakt. Het is laat in de middag en er vallen lange schaduwen over de achtertuin. Ik tel de zakken compost. Acht breed, vier diep, acht hoog. Dat zijn tweehonderdzesenvijftig zakken. Veertig kilo per zak – in totaal dus meer dan tienduizend kilo. Compost. Voor mij. Om over de perkjes uit te strooien.

We drinken koffie. Ik neem kleine slokjes. Ze wil alles weten wat ik vandaag heb gedaan. Ik lieg en vertel haar dat ik met een paar advocaten over belangrijke zaken heb gesproken en daarna voor mijn rechtbankexamen heb gestudeerd. Morgen weer. Druk, druk, druk. Allemaal kwesties. Zeker geen tijd om al die zakken compost te versjouwen.

Allebei kijken we in de richting van de witte zakken, maar we zeggen er geen woord over, en ik ontwijk haar blik.

'Wanneer begin je als advocaat?' vraagt ze.

'Dat weet ik niet,' zeg ik. Voor de tiende keer leg ik haar uit dat ik de komende weken nog hard moet blokken en me tussen de boeken moet begraven om het examen te kunnen halen. Pas daarna mag ik officieel praktijk uitoefenen.

'Wat leuk,' zegt ze afwezig. 'Maar we moeten wel met die compost beginnen,' vervolgt ze, met een wilde blik in haar ogen.

Ik weet even niets te zeggen. 'Het is heel wat,' mompel ik ten slotte.

'O, dat valt best mee. Ik zal je helpen.'

Dat betekent dat ze met haar schop aanwijzingen geeft terwijl ze me de oren van het hoofd kletst.

'Eh, ja. Nou, morgen misschien. Het is al laat en ik heb een zware dag gehad.'

Ze denkt even na. 'Ik hoopte dat we vanmiddag al konden beginnen,' zegt ze. 'Ik help je wel.'

'Ik heb nog niet gegeten,' zeg ik.

'Ik zal een sandwich voor je maken,' biedt ze haastig aan. Onder een sandwich verstaat ze twee flinterdunne, vetarme witte boterhammen met daartussen een doorschijnend plakje kalkoen uit blik. Zonder een lik mosterd of mayonaise. Geen blaadje sla of kaas. Je hebt vier van zulke sandwiches nodig voordat je maag er iets van merkt.

Ze staat op en loopt naar de keuken als de telefoon gaat. Ik heb nog geen eigen aansluiting in het appartement, hoewel ze me die al twee weken geleden heeft beloofd. Mijn toestel is nu nog aangesloten op haar lijn. Ik kan dus niet privé bellen. Ze heeft me gevraagd zo min mogelijk te telefoneren, omdat ze bereikbaar wil blijven. Ze wordt zelden gebeld.

'Het is voor jou, Rudy,' roept ze uit de keuken. 'Een advocaat.'

Het is Barry X. Hij heeft er met Jonathan Lake over gesproken, zegt hij, en het ziet er gunstig uit. Hij vraagt of ik naar zijn kantoor kan komen. Nu meteen. Hij werkt de hele avond door. En ik moet het dossier meenemen. De verzekeringszaak.

Terwijl we praten, zie ik juffrouw Birdie met grote zorg een sandwich met kalkoen maken. Op het moment dat ze hem doormidden snijdt, hang ik op.

'Ik moet ervandoor, juffrouw Birdie,' zeg ik haastig. 'Er is iets gebeurd. Ik moet een advocaat spreken over een grote zaak.'

'Maar...'

'Sorry. Dat doe ik morgen wel.' Ik laat haar achter met een halve sandwich in iedere hand. Haar mond valt open, alsof ze gewoon niet kan geloven dat ik niet met haar wil eten.

Barry wacht me op bij de voordeur, die op slot zit, hoewel er nog meer mensen aan het werk zijn in het gebouw. Ik loop met hem mee naar zijn kantoor, veerkrachtiger dan ik me in dagen heb gevoeld. Ik bewonder de mooie kleden, de boekenkasten en de kunstwerken, nu met de hoop dat dit binnenkort mijn werkplek wordt. Ik, werknemer van Jonathan Lake, het kantoor met de belangrijkste advocaten!

Hij biedt me een loempia aan die van zijn avondeten is overgebleven. Hij zegt dat hij drie keer per dag aan zijn bureau eet. Ik herinner me dat hij gescheiden is en ik begrijp nu waarom. Ik heb geen honger.

Hij schakelt zijn dictafoon in en zet de microfoon op de rand van het bureau, vlak voor me. 'We nemen dit op. Mijn secretaresse typt het morgen uit. Oké?'

'Natuurlijk.' Ik vind alles best.

'Ik ben bereid om je als assistent in dienst te nemen voor een periode van twaalf maanden. Je salaris bedraagt eenentwintigduizend per jaar, betaalbaar in twaalf gelijke delen op de vijftiende van iedere maand. Je komt pas in aanmerking voor een ziektekostenverzekering en andere secundaire voorwaarden als je hier een jaar werkt. Aan het eind van die twaalf maanden zullen we de mogelijkheid bespreken om je in dienst te nemen als jurist.'

'Goed. Best.'

'Je krijgt een kantoor en we zullen een secretaresse voor je inhuren om je te helpen. Je werkt minimaal zestig uur per week en je begint iedere dag om acht uur 's ochtends. Geen enkele jurist op dit kantoor werkt minder dan zestig uur.'

'Geen probleem.' Ik wil zelfs negentig uur werken, als ik maar geen compostzakken hoef te sjouwen voor juffrouw Birdie.

Hij leest zijn aantekeningen zorgvuldig door. 'En wij zullen officieel de zaak overnemen van, eh... hoe heet je cliënt?'

'Black. Black versus Great Eastern.'

'Goed. Dan vertegenwoordigen wij de Blacks tegen de verzekeringsmaatschappij Great Eastern. Je kunt zelf aan de zaak werken, maar je hebt geen recht op de inkomsten, als die er zijn.'

'Akkoord.'

'Ben ik nog iets vergeten?' vraagt hij in de richting van de microfoon. 'Wanneer kan ik beginnen?'

'Nu meteen. Ik wil de zaak vanavond nog met je doornemen als je tijd hebt.'

'Goed.'

'Verder nog iets?'

Ik moet even slikken. 'Ik heb deze maand mijn faillissement aangevraagd. Dat is een lang verhaal.'

'Dat is het altijd. Artikel zeven of dertien?'

'Zeven.'

'Dan wordt er geen beslag gelegd op je salaris. En je studeert in je eigen tijd voor je rechtbankexamen, oké?'

'Ja.'

Hij schakelt de dictafoon uit en biedt me opnieuw een loempia aan. Ik bedank. Hij staat op en we lopen een spiltrap af naar een kleine bibliotheek.

'Je kunt hier gemakkelijk verdwalen,' zegt hij.

'Ja, ongelooflijk,' zeg ik, verbijsterd over het labyrint van kamers en gangetjes.

We gaan aan een tafel zitten en spreiden de stukken van de zaak Black voor ons uit. Hij is onder de indruk van mijn systematische aanpak. Ieder stuk waar hij om vraagt heb ik binnen handbereik. Ik ken alle data en namen uit mijn hoofd. Ik heb overal kopieën van gemaakt – één voor zijn dossier, één voor het mijne.

Het enige wat nog ontbreekt is een getekend contract met de Blacks. Dat verbaast hem, en ik leg hem uit hoe ik met hen in contact gekomen ben. Toch hebben we een contract nodig, herhaalt hij een paar keer.

Het is al tien uur geweest als ik vertrek. Ik zie in het spiegeltje dat ik zit te grijnzen als ik terugrijd door de stad. Morgenochtend zal ik meteen Booker bellen om hem het goede nieuws te vertellen. Daarna zal ik Madeline Skinner een bos bloemen brengen en haar bedanken.

Het is wel een nederig baantje, maar dan kan het alleen maar beter worden. Geef me één jaar en ik verdien meer dan Sara Plankmore, S. Todd, N. Elizabeth, F. Franklin en al die andere zeikerds die ik de afgelopen maand steeds ontlopen heb. Tijd, dat is alles wat ik nodig heb.

Ik stop bij Yogi's en drink een borrel met de Prins. Ik vertel hem het nieuws en hij feliciteert me met een dronken omhelzing. Hij laat me niet graag gaan, zegt hij. Ik zeg dat ik toch blijf komen en dat ik in het weekend nog wel eens wil werken, totdat ik mijn rechtbankexamen heb gedaan. De Prins vindt alles best.

Ik loop naar een tafeltje achterin en drink nog een biertje terwijl ik de schaarse gasten opneem. Ik hoef me niet meer te schamen. Voor het eerst in zes weken voel ik me geen mislukkeling. Ik ben van plan er hard tegenaan te gaan. En ik droom ervan om Loyd Beck ooit in een rechtszaal te ontmoeten.

– 12 –

Terwijl ik me door de stukken worstelde die ik van Max Leuberg had gekregen, verbaasde ik me voortdurend dat rijke verzekeringsmaatschappijen zoveel moeite doen om gewone mensen te belazeren. Ze liegen om iedere dollar. Alle trucs zijn toegestaan. En het verbaasde me ook hoe weinig verzekerden uiteindelijk naar de rechter stappen. De meesten raadplegen niet eens een advocaat. Als men hen op die brij van onbegrijpelijke voorwaarden en bepalingen wijst, nemen ze automatisch aan dat zíj zich wel zullen vergissen en dat ze voor dit geval níet verzekerd waren. Er is een onderzoek dat aantoont dat nog geen vijf procent van de onterecht afgewezen claims ooit onder ogen komt van een advocaat. De mensen die deze polissen afsluiten hebben meestal geen hoge opleiding. Vaak zijn ze net zo bang voor een advocaat als voor de verzekeringsmaatschappij. De gedachte om in een rechtszaal te moeten getuigen voor een rechter en een jury is voldoende om hun de stuipen op het lijf te jagen. Barry Lancaster en ik hadden bijna twee dagen nodig om het hele dossier-Black door te werken. Hij heeft in de loop der jaren al meer procedures wegens wanprestatie gevoerd, met meer of minder succes. Hij benadrukte een paar keer dat de jury's in Memphis zo behoudend zijn, dat het verdomd moeilijk is om hier een redelijk bedrag toegewezen te krijgen. Dat verhaal hoor ik al drie jaar. Naar zuidelijke begrippen is Memphis een bolwerk van de vakbeweging. Vakbondssteden staan erom bekend dat mensen dic zijn benadeeld meestal een redelijke schadeloosstelling krijgen. Maar om onduidelijke redenen is Memphis een uitzondering op die regel. Jonathan Lake heeft een paar keer een bedrag van meer dan een miljoen dollar uit het vuur gesleept, maar tegenwoordig spant hij dit soort zaken liever in andere staten aan.

Ik heb Jonathan Lake nog niet ontmoet. Hij is bezig met een grote procedure en zijn nieuwste werknemer kan wel even wachten.

Mijn tijdelijke kantoor is een kleine bibliotheek op een open tussenverdieping met uitzicht op de eerste etage. Er staan drie ronde tafels en acht kasten met boeken die allemaal betrekking hebben op gevallen van medische wanprestatie. Op mijn eerste echte werkdag heeft Barry me een leuke kamer laten zien in dezelfde gang als zijn eigen kantoor. Over een paar weken kan ik daar mijn intrek nemen. Het kantoor heeft nog een verfje nodig en er is iets mis met het elektra. Wat kun je ook verwachten in een oud pakhuis? verzucht hij meer dan eens.

Officieel ben ik nog aan niemand voorgesteld, waarschijnlijk omdat ik een eenvoudige assistent ben en geen jurist. Ik ben niets bijzonders. Assistenten komen en gaan.

Iedereen heeft het vreselijk druk en de sfeer is niet echt collegiaal. Barry zegt weinig over de andere juristen in het gebouw en ik heb sterk de indruk dat de verschillende secties volledig langs elkaar heen werken. Ook krijg ik het vermoeden dat het niet zo prettig is om aan een zaak te werken onder persoonlijk toezicht van Jonathan Lake.

Barry is iedere ochtend al voor acht uur op kantoor en ik ben vastbesloten hem steeds bij de voordeur op te wachten totdat ik een eigen sleutel krijg. Jonathan Lake is nogal karig met zijn sleutels, omdat een paar jaar geleden de telefoons zijn afgeluisterd toen het kantoor in een bikkelhard procedure met een verzekeringsmaatschappij was verwikkeld. Barry vertelde me het verhaal toen ik over een sleutel begon. Het kon nog wel weken duren, zei hij. En misschien kwam er zelfs een leugendetector aan te pas.

Hij installeerde me op de open verdieping, gaf me mijn instructies en vertrok naar zijn eigen kantoor. De eerste twee dagen kwam hij om de paar uur even langs. Ik kopieerde alles uit het dossier-Black. Zonder dat hij het wist maakte ik ook een complete set voor mijn eigen archief. Aan het eind van de tweede dag nam ik die mee naar huis in mijn mooie nieuwe koffertje, een cadeautje van de Prins.

Volgens Barry's aanwijzingen stelde ik een strenge brief op aan Great Eastern, waarin ik alle relevante feiten en de tekortkomingen van de verzekeraar opsomde. Toen zijn secretaresse het had uitgetypt, was het een epistel van vier kantjes. Barry schrapte ruim een kwart en zette me weer aan het werk. Hij is ontzettend fanatiek en gaat er prat op dat hij zich optimaal kan concentreren.

Tijdens een pauze op de derde dag schraapte ik voldoende moed bijeen om zijn secretaresse naar mijn arbeidsovereenkomst te vragen. Ze had het druk, zei ze, maar de papieren kwamen eraan.

Aan het eind van de derde dag vertrok ik samen met Barry. Het was al negen uur geweest. De brief aan Great Eastern was eindelijk klaar – een meesterwerkje van drie pagina's, dat de volgende morgen aangetekend naar de verzekeringsmaatschappij zou worden verstuurd. Barry zegt nooit iets over zijn leven buiten het kantoor. Ik stelde voor om een biertje te gaan drinken en een broodje te eten, maar dat wimpelde hij meteen af.

Ik reed naar Yogi's voor een hapje. Het café was afgeladen met dronken studenten en de Prins stond zelf achter de bar. Hij had het niet naar zijn zin dus ik nam het van hem over. Hij was zielsgelukkig.

Hij ging niet bij de deur zitten, maar aan zijn favoriete tafeltje. Zijn advocaat, Bruiser Stone, rookte de ene Camel na de andere en sloot weddenschappen af op een bokswedstrijd. Bruiser had die ochtend weer in de krant gestaan om zijn onschuld te betuigen. De politie had twee jaar geleden een lijk gevonden in een vuilniscontainer achter een topless-club. Het slachtoffer was een plaatselijke crimineel uit de pornowereld, die ook een aandeel wilde in de topless-clubs, die als paddestoelen uit de grond verrezen. Blijkbaar had hij zich met de verkeerde mensen ingelaten, die hem een kopje kleiner hadden gemaakt. Bruiser zou zoiets nooit doen, maar de politie was ervan overtuigd dat hij wist wie het wèl had gedaan.

Hij komt hier de laatste tijd steeds vaker om zich een stuk in zijn kraag te zuipen en om met de Prins te smoezen.

Goddank heb ik nu een echte baan. Ik had me er al bijna mee verzoend dat ik Bruiser om werk zou moeten vragen.

Vandaag is het vrijdag, mijn vierde dag als werknemer van Jonathan Lake. Ik heb een handjevol mensen verteld dat ik bij hem werk. Het klinkt goed. Jonathan Lake. Iedereen kent het kantoor, dat prachtige oude pakhuis van de grote Lake en zijn legertje van keiharde advocaten.

Booker kreeg bijna tranen in zijn ogen. Hij kocht biefstuk en een fles alcoholvrije wijn. Charlene kookte en we vierden feest tot middernacht. Vanochtend had ik niet voor zeven uur uit bed willen komen, maar in alle vroegte wordt er op de deur van mijn appartement gebonsd. Het is juffrouw Birdie, die aan de deurkruk rammelt. 'Rudy! Rudy!'

Ik doe de deur open en ze stormt naar binnen. 'Rudy! Ben je wakker?' Ze kijkt me aan vanuit het keukentje. Ik draag een sportbroekje en een T-shirt, redelijk decent. Maar mijn ogen zitten nog half dicht en mijn haar steekt alle kanten op. Ik ben nog niet echt wakker.

De zon is net op, maar juffrouw Birdie heeft al modder aan haar schort en haar schoenen. 'Morgen,' zeg ik, hopelijk niet al te knorrig.

Ze grijnst haar grauwgele tanden bloot. 'Heb ik je wakker gemaakt?' tsjilpt ze.

'Nee, ik wilde juist opstaan.'

'Mooi zo. We hebben werk te doen.'

'Werk? Maar...'

'Ja, Rudy. Je hebt die compost nu lang genoeg laten liggen. Het is tijd om aan de slag te gaan. Anders begint het te rotten.'

Ik knipper met mijn ogen en probeer mijn blik scherp te krijgen. 'Maar het is vrijdag,' mompel ik wat onzeker.

'Nee hoor. Het is zaterdag,' bitst ze.

We staren elkaar even aan. Dan kijk ik op mijn horloge, een vaste gewoonte na drie dagen op kantoor. 'Het is vrijdag, juffrouw Birdie. Ik moet naar mijn werk.'

'Het is zaterdag,' herhaalt ze koppig.

We staren elkaar weer aan. Ze werpt een blik op mijn sportbroekje. Ik kijk naar haar bemodderde schoenen.

'Hoor eens, juffrouw Birdie,' zeg ik vriendelijk, 'ik weet zeker dat het vrijdag is. Over anderhalf uur moet ik op kantoor zijn. Die compost doen we wel in het weekend.' Dat is op zich al een concessie. Eigenlijk was ik van plan om morgenochtend ook achter mijn bureau te gaan zitten.

'Maar dan gaat het rotten.'

'Niet in één dag.' Kàn compost trouwens rotten in een plastic zak? Volgens mij niet.

'Morgen wilde ik de rozen doen.'

'Als u nou vandaag de rozen snoeit, terwijl ik op kantoor zit, doen we morgen de compost.'

Ze denkt erover na. Opeens heb ik medelijden met haar, zoals ze daar staat, met afhangende schouders en een droevig gezicht. Ik weet niet of ze zich opgelaten voelt. 'Beloof je dat?' vraagt ze gedwee.

'Dat beloof ik.'

'Je zei dat je de tuin zou bijhouden als ik wat van de huur afdeed.'

'Ja, dat weet ik.' Hoe zou ik het kunnen vergeten? Ze heeft me er al minstens tien keer aan herinnerd.

'Goed dan,' zegt ze, alsof ze precies heeft gekregen waar ze voor kwam. Dan waggelt ze weer naar buiten, de trap af, mompelend in zichzelf. Zachtjes doe ik de deur achter haar dicht. Het zal mij benieuwen hoe laat ze me morgen uit bed komt halen.

Ik kleed me aan en rijd naar kantoor, waar al een stuk of zes auto's op het parkeerterrein staan. Het pakhuis is gedeeltelijk verlicht. Het is nog geen zeven uur. Ik wacht tot er weer iemand zijn auto parkeert en stap op het juiste moment uit, zodat ik tegelijk bij de deur aankom met een man van middelbare leeftijd die een koffertje draagt. Hij probeert een grote papieren beker koffie recht te houden terwijl hij naar zijn sleutels zoekt. Hij lijkt van me te schrikken. Dit is geen district met een hoge criminaliteit, maar het is toch het centrum van Memphis en iedereen is hier op zijn hoede.

'Morgen,' zeg ik vriendelijk.

'Morgen,' bromt hij terug. 'Kan ik u helpen?'

'Ja. Ik ben de nieuwe assistent van Barry Lancaster.'

'Naam?'

'Rudy Baylor.'

Hij blijft staan en fronst. Zijn onderlip krult naar buiten en hij schudt zijn hoofd. 'Zegt me niets. Ik ben hoofd personeelszaken, maar niemand heeft mij iets verteld.'

'Hij heeft me vier dagen geleden aangenomen. Ik zweer het.'

Hij steekt de sleutel in het slot en kijkt angstig over zijn schouder, bang dat ik toch een dief of een moordenaar ben. Maar ik draag een jasje en een das, en ik zie er heel onschuldig uit.

'Sorry. Jonathan Lake neemt geen enkel risico. Er gelden hier strikte regels. Niemand komt voor kantoortijd het gebouw binnen als hij niet op de loonlijst staat.' Hij duikt bijna naar binnen. 'Zeg tegen Barry dat hij me vanochtend even belt.' En hij gooit de deur in mijn gezicht.

Ik heb geen zin om als een schooier voor de deur te blijven staan tot er weer iemand aankomt. Ik rijd naar een broodjeszaak, een paar straten verderop, waar ik een ochtendkrant, een broodje en een bekertje koffie koop om de tijd te doden. Ik rook een sigaret, luister naar de roddels, en na een uurtje rijd ik weer terug naar het parkeerterrein, waar nu meer auto's staan. Mooie auto's, dure merken uit Duitsland en andere landen. Zorgvuldig kies ik een plaatsje naast een Chevrolet.

De receptioniste heeft me al een paar keer langs zien komen, maar ze doet alsof ik een volslagen onbekende ben. Ik vertel haar niet dat ik hier nu werk, net als zij. Ze belt Barry, die zegt dat ze me kan toelaten tot het labyrint.

Hij moet om negen uur op de rechtbank zijn voor een zaak wegens produktaansprakelijkheid, en hij heeft haast. Ik ben vastbesloten om duidelijkheid te eisen over mijn positie, maar dit is niet het geschikte moment. Het kan nog wel een dagje wachten. Hij propt zijn dossiers in een uitpuilende aktentas en even hoop ik dat ik hem die ochtend op de rechtbank mag assisteren.

Maar hij heeft andere plannen. 'Ga jij maar naar de Blacks en kom terug met een getekend contract. Dat moet nu echt gebeuren.' Hij benadrukt het woord 'nu'. Ik heb weinig keus.

Hij geeft me een dunne map. 'Hier is het contract. Ik heb het gisteravond opgemaakt. Lees het maar door. Ik heb de handtekening nodig van alle drie de gezinsleden: Dot, Buddy en Donny Ray zelf, want die is meerderjarig.'

Ik knik zelfverzekerd, hoewel ik weinig zin heb in een ochtendje bij de Blacks. Nu kan ik Donny Ray niet langer ontlopen. Ik had gehoopt dat het misschien zònder hem kon. 'En daarna?' vraag ik.

'Ik ben de hele dag op de rechtbank. Kom maar naar me toe. Je kunt me vinden in de rechtszaal van rechter Anderson, in het gebouw van het Circuit Court.' Zijn telefoon gaat en hij wuift me weg, alsof mijn tijd verstreken is.

Het vooruitzicht om alle Blacks rond de keukentafel te verzamelen om hen een contract te laten tekenen spreekt me niet echt aan. In gedachten zie ik Dot mopperend de tuin door lopen naar die oude Ford Fairlane om Buddy met zoete woordjes en dreigementen bij zijn katten en zijn gin vandaan te krijgen. Waarschijnlijk zal ze hem aan zijn oren naar het huis toe moeten sleuren. Dat kan nog heel vervelend worden. En daarna kan ik met ingehouden adem wachten als zij naar de achterkant van het huis verdwijnt om Donny Ray uit bed te halen voor een ontmoeting met zijn advocaat.

Om die problemen zoveel mogelijk te voorkomen stop ik onderweg bij een Gulf-benzinestation om Dot te bellen. Jammer. Het kantoor van Jonathan Lake beschikt over de modernste telecommunicatieapparatuur, maar ik moet vanuit een cel bellen. Goddank is het Dot die opneemt. Ik kan me niet voorstellen hoe een telefoongesprek met Buddy zou verlopen. Maar waarschijnlijk heeft zijn oude Ford geen autotelefoon.

Zoals altijd reageert ze achterdochtig, maar ze stemt toe in een gesprek. Ik geef haar niet rechtstreeks opdracht om de hele familie te verzamelen, maar ik benadruk wel dat ik de handtekeningen van alle gezinsleden nodig heb. En natuurlijk zeg ik dat er haast bij is. Ik moet meteen weer naar de rechtbank, weet je? Er wordt op me gewacht.

Dezelfde honden grauwen tegen me van achter het hek bij de buren als ik op de oprit van de Blacks parkeer. Dot staat op de rommelige veranda, een sigaret in haar hand, met het filter een paar centimeter van haar lippen. Een blauwe rookwolk zweeft traag door de voortuin. Ze staat daar al een tijdje te wachten en te roken.

Ik forceer een brede, valse glimlach en begroet haar zo hartelijk mogelijk. De rimpels om haar mond komen nauwelijks in beweging. Ik loop achter haar aan door de kleine, muffe woonkamer, langs de versleten divan onder de oude foto's van de Blacks in gelukkiger dagen, over het kale tapijt met de kleedjes om de gaten te bedekken. Er is niemand in de keuken.

'Koffie?' vraagt ze als ze me mijn vaste plek aan de keukentafel heeft gewezen.

'Nee, dank je. Een glas water, graag.'

Ze vult een plastic glas met kraanwater, zonder ijs, en zet het voor me neer. Langzaam draaien we ons allebei naar het raam.

'Hij wil niet binnenkomen,' zegt ze zonder een spoor van frustratie. Blijkbaar bepaalt Buddy dat zelf.

'Waarom niet?' vraag ik alsof er een rationele verklaring voor zijn gedrag bestaat.

Ze haalt haar schouders op. 'Je hebt Donny Ray ook nodig, is het niet?'

'Ja.'

Ze loopt de keuken uit en laat mij achter met een glas lauw water en uitzicht op Buddy. Hij is niet duidelijk te zien, omdat de voorruit van de auto al in geen tientallen jaren is schoongemaakt en er een horde schurftige katten op de motorkap ligt. Buddy draagt een soort petje, waarschijnlijk met wollen oorkleppen. Ik zie dat hij langzaam een fles naar zijn mond brengt. De fles zit nog in een bruine papieren zak. Op zijn gemak neemt hij een slok.

Ik hoor Dot zachtjes met haar zoon praten. Ze schuifelen de huiskamer door en komen de keuken binnen. Ik sta oog in oog met Donny Ray Black.

Hij is stervende, geen twijfel mogelijk – wat de oorzaak ook mag zijn. Hij is sterk vermagerd, bijna uitgeteerd, met holle wangen en een doodsbleke huid. Hij was al niet groot toen hij deze ziekte kreeg, maar nu loopt hij krom en steekt hij niet eens meer boven zijn moeder uit. Zijn haren en wenkbrauwen zijn inktzwart, in schril contrast met zijn witte gezicht. Maar hij glimlacht en steekt me een knokige hand toe. Ik schud hem de hand, zo stevig als ik durf.

Dot houdt hem bij zijn middel vast en laat hem voorzichtig op een stoel zakken. Hij draagt een wijde spijkerbroek en een effen wit T-shirt dat los over zijn botten hangt.

'Prettig je te ontmoeten,' zeg ik terwijl ik zijn diepliggende ogen probeer te mijden.

'Ma heeft me al veel over u verteld,' antwoordt hij. Zijn stem is zwak en schor, maar hij spreekt nog helder. Ik kan me niet voorstellen dat Dot ooit iets aardigs over me heeft gezegd. Donny Ray ondersteunt zijn kin met zijn handen, alsof hij moeite heeft zijn hoofd rechtop te houden. 'Ze zegt dat u die klootzakken van Great Eastern een procedure zult aandoen om ze tot betalen te dwingen.' Zijn toon is eerder wanhopig dan kwaad.

'Zo is het,' zeg ik. Ik sla het dossier open en pak een kopie van de brief die Barry X. gisteren heeft verstuurd. Ik geef hem aan Dot, die achter Donny Ray staat. 'Dit is gisteren de deur uit gegaan,' zeg ik, op en top de efficiënte advocaat. De deur uit gegaan, dat klinkt beter dan 'verstuurd'. Alsof er al schot in de zaak zit. 'We verwachten geen bevredigende reactie, dus over een paar dagen zullen we ze een procedure aandoen.

We vragen minstens een miljoen.'

Dot werpt een blik op de brief en legt hem op tafel. Ik had verwacht dat ze zou vragen waarom we nog geen procedure zijn begonnen. Ik was bang dat de sfeer onaangenaam zou worden. Maar Dot masseert zachtjes Donny Ray's schouders en staart wazig naar buiten. Ze let op haar woorden, omdat ze haar zoon niet van streek wil maken.

Donny Ray kijkt naar het raam. 'Komt pa niet binnen?' vraagt hij.

'Hij zei van niet,' antwoordt ze.

Ik haal het contract te voorschijn en geef het aan Dot. 'Dit moeten jullie tekenen voordat we een procedure kunnen beginnen. Het is een overeenkomst tussen jullie, de cliënten, en mijn advocatenkantoor. Een contract voor juridische bijstand.'

Ze pakt het voorzichtig aan. Het is maar twee pagina's lang. 'Wat staat erin?'

'O, de gewone dingen. Geen ingewikkelde formules. Jullie huren ons in als advocaten. Wij wikkelen de zaak af, betalen de kosten en krijgen een derde van het geld.'

'Waarom zijn daar dan twee pagina's kleine letters voor nodig?' vraagt ze terwijl ze een sigaret uit een pakje op de tafel haalt.

'Niet roken!' zegt Donny over zijn schouder. Hij kijkt me aan en zegt: 'Geen wonder dat ik de pijp uit ga.'

Zonder aarzelen steekt ze de sigaret tussen haar lippen, maar ze steekt hem niet aan. Ze kijkt nog steeds naar het contract. 'En we moeten alle drie onze handtekening zetten?'

'Ja.'

'Maar hij wil niet binnenkomen,' zegt ze.

'Breng het dan naar hem toe,' zegt Donny Ray boos. 'Pak een pen, ga erheen en zorg dat hij zijn handtekening zet, verdomme.'

'Daar had ik nog niet aan gedacht,' zegt ze.

'We hebben het al eerder gedaan.' Donny Ray laat zijn hoofd zakken en krabt zich op zijn schedel. Hij is buiten adem door zijn uitbarsting.

'Dat is een idee,' zegt ze, nog steeds aarzelend.

'Schiet nou op!' zegt hij. Dot rommelt wat in een la tot ze een pen gevonden heeft. Donny Ray kijkt op en ondersteunt zijn hoofd weer met zijn handen. Zijn polsen zijn dun als bezemstelen.

'Ik ben zo terug,' zegt Dot, alsof ze boodschappen gaat doen en zich ongerust maakt over haar zoon. Langzaam steekt ze het terras over en verdwijnt tussen het onkruid. Een kat op de motorkap ziet haar aankomen en duikt weg onder de auto.

'Een paar maanden geleden...' begint Donny Ray. Hij zucht diep. Zijn ademhaling gaat moeizaam en zijn hoofd wiegt zachtjes heen en weer. 'Een paar maanden geleden moesten we zijn handtekening deponeren, maar hij wilde hier niet weg. Ze heeft toen een notaris gevonden die bereid was om voor twintig dollar aan huis te komen, maar toen zij er was, bleef hij in zijn auto zitten. Ma en de notaris zijn toen door het onkruid naar hem toe gelopen. Ziet u die grote oranje kat boven op de auto?'

'Ja.'

'We noemen haar Tijger. Ze is een soort waakkat. Toen de notaris zich naar de auto boog om de papieren aan te pakken van Buddy, die natuurlijk zwaar bezopen was en nauwelijks aanspreekbaar, sprong Tijger van de auto en viel de notaris aan. Dat heeft ons zestig dollar gekost voor het bezoekje, plus een nieuwe panty. Hebt u ooit iemand ontmoet met acute leukemie?'

'Nee. Dit is de eerste keer.'

'Ik weeg nog maar vijfenveertig kilo. Elf maanden geleden nog zeventig. Die leukemie is ruim op tijd ontdekt voor een behandeling. Het was mijn geluk dat ik een tweelingbroer heb met exact hetzelfde beenmerg. Die transplantatie zou mijn leven hebben gered, maar we hadden er geen geld voor. We waren wel verzekerd... Maar dat verhaal kent u, niet?'

'Ja. Ik weet alles, Donny Ray.'

'Goed,' zegt hij opgelucht. We zien dat Dot de katten verjaagt. Tijger, die nog steeds boven op de auto ligt, doet alsof ze slaapt. Ze moet niets hebben van Dot Black. De portieren staan open en Dot steekt het contract en de pen naar binnen. We horen haar snerpende stem.

'U denkt natuurlijk dat ze geschift zijn,' zegt Donny Ray, die mijn gedachten leest, 'maar in wezen zijn het beste mensen die verdomd veel pech hebben gehad. Probeer geduld met ze te hebben.'

'Ze zijn niet kwaad.'

'Ik ben voor tachtig procent dood. Tachtig procent. Als ik negen maanden... zelf zès maanden geleden... een transplantatie zou hebben gekregen, had ik nu negentig procent kans op herstel. Negentig procent! Grappig dat artsen je overlevingskans altijd in cijfers uitdrukken. Maar nu is het te laat.' Hij hapt opeens naar adem, balt zijn vuisten en begint te beven over zijn hele lijf. Hij loopt rood aan als hij wanhopig de lucht in zijn longen zuigt. Ik vraag me af of ik hem moet helpen. Hij ramt zich met twee vuisten op zijn borst. Het lijkt wel of zijn hele lichaam in elkaar stort.

Eindelijk krijgt hij weer adem, snuivend door zijn neus. Op dat moment begin ik Great Eastern pas echt te haten.

Ik schaam me niet langer om naar hem te kijken. Hij is mijn cliënt en hij rekent op me. Ik accepteer hem zoals hij is, met al zijn gebreken.

Zijn ademhaling wordt wat rustiger, maar zijn ogen zijn nu rood en vochtig. Ik weet niet of hij zit te huilen of dat hij zich probeert te herstellen van zijn ademnood. 'Het spijt me,' fluistert hij, nauwelijks verstaanbaar.

Ik hoor Tijger sissen. We kijken allebei uit het raam en zien de 'waakkat' door de lucht vliegen en tussen de struiken neerkomen. Ze toonde blijkbaar te veel belangstelling voor mijn contract, en Dot heeft haar van de auto gemept. Dot snauwt iets tegen haar man, die zich nog dieper achter het stuur laat zakken. Ze steekt haar hand naar binnen, grijpt het contract en stormt dan onze kant weer uit. De katten zoeken haastig een goed heenkomen.

'Tachtig procent, begrijpt u?' zegt Donny Ray hees. 'Ik heb niet lang meer te leven. Wat u ook uit het vuur sleept, wilt u goed voor hen zorgen? Ze hebben een zwaar leven achter de rug.'

Ik ben zo geroerd, dat ik niets weet te zeggen.

Dot komt binnen en schuift het contract over de tafel. De eerste bladzij is aan de onderkant gescheurd en de tweede vertoont een vlek. Hopelijk geen kattedrek. 'Daar,' zegt ze. Missie volbracht. Buddy heeft inderdaad een krabbel gezet. Zijn handtekening is volstrekt onleesbaar.

Ik wijs de plaatsen aan en Donny Ray en zijn moeder zetten hun handtekening. De overeenkomst is gesloten. We praten nog een paar minuten en dan kijk ik op mijn horloge.

Als ik vertrek, zie ik Dot naast Donny Ray zitten. Zachtjes streelt ze zijn arm en verzekert hem dat het nu wel beter zal gaan.

– 13 –

Ik had me er al op voorbereid om aan Barry X. te moeten uitleggen dat ik op zaterdag niet kon werken vanwege mijn bezigheden in en om het huis. Ik was al bereid om zondagmiddag een paar uur te komen, als hij me nodig had. Maar dat hoefde allemaal niet. Barry is het weekend de stad uit, en omdat ik het kantoor toch niet binnenkom zonder zijn toestemming, is het probleem daarmee opgelost.

Vreemd genoeg staat juffrouw Birdie zaterdagochtend niet voor dag en dauw aan mijn deur te rammelen. In plaats daarvan doet ze allerlei karweitjes onder het raam van mijn appartement. Ze laat harken en spaden tegen de grond kletteren, ze hakt met een grote pikhouweel de aangekoekte modder uit een kruiwagen en ze slijpt twee schoffels. En dat alles onder luid gezang en gejodel. Een paar minuten over zeven kom ik zuchtend naar beneden. 'Hallo, Rudy!' roept ze met gespeelde verbazing.

'Hoe is het?'

'Goed, juffrouw Birdie. En met u?'

'Geweldig, geweldig. Is het geen prachtige dag?'

Het is nog te vroeg om daar een oordeel over te hebben. De dag is nauwelijks begonnen. Ik vind het behoorlijk warm voor dit vroege uur. De zomers in Memphis zijn ondraaglijk heet, en die hitte kon nooit ver weg zijn.

Ze gunt me één kop oploskoffie en een sneetje geroosterd brood voordat ze over de compost begint. Tot haar vreugde spring ik meteen overeind. Onder haar leiding til ik de eerste loodzware zak in de kruiwagen en loop achter haar aan de oprit af en het grasveld over, naar een armetierige border langs de straat. Ze houdt haar kop koffie in haar gehandschoende handen en wijst me waar ze de compost wil hebben. Ik ben nu al buiten adem, vooral door het laatste stuk over het natte gras, maar ik scheur energiek de zak open en begin de compost te verspreiden met een greep. Als ik een kwartier later klaar ben met de eerste zak, is mijn T-shirt kletsnat van het zweet. Ze loopt achter me aan als ik de kruiwagen terugrijd naar de rand van het terras, waar we de volgende zak inladen. Ze wijst zelfs de zak aan die ze wil hebben. We slepen hem naar een plek bij de brievenbus.

Het eerste uur verwerken we vijf zakken, tweehonderd kilo compost. Het is zwaar werk. Om negen uur is het al meer dan dertig graden. Om half tien smeek ik haar om een korte pauze en een glas water. Na tien minuten zitten kan ik nauwelijks meer overeindkomen. Kort daarna krijg ik kramp, maar ik bijt op mijn tanden en beperk me tot een grimas. Ze ziet het niet eens.

Ik ben zeker niet lui en een paar jaar geleden was ik zelfs behoorlijk fit. Ik deed veel aan sport, maar de afgelopen drie jaar heb ik weinig tijd gehad om naast mijn rechtenstudie nog aan mijn conditie te werken. Ik voel me een watje na een paar uur stevig aanpakken.

Als lunch krijg ik twee van haar smakeloze kalkoen-sandwiches en een appel. Ik eet zo langzaam mogelijk, op het terras, onder de ventilator. Mijn rug doet pijn, mijn benen zijn verdoofd en mijn handen trillen terwijl ik als een konijn aan de boterhammen knabbel.

Terwijl ik wacht tot juffrouw Birdie klaar is in de keuken, staar ik over het kleine groene grasveld, langs het monument van compost, naar mijn eigen appartement dat onschuldig boven de garage ligt. Ik was zo trots op mezelf dat ik honderdvijftig dollar per maand van de huur af had gekregen, maar wàs dat wel zo slim? Wie heeft er aan het langste eind getrokken? Ik schaamde me zelfs omdat ik misbruik had gemaakt van dat aardige oude dametje. Ik zou haar nu het liefst in een lege compostzak proppen. Het is één uur 's middags. Volgens de oude thermometer aan de wand van de garage is het ruim vijfendertig graden.

Om twee uur geeft mijn rug de strijd op en zeg ik tegen juffrouw Birdie dat ik moet uitrusten. Ze kijkt me teleurgesteld aan, draait zich langzaam om en tuurt naar de stapel witte zakken, die nauwelijks geslonken lijkt. 'Nou ja, als het móet...'

'Een uurtje maar,' smeek ik.

Ze strijkt haar hand over haar hart, maar om half vier loop ik weer achter de kruiwagen met juffrouw Birdie op mijn hielen.

Na acht uur zwoegen heb ik in totaal negenenzeventig zakken compost uitgestrooid, nog geen derde van de totale lading die ze heeft besteld.

Kort na de lunch heb ik al laten doorschemeren dat ik om zes uur bij Yogi's moet zijn – een leugen, natuurlijk. Ik heb afgesproken om van acht uur tot sluitingstijd achter de bar te staan. Maar daar komt ze toch nooit achter en ik ben vastbesloten om ermee te kappen als het donker wordt. Om vijf uur houd ik er gewoon mee op. Ik heb er genoeg van, zeg ik tegen haar. Mijn rug doet pijn en ik moet naar mijn werk. Moeizaam hijs ik me de trap op, terwijl ze me droevig nastaart. Voor mijn part zegt ze me de huur op.

Zondagochtend laat word ik gewekt door het gedonder van een indrukwekkend onweer. Met stijve spieren lig ik op de lakens als de eerste regen tegen het dak klettert. Ik heb een helder hoofd – ik ben met drinken gestopt zodra ik gisteravond achter de bar stond – maar de rest van mijn lichaam lijkt in beton gegoten. Ik kan geen vin verroeren. De geringste beweging veroorzaakt een stekende pijn. Zelfs ademhalen is een kwelling.

Tijdens die marathon van gisteren vroeg juffrouw Birdie me of ik vanochtend samen met haar de dienst wilde bijwonen. Dat hoorde niet bij het huurcontract, maar vooruit, waarom niet? Als die eenzame oude dame graag wil dat ik met haar naar de kerk ga, is dat een kleine moeite. Kwaad kan het zeker niet.

Ik vroeg haar naar welke kerk ze ging. De Abundance Tabernacle in Dallas, antwoordde ze. Haar kerk is haar eigen huiskamer, voor de tv met dominee Kenneth Chandler, rechtstreeks via de satelliet.

Ik bedankte voor de eer. Ze leek gekwetst, maar ze herstelde zich gauw. Toen ik nog een klein jochie was, lang voordat mijn vader aan de drank raakte en me naar een internaat stuurde, ging ik wel eens met mijn moeder naar de kerk. Hij ging een paar keer mee, maar hij zat alleen te kankeren en daarom hadden we liever dat hij thuisbleef met de krant. Het was een kleine methodistische kerk met een vriendelijke predikant, dominee Howie, die grappige anekdotes vertelde en iedereen het gevoel gaf dat er van hem of haar gehouden werd. Ik weet nog hoe tevreden mijn moeder naar zijn preken luisterde. Er zaten heel wat kinderen op de zondags-school en ik vond het niet erg om frisgewassen en in mijn zondagse kleren mee te gaan naar de kerk.

Op een keer moest mijn moeder een kleine operatie ondergaan, waarvoor ze drie dagen in het ziekenhuis lag. Natuurlijk kenden de dames van de kerk de intiemste details van de operatie, en drie dagen lang stond ons huis vol met ovenschotels, cakes, pasteitjes, broodjes en pannen en scha-len met zoveel eten, dat mijn vader en ik er voor een jaar genoeg aan had-den. De dames namen ons alles uit handen. Ze kookten eten, maakten de keuken schoon en ontvingen de gasten, die nog meer lekkernijen brach-ten. Tijdens de drie dagen dat mijn moeder in het ziekenhuis lag en de eer-ste drie dagen dat ze thuis was, hadden we constant een van de dames bij ons in huis – om het eten te bewaken, dacht ik.

Mijn vader vond het vreselijk. Om te beginnen kon hij niet stiekem een borrel pakken vlak voor de neus van al die dames. Ik denk dat ze wel wisten dat hij dronk en dat ze vastbesloten waren hem te betrappen. Bo-vendien moest hij nu voor gastheer spelen, iets waar hij totaal niet ge-schikt voor was. Na de eerste vierentwintig uur verdween hij naar het zie-kenhuis, maar niet omdat hij zo graag bij zijn vrouw wilde zijn. Hij sloeg zijn tenten op in de wachtkamer, waar hij televisie keek en cola-tic dronk. Ik heb goede herinneringen aan die tijd. Ons huis had nooit zoveel warm-te uitgestraald en ik had nog nooit zoveel heerlijk eten bij elkaar gezien. De dames moederden over me alsof mijn eigen moeder dood was, en ik genoot van al die aandacht. Zij waren de tantes en oma's die ik nooit had gekend.

Kort nadat mijn moeder was hersteld, werd dominee Howie geschorst wegens een indiscretie waarvan ik nooit helemaal het fijne heb geweten. Dat leidde tot een scheuring in de kerk. Iemand beschuldigde mijn moe-der en daarmee kwam een einde aan ons kerkbezoek. Ik geloof dat zij en Hank, haar nieuwe echtgenoot, nog sporadisch naar de kerk gaan.

Ik miste de kerk een tijdje, maar dat sleet. Mijn vrienden van de zondags-school nodigden me wel eens uit, maar toen ik ouder werd was het niet meer 'cool' om naar de kerk te gaan. Later nam een studente me nog eens mee naar een mis – op zaterdagavond, nota bene – maar als protestant begrijp ik niet veel van al die rituelen.

Juffrouw Birdie informeerde voorzichtig of ik vanmiddag nog iets aan de tuin kon doen. Ik antwoordde vroom dat ik de rustdag niet wilde onthei-ligen.

Daar wist ze niets op te zeggen.

14

De regen houdt drie dagen aan, zodat ik voorlopig niet als tuinman hoef op te draven. Op dinsdagavond, als ik me in mijn appartement heb opgesloten om voor mijn rechtbankexamen te studeren, gaat de telefoon. Het is Dot Black. Ik weet meteen dat er iets aan de hand is. Anders zou ze me nooit bellen.

'Ik kreeg zojuist een telefoontje,' zegt ze, 'van een zekere Barry Lancaster. Hij zei dat hij mijn advocaat was.'

'Dat is ook zo, Dot. Hij is een belangrijke advocaat op mijn kantoor. Hij werkt met mij samen.' Ik neem aan dat Barry een paar details wilde verifiëren.

'Dat is niet wat híj zei. Hij vroeg of Donny Ray en ik morgen naar zijn kantoor kunnen komen om nog een paar stukken te tekenen. Ik vroeg hem naar jou. Hij zei dat jij daar niet werkte. Ik wil weten hoe het zit.'

Ik ook. Ik stamel wat over een misverstand en voel een steen in mijn maag. 'Het is een groot kantoor en ik werk er pas. Je weet hoe dat gaat, Dot. Hij is waarschijnlijk mijn naam vergeten.'

'Nee. Hij weet wie je bent. Hij zei dat je daar wel hebt gewerkt, maar nu niet meer. Ik begrijp er niets van.'

Geen wonder. Ik laat me in een stoel vallen en probeer helder na te denken. Het is bijna negen uur. 'Hoor eens, Dot. Maak je geen zorgen. Ik zal Barry Lancaster bellen om te horen wat hij van plan is. Ik bel je zo meteen wel terug.'

'Ik wil weten wat er aan de hand is. Heb je die schoften al een procedure aangedaan?'

'Ik bel je zo snel mogelijk terug, oké? Tot zo.' Ik hang op en toets haastig het nummer van de zaak. Ik heb het akelige gevoel dat ik dit al eens eerder heb meegemaakt.

De receptioniste van de avonddienst verbindt me door met Barry X. Ik kies voor de hartelijke, joviale aanpak. Dan hoor ik wel hoe het zit.

'Barry, met Rudy. Heb je mijn research al bekeken?'

'Ja. Ziet er goed uit.' Hij klinkt vermoeid. 'Hoor eens, Rudy, er zijn problemen met je positie.'

De steen in mijn maag werkt zich omhoog naar mijn keel. Mijn hart slaat een slag over. Mijn adem stokt. 'O ja?' weet ik uit te brengen.

'Ja. Het ziet er niet zo best uit. Ik heb vanmiddag met Jonathan Lake gesproken en hij gaat niet akkoord met je benoeming.'

'Waarom niet?'

'Hij vindt het geen goed idee dat een afgestudeerde jurist als assistent wordt aangenomen. Daar heeft hij misschien gelijk in. Hij zegt, en daar ben ik het mee eens, dat iemand in die positie zal proberen zich omhoog te werken. En dat gaat niet, want een gewone assistent kan bij ons nooit jurist worden. Onze andere assistenten hebben daar de papieren niet voor.'

Ik sluit mijn ogen en dring mijn tranen terug. 'Ik begrijp het niet,' zeg ik.

'Sorry. Ik heb mijn best gedaan, maar hij wil er niet van horen. Hij regeert met ijzeren vuist. Zijn wil is wet. Ik heb er behoorlijk van langs gekregen omdat ik zelfs maar heb overwógen jou in dienst te nemen.'

'Ik wil Jonathan Lake spreken,' zeg ik zo ferm mogelijk.

'Dat kan niet. Hij heeft het veel te druk, en hij wil niet met je praten. Hij verandert toch niet van mening.'

'Klootzak.'

'Hoor eens, Rudy, we...'

'Vuile etterbak!' schreeuw ik in de telefoon. Dat lucht wel lekker op.

'Rustig aan, Rudy.'

'Is Lake nu op kantoor?' vraag ik.

'Ik denk het wel. Maar hij...'

'Ik ben er over vijf minuten,' schreeuw ik, en ik gooi de hoorn erop.

Tien minuten later stop ik met piepende banden voor het oude pakhuis. Er staan drie auto's op de parkeerplaats en er brandt nog licht. Barry staat me niet op te wachten.

Ik sla met mijn vuisten op de voordeur, maar er komt niemand. Ik weet dat ze me kunnen horen, maar ze zijn te laf om zich te laten zien. Waarschijnlijk bellen ze de politie als ik niet wegga.

Maar ik verdom het om het op te geven. Ik loop naar de noordkant en beuk op een andere deur, en daarna op de nooduitgang aan de achterkant. Ik ga onder Barry's raam staan en schreeuw naar boven. Zijn licht brandt, maar hij negeert me. Ik loop weer naar de voordeur en bewerk hem met mijn vuisten.

Een bewaker in uniform duikt uit het donker op en grijpt me bij mijn schouder. Ik voel mijn knieën knikken als ik naar hem opkijk. Hij is minstens één meter vijfennegentig, een zwarte vent met een zwarte pet. 'Ik zou maar weggaan, vriend,' zegt hij rustig, met een zware stem. 'Nu meteen. Voordat ik de politie bel.'

Ik ruk mijn schouder los en verdwijn.

Ik zit een hele tijd in het donker op de versleten divan die juffrouw Birdie me heeft geleend en probeer alles op een rij te zetten. Dat lukt me niet erg. Ik drink twee lauwe biertjes. Ik vloek en ik huil. Ik zin op wraak. Ik denk erover om Jonathan Lake en Barry X. te vermoorden. Die smerige schoften hebben gewoon mijn cliënten gestolen. Wat zeg ik nu tegen de Blacks? Hoe moet ik dit uitleggen?

Ik begin te ijsberen, wachtend tot het licht wordt. Wat nu? Mijn lijstje met namen pakken en weer alle kantoren aflopen? Belachelijk! Madeline Skinner bellen? 'Daar ben ik weer, Madeline.' Vergeet het maar.

Eindelijk val ik in slaap op de bank. Om een uur of negen word ik gewekt, niet door juffrouw Birdie, maar door twee rechercheurs in burger. Ze laten hun legitimatie zien als ik de deur open, en ik vraag of ze binnen willen komen. Ik draag een sportbroekje en een T-shirt. Ik wrijf eens in mijn brandende ogen en vraag me af wat de politie hier te zoeken heeft.

Ze zouden een tweeling kunnen zijn, allebei rond de dertig, niet veel ouder dan ikzelf. Ze dragen jeans en gympen, ze hebben allebei een zwart snorretje en ze gedragen zich als een stel B-acteurs uit een televisieserie. 'Mogen we gaan zitten?' vraagt een van hen. Hij heeft zich al op een stoel aan de eettafel laten vallen. Zijn maat doet hetzelfde. Ze hebben hun posities ingenomen.

'Ja hoor,' zeg ik sarcastisch. 'Ga vooral zitten.'

'Neem zelf ook een stoel,' zegt de een.

'Waarom niet?' Ik ga aan het eind zitten, tussen hen in. Ze leunen allebei naar voren, nog steeds in hun rol. 'En vertel me nou maar wat er aan de hand is,' zeg ik.

'U kent Jonathan Lake?'

'Ja.'

'U weet waar zijn kantoor is?'

'Ja.'

'Bent u daar gisteren geweest?'

'Ja.'

'Hoe laat?'

'Tussen negen en tien.'

'Wat kwam u daar doen?'

'Dat is een lang verhaal.'

'We hebben alle tijd.'

'Ik wilde Jonathan Lake spreken.'

'En is dat gelukt?'

'Nee.'

'Waarom niet?'

'Alle deuren zaten op slot. Ik kwam er niet in.'

'Hebt u geprobeerd om in te breken?'

'Nee.'

'Weet u het zeker?'

'Ja.'

'Bent u na middernacht naar het kantoor teruggegaan?'

'Nee.'

'Weet u dat zeker?'

'Ja. Vraag het de bewaker maar.'

Ze kijken elkaar even aan. Dit schijnt belangrijk te zijn. 'Hebt u die bewaker gezien?'

'Ja. Hij vroeg me om weg te gaan en dat heb ik gedaan.'

'Kunt u hem beschrijven?'

'Ja.'

'Ga uw gang.'

'Een grote zwarte vent van ongeveer één meter vijfennegentig. Uniform, pet, pistool, alles erop en eraan. Vraag het hem maar. Hij kan jullie vertellen hoe laat hij me heeft weggestuurd.'

'Dat kunnen we hem niet vragen.' Ze kijken elkaar weer aan.

'Waarom niet?' vraag ik. Ik heb een angstig voorgevoel.

'Omdat hij dood is.' Ze nemen me allebei scherp op om te zien hoe ik reageer. Ik ben oprecht geschokt, zoals iedereen zou zijn. Ik voel hun blikken op me gericht.

'Hoe eh... hoe is hij gestorven?'

'Omgekomen bij de brand.'

'Welke brand?'

Ze zwijgen allebei, knikken tegen elkaar en staren achterdochtig naar het tafelblad. Dan haalt een van hen een opschrijfboekje te voorschijn als een beginnende journalist. 'Die kleine auto buiten, die Toyota, is die van u?'

'Dat weet je ook wel. Jullie hebben computers.'

'Bent u daar gisteren mee naar het kantoor gereden?'

'Nee. Ik heb hem geduwd. Welke brand?'

'Gaan we slim doen?'

'Laten we één ding afspreken: als jullie niet slim doen, doe ik het ook niet. Akkoord?'

De ander mengt zich in het gesprek. 'We hebben misschien een getuige die uw auto vannacht om twee uur in de buurt van het kantoor heeft gezien.'

'Nee. Dat kan niet.' Ik heb geen idee of ze me de waarheid vertellen of niet. 'Welke brand?' vraag ik nog eens.

'Het kantoor van Lake is vannacht afgebrand.'

'In de as gelegd,' voegt de ander er behulpzaam aan toe.

'Dus jullie zijn van het bureau brandstichting.' Ik ben geschokt, maar ook nijdig omdat ze denken dat ik er iets mee te maken heb. 'En Barry Lancaster heeft jullie gezegd dat ik een geschikte verdachte ben?'

'Wij doen brandstichting, maar ook moordzaken.'

'Hoeveel doden zijn er?'

'Alleen de nachtwaker. De eerste melding kwam vannacht om drie uur binnen, toen het gebouw verlaten was. Blijkbaar zat de nachtwaker ergens klem toen het dak instortte.'

Ik zou bijna willen dat Jonathan Lake nog in het gebouw was geweest. Maar dan denk ik aan al die prachtige kantoren met hun schilderijen en tapijten.

'Jullie verdoen je tijd,' zeg ik, steeds nijdiger omdat ze mij als verdachte zien.

'Volgens Barry Lancaster was u behoorlijk kwaad toen u gisteravond naar het kantoor kwam.'

'Dat is zo. Maar niet zo kwaad dat ik de zaak in brand zou steken. Dit is tijdverspilling, dat zweer ik jullie.'

'Hij zei dat u juist ontslagen was en dat u meneer Lake wilde spreken.'

'Dat is allemaal waar. Maar dat geeft me nog geen motief om zijn kantoor in brand te steken. Klets toch geen onzin.'

'Moord door middel van brandstichting... daar staat de doodstraf op.'

'Meen je dat nou? Hoor eens, ik sta aan jullie kant. Zoek de moordenaar en stuur hem naar de gaskamer. Als je mij er maar buiten laat.'

Mijn verontwaardiging schijnt hen te overtuigen, want ze binden in. Een van hen haalt een opgevouwen formulier uit zijn borstzakje. 'Ik heb hier een rapport van een maand geleden waarin u wordt beschuldigd van vernieling van andermans eigendommen. Een gebroken ruit in een advocatenkantoor in de binnenstad.'

'Zie je wel? Jullie computers werken uitstekend.'

'Vreemd gedrag voor een advocaat.'

'Ik heb het wel vreemder meegemaakt. En ik ben geen advocaat, maar een eenvoudige assistent of zoiets. Ik ben pas afgestudeerd. En die aanklacht is ingetrokken, zoals ook wel in dat rapport zal staan. Als jullie denken dat het iets te maken heeft met die brand van vannacht, kan de echte brandstichter gerust zijn. Dan wordt hij nooit gepakt.'

Een van hen springt overeind, meteen gevolgd door zijn collega. Hij wijst naar me. 'Ik zou maar een advocaat bellen. Op dit moment bent u onze eerste verdachte.'

'Ja, ja. Zoals ik al zei, als ik de eerste verdachte ben, heeft de echte dader geluk gehad. Jullie zitten op het verkeerde spoor.'

Ze slaan de deur dicht en vertrekken. Ik wacht een half uur en stap dan in mijn auto. Voorzichtig rijd ik in de richting van het kantoor. Ik parkeer op enige afstand, loop een straat door en duik een supermarkt in. Twee straten verderop zie ik de smeulende resten van het kantoor. Eén muur staat nog overeind. Tientallen mensen drommen bijeen, advocaten en secretaressen die elkaar op dingen wijzen. Brandweermensen stampen rond in zware laarzen. De politie heeft gele linten gespannen om het terrein af te zetten. Een grijze wolk drijft laag boven de wijk en overal hangt de geur van brandend hout.

Het pakhuis had houten vloeren en plafonds, en ook alle tussenwanden waren van hout, op een enkele uitzondering na. Voeg daarbij het enorme aantal boeken dat door het gebouw verspreid stond, en de tonnen papier aan administratie, en het is gemakkelijk voorstelbaar hoe het vuur zo snel om zich heen kon grijpen. Maar één ding blijft vreemd. Het hele pakhuis was voorzien van een uitgebreide sprinklerinstallatie. De geschilderde buizen liepen overal, soms zelfs als onderdeel van de decoraties.

Om voor de hand liggende redenen is de Prins geen ochtendmens. Yogi's sluit meestal om een uur of twee. Daarna wankelt de Prins naar zijn Cadillac en kruipt op de achterbank. Firestone, al jarenlang zijn chauffeur en lijfwacht, rijdt hem naar huis. De paar keren dat Firestone zelf ook te dronken was om te rijden, heb ik hen allebei naar huis gebracht.

Meestal is de Prins tegen elf uur weer in de zaak, omdat je bij Yogi's ook kunt lunchen. Tussen de middag is het er altijd druk. Ik tref hem om twaalf uur achter zijn bureau, met de gebruikelijke kater. Hij rommelt wat tussen zijn papieren, slikt een paar aspirientjes en drinkt mineraalwater tot klokslag vijf, het magische uur waarop hij zich weer in zijn verdovende wereld van rum-tonic kan onderdompelen.

Zijn kantoor is een kamer zonder ramen, recht onder de keuken, een afgelegen plek die alleen bereikbaar is via drie onopvallende deuren en een verborgen trap. De kamer vormt een zuiver vierkant en de wanden zijn geheel bedekt met foto's van de Prins in het gezelschap van plaatselijke politici en andere bekende figuren. Ertussendoor hangen ingelijste kranteartikelen over de lange reeks procedures waarin de Prins altijd weer werd vrijgesproken. Hij vindt het prachtig om in de krant te staan.

Zoals altijd heeft hij een pesthumeur. In de loop der jaren heb ik geleerd hem uit de weg te gaan tot aan zijn derde borrel, 's middags om een uur of zes. Ik ben dus zes uur te vroeg. Hij wenkt me naar binnen en ik doe de deur achter me dicht.

'Wat is er?' gromt hij. Zijn ogen zijn bloeddoorlopen. Hij doet me altijd denken aan Wolfman Jack, met zijn lange donkere haar, zijn woeste baard, zijn open hemd en zijn harige hals.

'Ik heb een probleem,' zeg ik.

'Het is niet waar.'

Ik vertel hem wat er gisteravond is gebeurd – mijn ontslag, de brand, de politie. Alles. En ik benadruk dat er een dode is gevallen en dat de politie de zaak niet vertrouwt. Terecht. Ik kan me niet voorstellen dat ik de eerste verdachte ben, maar daar gingen die recherchurs wel van uit.

'Dus het kantoor van Lake is in de fik gestoken,' peinst hij hardop. Hij lijkt tevreden. Een geslaagde brandstichting is precies wat de Prins nodig

heeft om zijn ochtend op te vrolijken. 'Ik heb die vent nooit gemogen.'
'Hij leeft nog. Hij moet tijdelijk naar een ander kantoor omzien, dat is alles. Die komt er wel bovenop.' En dat is mijn grootste zorg. Jonathan Lake heeft veel politici financieel gesteund. Hij heeft goede contacten, waar hij gebruik van maakt als het nodig is. Als hij ervan overtuigd is dat ik de zaak heb aangestoken, of als hij alleen maar een zondebok zoekt, krijg ik de hele politie op mijn dak.

'Je zweert dat jij het niet hebt gedaan?'

'Toe nou, Prins.'

Hij denkt even na en strijkt over zijn baard. Ik zie meteen dat hij het prachtig vindt om hierbij betrokken te zijn. Misdaad, dood, intriges, politiek, hij geniet van smoezelige zaakjes. Het enige wat er nog aan ontbreekt zijn een paar topless-danseressen en een omkoopschandaal bij de politie. Dan kan zijn dag helemaal niet meer stuk.

'Ik zou maar een advocaat nemen,' zegt hij terwijl hij zijn baard streelt. Triest genoeg is dat de werkelijke reden waarom ik hier ben. Ik heb erover gedacht om Booker te bellen, maar die heb ik al te vaak lastiggevallen. Bovendien heeft hij hetzelfde probleem als ik: we hebben nog geen van beiden het rechtbankexamen afgelegd en dus zijn we officieel nog geen advocaat.

'Ik kan me geen advocaat permitteren,' zeg ik, en ik wacht op de volgende regel in dit script. Als ik een andere mogelijkheid had, zou ik hier niet zitten.

'Laat dat maar aan mij over,' zegt hij. 'Ik zal Bruiser bellen.'

Ik knik. 'Bedankt. Denk je dat hij wil helpen?'

De Prins grijnst en spreidt joviaal zijn armen. 'Bruiser doet alles wat ik hem vraag, oké?'

'Natuurlijk,' zeg ik gedwee. Hij pakt de telefoon en toetst het nummer. Ik luister mee als hij zich een weg langs een paar andere mensen gromt, tot hij Bruiser aan de lijn heeft. Hij spreekt in de snelle, afgemeten zinnetjes van iemand die weet dat zijn telefoon wordt afgeluisterd. 'Bruiser, Prins hier,' bijt hij hem toe. 'Ja. Ik moet je dringend spreken... Een probleempje met een van mijn werknemers... Ja, ja. Nee, bij jou. Een half uur. Goed.' En hij hangt op.

Ik heb medelijden met de arme FBI-agent die uit dit gesprek belastende feiten moet zien te peuren.

Firestone komt met de Cadillac naar de achterdeur en de Prins en ik springen achterin. Het is een zwarte wagen met donkergetinte ruiten. De Prins leeft in het duister. In de drie jaar dat ik hem nu ken, heb ik hem nog nooit iets in de buitenlucht zien doen. Met vakantie gaat hij naar Las Vegas, waar hij geen voet buiten de casino's zet.

Ik luister naar een saaie opsomming van Bruisers juridische heldendaden. In bijna alle gevallen heeft de Prins er een rol in gespeeld. Vreemd genoeg voel ik me steeds meer ontspannen. Ik ben in goede handen.

Bruiser heeft rechten gestudeerd aan de avonduniversiteit. Hij was tweeëntwintig toen hij afstudeerde – nog altijd een record, volgens de Prins. Als jochies waren ze al bevriend. Op de middelbare school gokten ze wat, dronken ze veel, zaten ze achter de meiden aan en vochten ze met andere jongens. Ze hebben een harde jeugd gehad in een zuidelijke wijk van Memphis. Ze kunnen er een boek over schrijven. Bruiser ging studeren, de Prins kocht een biertruck. Van het één kwam het ander.

Bruisers kantoor bevindt zich in een klein, roodstenen winkelcentrum, tussen een stomerij en een videotheek. Bruiser heeft zijn geld goed belegd, zegt de Prins. Het hele winkelcentrum is nu van hem. Aan de overkant is een pannekoekenhuis dat de hele nacht open is, en daarnaast ligt Club Amber, een luidruchtige topless-bar met neonreclames in Vegasstijl. Dit is een industriewijk, niet ver van het vliegveld.

Afgezien van het opschrift ADVOCATENKANTOOR, in zwarte letters op de glazen deur geschilderd, is nergens aan te zien welk beroep hier wordt uitgeoefend. Een secretaresse met een strakke spijkerbroek en kleverige rode lippen begroet ons met een brede grijns, maar de Prins loopt door. Ik volg hem door het halletje. 'Vroeger werkte ze aan de overkant,' mompelt hij. Ik hoop dat hij het pannekoekenhuis bedoelt, maar ik vrees het ergste.

Bruisers kantoor lijkt verbazend veel op dat van de Prins: groot, vierkant, geen ramen, geen kans op zonlicht en muren met foto's van belangrijke maar mij onbekende mensen die Bruiser op de schouder slaan en naar de camera lachen. Eén wand is gereserveerd voor vuurwapens. Allerlei soorten geweren en kleine handwapens, en prijzen in schietwedstrijden. Achter Bruisers zware leren draaistoel staat een groot aquarium met troebel water. De vissen die erdoorheen flitsen lijken nog het meest op kleine haaien.

Bruiser zit te telefoneren en wuift ons naar twee stoelen tegenover zijn lange, brede bureau. We gaan zitten. De Prins haast zich me uit te leggen: 'Dat zijn echte haaien.' Hij wijst naar het aquarium. Echte haaien in een advocatenkantoor. Begrijp je? Goeie grap! De Prins grinnikt voldaan.

Ik kijk naar Bruiser maar probeer zijn blik te ontwijken. De telefoon lijkt nietig naast zijn enorme hoofd. Zijn lange, halfgrijze haar valt in dikke lagen op zijn schouders. Zijn dichte grijze sik onttrekt de telefoon grotendeels aan het gezicht. Zijn snelle, zwarte ogen liggen diep weggezonken tussen donkere huidplooien. Ik heb vaak gedacht dat hij van Zuideuropese afkomst moet zijn.

Hoewel ik Bruiser al minstens duizend borrels heb voorgezet, heb ik nooit echt met hem gesproken. Daar had ik geen zin in. Nog steeds niet, maar ik heb nu geen keus.

Hij snauwt nog wat in de telefoon en hangt dan op. De Prins stelt ons aan elkaar voor, maar Bruiser valt hem in de rede. 'Natuurlijk, ik ken Rudy al zo lang,' zegt hij. 'Wat is het probleem?'

De Prins kijkt naar mij en ik vertel mijn verhaal.

'Ik heb het vanochtend op het nieuws gezien,' onderbreekt Bruiser me als ik de brand wil beschrijven. 'Ik heb er al vijf telefoontjes over gehad. Advocaten roddelen graag.'

Ik knik grijnzend, omdat dat van me wordt verwacht, en vertel hem dan over het bezoekje van de rechercheurs. Hij laat me ongestoord uitspreken. Ten slotte zwijg ik en wacht op het advies van mijn advocaat.

'Je was aangenomen als *assistent*?' vraagt hij, duidelijk verbaasd.

'Ik had een baantje nodig.'

'En waar werk je nu?'

'Dat weet ik niet. Ik heb nu andere problemen. Ze willen me arresteren.'

Dat vindt Bruiser grappig. 'Laat dat maar aan mij over,' zegt hij zelfvoldaan. De Prins heeft me herhaaldelijk verzekerd dat Bruiser meer smerissen kent dan de burgemeester zelf. 'Ik bel wel even.'

'Maar hij moet zich wel gedeisd houden, niet?' vraagt de Prins, alsof ik een ontsnapte misdadiger ben.

'Ja. Hou je gedeisd.' Ik heb de indruk dat dit advies wel vaker wordt gegeven in dit kantoor. 'Wat weet je over brandstichting?' vraagt hij mij.

'Niks. Dat hebben ze niet behandeld op de universiteit.'

'Ik heb een paar brandstichtingszaken gedaan. Het kan dagen duren voordat ze met zekerheid weten of de brand wel of niet is aangestoken. Zo'n oud pakhuis kan op allerlei manieren in de fik gaan. Dus het duurt nog wel een paar dagen voordat ze tot arrestatie overgaan.'

'Maar ik word liever niet gearresteerd. Vooral niet omdat ik onschuldig ben. Ik heb geen behoefte aan publiciteit.' Ik werp een blik op de wand met ingelijste krantenknipsels.

'Dat kan ik je niet kwalijk nemen,' zegt hij zonder een spier te vertrekken. 'Wanneer doe je je rechtbankexamen?'

'Volgende maand.'

'En dan?'

'Geen idee. Ik moet nog maar eens rondkijken.'

Opeens mengt mijn vriend de Prins zich weer in het gesprek. 'Kun jij hem niet gebruiken, Bruiser? Verdomme, je hebt al een stel advocaten. Eentje meer of minder maakt toch geen verschil? Hij is een goede student, intelligent en ijverig. Ik sta voor hem in. En hij heeft werk nodig.'

Langzaam draai ik me om en kijk naar de Prins, die naar me grijnst alsof hij Sinterklaas zelf is. 'Dit is een geweldig kantoor,' zegt hij vrolijk. 'Hier leer je wat èchte advocaten doen.' En lachend slaat hij me op de knie.

We draaien ons allebei naar Bruiser, die schichtig rondkijkt en koorts-achtig naar excuses zoekt. 'Eh, ja... ik ben altijd op zoek naar veelbelovende juristen.'

'Zie je wel?' zegt de Prins.

'Twee van mijn medewerkers zijn juist vertrokken om hun eigen kantoor te beginnen, dus er staan twee kamers leeg.'

'Kijk eens aan,' zegt de Prins. 'Ik zei je toch dat het wel goed zou komen?'

'Maar verwacht geen salaris van me,' zegt Bruiser, die zich snel herstelt. 'Zo werken we hier niet. Ik eis van mijn medewerkers dat ze hun eigen cliënten binnenbrengen en hun eigen geld verdienen.'

Ik ben met stomheid geslagen. Ik heb de Prins nooit om werk gevraagd. Ik wilde zijn hulp niet eens. En ik wil Bruiser Stone niet als mijn baas. Maar ik kan hen niet beledigen nu de politie me op de hielen zit en weinig subtiele toespelingen op de doodstraf heeft gemaakt. Ik heb niet de moed om Bruiser te zeggen dat hij louche genoeg is om mij te vertegenwoordigen, maar te louche om voor te werken.

'Hoe gaat dat precies?' vraag ik.

'Het is heel simpel. En het werkt. Voor mij wel, tenminste. En geloof me, ik heb twintig jaar ervaring en ik heb alles al geprobeerd. Ik heb vennoten en medewerkers gehad, maar het enige systeem dat werkt is dat je medewerkers genoeg omzet maken om hun eigen salaris te betalen. Lukt je dat?'

Ik haal mijn schouders op. 'Ik kan het proberen,' zeg ik aarzelend.

'Natuurlijk lukt je dat,' roept de Prins behulpzaam.

'Je krijgt duizend dollar per maand van me, en je houdt zelf een derde van de inkomsten die je binnenbrengt. Jouw derde gedeelte wordt verrekend met die duizend dollar. Een derde gaat naar de vaste lasten van het kantoor, het secretariaat en zo. En een derde is voor mij. Als je minder omzet haalt dan die duizend dollar die je elke maand opneemt, ben je mij het verschil schuldig. Ik houd de score bij, totdat je een goede maand hebt. Dan kun je het terugbetalen. Duidelijk?'

Een krankzinnig systeem. Ik denk er even over na. Er is maar één ding erger dan geen baan, en dat is een baan waar je geld op toelegt, zodat je iedere maand dieper in de schulden raakt. Er komen een paar scherpe vragen bij me op en ik wil er juist een stellen als de Prins me vóór is. 'Dat klinkt eerlijk. Een verdomd goeie regeling.' Hij slaat me weer op mijn knie. 'Zo kun je een leuke cent verdienen.'

'Het is de enige manier waarop ik werk,' zegt Bruiser voor de tweede of derde keer.

'Hoeveel verdienen je medewerkers gemiddeld?' vraag ik, zonder een eerlijk antwoord te verwachten.

De lange rimpels in zijn voorhoofd knijpen zich samen. Hij denkt diep na. 'Dat verschilt. Het hangt ervan af hoe handig je bent. Een van de jongens heeft vorig jaar bijna tachtig mille verdiend, maar iemand anders kwam niet boven de twintig.'

'En jij hebt drie ton binnengehaald,' zegt de Prins met een schaterende lach.

'Was dat maar zo.'

Bruiser kijkt me onderzoekend aan. Hij biedt me het enige baantje dat ik in heel Memphis nog kan krijgen, maar hij voelt aan dat ik er niet om zit te springen.

'Wanneer kan ik beginnen?' vraag ik met een mislukte poging tot enthousiasme.

'Nu meteen.'

'Maar het rechtbankexamen...'

'Maak je daar maar geen zorgen over. Je kunt vandaag al beginnen met geld verdienen. Ik zal het je laten zien.'

'Je zult hier heel wat leren,' zegt de Prins, glimmend van genoegen.

'Je krijgt vandaag duizend dollar van me,' zegt Bruiser, alsof het een fantastisch bedrag is. 'Daar kun je mee beginnen. Ik zal je het kantoor wijzen en je wegwijs maken.'

'Geweldig,' zeg ik met een gedwongen lachje. Ik heb geen andere keus. Ik zou hier niet moeten zitten, maar ik ben bang en ik heb hulp nodig. We hebben nog niet eens besproken wat ik Bruiser schuldig ben voor zijn diensten. Hij is niet iemand die gratis zijn behoeftige medemensen helpt. Ik voel me een beetje misselijk. Misschien is het slaapgebrek, of de schrik dat ik door de politie uit mijn bed ben gebeld. Of misschien komt het door deze omgeving, dat aquarium met die haaien, en het feit dat de twee grootste boeven van de stad me erin hebben geluisd.

Twee maanden geleden was ik nog een frisse, slimme rechtenstudent met uitzicht op een veelbelovende baan bij een echt kantoor, popelend om aan de slag te gaan, hard te werken, actief te zijn in het plaatselijke juridisch genootschap en alles te doen wat mijn vrienden ook deden. Nu zit ik hier, zo kwetsbaar en moedeloos dat ik bereid ben mezelf te prostitueren voor duizend dollar per maand.

Bruiser neemt een dringend telefoontje aan – waarschijnlijk van een topless-danseres die wegens tippelen de bak in is gedraaid – en wij staan op. Hij fluistert dat hij me die middag terug verwacht.

De Prins zwelt van trots. Hij heeft me toch maar mooi van de doodstraf gered en me een baan bezorgd. Maar hoe ik ook mijn best doe, ik kan er niet blij om zijn als Firestone de Cadillac door het verkeer manoeuvreert, terug naar Yogi's.

15

Ik besluit me schuil te houden in de rechtenfaculteit. Om de tijd te doden trek ik me terug tussen de boekenkasten in het souterrain en neem een paar procedures tegen verzekeringsmaatschappijen door.

Een uur of wat later stap ik in de auto en rijd in de richting van het vliegveld. Om half vier kom ik bij Bruiser aan. De omgeving is nog beroerder dan ik me van mijn eerste bezoek herinner. De straat heeft vijf rijstroken en wordt omzoomd door fabrieken, spoorwegdepots en obscure bars en clubs waar de arbeiders zich amuseren. Het vliegveld ligt vlakbij en straalvliegtuigen gieren laag over.

Bruisers winkelcentrum heet Greenway Plaza. Ik kijk om me heen als ik op het rommelige parkeerterrein stop. Behalve de stomerij en de videotheek ontdek ik nog een slijterij en een kleine koffieshop. Hoewel het niet goed te zien is door die zwartgeverfde ramen en vergrendelde deuren, lijkt Bruisers kantoor zo'n zes of zeven panden te beslaan, midden in het winkelcentrum. Ik verzamel al mijn moed en ga naar binnen.

De secretaresse in spijkerbroek zit achter een borsthoge scheidingswand. Ze heeft gebleekt haar en een sensationeel figuur, dat ze zo voordelig mogelijk laat uitkomen.

Ik zeg waarvoor ik kom. Ik verwacht al dat me ze zal afsnauwen en me de deur zal wijzen, maar ze is heel beleefd. Met een sensuele maar beschaafde stem – heel anders dan je van een snolletje zou verwachten – vraagt ze me een paar formulieren in te vullen. Tot mijn stomme verbazing heeft deze firma, het advocatenkantoor van J. Lyman Stone, een uitstekende ziektekostenverzekering voor zijn werknemers geregeld. Zorgvuldig lees ik de kleine lettertjes, half in de verwachting dat Bruiser wel een truc zal hebben verzonnen om me nog steviger in zijn greep te krijgen. Maar ik kan geen onplezierige verrassingen ontdekken. Ik zeg dat ik een afspraak met Bruiser heb, en ze vraagt of ik even wil wachten. Ik ga op een van de plastic stoeltjes langs de muur zitten. De receptie doet denken aan de ontvangstruimte van de sociale dienst: een kale tegelvloer met een dun laagje stof, goedkope stoeltjes, met fineer betimmerde wanden en een dikke stapel gescheurde tijdschriften. Dru, de secretaresse, zit in hoog tempo te typen en neemt de telefoon aan. Er wordt druk gebeld, maar Dru is heel efficiënt en gaat gewoon met haar typewerk door terwijl ze de cliënten te woord staat.

Na tien minuten word ik binnengeroepen. Bruiser, mijn nieuwe baas, zit achter zijn bureau en leest mijn formulieren door, zorgvuldig als een accountant. Ik ben verbaasd over zijn belangstelling voor details. Hij heet me nog eens welkom, neemt de financiële voorwaarden door en schuift me dan een arbeidscontract toe. Mijn naam en andere gegevens zijn al ingevuld. Ik lees het door en zet mijn handtekening. We hebben een wederzijdse opzegtermijn van dertig dagen. Daar ben ik blij om, maar ik heb het gevoel dat hij een heel goede reden heeft voor die bepaling.

Ik vertel hem over mijn faillissement. Morgen moet ik opdraven voor een eerste confrontatie met mijn schuldeisers. Dan hebben hun advocaten het recht in mijn vuile was rond te neuzen. Ze mogen bijna alles vragen over mijn financiën en mijn leven in het algemeen. Erg druk zal het niet worden. De kans is groot dat er niemand komt opdagen.

Vanwege die zitting is het handiger als ik nog een paar dagen werkloos blijf. Ik vraag Bruiser de arbeidsovereenkomst onder zich te houden en de betaling van mijn eerste salaris uit te stellen tot na de zitting. Dat klinkt nogal dubieus, dus Bruiser vindt het prachtig. Geen punt.

Hij geeft me een snelle rondleiding. Het kantoor is precies wat ik had verwacht: een aaneenschakeling van kamertjes. Steeds als de firma groeide, werd er weer een muur doorgebroken. We dringen steeds dieper in de doolhof door. Hij stelt me voor aan twee overwerkte vrouwen in een kleine kamer vol met computers en printers. Ik betwijfel of zij ooit op tafels hebben gedanst. 'Ik geloof dat we nu zes meisjes hebben,' zegt hij als we verder lopen. Een secretaresse is een 'meisje'.

Ik maak kennis met een paar juristen – aardige kerels, slecht gekleed, in te kleine kantoortjes. 'We hebben nog maar vijf advocaten,' verklaart hij als we de bibliotheek binnenstappen. 'Vroeger hadden we er zeven, maar dat gaf problemen. Ik houd het liever beperkt tot vier of vijf. Als het er meer zijn, bezorgen ze me koppijn. Net als de meisjes.'

De bibliotheek, zoals hij die noemt, is een lange, smalle ruimte met boeken van de vloer tot aan de zoldering, zo te zien zonder enig systeem. Een lange tafel in het midden ligt bezaaid met opengeslagen boeken en proppen schrijfpapier. 'Zwijnen zijn het,' mompelt hij bij zichzelf. 'Nou, wat vind je van mijn bedoeninkje?'

'Heel aardig,' zeg ik. En ik meen het. Het blijkt een echt advocatenkantoor te zijn, en dat is een hele opluchting. Bruiser mag dan een boef zijn die zich bezighoudt met duistere praktijken en dubieuze investeringen, maar hij blijft advocaat. En op zijn kantoor wordt druk gewerkt aan legitieme zaken.

'Niet zo luxe als de grote jongens in de binnenstad,' zegt hij, bepaald niet defensief, 'maar alles is betaald. Ik heb het vijftien jaar geleden gekocht. Jouw kantoor is daar.' We verlaten de bibliotheek en hij wijst. Twee deuren verderop, naast een frisdrankenautomaat, is een uitgewoonde kamer met een bureau, een paar stoelen en dossierkasten, en foto's van paarden aan de muren. Op het bureau zie ik een telefoon, een dictafoon en een stapeltje blocnotes. Heel netjes allemaal. Het ruikt er naar schoonmaakmiddelen, alsof het een uur geleden is geschrobd.

Hij geeft me een ring met twee sleutels. 'Deze is van de voordeur en deze van je kantoor. Je kunt komen en gaan wanneer je wilt. Als je 's nachts maar voorzichtig bent. Dit is niet het veiligste gedeelte van de stad.'

'We moeten praten,' zeg ik als ik de sleutels aanpak.

Hij kijkt op zijn horloge. 'Hoe lang?'

'Een half uur is genoeg. Het is dringend.'

Hij haalt zijn schouders op en ik loop met hem mee naar zijn kantoor, waar hij zijn omvangrijke achterwerk op zijn leren stoel laat zakken. 'Waar gaat het over?' vraagt hij zakelijk, terwijl hij een dure pen uit zijn zak haalt en de verplichte blocnote klaarlegt. Hij begint al te schrijven voordat ik nog een woord heb gezegd.

In tien minuten geef ik hem een beknopte, feitelijke samenvatting van de zaak Black. Ik vertel hem ook hoe ik bij Lake ontslagen ben en hoe Barry Lancaster me de zaak heeft afgetroggeld, waardoor ik uiteindelijk bij Bruiser terecht ben gekomen. 'We moeten vandaag nog een procedure aanspannen,' zeg ik dringend. 'Technisch gesproken is het nu Lancasters zaak. Hij zal er niet lang mee wachten.'

Bruiser kijkt me aan met zijn zwarte ogen. Ik geloof dat ik zijn interesse heb gewekt. De gedachte om Lake te slim af te zijn spreekt hem wel aan. 'En de cliënten?' vraagt hij. 'Die hebben een contract met Lake getekend.'

'Ja, maar ik ga nu naar ze toe. Ze luisteren wel naar mij.' Uit mijn koffertje haal ik een voorstel voor een procedure tegen Great Eastern – de strategie waar Barry en ik uren aan hebben gewerkt. Bruiser leest het aandachtig door.

Daarna geef ik hem een brief waarin de Blacks hun overeenkomst met Barry X. opzeggen, een brief die ze alle drie moeten ondertekenen.

'Goed werk, Rudy,' zegt hij als hij de brief gelezen heeft. Ik voel me als een gewiekste oplichter. 'Laat me raden. Jij spant vanmiddag een geding tegen Great Eastern aan en geeft de Blacks een kopie. Daarna vraag je hun die brief aan Lancaster te ondertekenen.'

'Precies. Ik heb alleen nog jouw naam en handtekening nodig op de officiële stukken. Ik doe al het werk en ik houd je op de hoogte.'

'Zo kunnen we Lake te grazen nemen,' zegt hij peinzend, plukkend aan zijn baard. 'Dat bevalt me wel. Hoeveel kan die zaak ons opleveren?'

'Dat hangt van de jury af. Ik denk niet dat Great Eastern wil schikken.'

'En jij wilt de Blacks vertegenwoordigen?'

'Met jouw hulp. Het kan wel een jaar of twee gaan duren.'

'Ik zal je voorstellen aan Deck Shifflet, een van mijn medewerkers. Hij werkte vroeger voor een grote verzekeringsmaatschappij en hij heeft veel polissen voor me bekeken.'

'Mooi.'

'Zijn kantoor is naast het jouwe. Vraag hem de stukken door te lezen en zet mijn naam erop, dan kunnen we de zaak nog vandaag aanhangig maken. Als je maar zorgt dat de cliënten ermee akkoord gaan.'

'O, dat doen ze wel,' verzeker ik hem. In gedachten zie ik hen voor me: Buddy, die zijn katten aait en de vliegen wegslaat in zijn Ford; Dot, die op de veranda zit te roken en naar de brievenbus staart alsof de post ieder moment een cheque van Great Eastern kan bezorgen; en Donny Ray, die zijn hoofd met zijn handen steunt.

'Ander onderwerp.' Ik schraap mijn keel. 'Al iets van de politie gehoord?'

'Dat is geen probleem,' zegt hij zelfvoldaan, alsof de kampioen ritselaar weer heeft toegeslagen. 'Ik heb met een paar mensen gesproken die ik ken, en de politie weet niet eens zeker òf het wel brandstichting is. Dat kan nog dagen duren.'

'Dus ik hoef niet bang te zijn dat ze midden in de nacht met een arrestatiebevel voor mijn deur staan?'

'Nee. Ze hebben me beloofd dat ze me zouden waarschuwen als ze je nodig hadden. Ik heb ze verzekerd dat je jezelf zult aangeven, dat wij garant staan, enzovoort. Maar zo ver zal het niet komen. Maak je niet druk.'

Dat doe ik ook niet. Ik ga er blind van uit dat Bruiser de politie in zijn zak heeft.

'Bedankt,' zeg ik.

Vijf minuten voor sluitingstijd loop ik het gebouw van het Circuit Court binnen en deponeer mijn vier pagina's lange dagvaarding tegen de verzekeringsmaatschappij Great Eastern – en tegen Bobby Ott, de verdwenen agent die de polis heeft afgesloten. Mijn cliënten, de Blacks, eisen een bedrag van tweehonderdduizend dollar plus een schadeloosstelling van tien miljoen. Ik heb geen idee hoeveel Great Eastern waard is en daar zal ik ook niet snel achterkomen. Die tien miljoen is gewoon uit de lucht gegrepen. Een mooi rond bedrag. Zo gaat dat heel vaak.

Mijn naam staat nergens op de stukken. De Blacks worden officieel vertegenwoordigd door J. Lyman Stone. Zijn zwierige handtekening siert de laatste pagina en geeft de vordering voldoende gezag. Ik geef de dienstdoende assistent een cheque voor de kosten en de zaak is geregeld.

Great Eastern is officieel gedaagd!

Ik rijd snel naar de wijk Granger in het noorden van de stad, waar ik mijn cliënten in ongeveer dezelfde situatie aantref als ik hen een paar dagen geleden heb achtergelaten. Buddy zit in zijn auto. Dot haalt Donny Ray uit bed. Even later zitten we met ons drieën om de tafel en bewonderen zij hun kopie van de vordering. Ze zijn onder de indruk van de grote getallen. Dot herhaalt een paar keer het bedrag van tien miljoen, alsof ze het winnende lot van de loterij in haar hand houdt.

Ten slotte moet ik hun wel vertellen hoe mijn conflict met Lake is afgelopen. Een meningsverschil over de strategie. Vervelende mensen. Ze schoten gewoon niet op. Ze wilden Great Eastern niet hard genoeg aanpakken. Enzovoort, enzovoort.

Het zal hun een zorg zijn. De vordering is ingediend, dat hebben ze zwart op wit. Ze willen weten wat er nu verder gaat gebeuren en hoe gauw ze iets zullen horen. Hoe groot is de kans op een snelle regeling? Ik zoek wanhopig naar een antwoord. Ik weet dat de zaak veel te lang zal duren en ik vind het wreed om de waarheid voor hen verborgen te houden.

Ik krijg hen zo ver om de brief aan Barry X. Lancaster, hun ex-advocaat, te ondertekenen. Daarmee hebben ze hem de laan uit gestuurd. Daarom heb ik een nieuwe overeenkomst bij me, met het kantoor van J. Lyman Stone. Ik houd een vlot verhaal om deze nieuwe papierwinkel uit te leggen. Vanaf dezelfde plaats aan de keukentafel kijken Donny Ray en ik Dot na als ze weer door het onkruid ploetert en ruzie maakt met Buddy om zijn handtekening te krijgen.

Als ik vertrek zijn ze in een betere stemming dan toen ik kwam. Het is een hele voldoening dat ze nu eindelijk het bedrijf hebben aangeklaagd waarmee ze al zo lang in oorlog zijn. Eindelijk doen ze nu iets terug. Ze zijn schandalig behandeld, daar ben ik van overtuigd. Maar nu hebben ze zich aangesloten bij die miljoenen andere Amerikanen die ieder jaar een geding aanspannen. Ze voelen zich trots, als goede vaderlanders.

In mijn kleine, warme auto stort ik me in de spits en denk nog eens na over de krankzinnige gebeurtenissen van de afgelopen vierentwintig uur. Ik heb zojuist een dubieus arbeidscontract getekend waarmee ik in elk geval een jaar onder de pannen ben. Duizend dollar per maand stelt natuurlijk niet veel voor, maar toch maakt het me bloednerveus. Het is geen salaris maar een lening, en ik heb geen idee wat Bruiser precies van me verwacht. Je kunt meteen geld gaan verdienen, zei hij. Maar hoe? Het kan nog maanden duren voordat de zaak Black iets oplevert.

Ik kan nog een tijdje bij Yogi's blijven werken. De Prins betaalt me nog steeds zwart – vijf dollar per uur plus gratis eten en bier.

Er zijn advocatenkantoren in deze stad die van hun medewerkers verwachten dat ze een keurig pak dragen, in een mooie auto rijden, in een fatsoenlijk huis wonen en zelfs lid worden van de betere country clubs. Natuurlijk betalen ze hun mensen heel wat beter dan Bruiser mij betaalt, maar ze schepen hen ook met heel wat overbodige verplichtingen op. Daar hoef ik me niet druk over te maken. Ik mag me kleden zoals ik wil, in elke auto rijden die ik wil en wonen waar ik wil. Niemand zal er iets van zeggen. Ik vraag me af hoe ik zelf zal reageren als een van mijn collega's opeens naar de overkant vertrekt om zich te amuseren in die topless-club.

Opeens ben ik eigen baas. Een heerlijk gevoel van onafhankelijkheid maakt zich van me meester terwijl de file verder kruipt. Ik red het wel! Het zal niet eenvoudig zijn om voor Bruiser te werken, maar ik zal er heel wat meer over de dagelijkse juridische praktijk kunnen leren dan op die kantoren in de binnenstad. O, ik zal heel wat kritiek en sarcastische opmerkingen te verduren krijgen als mensen horen dat ik voor zo'n louche kantoor werk. Maar dat kan me niet schelen. Daar word je hard van. Zelf was ik ook zo snobistisch toen ik nog dacht dat ik bij Brodnax & Speer ging werken, en bij Lake. Zo krijg ik mijn trekken thuis.

Het is al donker als ik bij de Greenway Plaza parkeer. De meeste auto's zijn verdwenen. De lichten van Club Amber aan de overkant van de straat hebben het gebruikelijke arsenaal van pick-up trucks en lease-auto's aangelokt. Het neonlicht zet het hele dak van het gebouw en de directe omgeving in een felle gloed.

De topless-industrie in Memphis heeft gigantische vormen aangenomen en ik weet niet waarom. Dit is een heel conservatieve stad met veel kerken – het hart van de 'bijbelgordel'. De politici verkondigen strenge morele waarden en worden daar door de kiezers meestal voor beloond. Ik kan me niet voorstellen dat er ooit iemand zou worden gekozen die een soepel standpunt over porno of prostitutie inneemt.

Ik zie een hele groep zakenlui uit een auto stappen en waggelend in Club Amber verdwijnen. Het is een Amerikaan met vier Japanse relaties, ongetwijfeld van plan om een lange werkdag te besluiten met een paar borrels en een prettig uitzicht op de nieuwste ontwikkeling in Amerikaanse siliconen.

De muziek schettert naar buiten en de parkeerplaats stroomt vol.

Ik loop haastig naar de voordeur van het kantoor en steek de sleutel in het slot. Er is niemand. Waarschijnlijk zit iedereen al aan de overkant. Ik kreeg vanmiddag niet de indruk dat het advocatenkantoor van J. Lyman Stone door workaholics wordt bevolkt.

Alle deuren zijn dicht – en op slot, neem ik aan. Ik wil Booker bellen om hem mijn laatste avonturen te vertellen. Bovendien moeten we nu toch echt voor het rechtbankexamen gaan studeren. Drie jaar lang hebben we elkaar door deze studie heen gesleept, maar dit laatste examen lijkt wel een afspraak met het vuurpeloton.

– 16 –

Ik overleef de nacht zonder te worden gearresteerd, maar ik kan de slaap niet vatten. Op een gegeven moment, ergens tussen vijf en zes uur 's ochtends, geef ik de strijd tegen de mallemolen in mijn hoofd op en stap uit bed. De laatste achtenveertig uur heb ik nog geen vier uur geslapen.

Het nummer staat in de gids en om vijf voor zes pak ik de telefoon. Ik ben al aan mijn tweede kop koffie bezig. Het toestel gaat tien keer over voordat er wordt opgenomen. 'Hallo?' zegt een slaperige stem.

'Mag ik Barry Lancaster?' vraag ik.

'Spreekt u mee.'

'Barry, met Rudy Baylor.'

Hij schraapt zijn keel en ik hoor hem overeind schieten in bed. 'Wat is er?' vraagt hij, opeens veel scherper.

'Sorry dat ik je zo vroeg al bel, maar ik wilde je een paar dingen zeggen.'

'Zoals?'

'De Blacks hebben gisteren een vordering tegen Great Eastern ingediend. Ik zal je een kopie sturen zodra jullie een nieuw kantoor hebben gevonden. Ze hebben ook een ontslagbrief ondertekend, dus jij bent niet langer hun raadsman. Ze zijn jouw probleem niet meer.'

'Hoe kon jij een procedure beginnen?'

'Dat gaat je niets aan.'

'O, jawel.'

'Als je die kopie krijgt, kom je er wel achter. Je bent slim genoeg. Hebben jullie al een nieuw adres, of gaat alle post nog naar het vorige?'

'Onze postbus is niet verbrand.'

'Goed. Tussen twee haakjes, ik zou het op prijs stellen als je mij niet langer lastigviel met die brandstichtingszaak. Ik heb er niets mee te maken, en als je me niet met rust laat, doe ik je een proces aan.'

'Poeh, ik zit te sidderen.'

'Dat hoor ik. Dus denk eraan, laat mij erbuiten.' Ik hang op voordat hij kan reageren. Ik staar vijf minuten naar de telefoon, maar hij belt niet terug. De lafaard.

Ik ben benieuwd wat de kranten over de brand zullen schrijven, dus ik neem een douche, kleed me aan en vertrek als het nog donker is. Het is niet druk op straat als ik naar de Greenway Plaza rijd. Ik begin me er al thuis te voelen. Ik parkeer op dezelfde plek als zeven uur geleden. Club Amber is nu donker en verlaten. Het parkeerterrein ligt vol met lege bierblikjes en andere rotzooi.

Het smalle pand naast het raam waarachter mijn kantoor moet liggen – als ik goed heb geteld – is verhuurd aan Trudy, een gezette Duitse vrouw die een goedkope koffieshop drijft. Ze zei me dat ze al om zes uur open is voor koffie en broodjes.

Als ik binnenkom, schenkt ze koffie in. We praten even terwijl ze een broodje voor me roostert. Er zitten al een man of twaalf rond de kleine tafeltjes en Trudy heeft zorgen. De bakker is te laat.

Ik koop een krant en ga aan een tafeltje bij het raam zitten als de zon opkomt. Op de voorpagina van het stadskatern staat een grote foto van het brandende kantoor van Lake. Een kort artikel geeft een historische beschrijving van het gebouw. Het is volledig in vlammen opgegaan en Jonathan Lake schat de schade op drie miljoen dollar. 'De renovatie is een liefdesaffaire van vijf jaar geweest,' is zijn commentaar. 'Ik ben totaal van de kaart.'

De tranen zijn je gegund, beste vriend. Haastig kijk ik de rest van het artikel door. Nergens zie ik het woord brandstichting. Ik lees het wat zorgvuldiger. De politie heeft nog geen verklaring uitgegeven. De zaak is in onderzoek. Het is nog te vroeg voor conclusies. Het bekende politiejargon.

Ik had niet echt verwacht dat ik als mogelijke verdachte zou worden genoemd, maar ik ben toch opgelucht dat ik mijn naam nergens zie.

Ik zit op kantoor en probeer een bezige indruk te maken, hoewel ik geen idee heb hoe ik de komende maand duizend dollar zou kunnen verdienen. Totdat Bruiser binnenstormt en een vel papier over mijn bureau schuift. Ik pak het op.

'Het is een kopie van een politierapport,' gromt hij, alweer op weg naar de deur.

'Over mij?' vraag ik geschrokken.

'Welnee! Een verkeersongeluk. Gisteravond zijn er twee auto's op elkaar geknald op de hoek van Airways en Shelby, een paar straten hiervandaan. Een van de bestuurders was waarschijnlijk dronken. Er schijnt onenigheid te zijn over een rood licht.' Hij kijkt me scherp aan.

'Vertegenwoordigen wij een van de...'

'Nog niet! Dat is jouw werk. Zorg dat je die zaak binnensleept. Vraag de gegevens. Ga op onderzoek uit. De kans is groot dat er letselschade is.'

Ik ben totaal overdonderd, en zo laat hij me achter. De deur slaat achter hem dicht en ik hoor hem verderop in de gang tegen iemand brommen. Het politierapport bevat al heel wat informatie: de namen van de bestuurders en de inzittenden, met hun adressen en telefoonnummers, de aard van de verwondingen, de schade aan de auto's en de verklaringen van de ooggetuigen. Er zit een tekening bij van de vermoedelijke toedracht en een andere tekening van de situatie waarin de auto's zijn aangetroffen. De twee bestuurders zijn allebei gewond geraakt en naar het ziekenhuis gebracht. De man die door het rode licht reed, had klaarblijkelijk gedronken.

Interessant leesvoer, maar wat moet ik ermee? Het ongeluk is vannacht om tien minuten over twaalf gebeurd en Bruiser heeft het rapport vanochtend vroeg in zijn groezelige handen gekregen. Ik lees het nog eens door en zit er een tijdje naar te staren.

Ik schrik op als er wordt geklopt. 'Binnen,' zeg ik.

De deur gaat langzaam open en een kleine, tengere man steekt zijn hoofd om de hoek. 'Rudy?' vraagt hij met een hoge, nerveuze stem.

'Ja. Kom erin.'

Hij glipt door de kier naar binnen en sluipt bijna naar de stoel tegenover mijn bureau. 'Ik ben Deck Shifflet,' zegt hij terwijl hij zonder een handdruk of een glimlach gaat zitten. 'Bruiser zei dat je een zaak had die je wilde bespreken.' Hij kijkt over zijn schouder alsof hij bang is dat er nog iemand de kamer is binnengekomen om mee te luisteren.

'Aangenaam,' zeg ik. Deck kan veertig zijn, maar ook vijftig. Hij is kalend en zijn schaarse overgebleven haren zitten met vet over zijn brede schedel geplakt. De plukken rond zijn oren zijn dun en grijzend. Hij draagt een bril met een draadmontuur en vierkante dikke glazen, die behoorlijk smerig zijn. Het is moeilijk te zeggen of zijn hoofd zo groot is of zijn lichaam zo klein, maar de verhouding klopt niet. Zijn voorhoofd is verdeeld in twee ronde helften die elkaar min of meer in het midden ontmoeten, waar ze worden verbonden door een diepe rimpel die scherp afdaalt naar zijn neus.

Die arme Deck is een van de onaantrekkelijkste mannen die ik ooit heb ontmoet. Zijn gezicht draagt nog steeds de sporen van de acne uit zijn jeugd. Hij heeft bijna geen kin en als hij praat, trekt hij een rimpel in zijn neus en krult zijn bovenlip omhoog boven vier vooruitstekende tanden die allemaal even groot zijn.

Hij draagt een vuil wit overhemd met twee borstzakjes en een gerafelde kraag. De knoop in zijn effen rode gebreide stropdas is zo groot als mijn vuist.

Ik ontwijk die twee grote ogen achter de dikke brilleglazen. 'Ja, dat is waar,' zeg ik. 'Een verzekeringskwestie. Jij bent een van de advocaten hier?'

De neus en de bovenlip trekken naar elkaar toe. De tanden blikkeren me tegemoet. 'Min of meer. Niet echt. Ik ben officieel geen advocaat. Ik heb wel rechten gestudeerd, maar ik hcb mijn rechtbankexamen nog niet gehaald.'

Aha, een verwante ziel. 'O nee?' zeg ik. 'Wanneer ben je afgestudeerd?'

128

'Vijf jaar geleden. Ik heb grote moeite met het rechtbankexamen. Ik ben al zes keer gezakt.'

Dat wil ik liever niet horen. 'Verdorie,' mompel ik. Ik wist echt niet dat je zo vaak voor dat examen kon zakken. 'Sorry.'

'Wanneer moet jij examen doen?' vraagt hij met een nerveuze blik door de kamer. Hij zit op het puntje van zijn stoel, alsof hij er ieder moment vandoor kan gaan. Met de duim en wijsvinger van zijn rechterhand plukt hij aan het vel van zijn linkerhand.

'Volgende maand. Het valt dus niet mee?'

'Nee, dat mag je wel zeggen. Voor mij is het alweer een jaar geleden. Ik weet niet of ik het nog een keer probeer.'

'Waar heb je gestudeerd?' vraag ik omdat ik zo zenuwachtig van hem word. Ik weet niet of ik wel met hem over de zaak Black wil praten. Wat is zijn rol precies? Wil hij soms ook een percentage?

'In Californië,' zegt hij met de gruwelijkste zenuwtrek die ik ooit bij iemand heb gezien. Zijn ogen gaan open en dicht, zijn wenkbrauwen dansen en zijn lippen trillen. 'Aan de avonduniversiteit. Ik was toen nog getrouwd en ik werkte vijftig uur per week. Ik had niet veel tijd om te studeren. Het heeft me vijf jaar gekost. En mijn huwelijk. Toen ben ik hiernaartoe verhuisd.' Zijn zinnetjes worden steeds korter en zijn stem sterft weg. Ik zoek naar woorden.

'Eh... en hoe lang werk je al voor Bruiser?'

'Bijna drie jaar. Hij behandelt me net als de andere juristen. Ik zoek cliënten, wikkel hun zaken af en geef Bruiser zijn aandeel. Iedereen is tevreden. Meestal vraagt hij me om naar verzekeringszaken te kijken als die binnenkomen. Ik heb achttien jaar voor Pacific Mutual gewerkt. Maar daar kreeg ik genoeg van. Daarom ben ik rechten gaan studeren...' Weer ebt zijn stem weg.

Ik kijk hem aan en wacht. Ten slotte vraag ik: 'Wat doe je als een zaak moet voorkomen?'

Hij grijnst schaapachtig, alsof hij een echte grapjas is. 'Ik heb het een paar keer zelf gedaan. Niemand kwam erachter. Er lopen zoveel advocaten rond, dat ze het niet bij kunnen houden. Maar meestal stuur ik Bruiser of een van de anderen erop af.'

'Bruiser zei dat er bij deze firma vijf juristen werken.'

'Ja. Bruiser, Nicklass, Toxer, Ridge en ik. Maar ik zou het geen firma noemen. Iedereen werkt voor zichzelf. Je komt er nog wel achter. Je zoekt je eigen cliënten en je krijgt een derde van de winst.'

Ik ben blij met zijn openhartigheid, daarom vraag ik verder. 'En is dat een goede regeling voor de medewerkers?'

'Het hangt ervan af wat je wilt,' zegt hij met een haastige blik over zijn schouder alsof Bruiser staat mee te luisteren. 'Er is heel wat concurrentie.

Ik vind het best, want nu kan ik veertigduizend per jaar verdienen zonder dat ik officieel bevoegd ben. Maar zeg dat tegen niemand.'

Ik kijk wel uit.

'En wat spreken we af als wij samen aan die verzekeringszaak werken?' vraag ik hem.

'O, dat. Als we winnen, word ik door Bruiser betaald. Ik help hem met zijn dossiers, want ik ben de enige die hij vertrouwt. Niemand anders heeft inzage in zijn stukken. Mensen die zich met zijn zaken bemoeien, worden ontslagen. Van mij heeft hij niets te vrezen. Ik heb geen keus. Ik moet hier wel blijven, in elk geval totdat ik mijn rechtbankexamen heb gehaald.'

'Hoe zijn de anderen?'

'O, die vallen wel mee. Ze komen en gaan. Hij neemt niet de beste studenten in dienst. Hij haalt jonge jongens binnen van de straat. Die werken hier een jaar of twee, leggen contacten met cliënten en beginnen dan voor zichzelf. Advocaten zijn altijd op doorreis.'

Vertel mij wat.

'Mag ik je wat vragen?' Misschien geen goed idee, maar ik weet ook niets anders.

'Natuurlijk.'

Ik geef hem het politierapport over het verkeersongeluk. Hij leest het snel door. 'Dat heb je van Bruiser gekregen?'

'Ja. Een paar minuten geleden. Wat moet ik ermee?'

'Probeer die zaak binnen te halen. Zoek het slachtoffer en laat hem een overeenkomst tekenen met het kantoor van J. Lyman Stone. Dan kun je hem vertegenwoordigen.'

'Maar hoe vind ik hem?'

'Hij ligt nog in het ziekenhuis. Dat is meestal de beste plaats om te zoeken.'

'Je loopt gewoon de ziekenhuizen af?'

'Ja. Ik doe het zo vaak. Bruiser heeft contacten op het hoofdbureau. Goede contacten, kerels met wie hij is opgegroeid. Zij sturen hem die rapporten, bijna iedere ochtend. Hij deelt ze rond op kantoor en verwacht van ons dat we die zaken binnenslepen. Dat is zo moeilijk niet.'

'Welk ziekenhuis?'

Hij rolt met zijn grote ronde ogen en schudt vermoeid zijn hoofd. 'Wat hebben ze je geleerd op de universiteit?'

'Niet veel, en zeker niet hoe je klantjes moet ronselen in een ziekenhuis.'

'Dan zou ik het maar snel leren. Anders kun je droog brood eten. Moet je horen. Je hebt het telefoonnummer van het slachtoffer. Je belt dat nummer en zegt dat je van de alarmcentrale bent of wat dan ook, en dat je de gewonde bestuurder wilt spreken. Dat kan niet, want die ligt nog in het ziekenhuis. Welk ziekenhuis, vraag je. Dat moet je weten voor je administratie. En dan vertellen ze het je wel. Dat werkt altijd. Gebruik je fantasie. Mensen geloven alles.'

Ik voel me niet goed. 'En dan?'

'Dan rijd je naar het ziekenhuis om met die vent te praten. Je bent zo onnozel als een pasgeboren baby, niet? Sorry. Weet je wat? We halen een paar broodjes voor in de auto en dan rijden we samen naar het ziekenhuis om die man een contract te laten tekenen.'

Ik heb er weinig zin in. Ik zou liever vertrekken en hier nooit meer terugkomen. Maar ik heb niets anders te doen. 'Goed,' zeg ik met grote aarzeling.

Hij springt overeind. 'Ik bel wel even om te horen in welk ziekenhuis hij ligt. Ik zie je buiten.'

Het ziekenhuis blijkt het St. Peter's te zijn, een soort kazerne waar de meeste verkeersslachtoffers naartoe worden gebracht. Het is een openbaar ziekenhuis voor de grote massa.

Deck kent het goed. We scheuren de stad door in zijn aftandse busje, het enige wat hij heeft overgehouden aan zijn scheiding – een scheiding die het gevolg was van jarenlang drankmisbruik. Hij drinkt nu niet meer en is een trots lid van de Anonieme Alcoholisten. Hij is zelfs met roken gestopt. Maar hij waagt nog graag een gokje, bekent hij ernstig, en hij maakt zich zorgen over al die nieuwe casino's die vlak over de grens in Mississippi verrijzen.

Zijn ex-vrouw en zijn kinderen wonen nog in Californië.

Dat alles vertelt hij me binnen tien minuten, terwijl ik een hot-dog naar binnen werk. Hij rijdt met één hand, eet met de andere en praat aan één stuk door. Zijn gezicht vertoont een hele serie tics en er kleeft een klodder kipsalade in zijn mondhoek. Ik kijk bewust de andere kant op.

Hij stopt op een parkeerplaats voor artsen. Op de een of andere manier heeft hij het juiste pasje bemachtigd. De parkeerwachter schijnt hem te kennen en wuift ons door.

We lopen meteen naar de informatiebalie in de drukke hal. Binnen een paar seconden heeft hij het kamernummer van Dan Van Landel, onze potentiële cliënt. Deck Shifflet loopt op zijn tenen en hij hinkt, maar toch heb ik moeite om hem bij te houden als we naar de liften lopen. 'Gedraag je vooral niet als een advocaat,' fluistert hij als we in de lift staan, ingeklemd tussen een stel verpleegsters.

Niemand zou Deck voor een advocaat aanzien. Zwijgend laten we ons naar de zevende verdieping brengen en stappen uit met een groep andere mensen. Het is triest te bedenken dat Deck dit al zo vaak heeft gedaan. Ondanks zijn kreupele tred en zijn vreemde grote hoofd is er niemand die op ons let. We schuifelen een drukke gang door, tot aan een kruispunt met een drukke verpleegstersbalie. Zonder moeite weet hij kamer 886 te vinden. We slaan linksaf, langs een groepje verpleegkundigen, laboranten en een arts, die een schema bestuderen. Kale brancards staan langs de muren. De versleten tegelvloer moet nodig worden geschrobd. Vier deuren verderop is de kamer die we zoeken. Zonder kloppen stappen we naar binnen. Er staan twee bedden, en het is er schemerig. In het eerste bed ligt een man die de lakens tot aan zijn kin heeft opgetrokken. Hij kijkt naar een soap-serie op een kleine televisie boven zijn bed.

Hij schrikt als we binnenkomen, alsof hij bang is dat we hem van een nier willen beroven. Ik walg van mezelf. We hebben niet het recht de privacy van deze mensen op zo'n grove wijze te schenden.

Deck trekt zich er niets van aan. Ik kan nauwelijks geloven dat deze brutale indringer dezelfde kleine wezel is die nog geen uur geleden verlegen mijn kantoor binnenglipte. Toen leek hij bang voor zijn eigen schaduw. Nu vertoont hij geen spoor van zenuwen.

We doen nog een paar stappen, langs het scherm tussen de twee bedden. Deck kijkt even of Dan Van Landel bezoek heeft, maar Van Landel is alleen. Deck stapt op het bed toe. 'Goedemiddag, meneer Van Landel,' zegt hij poeslief.

Van Landel is achter in de twintig, hoewel zijn leeftijd moeilijk te schatten is door het verband om zijn gezicht. Zijn ene oog is gezwollen en zit bijna dicht, en onder het andere zit een snijwond. Hij heeft een gebroken arm en zijn ene been hangt aan een katrol.

Hij is wakker, dus gelukkig hoeven we hem niet bij zijn schouder te schudden of tegen hem te schreeuwen. Ik blijf aan het voeteneind van het bed staan, zo dicht mogelijk bij de deur, en hoop vurig dat er geen verpleegsters, artsen of familieleden zullen binnenkomen om ons te betrappen.

Deck buigt zich wat dichter naar de man toe. 'Kunt u me horen, meneer Van Landel?' vraagt hij op de warme toon van een priester.

Van Landel is met riemen aan het bed gebonden en kan zich niet bewegen. Ik weet zeker dat hij graag overeind zou komen, maar hij is aan ons overgeleverd. Ik kan me zijn schrik goed voorstellen. Het ene moment ligt hij nog naar het plafond te staren, verdoofd en met veel pijn, en het volgende moment staart hij in een van de vreemdste gezichten die hij ooit heeft gezien.

Hij knippert snel met zijn ogen om zijn blik scherp te krijgen. 'Wie bent u?' vraag hij schor en met opeengeklemde tanden. Zijn kaken zijn vastgesnoerd.

Dit is niet eerlijk.

Deck lacht zijn vier blikkerende tanden bloot. 'Ik ben Deck Shifflet van advocatenkantoor Lyman Stone,' zegt hij zelfverzekerd, alsof hij alle recht heeft om hier te zijn. 'De verzekering heeft nog niets van zich laten horen, neem ik aan?'

Met dat ene zinnetje heeft Deck de verzekeringsmaatschappij als onbetrouwbaar neergezet en zichzelf als de grote redder. Wij zullen hem wel helpen.

'Nee,' kreunt Van Landel.

'Gelukkig maar. U moet niet met ze praten, want ze willen u belazeren,' zegt Deck, terwijl hij zich nog dichter naar Van Landel toe buigt. 'We hebben het rapport bekeken. De andere bestuurder is door het rode licht gereden, dat staat vast. Over een uurtje gaan we aan de slag,' zegt hij met een gewichtige blik op zijn horloge. 'Dan zullen we de plaats van het ongeluk fotograferen, de getuigen ondervragen, enzovoort. We moeten de experts van de verzekeringsmaatschappij vóór zijn. Anders heb je kans dat ze de getuigen omkopen en dat soort dingen. We moeten dus snel zijn, maar we hebben wel uw toestemming nodig. Hebt u al een advocaat?'

Ik houd mijn adem in. Als Van Landel antwoordt dat zijn broer advocaat is, kan ik meteen de benen nemen.

'Nee,' zegt hij.

Deck maakt zich gereed voor de genadeslag. 'Zoals ik al zei: we moeten snel zijn. Mijn kantoor behandelt meer verkeersongelukken dan enige andere firma in Memphis en we weten meestal een groot bedrag los te krijgen. De verzekeraars zijn bang voor ons. En we rekenen u geen cent. Als we winnen, krijgen we dertig procent van het bedrag. Anders kost het u niets.' Hij heeft al een contract uit zijn blocnote vandaan getrokken. Het is een globale overeenkomst van drie alinea's. Meer is nu niet nodig. Deck wuift ermee en Van Landel kan weinig anders doen dan het contract met zijn goede hand aanpakken. Hij probeert het te lezen.

Ik heb met hem te doen. Hij heeft de afschuwelijkste nacht van zijn leven achter de rug, hij mag blij zijn dat hij nog leeft, en nu moet hij in zijn halfverdoofde toestand een contract doorlezen en een verstandige beslissing nemen.

'Kunt u niet wachten tot mijn vrouw er is?' vraagt hij bijna smekend.

Worden we dan toch betrapt? Ik grijp me vast aan de stang van het bed en raak per ongeluk een kabel van de katrol, waardoor zijn been een paar centimeter omhoog wordt gerukt. 'Aauu!' kreunt hij.

'Sorry,' zeg ik haastig en trek mijn handen weg. Deck kijkt me woedend aan, maar beheerst zich snel. 'Waar is uw vrouw nu?' vraagt hij.

'Aauu!' steunt de arme kerel weer.

'Sorry,' herhaal ik onwillekeurig. Ik sta te trillen van de zenuwen.

Van Landel kijkt me angstig aan. Ik steek mijn handen diep in mijn zakken.

133

'Ze kan ieder moment terugkomen,' zegt hij met een van pijn verwrongen stem.

Deck heeft overal een antwoord op. 'Ik zal straks wel met haar praten. Op kantoor. Ik heb nog een paar gegevens van haar nodig.' Hij schuift handig zijn blocnote onder het contract, als steuntje, en haalt alvast de dop van zijn pen.

Van Landel mompelt wat, neemt de pen aan en zet een krabbel. Deck steekt het contract tussen zijn blocnote en geeft onze nieuwe cliënt zijn kaartje: 'Deck Shifflet, jurist, J. Lyman Stone'.

'Nog een paar dingen,' zegt hij, met gezag in zijn stem. 'Praat met niemand, behalve met uw dokter. De verzekeringsmaatschappij zal wel iemand sturen. Ze willen u allerlei papieren laten tekenen. Misschien bieden ze u zelfs een schikking aan. Praat niet met ze. Onder geen enkele voorwaarde. En teken niets voordat ik het heb gezien. U hebt mijn telefoonnummer. U kunt me vierentwintig uur per dag bereiken. Op de achterkant staat het nummer van Rudy Baylor. Die kunt u ook bellen. Wij werken samen in deze zaak. Hebt u nog vragen?'

'Goed,' zegt Deck, voordat de patiënt iets kan zeggen of kreunen. 'Rudy komt morgen terug met de papieren. Vraag of uw vrouw ons vanmiddag belt. We moeten haar spreken, dat is belangrijk.' Hij klopte Van Landel op zijn goede been. Tijd om te vertrekken, voordat de man van gedachten verandert. 'We zullen een leuk bedrag voor u regelen,' verzekert Deck hem.

We nemen afscheid en verdwijnen haastig uit de ziekenkamer. Op de gang verklaart Deck trots: 'Zo doe je dat, Rudy. Fluitje van een cent.'

We ontwijken een vrouw in een rolstoel en wachten voor een patiënt die op een brancard wordt weggebracht. Het is druk op de gang. 'En als hij al een advocaat had gehad?' vraag ik. Ik begin weer rustiger te ademen.

'Geen punt. Nee heb je, ja kun je krijgen. Wat heb je te verliezen?'

Je waardigheid, je zelfrespect? Maar wat hij zegt, klinkt logisch. Ik houd mijn mond. Ik neem grote passen en probeer niet te kijken hoe hij naast me hinkt.

'Zie je, Rudy, op de universiteit leren ze je niet wat je werkelijk moet weten. Boekenwijsheid, dat is alles wat je daar leert. Theorieën, mooie idealen over de advocatuur als een nobel vak, een roeping, een ethisch bedrijf.'

'Wat is er mis met ethiek?'

'O, niks. Ik bedoel, ik vind ook dat een advocaat moet vechten voor zijn cliënten, geen geld achterover mag drukken en niet mag liegen. Dat soort dingen.'

Deck Shifflet over ethiek. Wekenlang hebben we ons in ethische en morele dilemma's verdiept, maar in één klap wordt alles teruggebracht tot de

Drie Geboden: vechten voor je cliënten, niet stelen en niet liegen.

We slaan opeens linksaf en komen in een nieuwere gang. Het St. Peter's is een labyrint van allerlei aanbouwsels. Deck is in een belerende bui. 'En wat ze je op de universiteit níet vertellen, kan je in grote problemen brengen. Neem nou die man, Van Landel. Volgens mij was je knap zenuwachtig toen we in zijn kamer stonden.'

'Ja, dat is zo.'

'Dat is helemaal niet nodig.'

'Maar het is niet ethisch om cliënten te ronselen. Dat is lijkenpikkerij.'

'Natuurlijk, maar wie kan het iets schelen? Liever wij dan iemand anders. Ik geef je op een briefje dat er binnen vierentwintig uur nog een andere advocaat bij Van Landels bed staat om hem een contract aan te smeren. Zo gaat het nu eenmaal, Rudy. Dat is de vrije markt. Dat is concurrentie. Er lopen heel wat advocaten rond.'

Alsof ìk dat niet weet. 'Zou hij niet terugkrabbelen?' vraag ik.

'Ik denk het niet. We hebben geluk gehad. We kwamen precies op het juiste moment. Als je de kamer binnenstapt, heb je vijftig procent kans, maar zodra ze hebben getekend, is de kans vrij groot dat ze bij je blijven. Je moet hem over een paar uur nog maar eens bellen, met zijn vrouw praten en aanbieden om vanavond terug te komen om de zaak te bespreken.'

'Ik?'

'Ja. Dat valt best mee. Ik heb wel een paar dossiers voor je liggen, als voorbeeld. Zo moeilijk is het niet.'

'Nou...'

'Rudy, maak je toch niet zo druk. Je hoeft niet bang te zijn voor zo'n ziekenhuis. Hij is nu jouw cliënt, oké? Je hebt het volste recht om hem te bezoeken. Ze kunnen je er niet uit gooien. Maak je geen zorgen.'

Op de tweede verdieping drinken we koffie uit plastic bekertjes. Deck geeft de voorkeur aan deze kleine kantine omdat die dicht bij de orthopedische afdeling ligt en omdat het een vrij nieuwe cafetaria is die nog niet veel advocaten kennen. 'Advocaten,' fluistert hij zacht, terwijl hij zijn blik over de patiënten laat glijden, 'hangen vaak in de kantines van ziekenhuizen rond om verkeersslachtoffers aan de haak te slaan.' Hij zegt het op minachtende toon. Ironie is niet aan Deck besteed.

Een deel van mijn werk als jongste jurist bij J. Lyman Stone is dus om hier rond te hangen en cliënten te ronselen. Er is nog een grotere kantine op de begane grond van het Cumberland Ziekenhuis, twee straten verderop. En het VA-ziekenhuis heeft zelfs drie kantines. Deck kent ze allemaal en hij geeft me een uitvoerige beschrijving.

Hij raadt me aan te beginnen met het St. Peter's, omdat daar de meeste verkeersslachtoffers binnenkomen. Op een servetje tekent hij een plattegrond met de belangrijkste plaatsen: de kantine, een klein cafetaria bij de kraamafdeling op de eerste etage en een koffieshop bij de ingang. 's Avonds is de beste tijd, zegt hij, nog steeds om zich heen speurend of hij een prooi kan ontdekken. Patiënten vervelen zich vaak op hun kamer en komen naar de kantine voor een hapje, als ze daartoe in staat zijn. Een paar jaar geleden zat een van Bruisers advocaten om één uur 's nachts in de grote kantine toen hij een jochie ontdekte dat voor brandwonden werd behandeld. Die zaak zou uiteindelijk twee miljoen opleveren. Helaas had het joch toen Bruiser al ontslagen en een andere advocaat ingehuurd.

'Hij was ons ontsnapt,' verzucht Deck als een teleurgestelde hengelaar.

– 17 –

Juffrouw Birdie gaat naar bed als om elf uur de zoveelste herhaling van M*A*S*H over het scherm is gerold. Ze heeft me al een paar keer uitgenodigd om na het eten samen televisie te kijken, maar ik heb nog steeds een goed excuus weten te verzinnen.

Ik zit op de trap voor mijn appartement en wacht tot ze alle lichten heeft gedoofd. Ik zie haar silhouet langs de ramen glijden als ze de sloten van de deuren controleert en de gordijnen sluit.

Oude mensen zullen wel wennen aan het alleen-zijn, hoewel niemand verwacht zijn of haar laatste jaren in eenzaamheid te moeten doorbrengen, zonder geliefden om zich heen. Toen juffrouw Birdie nog jonger was, zal ze vol vertrouwen naar de toekomst hebben gekeken, in de verwachting dat ze door kleinkinderen zou worden omringd. Haar eigen kinderen zouden in de buurt wonen, dagelijks bij haar langs komen en bloemen, koekjes en cadeautjes voor haar meebrengen. Juffrouw Birdie heeft er niet op gerekend dat ze haar laatste jaren alleen zou moeten slijten, in een oud huis met vervagende herinneringen.

Ze praat nooit over haar kinderen of kleinkinderen. Ze heeft een paar foto's staan, maar die moeten al oud zijn, te oordelen naar de mode. Ik woon hier nu al twee weken en bij mijn weten heeft ze nog niet één keer contact gehad met haar familie.

Ik voel me schuldig omdat ik 's avonds niet bij haar kom zitten, maar ik heb mijn redenen. Ze kijkt naar al die stompzinnige series, waar ik zo'n gruwelijke hekel aan heb. Dat weet ik, omdat ze er constant over praat. Bovendien moet ik voor mijn examen studeren.

Maar er is nòg een reden waarom ik op afstand blijf. Juffrouw Birdie heeft laten doorschemeren dat het huis moet worden geschilderd. Als we klaar zijn met de compost, is dat het volgende karwei.

Vandaag heb ik als medewerker van J. Lyman Stone een brief verstuurd aan een advocaat in Atlanta en hem om inlichtingen gevraagd over de nalatenschap van Anthony L. Murdine, de tweede echtgenoot van juffrouw Birdie. Ik steek mijn voelhorens uit, maar zonder veel resultaat.

Het licht in haar slaapkamer gaat uit. Voorzichtig daal ik de wankele trap af en steek op blote voeten het grasveld over naar de rafelige hangmat die tussen de kleine bomen hangt. Een paar avonden geleden heb ik er een uurtje in gelegen zonder dat ik naar beneden donderde. Door de bomen heb je vanuit die hangmat een prachtig gezicht op de volle maan. Ik klim erin en laat me zachtjes wiegen. De nacht is warm.

Ik ben nòg ontdaan door die ervaring met Van Landel, vandaag in het ziekenhuis. Drie jaar geleden ben ik rechten gaan studeren met de nobele aspiraties om ooit mijn steentje bij te dragen aan de verbetering van de wereld, als een eerzaam advocaat met de ethische principes waar alle advocaten zich aan houden – zoals ik toen nog dacht. Ik wist ook wel dat ik de wereld niet echt zou kunnen veranderen, maar ik droomde van een leven in een drukke, inspirerende omgeving met intelligente mensen die zich door nobele ideeën lieten leiden. Ik wilde hard werken en groeien in mijn beroep, en zo cliënten aantrekken – niet met prachtige advertenties, maar op grond van mijn reputatie. En als mijn ervaring en mijn inkomsten groeiden, zou ik ook impopulaire zaken kunnen aannemen en cliënten pro deo kunnen verdedigen. De meeste studenten beginnen met zulke dromen aan hun studie.

Ik moet toegeven dat er op de rechtenfaculteit vele uren aan ethische discussies werden besteed. Het onderwerp kreeg zelfs zoveel nadruk, dat wij ervan uitgingen dat de hele juridische stand zich streng aan de ethische normen hield. De waarheid is onthutsend. De afgelopen maand heeft de ene advocaat na de andere zijn pijlen op mijn luchtkasteel afgevuurd. En wat ben ik nu? Een soort stroper in een ziekenhuis, voor duizend dollar per maand. Ik kan niet geloven dat ik zo snel en zo diep ben gevallen. Het is walgelijk en triest.

Mijn beste vriend aan het begin van mijn studie was Craig Balter. We hebben een tijdje een kamer gedeeld. Vorig jaar ben ik naar zijn bruiloft geweest. Craig had maar één doel toen hij begon. Hij wilde geschiedenisleraar worden. Hij was heel intelligent en de studie was eigenlijk te gemakkelijk voor hem. We hadden lange discussies over wat we met ons leven wilden doen. Ik vond dat hij zichzelf te kort deed door leraar te willen worden, en hij werd kwaad als ik mijn toekomstige beroep met het zijne vergeleek. Ik ging het grote geld verdienen en hij zou voor de klas staan, tegen een salaris waarop hij zelf nauwelijks invloed had.

Craig haalde zijn doctoraal en trouwde met een onderwijzeres. Hij geeft nu geschiedenis en maatschappijleer op een middelbare school. Zijn vrouw is kleuterleidster. Ze is in verwachting en ze hebben een leuk huis buiten de stad, met een grote tuin. Ze zijn de gelukkigste mensen die ik ken. Samen verdienen ze waarschijnlijk zo'n vijftig mille per jaar.

Maar Craig is niet geïnteresseerd in geld. Hij doet wat hij altijd heeft willen doen, terwijl ik geen idee heb waar ik mee bezig ben. Craigs baan geeft hem grote voldoening omdat hij jonge mensen kan vormen. Hij ziet het resultaat van zijn werk. Ik moet morgen naar kantoor in de hoop dat ik met list en bedrog een nietsvermoedende cliënt aan de haak kan slaan die al genoeg ellende aan zijn hoofd heeft. Als advocaten hetzelfde zouden verdienen als leraren, konden we negen van de tien rechtenfaculteiten wel sluiten.

En mijn hebzucht heeft me hier gebracht. Het zal ooit wel beter gaan. Maar voorlopig heb ik andere problemen. Er is nog altijd een kans dat ze me arresteren voor de brand in het kantoor van Lake. En volgende week moet ik voor mijn rechtbankexamen slagen.

Die twee gedachten houden me bezig als ik tot aan de kleine uurtjes in de hangmat lig.

Bruiser is al vroeg op kantoor, met bloeddoorlopen ogen en een kater, maar onberispelijk gekleed. Hij draagt een duur wollen kostuum, een gesteven wit overhemd en een mooie zijden das. Zijn golvende lokken lijken vanochtend een extra wasbeurt te hebben gekregen. Ze zijn schoon en glanzend.

Hij moet naar de rechtbank voor de eerste zitting in een drugsmokkelzaak en hij loopt over van energie. Ik word in zijn kantoor ontboden voor mijn instructies.

'Goed werk met die Van Landel,' zegt hij, begraven onder paperassen en dossiers. Dru is ergens mee bezig achter Bruisers stoel, net buiten de gevarenzone. De haaien houden haar hongerig in de gaten. 'Een paar minuten geleden heb ik met die verzekeringsmaatschappij gebeld. De man was voldoende verzekerd. En zijn aansprakelijkheid staat vast. Hoe ernstig is die Van Landel eraan toe?'

Gisteravond heb ik nog een lastig uurtje in het ziekenhuis doorgebracht met Dan Van Landel en zijn vrouw. Ze wilden van alles weten, vooral hoeveel geld ze zouden krijgen. Ik wist het ook niet, dus hield ik me op de vlakte. Voorlopig hebben ze nog vertrouwen in me. 'Gebroken been, gebroken arm, gekneusde ribben, veel vleeswonden. Volgens zijn dokter ligt hij nog wel tien dagen in het ziekenhuis.'

Bruiser grijnst. 'Doe je best. Controleer alle gegevens en luister goed naar Deck. Het kan een leuke zaak worden.'

Leuk voor Bruiser, maar ik schiet er niks mee op. Ik heb deze cliënt niet binnengehaald, dus ik verdien er ook niets aan.

'De politie wil met je praten over die brand,' zegt hij nonchalant terwijl hij naar een dossier zoekt. 'Ik heb gisteravond met ze gesproken. Ze komen hiernaartoe om je verklaring op te nemen. In mijn aanwezigheid.'

Hij zegt het alsof het een voldongen feit is waar ik niets meer aan kan veranderen. 'En als ik weiger?' vraag ik.

'Dan moet je waarschijnlijk naar het bureau voor een verhoor. Als je niets te verbergen hebt, kun je beter een verklaring afleggen. Ik blijf erbij om je te adviseren. Werk nou maar mee, dan laten ze je wel met rust.'

'Dus ze denken echt dat die brand is aangestoken?'

'Daar zijn ze vrijwel zeker van.'

'En wat willen ze van mij weten?'

'Waar je was, wat je deed – tijden, plaatsen, een alibi. Je weet wel.'

'Ik kan niet alles beantwoorden, maar ik zal ze de waarheid vertellen.'

Bruiser glimlacht. 'En de waarheid maakt vrij.'

'Die moet ik noteren.'

'Ze komen vanmiddag om twee uur. Oké?'

Ik knik zwijgend. Vreemd dat ik in deze kwetsbare positie volledig op Bruiser Stone vertrouw, terwijl ik dat anders nooit zou doen.

'Ik wil een paar middagen vrij nemen, Bruiser,' zeg ik.

Zijn hand blijft in de lucht hangen en hij kijkt me scherp aan. Dru, die iets in een archiefkast zoekt, houdt op met haar werk en kijkt ook mijn kant op. Zelfs een van de haaien lijkt geïnteresseerd.

'Maar je bent net begonnen,' zegt Bruiser.

'Dat weet ik, maar het examen is al snel. Ik moet er echt nog wat aan doen.'

Hij houdt zijn hoofd schuin en strijkt over zijn baard. Bruiser heeft harde ogen als hij flink is doorgezakt. Zijn blik is als een laserstraal. 'Hoe lang?'

'Ik wil iedere ochtend komen, tot een uur of twaalf. Daarna verdwijn ik om te studeren. Als mijn drukke agenda dat toestaat, natuurlijk.' Mijn poging tot humor mislukt jammerlijk.

'Je kunt samen met Deck studeren,' zegt Bruiser met een onverwachte grijns. Het is een grap en ik lach onnozel. 'Ik zal je wat zeggen,' vervolgt hij serieus. 'Je werkt tot twaalf uur en daarna vertrek je met je boeken naar de kantine van het St. Peter's. Daar kun je studeren en tegelijk je ogen openhouden. Het is belangrijk dat je voor je examen slaagt, maar nieuwe cliënten zijn nòg belangrijker. En neem een zaktelefoon mee, zodat ik je altijd kan bereiken. Akkoord?'

Waarom ben ik zo stom geweest? Ik had nooit over dat examen moeten beginnen. 'Oké,' zeg ik met een frons.

Toen ik gisteren in mijn hangmat lag, dacht ik nog dat ik met wat geluk het St. Peter's zou kunnen vermijden. Nu word ik er permanent gestationeerd.

Dezelfde twee rechercheurs die bij me thuis zijn geweest, kloppen nu bij Bruiser aan om me opnieuw te ondervragen. Met ons vieren gaan we aan een kleine ronde tafel zitten, in de hoek van zijn kantoor. Twee cassetterecorders registreren het gesprek.

Het wordt al snel vervelend. Ik herhaal mijn verklaring van de vorige keer en die twee etters zeiken maar door over ieder onbelangrijk detail. Ze proberen me op tegenstrijdigheden te betrappen, in de stijl van: 'Je droeg toch een donkerblauw overhemd? Nu is het opeens lichtblauw.' Maar ik houd me strikt aan de waarheid en na een uurtje schijnen ze te beseffen dat ze de verkeerde voor zich hebben.

Bruiser raakt geïrriteerd en roept meer dan eens dat ze moeten opschieten. Ze gehoorzamen, min of meer. Ik geloof echt dat ze bang voor hem zijn.

Eindelijk vertrekken ze. Bruiser gaat ervan uit dat de zaak hiermee is afgedaan. Ik ben geen verdachte meer. Dit bezoek behoorde tot de normale gang van zaken. Hij zal morgen wel met hun inspecteur bellen, en daarmee is het probleem de wereld uit.

Ik bedank hem. Hij geeft me een kleine, inklapbare zaktelefoon. 'Hou die altijd bij je,' zegt hij, 'vooral als je zit te studeren. Misschien heb ik je plotseling nodig.' Opeens voelt dat kleine ding veel zwaarder aan. Nu heeft hij me vierentwintig uur per etmaal in zijn macht.

Hij stuurt me terug naar mijn kantoor.

Ik stap de kantine bij de orthopedische afdeling binnen met het plechtige voornemen me in een hoekje terug te trekken met mijn boeken en mijn zaktelefoon, en de omgeving te negeren.

Het eten valt mee. Na zeven jaar studentenvoer is alles een verbetering. Ik doe mijn maal met een sandwich met pimentokaas en patat. Ik spreid mijn papieren uit op een tafeltje in de hoek en ga met mijn rug naar de muur zitten.

Ik werk mijn sandwich naar binnen en observeer de andere eters. De meesten dragen ziekenhuiskleding – artsen in het groen, verpleegkundigen in het wit, laboranten in witte jasjes. Ze zitten in groepjes en praten over ziektes en behandelingen waarvan ik nog nooit heb gehoord. Voor mensen die zich om gezondheid en verantwoorde voeding behoren te bekommeren, eten ze opvallend ongezonde, vette troep: patat, hamburgers, nacho's, pizza's. Ik zie een groepje artsen over hun bord gebogen zitten en vraag me af wat ze zouden denken als ze wisten dat er een advocaat in de kantine zat te studeren met de bedoeling hen ooit voor de rechter te kunnen dagen.

Waarschijnlijk zal het hun een zorg zijn. Ik heb evenveel recht om hier te zitten als zij.

Niemand let op me. Zo nu en dan komt er een patiënt binnen, hinkend of in een rolstoel, voortgeduwd door een broeder. Ik kan geen andere advocaten ontdekken die hier rondsluipen.

Om zes uur 's avonds neem ik mijn eerste kop koffie en al gauw ben ik verdiept in een saaie verhandeling over contracten en onroerend goed, twee onderwerpen die me de ellende van mijn eerste jaar weer in herinnering brengen. Ik ploeter moedig voort. Ik heb het de laatste weken flink laten sloffen, en de tijd dringt. Een uur later haal ik nog een kop koffie. Het is nu minder druk en ik zie twee patiënten samen aan de andere kant van de cafetaria zitten. Ze zijn behoorlijk ingezwachteld. Gips en verband. Deck zou geen moment aarzelen. Maar ik weet me te beheersen. Tot mijn verbazing merk ik na een tijdje dat het me hier best bevalt. Het is rustig en niemand kent me. Ideaal om te studeren. De koffie is niet slecht en de tweede en volgende koppen zijn half geld. Ik ben uit de buurt van juffrouw Birdie en dus verlost van zware arbeid. Mijn baas verwacht van me dat ik hier zit. Eigenlijk moet ik nieuwe cliënten ronselen, maar dat kan hij toch niet controleren. Ik ben niet tot een bepaald quotum verplicht. Hij kan moeilijk van me verwachten dat ik een vast aantal klantjes per week noteer.

Ik schrik als de telefoon begint te piepen. Het is Bruiser, die belt om te horen hoe het gaat. Al enig succes? Nee, zeg ik met een blik op de twee potentiële kandidaten in hun rolstoelen, die aan de andere kant van de zaal hun kwetsuren vergelijken. Bruiser heeft de inspecteur gebeld en het ziet er goed uit. Hij is ervan overtuigd dat ze hun aandacht nu op andere verdachten zullen richten. 'Goede jacht!' besluit hij lachend en hangt weer op, ongetwijfeld op weg naar de kroeg voor een paar borrels met de Prins.

Ik studeer nog een uurtje en neem dan de lift naar de zevende verdieping voor een bezoekje aan Van Landel. Hij heeft pijn, maar hij wil wel praten. Ik vertel hem het goede nieuws dat we contact hebben opgenomen met de verzekeringsmaatschappij van de andere bestuurder en dat hij goed verzekerd is. De zaak ziet er veelbelovend uit. Ik herhaal wat ik van Deck heb gehoord: een uitstekende dekking en een duidelijke aansprakelijkheid (een dronken bestuurder, het kan niet mooier!). O ja, en ideale verwondingen (een paar gebroken botten die misschien wel *blijvend letsel* opleveren!).

Van Landel glimlacht vriendelijk. Hij telt zijn geld al. Hij kent Bruiser nog niet als het op eerlijk delen aankomt.

Ik beloof om morgen terug te komen. Omdat ik ziekenhuisdienst heb, kan ik al mijn cliënten regelmatig bezoeken. Over service gesproken!

Het is druk in de cafetaria als ik terugkom en mijn plaatsje in de hoek weer inneem. Ik heb mijn boeken op het tafeltje laten liggen, en een ervan is duidelijk herkenbaar als een juridisch studieboek. Dat heeft de aandacht getrokken van een groepje jonge artsen aan het tafeltje naast me, die me achterdochtig aankijken als ik ga zitten. Ze houden meteen hun mond. Blijkbaar hadden ze het over mij. Ze vertrekken al gauw. Ik haal nog een kop koffie en dompel me weer onder in de wonderen van de federale rechtspraak.

De kantine stroomt snel leeg. Ik ben overgestapt op décafé. Ik sta versteld van de stapel materiaal waar ik me de afgelopen vier uur doorheen heb geworsteld. Bruiser belt nog eens om kwart voor tien. Zo te horen zit hij in een bar. Hij vraagt of ik morgenochtend om negen uur op kantoor wil zijn om een juridisch facet te bespreken van het drugproces waar hij mee bezig is. Ik beloof dat ik er zal zijn.

Ik zou het geen prettig idee vinden als míjn advocaat zijn juridische invallen kreeg terwijl hij in een topless-bar zit te hijsen.

Wacht even, Bruiser ìs mijn advocaat.

Om tien uur ben ik de enige in de kantine. Hij blijft de hele nacht open en de caissière negeert me. Ik heb me juist verdiept in de inleidende procedures van het strafproces als ik iemand zachtjes hoor niezen. Ik kijk op. Twee tafeltjes verderop zit een jonge vrouw in een rolstoel, de enige andere persoon in de cafetaria. Haar rechter onderbeen zit in het gips en steekt vooruit, zodat ik tegen de witte voetzool aan kijk. Het gips lijkt vers, voor zover ik daar op dit punt in mijn loopbaan verstand van heb.

Ze is heel jong en heel knap. Onwillekeurig staar ik haar een paar seconden aan voordat ik me weer over mijn werk buig. Even later kijk ik nog eens. Ze heeft donker haar, dat losjes naar achteren is gebonden. Haar bruine ogen lijken vochtig. Ze heeft een krachtig gezicht en ze is opvallend mooi, ondanks de blauwe plek die haar linkerkaak ontsiert – het soort kneuzing dat meestal het gevolg is van een vuistslag. Ze draagt een wit ziekenhuishemd over haar tengere figuur.

Een oude man in een roze jasje, een van de ontelbare goede zielen die als vrijwilligers in het St. Peter's werken, zet zorgzaam een glas sinaasappelsap voor haar neer. 'Alsjeblieft, Kelly,' zegt hij als de ideale grootvader.

'Dank je,' zegt ze met een glimlach.

'Een half uurtje?' vraagt hij.

Ze knikt en bijt op haar onderlip. 'Ja, een half uur,' antwoordt ze.

142

'Kan ik verder nog iets doen?'

'Nee hoor. Bedankt.'

Hij geeft haar een klopje op haar schouder en verdwijnt.

We zijn alleen. Ik probeer niet te staren, maar dat is moeilijk. Ik kijk zo lang mogelijk in mijn boeken, maar dan glijdt mijn blik onvermijdelijk weer haar kant uit. Ze kijkt niet terug. Ze zit half van me af gedraaid. Als ze haar glas pakt, zie ik het verband om haar beide polsen. Ze heeft me nog steeds niet gezien. Langzaam dringt het tot me door dat ze helemaal niemand zou zien ook al zou de hele kantine vol zitten. Kelly leeft in haar eigen wereldje.

Een gebroken enkel, veronderstel ik. Die blauwe plek op haar gezicht beantwoordt aan Decks definitie van meervoudig letsel, hoewel ze geen vleeswonden heeft. Die verbonden polsen zijn vreemd. Hoe mooi ze ook is, ik ben niet van plan met haar aan te pappen. Ze lijkt heel verdrietig en ik wil haar ellende niet groter maken. Ze draagt een dunne trouwring aan haar linker ringvinger. Ze is hooguit achttien.

Ik probeer me vijf minuten achtereen op mijn werk te concentreren, maar dan zie ik dat ze haar ogen droogt met een servetje. Ze houdt haar hoofd scheef en laat haar tranen de vrije loop. Zachtjes zit ze te huilen.

Ik begrijp meteen dat haar tranen niets te maken hebben met haar gebroken enkel. Ze huilt niet om fysieke pijn.

Mijn oververhitte fantasie gaat met me aan de haal. Misschien heeft ze een verkeersongeluk gehad en is haar man daarbij om het leven gekomen. Ze is nog te jong om kinderen te hebben, haar familie woont ver weg en nu zit ze hier in haar eentje om haar overleden man te treuren. Dat zou een winstgevende zaak kunnen worden, denkt de louche advocaat in mij. Ik zet die walgelijke gedachten uit mijn hoofd en probeer me weer op mijn boek te concentreren. Kelly blijft zachtjes huilen. Een paar klanten komen en gaan, maar niemand gaat zitten. Ik drink mijn koffie op, sta zachtjes op en loop dicht langs haar heen naar de balie. Onze blikken kruisen elkaar en ik bots bijna tegen een metalen stoeltje op. Mijn handen trillen als ik de koffie afreken. Ik haal diep adem en blijf bij haar tafeltje staan.

Langzaam slaat ze haar mooie, vochtige ogen naar me op. Ik slik een paar keer en zeg dan: 'Hoor eens, ik wil me niet opdringen, maar kan ik iets voor je doen? Heb je pijn?' Ik knik naar haar gipsverband.

'Nee,' zegt ze, nauwelijks verstaanbaar. Dan glijdt er een adembenemende glimlach over haar gezicht. 'Maar toch bedankt.'

'Graag gedaan,' zeg ik. Ik kijk naar mijn tafeltje, nog geen zes meter verderop. 'Ik zit daar te studeren. Voor mijn rechtbankexamen. Dus als je iets nodig hebt...' Ik haal aarzelend mijn schouders op, alsof ik niet goed raad weet met mezelf. Ik ben een onhandige kluns, maar ik bedoel het goed. Neem me dus niet kwalijk als ik te ver ben gegaan. Ik wil je graag helpen.

'Bedankt,' zegt ze nog eens.

Ik loop terug naar mijn stoel. In elk geval weet ze nu dat ik over die dikke boeken gebogen zit om ooit een nobel beroep te kunnen uitoefenen. Dat moet toch indruk maken? Ik verdiep me weer in mijn studie en sluit me af voor haar verdriet.

Minuten verstrijken. Ik sla een pagina om en kijk tegelijk haar kant op. Ze kijkt ook naar mij, en mijn hart slaat een slag over. Ik negeer haar zo lang mogelijk en kijk dan weer op. Ze heeft zich in haar eigen wereldje teruggetrokken. Ze verfrommelt het servetje tot een prop. De tranen stromen over haar wangen.

Mijn hart breekt als ik haar zo zie zitten. Ik zou graag een arm om haar heen slaan en haar vragen wat er scheelt. Als ze getrouwd is, waar is haar man dan? Ze kijkt in mijn richting, maar ik geloof niet dat ze me ziet.

Precies om half elf komt haar begeleider in het roze jasje weer binnen. Snel beheerst ze zich. Hij klopt haar vriendelijk op haar hoofd, fluistert iets tegen haar wat ik niet kan verstaan en draait voorzichtig haar rolstoel om. Als ze vertrekt, kijkt ze me lang en nadrukkelijk aan en lacht met een betraand gezichtje.

Ik zou haar graag op een afstand willen volgen om te zien welke kamer ze heeft, maar ik weet me te beheersen. Ik speel met de gedachte om de man in het roze jasje aan te schieten en hem te vragen wat hij van haar weet, maar ik doe het niet. Ik probeer haar te vergeten. Ze is nog maar een kind.

De volgende avond neem ik mijn plaats in de kantine weer in. Ik luister naar de drukke gesprekken van dezelfde gehaaste mensen. Ik breng een bezoekje aan de Van Landels en omzeil hun eindeloze vragen. Ik kijk of ik andere haaien kan ontdekken die in dit troebele water vissen, en ik negeer een paar potentiële cliënten die erom vragen te worden ingepalmd. Ik zit uren te blokken. Ik werk heel geconcentreerd en ben nog nooit zo goed gemotiveerd geweest.

Maar steeds houd ik de klok in de gaten. Als het tegen tienen loopt, verslapt mijn aandacht en kijk ik steeds vaker om me heen. Ik probeer kalm te blijven en door te werken, maar iedere keer dat er iemand binnenkomt, veer ik overeind. Aan een van de tafeltjes zitten twee verpleegsters te eten. Een laborant leest een boek aan een ander tafeltje.

Om vijf over tien komt ze binnen in haar rolstoel. Dezelfde oudere baas duwt haar voorzichtig naar de plek die ze aanwijst: hetzelfde tafeltje als gisteren. Ze glimlacht tegen me als hij haar stoel naar de juiste plaats manoeuvreert. 'Sinaasappelsap,' zegt ze. Ze draagt haar haar nog naar achteren, maar als ik me niet vergis heeft ze wat mascara en eyeliner gebruikt en haar lippen lichtrood gestift. Het effect is dramatisch. Het was me gisteren niet eens opgevallen dat ze geen make-up droeg. Nu ze zich een beetje heeft opgemaakt, is ze nog veel mooier. En haar ogen stralen, zonder een spoor van verdriet.

Hij zet het sinaasappelsap voor haar neer en zegt precies hetzelfde als gisteravond: 'Alsjeblieft, Kelly. Een half uurtje?'

'Drie kwartier,' zegt ze.

'Goed hoor,' zegt hij, en hij slentert weg.

Ze neemt een slok en staart wazig voor zich uit. Ik heb veel aan haar gedacht en mijn besluit is genomen. Ik wacht een paar minuten, zogenaamd verdiept in een studieboek, en sta dan op alsof het tijd is voor een koffiepauze.

Bij haar tafeltje blijf ik staan en zeg: 'Je ziet er vanavond veel vrolijker uit.'

Blijkbaar had ze al verwacht dat ik haar zou aanspreken. 'Ik voel me ook veel vrolijker.' Ze glimlacht en ik zie haar volmaakte tanden. Ze heeft een prachtig gezichtje, zelfs met die akelige blauwe plek.

'Kan ik iets voor je halen?'

'Een cola graag. Dit sap is bitter.'

'Oké,' zeg ik, en ik loop door, dol van vreugde. Ik tap twee grote glazen uit de automaat, betaal ze en breng ze naar haar tafeltje. Dan kijk ik aarzelend naar de stoel tegenover haar.

'Ga toch zitten,' zegt ze.

'Weet je het zeker?'

'Alsjeblieft. Ik wil wel eens met iemand anders praten dan met die verpleegsters.'

Ik ga zitten en leun met mijn ellebogen op het tafeltje. 'Ik ben Rudy Baylor,' zeg ik. 'En jij bent Kelly?'

'Kelly Riker. Aangenaam.'

'Leuk om kennis te maken.' Van zes meter afstand is ze al oogverblindend, maar nu ik haar van zo dichtbij openlijk kan aankijken, heb ik moeite niet te staren. Ze heeft zachte bruine ogen met een ondeugende twinkeling. Ze is een droom.

'Sorry dat ik je gisteravond lastig viel,' zeg ik om een gesprek op gang te brengen. Ik wil heel wat dingen van haar weten.

'O, maar je viel me helemaal niet lastig! Het spijt me dat ik me zo aanstelde in het openbaar.'

'Waarom kom je hier?' vraag ik, alsof zij de vreemdelinge is en ik hier thuishoor.

'Om even uit mijn kamer te zijn. En jij?'

'Om te studeren. Binnenkort moet ik examen doen. Voor de advocatuur.

145

En het is hier lekker rustig.'
'Dus je wordt advocaat?'
'Ja. Een paar weken geleden ben ik afgestudeerd. Ik werk nu bij een advocatenkantoor en zodra ik dit examen heb gehaald, mag ik zelf voor de rechtbank staan.'
Ze drinkt met het rietje en maakt een grimas als ze haar gewicht verplaatst.
'Een ernstige breuk?' vraag ik met een knikje naar haar been.
'Mijn enkel. Ze hebben er een pen in gezet.'
'Hoe is het gebeurd?' Een voor de hand liggende vraag waarop ik een simpel antwoord verwacht.
Maar dat duurt even. Kelly aarzelt en weer worden haar ogen vochtig.
'Een ongelukje in huis,' zegt ze, alsof ze die vage verklaring uit haar hoofd heeft geleerd.
Wat betekent dàt nu weer? Een ongelukje in huis? Is ze van de trap gevallen?
'O,' zeg ik, alsof het me volkomen duidelijk is. Ik maak me zorgen over haar polsen omdat ze allebei in het verband zitten. Geen gips. Ze lijken niet gebroken of verstuikt. Vleeswonden, misschien.
'Het is een lang verhaal,' mompelt ze tussen twee slokken door, en ze ontwijkt mijn blik.
'Hoe lang lig je hier al?' vraag ik.
'Een paar dagen. Ik moet blijven tot ze zeker weten dat die pen goed zit. Anders moeten ze het overdoen.' Ze wacht even en speelt met haar rietje.
'Is dit geen vreemde plaats om te studeren?' vraagt ze dan.
'Nee hoor. Het is hier stil, je hebt koffie bij de hand en ze blijven de hele nacht open. Je draagt een trouwring.' Dat zit me nog het meest dwars.
Ze kijkt ernaar alsof ze niet zeker weet dat hij nog om haar vinger zit. 'Ja,' zegt ze, en ze staart weer naar haar rietje. Het is een eenvoudige ring, zonder diamant.
'Waar is je man?'
'Je bent wel nieuwsgierig.'
'Ik ben advocaat. Bijna, tenminste. Wij leren om nieuwsgierig te zijn.'
'Waarom wil je dat weten?'
'Omdat ik het vreemd vind dat je met een gebroken enkel in het ziekenhuis ligt zonder dat hij bij je is.'
'Hij is al eerder geweest.'
'En nu is hij thuis bij de kinderen?'
'We hebben geen kinderen. Jij wel?'
'Nee. Geen vrouw en geen kinderen.'
'Hoe oud ben je?'
'Je bent wel nieuwsgierig,' zeg ik grijnzend. Haar ogen twinkelen. 'Vijf-

entwintig. En jij?'
Ze denkt even na. 'Negentien.'
'Dat is wel jong om al getrouwd te zijn.'
'Dat was geen vrije keuze.'
'O, sorry.'
'Geeft niet. Ik raakte zwanger toen ik nauwelijks achttien was. Kort daarna ben ik getrouwd, en een week later kreeg ik een miskraam. Daarna werd het één grote ellende. Ben je nou tevreden?'
'Nee. Ja. Sorry. Waar wil je over praten?'
'Over je studie. Op welke school heb je gezeten?'
'Austin Peay. En daarna rechten aan Memphis State.'
'Ik heb altijd willen studeren, maar mijn ouders konden het niet betalen. Kom je uit Memphis?'
'Ik ben hier geboren, maar ik ben opgegroeid in Knoxville. En jij?'
'In een klein stadje, een uur rijden hiervandaan. We zijn er weggegaan toen ik zwanger werd. Mijn familie schaamde zich. Zijn familie staat niet best aangeschreven. We konden maar beter vertrekken.'
Een familiedrama, dicht onder de oppervlakte. Dat omzeil ik liever. Ze is al twee keer ongevraagd over haar zwangerschap begonnen. Maar ze is eenzaam en ze heeft behoefte aan een praatje.
'Dus toen ben je naar Memphis verhuisd?'
'Gevlucht, zul je bedoelen. We zijn voor de kantonrechter getrouwd... een goedkope vertoning... en daarna kreeg ik die miskraam.'
'Wat doet je man?'
'Die rijdt op een vorkheftruck. En hij drinkt. Een mislukte sportman die er nog altijd van droomt om beroepshonkballer te worden.'
Dat vroeg ik dus niet. Ik neem aan dat hij op school de held uithing en dat zij de knapste cheerleader was – het ideale Amerikaanse paar, knap, sportief, populair en met een stralende toekomst voor de boeg, tot ze een keer hun condoom vergaten. Toen sloeg de rampspoed toe. Om de een of andere reden besloten ze niet tot een abortus. Misschien hebben ze hun school nog afgemaakt, misschien ook niet. In elk geval werden ze met schande overladen. Ze zijn uit hun provincieplaatsje naar de anonimiteit van de grote stad gevlucht. Na die miskraam was het uit met de romantiek en stonden ze oog in oog met de harde realiteit van het bestaan.
Hij fantaseert over roem en geld als profsporter. Zij verlangt terug naar de zorgeloze jaren die nog zo kort achter haar liggen en droomt van de universiteit die ze nooit zal bereiken.
'Het spijt me,' zegt ze. 'Dat had ik niet moeten zeggen.'
'Je bent nog jong genoeg om te gaan studeren,' zeg ik.
Ze snuift om zoveel optimisme, alsof die droom allang begraven is. 'Ik heb mijn school niet afgemaakt.'

147

Wat moet ik daar nu op zeggen? Moed houden, meid, je kunt dispensatie krijgen en naar de avondschool gaan. Als je het echt wilt, dan lukt het wel.

Maar dat zeg ik niet. In plaats daarvan vraag ik: 'Werk je nu?'

'Soms. Wat voor advocaat wil jij worden?'

'Ik hou van de rechtszaal. Ik wil strafpleiter worden.'

'Misdadigers verdedigen?'

'Misschien. Die hebben ook recht op een eerlijk proces en een goede verdediging.'

'Moordenaars?'

'Ja. Maar de meesten kunnen geen advocaat betalen.'

'Verkrachters en kinderlokkers?'

Ik frons mijn voorhoofd en denk even na. 'Nee.'

'Mannen die hun vrouw slaan?'

'Nee, nooit.' Dat meen ik echt, en bovendien vertrouw ik haar blessures niet. Blijkbaar is ze het eens met mijn keuze van cliënten.

'Strafzaken zijn een zeldzame specialiteit,' ga ik verder. 'Waarschijnlijk krijg ik meer civiele zaken.'

'Procedures, gedingen en zo?'

'Ja. Geen misdadigers.'

'Echtscheidingen?'

'Die doe ik liever niet. Die kunnen heel vervelend zijn.'

Ze doet haar best om het gesprek aan mijn kant van de tafel te houden. Ze praat liever niet over zichzelf. Ik vind het best. Anders begint ze weer te huilen, en ik wil het gesprek nog even gaande houden.

Ze vraagt naar mijn studie, naar de feestjes, de studentenflats, de jaarclubs, de examens, de professoren, de excursies. Ze kent het alleen van de film en ze heeft een heel romantisch beeld van drie prachtige jaren op een rustieke campus, waar de blaadjes geel worden in de herfst, waar de studenten sweaters dragen en het footballteam toejuichen en waar vriendschappen ontstaan die een leven lang standhouden. Ze kent niets anders dan dat provinciestadje van haar, maar ze heeft grote dromen. Ze spreekt goed. Haar woordenschat is beter dan de mijne. Met tegenzin geeft ze toe dat ze als een van de besten haar eindexamen zou hebben gehaald als het niet was misgegaan met Cliff, meneer Riker.

Zonder veel moeite schilder ik een rozig beeld van mijn studententijd. Ik zwijg maar over de veertig uur per week dat ik pizza's moest bezorgen om mijn studie te betalen.

Ze vraagt waar ik nu werk, en voordat ik het weet hou ik een prachtig verhaal over J. Lyman Stone en zijn indrukwekkende kantoor. Juist op dat moment gaat mijn telefoon, twee tafeltjes verderop.

Het is Bruiser. Hij zit in de kroeg met de Prins, en hij is dronken. Ze vinden het wel leuk dat ik hier zit terwijl zij naar de televisie kijken en wed-denschappen afsluiten op alles wat het sportkanaal uitzendt. Het is knap rumoerig op de achtergrond. 'Al iemand aan de haak geslagen?' brult Bruiser in de telefoon.

Ik glimlach tegen Kelly, die ongetwijfeld onder de indruk is van dit tele-foontje, en fluister tegen Bruiser dat ik juist in gesprek ben met een poten-tiële cliënt. Bruiser begint bulderend te lachen en geeft de telefoon aan de Prins, die nog meer gedronken heeft dan hij. Hij vertelt een advocaten-mop zonder clou, iets over het uitkleden van onnozele slachtoffers. Daar-na klopt hij zich nog eens op de borst omdat hij me dit fantastische baan-tje heeft bezorgd bij Bruiser, van wie ik meer kan leren dan van vijftig professoren. Hij gaat maar door, en ik zie Kelly's begeleider alweer aan-komen om haar terug te brengen naar haar kamer.

Ik doe een paar stappen naar haar tafeltje toe, leg mijn hand over de hoorn en zeg: 'Ik vond het leuk om met je te praten.'

Ze glimlacht en zegt: 'Bedankt voor de cola en het gezelschap.'

'Zie ik je morgenavond weer?' vraag ik terwijl de Prins nog in mijn oor toetert.

'Misschien.' Ze knipoogt tegen me, en ik voel mijn knieën knikken.

Blijkbaar werkt haar vrijwilliger hier lang genoeg om een advocaat op het oorlogspad te herkennen. Hij kijkt me afkeurend aan en neemt haar haastig mee. Maar morgen komt ze terug.

Ik toets een knop in en breek de Prins midden in een van zijn verhalen af. Als hij terugbelt, neem ik niet op. Als hij zich dat later herinnert – en die kans is niet groot – geef ik Sony wel de schuld.

– 18 –

Deck houdt wel van een uitdaging, zeker als hij daarvoor fluisterende te-lefoongesprekken moet voeren met zijn goed beschermde bronnen. Ik geef hem de schaarse feiten over Kelly en Cliff Riker, en nog geen uur la-ter glipt hij met een trotse grijns mijn kantoor binnen.

Hij raadpleegt zijn notities. 'Kelly Riker is drie dagen geleden om mid-dernacht in het St. Peter's opgenomen. Ze had meervoudige kwetsuren. De politie was door de buren gewaarschuwd omdat die een geweldige ru-zie hadden gehoord in haar appartement. De politie vond haar ernstig toegetakeld op de bank in de huiskamer. Cliff Riker was dronken en agressief en wilde de agenten te lijf gaan met een honkbalknuppel, waarmee hij blijkbaar ook zijn vrouw had afgetuigd. Hij werd ingerekend en naar het bureau afgevoerd. Zijn vrouw werd met een ambulance naar het ziekenhuis gebracht. Tegenover de politie verklaarde ze dat hij na een softballwedstrijd dronken was thuisgekomen. Ze hadden ruzie gekregen, waren elkaar in de haren gevlogen en hij had gewonnen. Ze zei dat hij haar twee keer met die knuppel tegen haar been had geslagen, en twee keer met zijn vuist in haar gezicht.'

Vannacht kon ik niet in slaap komen omdat ik steeds maar aan Kelly Riker moest denken, met haar bruine ogen en haar mooie benen. Ik word niet goed bij de gedachte dat iemand haar zo heeft afgetuigd.

Deck let op mijn reactie, dus ik probeer niets te laten merken. 'Haar polsen zitten in het verband,' zeg ik. Voldaan slaat Deck een nieuw blaadje op. Hij heeft nog een ander rapport, afkomstig van een bron bij de eerstehulp. 'Die verwonding van de polsen is niet helemaal duidelijk. Het schijnt dat hij haar op een gegeven moment bij haar polsen tegen de grond heeft gedrukt omdat hij seks met haar wilde. Maar dat lukte niet erg. Te veel gezopen, neem ik aan. Ze was naakt toen de politie haar vond. Ze had een deken over zich heen getrokken. Ze kon niet vluchten omdat haar enkel was verbrijzeld.'

'Wat hebben ze met hem gedaan?'

'Hij heeft een nacht in de cel gezeten. Daarna heeft zijn familie de borgtocht betaald. Over een week moet hij voorkomen, maar dat heeft weinig om het lijf.'

'Hoezo?'

'De kans is groot dat ze haar aanklacht intrekt en dat ze het weer goedmaken. En dan maar hopen dat het niet weer gebeurt.'

'Hoe weet je...'

'Dit is niet de eerste keer. Acht maanden geleden is de politie er al eens bij gehaald. Dezelfde situatie. Maar toen kwam ze er met een paar schrammen van af. Hij had zeker geen knuppel bij de hand. De politie heeft met ze gepraat en ze tot bedaren gebracht. Een jong getrouwd stel, je kent dat wel, dus ze hebben het weer bijgelegd. Drie maanden geleden was het weer raak. Toen gebruikte hij voor het eerst die honkbalknuppel en kwam ze met een paar gebroken ribben in het St. Peter's terecht. De politie maakte er deze keer werk van en wilde hem stevig aanpakken. Maar kennelijk is ze dol op die gozer, want ze wilde niet tegen hem getuigen en ze trok haar aanklacht in. Dat gebeurt zo vaak.'

Het duurt even voordat ik het kan verwerken. Ik had wel een vermoeden dat ze thuis ruzie had gehad, maar zó gewelddadig... Hoe kan iemand zijn eigen vrouw met een aluminium honkbalknuppel te lijf gaan? Hoe

kan die Cliff Riker zo'n mooi gezichtje in elkaar slaan?
'Dat gebeurt zo vaak,' herhaalt Deck, die mijn gedachten leest.
'Verder nog iets?' vraag ik.
'Nee. Maar ik zou me er niet mee bemoeien als ik jou was.'
'Bedankt,' zeg ik. Opeens voel ik me duizelig en slap. 'Bedankt.'
Hij staat op. 'Geen punt.'

Het verbaast me niets dat Booker veel harder voor het rechtbankexamen heeft geblokt dan ik. En zoals altijd maakt hij zich zorgen om mij. We hebben afgesproken dat we de hele middag samen zullen studeren in een vergaderzaaltje op het kantoor van Marvin Shankle.
Ik meld me keurig om twaalf uur. Het is een druk, modern kantoor. Het vreemde is dat er alleen maar zwarten werken. De afgelopen maand heb ik heel wat advocatenkantoren gezien, en ik kan me maar één zwarte secretaresse herinneren. Geen enkele zwarte advocaat. Hier zie je geen enkele blanke.
Booker geeft me een snelle rondleiding. Hoewel het lunchtijd is, bruist het overal van activiteit. In de gangen is het rumoerig: telefoons, fotokopieerapparaten, faxen, stemmen. De secretaressen eten haastig een broodje aan hun bureaus, die vol liggen met stapels werk. De juristen en hun assistenten zijn vriendelijk maar gehaast. Blijkbaar zijn er strenge kledingvoorschriften. Alle mannen lopen in een donker pak met een wit overhemd, en de vrouwen dragen eenvoudige jurken. Geen felle kleuren, geen broeken.
Een schril contrast met J. Lyman Stone, maar die gedachte zet ik snel weer uit mijn hoofd.
Booker vertelt dat Marvin Shankle een efficiënt kantoor leidt. Hij kleedt zich onberispelijk, hij is een vakman tot in zijn vingertoppen en hij maakt lange werkdagen. Van zijn maten en medewerkers verwacht hij hetzelfde.
Het vergaderzaaltje ligt in een rustige hoek. Ik zou voor de lunch zorgen. Uit het café heb ik wat gratis broodjes meegenomen, die ik nu uitpak. We praten even over familie en vrienden. Voorzichtig vraagt hij me wat over mijn werk. Ik heb hem alles al verteld. Bijna alles. Ik zeg liever niets over mijn nieuwe post in de kantine van het St. Peter's en mijn werkzaamheden daar.
Booker is al een echte advocaat. Na hooguit vijf minuten kijkt hij op zijn horloge alsof de tijd voor plichtplegingen voorbij is. We beginnen aan onze studiemiddag. Booker heeft zelfs een paar sprekers geregeld. We zijn van plan om zes uur achter elkaar te werken, met alleen een paar pauzes voor koffie en de wc. Vanmiddag om zes uur moeten we hier weer weg zijn, omdat iemand anders het zaaltje heeft besproken.
Van kwart over twaalf tot half twee buigen we ons over de federale be-

lastingwetten. Booker praat het meest. Hij is altijd beter geweest in fiscale zaken. We nemen de jurisprudentie door. Belastingrecht is nog net zo saai als vorig jaar herfst.

Om half twee wijst hij me de toiletten en drinken we een kop koffie. Daarna neem ik het van hem over en tot half drie verdiepen we ons in bewijsvoering. Heel spannend. Bookers energie werkt aanstekelijk en we vliegen door een paar vervelende stukken heen.

Het is voor iedere jonge jurist een ramp om voor zijn rechtbankexamen te zakken, maar voor Booker zou die ramp dubbel zo groot zijn. Mij kan het minder schelen, eerlijk gezegd. Het zou een klap zijn voor mijn ego, maar daar kom ik wel overheen. Zes maanden later kan ik het nog eens proberen. Het zal Bruiser een zorg zijn, zolang ik iedere maand maar een paar cliënten aan de haak sla. Eén grote klapper en van Bruiser hoef ik nóóit meer examen te doen.

Maar voor Booker ligt dat anders. Ik neem aan dat Marvin Shankle het hem ernstig zou aanrekenen als hij de eerste keer zou zakken. En na twee keer zakken kan hij vertrekken, vrees ik.

Om exact half drie komt Marvin Shankle de kamer binnen en Booker stelt ons aan elkaar voor. Shankle is begin vijftig en in goede conditie. Zijn haar begint te grijzen aan de slapen. Hij heeft een zachte stem, maar scherpe ogen, alsof hij om hoekjes heen kan kijken. Hij is een legende in het juridische wereldje van het Zuiden, en ik voel me dan ook zeer vereerd om hem te ontmoeten.

Booker heeft hem om een college gevraagd. Bijna een uur lang luisteren we aandachtig als Shankle de principes van de burgerrechten en de wet op de gelijke behandeling uitlegt. We maken aantekeningen en stellen een paar vragen, maar het grootste deel van de tijd zitten we te luisteren.

Dan vertrekt Shankle naar een bespreking en zijn we weer een half uur alleen. In een sneltreinvaart werken we ons door de kartel- en antitrustwetten heen. Om vier uur krijgen we de volgende lezing.

De nieuwe spreker heet Tyrone Kipler. Hij is een maat die aan Harvard heeft gestudeerd en die gespecialiseerd is in grondwetkwesties. Hij begint traag en komt pas op gang als Booker hem met een spervuur van vragen bestookt. Mijn aandacht verslapt. In gedachten verstop ik me 's avonds in de struiken, met een honkbalknuppel in mijn hand om Cliff Riker in elkaar te slaan. Om wakker te blijven loop ik om de tafel heen, drink een paar koppen koffie en probeer me te concentreren.

Tegen vijven is Kipler een ander mens – levendig en energiek. We vuren nog een salvo vragen op hem af. Opeens, midden in een zin, kijkt hij op zijn horloge en roept dat hij weg moet. Er zit een rechter op hem te wachten. We bedanken hem voor zijn tijd en hij rent weg.

'We hebben nog één uur,' zegt Booker. 'Wat zullen we doen?'

152

'Een pilsje pakken?'

'Sorry. Je kunt kiezen tussen eigendomsrecht en ethiek.'

Ik moet nog wat aan ethiek doen, maar ik wil liever niet aan mijn eigen zonden worden herinnerd. 'Eigendomsrecht dan maar.'

Booker loopt snel om de tafel heen en pakt de boeken.

Het is bijna acht uur als ik me door de doolhof van gangen naar de kantine van het St. Peter's sleep. Mijn vaste tafeltje is ingenomen door een dokter en een verpleegster. Ik haal een kop koffie en ga vlak bij hen zitten. De verpleegster is heel aantrekkelijk en duidelijk van streek. Aan hun gefluister te horen is hun affaire op de klippen gelopen. De arts is zestig, met een haartransplantatie en een nieuwe kin. Zij is rond de dertig jaar en zal de positie van wettige echtgenote niet kunnen veroveren. Voorlopig mag ze zijn vriendin blijven. Ze fluisteren nog wat, op ernstige toon.

Ik ben niet in de stemming om te studeren. Ik heb vandaag wel genoeg gedaan. Mijn enige motivatie is dat Booker nog op kantoor voor het examen zit te blokken.

Na een paar minuten staan de geliefden abrupt op en vertrekken. De verpleegster is in tranen. Hij is koud en harteloos. Ik ga aan mijn vertrouwde tafeltje zitten, spreid mijn papieren uit en probeer te studeren.

Ik wacht af.

Kelly komt een paar minuten over tien de kantine binnen, maar iemand anders duwt haar rolstoel. Ze werpt me een kille blik toe en wijst naar een tafeltje in het midden van het vertrek. Hij rijdt haar erheen. Ik kijk naar hem, hij kijkt naar mij.

Cliff, neem ik aan. Hij is ongeveer net zo groot als ik, ruim één meter tachtig, met een stevig postuur en het begin van een bierbuik. Hij heeft brede schouders en stevige spierballen onder een T-shirt dat veel te strak zit en alleen bedoeld is om zijn armen te laten zien. Een strakke spijkerbroek. Bruin, krullend haar, iets te lang om modieus te zijn. Veel haar op zijn gezicht en zijn onderarmen. Cliff was zo'n jongen die zich al op de basisschool moest scheren.

Hij heeft groenige ogen en een knap gezicht dat veel ouder lijkt dan negentien. Hij stapt om de enkel die hij met een honkbalknuppel heeft verbrijzeld heen en loopt naar de bar om wat te drinken te halen. Ze weet dat ik haar in de gaten houd. Haar blik dwaalt door de zaal. Op het laatste moment kijkt ze me aan en knipoogt. Ik gooi bijna mijn koffie om.

Er is niet veel fantasie voor nodig om te bedenken wat zich de afgelopen dagen tussen die twee heeft afgespeeld. Dreigementen, spijtbetuigingen, nieuwe dreigementen. Op dit moment is de stemming ook niet best, aan hun sombere gezichten te zien. Zwijgend zitten ze te drinken. Soms zeg-

gen ze wat tegen elkaar, maar verder gedragen ze zich als twee veronge-
lijkte tieners. Een korte opmerking, en een nog korter antwoord. Ze kijken elkaar alleen aan als het nodig is, maar ze staren voornamelijk naar
de grond en naar de muren. Ik verberg me achter een boek.

Kelly is zo gaan zitten dat ze mijn kant uit kan kijken zonder dat het opvalt. Hij zit met zijn rug naar me toe. Soms kijkt hij om, maar ik krijg voldoende waarschuwing. Ik kan me rustig op mijn hoofd krabben en me
weer achter mijn boek verschuilen voordat hij me ziet.

Na tien minuten zwijgen zegt Kelly iets waarop hij heftig reageert. Ik
wou dat ik kon horen wat ze zeggen. Hij zit opeens te trillen en snauwt
haar af. Zij laat zich ook niet onbetuigd. Ze beginnen te schreeuwen en
ik begrijp dat het erom gaat of zij voor de rechtbank tegen hem zal getuigen. Blijkbaar heeft ze nog geen besluit genomen. Dat bevalt Cliff niet.
Hij is een driftig baasje – een agressieve macho. Zij vraagt hem of het wat
zachter kan. Hij kijkt om zich heen en laat zijn stem enigszins dalen. Ik
kan hen niet langer verstaan.

Nadat ze hem eerst heeft uitgedaagd, weet ze hem nu weer te sussen, maar
hij blijft kwaad. Hij zit een tijdje te sudderen en ze negeren elkaar.

Dan doet ze het opnieuw. Ze mompelt iets en ik zie zijn rug verstijven.
Zijn handen trillen en hij begint te schelden. Ze kiften weer een minuut
voordat Kelly haar mond houdt en de andere kant op kijkt. Cliff laat zich
niet negeren en verheft zijn stem. Ze vraagt of hij zich wil beheersen, want
ze zitten hier niet alleen. Maar hij schreeuwt steeds harder en vertelt haar
wat hij zal doen als zij de aanklacht niet intrekt en hij de gevangenis in
draait. Enzovoort, enzovoort.

Ze zegt iets wat ik niet versta. Cliff schiet overeind en gooit zijn bekertje
om. De cola spat bruisend over de andere tafeltjes en de vloer. Kelly is
meteen doorweekt. Ze slaakt een kreet, sluit haar ogen en begint te huilen. Cliff stampt de kantine uit en verdwijnt vloekend door de gang.

Ik kom meteen overeind, maar Kelly schudt snel haar hoofd. Ik ga weer
zitten. De caissière heeft alles gevolgd en komt met een handdoekje naar
haar toe. Ze geeft het aan Kelly, die de cola van haar gezicht en haar armen veegt.

'Het spijt me,' zegt ze tegen de caissière.

Haar nachthemd is kletsnat. Ze vecht tegen de tranen terwijl ze haar been
en het gips schoonveegt. Ik zit vlakbij, maar ik mag niets doen. Ik denk
dat ze bang is dat hij terugkomt en ons samen zal zien.

Er zijn genoeg plaatsen in dit ziekenhuis waar je rustig kunt zitten om cola of koffie te drinken, maar zij heeft hem hier gebracht omdat ze wilde
dat ik hem zou zien. En ik weet bijna zeker dat ze hem provoceerde om
te demonstreren hoe driftig hij is.

Terwijl ze systematisch haar gezicht en haar armen droogt blijven we elkaar aankijken. De tranen stromen over haar gezicht en ze veegt ze weg. Ze heeft dat onverklaarbare vrouwelijke talent om tranen te produceren zonder dat het lijkt alsof ze huilt. Ze jankt niet en ze snottert niet. Ze heeft geen trillende lippen of bevende handen. Ze zit daar gewoon, in een andere wereld, en staart me aan met een wazige blik, terwijl die witte handdoek haar huid streelt.

De tijd verstrijkt, maar ik merk het niet. Een kreupele schoonmaker komt langs en schrobt de vloer. Drie verpleegsters komen druk pratend en lachend binnen, totdat ze Kelly zien en opeens stil zijn. Ze fluisteren wat en kijken zo nu en dan naar mij.

Cliff is lang genoeg weg om aan te nemen dat hij niet meer terugkomt, en de gedachte om de galante held te spelen spreekt me wel aan. De verpleegsters vertrekken en Kelly wenkt me voorzichtig met haar wijsvinger. Ik mag komen.

'Sorry,' zegt ze als ik naast haar hurk.

'Geeft niet.'

En dan spreekt ze de woorden die ik nooit vergeten zal: 'Wil je me naar mijn kamer brengen?'

In een andere omgeving zou zo'n opmerking vèrstrekkende gevolgen kunnen hebben. Heel even zie ik in gedachten een huisje aan een exotisch strand, waar twee jonge geliefden elkaar eindelijk hartstochtelijk kunnen beminnen.

In werkelijkheid is haar kamer niets anders dan een ziekenkamer waar iedereen zomaar kan binnenlopen – zelfs advocaten.

Voorzichtig manoeuvreer ik de rolstoel tussen de tafeltjes door, de gang in. 'Vierde verdieping,' zegt ze over haar schouder. Ik heb geen haast. Ik ben heel trots op mezelf dat ik zo ridderlijk ben. En ik vind het leuk dat mannen geïnteresseerd naar haar kijken als ik haar de gang door rijd.

In de lift zijn we een paar seconden alleen. Ik kniel naast haar neer. 'Gaat het?' vraag ik.

Ze huilt niet meer. Haar ogen zijn nog vochtig en een beetje rood, maar ze heeft zichzelf weer in de hand. Ze knikt snel en zegt: 'Ja. Dank je.' Dan pakt ze mijn hand en knijpt er stevig in. 'Ontzettend bedankt.'

De lift komt met een schok tot stilstand. Een arts stapt naar binnen en Kelly laat vlug mijn hand weer los. Ik blijf als een toegewijde echtgenoot achter haar rolstoel staan. Ik wou dat ze mijn hand weer vasthield.

Het is bijna elf uur op de klok in de gang van de vierde verdieping. Het is er stil en verlaten, afgezien van een paar verpleegsters en schoonmakers. Een zuster achter de verpleegstersbalie kijkt me verbaasd na als we langs komen. Kelly Riker die met de ene man vertrekt en met een andere terugkomt.

We slaan linksaf en ze wijst me haar deur. Tot mijn verbazing en vreugde

155

heeft ze een privé-kamer met een raam en een eigen douche. Het licht brandt.

Ik weet niet hoe goed ze zich kan bewegen, maar op dit moment lijkt ze totaal hulpeloos. 'Help me even,' vraagt ze. Dat laat ik me geen twee keer zeggen. Voorzichtig buig ik me over haar heen en ze slaat haar armen om mijn nek. Ze drukt zich dichter tegen me aan dan nodig is, maar je hoort mij niet klagen. Haar nachthemd zit onder de cola, maar dat kan me niet schelen. Ik voel haar dicht tegen me aan. Ze draagt geen beha. Ik pak haar nog steviger vast.

Voorzichtig til ik haar uit de stoel. Dat valt mee, want ze weegt nog geen vijfenvijftig kilo, inclusief het gips. Ik draai me naar het bed toe, zonder veel haast. Ik neem alle tijd om haar been goed te leggen en laat haar dan rustig zakken. Met tegenzin laten we elkaar weer los. Ze brengt haar gezicht naar het mijne, juist op het moment dat de verpleegster van achter de balie binnenkomt. Haar rubberzolen piepen over de tegels.

'Wat is er gebeurd?' roept ze uit, wijzend naar Kelly's natte nachthemd. We komen overeind uit onze omstrengeling. 'O dat. Een ongelukje,' antwoordt Kelly.

De zuster loopt meteen naar een la onder de televisie, haalt er een opgevouwen nachthemd uit en gooit het naast Kelly op het bed. 'Kleed je maar om,' zegt ze. 'En fris je wat op met een washandje.' Ze blijft even staan, knikt naar mij en zegt: 'Vraag maar of hij je helpt.'

Ik haal diep adem en zie de kamer draaien.

'Het lukt wel,' zegt Kelly. Ze legt het nachthemd op het nachtkastje naast het bed.

'Het bezoekuur is afgelopen, jongen,' zegt de zuster tegen me. 'Dus maak het niet te lang.' En ze is weer verdwenen. Ik doe de deur dicht en loop terug naar het bed. We kijken elkaar aan.

'Waar is het washandje?' vraag ik, en we beginnen allebei te lachen. Ze heeft volmaakte kuiltjes in haar wangen als ze glimlacht.

Ze klopt op de rand van het bed. 'Kom hier eens zitten,' zegt ze. Ik ga naast haar zitten, met mijn voeten van de grond. We raken elkaar niet aan. Ze trekt een wit laken tot aan haar oksels, alsof ze de colavlekken wil verbergen.

Ik weet ook wel hoe dit eruitziet. Een mishandelde vrouw blijft getrouwd totdat ze gescheiden is. Of totdat ze die klootzak heeft vermoord.

'Wat vond je van Cliff?' vraagt ze.

'Je wilde hem aan me laten zien, nietwaar?'

'Ja, eigenlijk wel.'

'Hij verdient de kogel.'

'Is dat geen zware straf voor een gewone driftbui?'

Ik zwijg en staar naar de grond. Ik heb besloten geen spelletje met haar te spelen. Ik wil eerlijk tegen haar zijn.

Wat dóe ik hier in godsnaam?

'Nee, Kelly, dat is niet te zwaar. Een man die zijn vrouw met een aluminium honkbalknuppel slaat, zouden ze moeten doodschieten.' Ik let scherp op haar reactie. Ze vertrekt geen spier.

'Hoe weet je dat?' vraagt ze.

'De bekende papierwinkel: politierapporten, EHBO-gegevens, ziekenhuisdossiers. Hoe lang wil je nog wachten voordat hij je met die knuppel tegen je hoofd slaat? Dat overleef je niet. Een paar klappen op je schedel, en...'

'Hou op! Je hoeft míj niet te vertellen hoe het voelt.' Ze staart naar de muur. Als ze me weer aankijkt, zie ik tranen in haar ogen. 'Je weet niet waar je het over hebt.'

'Vertel het me dan.'

'Als ik het je wilde vertellen, had ik dat wel gedaan. Je hebt niet het recht om in mijn leven te gaan wroeten.'

'Waarom vraag je geen echtscheiding aan? Ik kan de papieren morgen meebrengen. Doe het meteen, nu je nog in het ziekenhuis ligt met die gebroken enkel. Geen beter bewijs. De rechter zal je eis meteen toewijzen. Over drie maanden kun je vrij zijn.'

Ze schudt haar hoofd alsof ik krankzinnig ben. Waarschijnlijk heeft ze gelijk.

'Je begrijpt het niet.'

'Vast niet, maar ik zie wel wat er gebeurt. Als je niet bij die klootzak weggaat, kun je over een maand dood zijn. Ik heb de namen en telefoonnummers van drie zelfhulpgroepen voor mishandelde vrouwen.'

'Mishandeld?'

'Ja. Je bent mishandeld, Kelly. Besef je dat niet? Die pen in je enkel betekent dat je bent mishandeld. Die blauwe plek op je wang is het duidelijke bewijs dat je door je man bent geslagen. Je kunt hulp krijgen. Vraag een scheiding aan en laat je helpen.'

Daar denkt ze even over na. Het is stil in de kamer. 'Scheiden gaat niet. Dat heb ik al geprobeerd.'

'Wanneer?'

'Een paar maanden geleden. Wist je dat niet? Dat staat heus wel ergens op schrift. Ben je het niet tegengekomen in die papierwinkel van je?'

'Hoe is dat afgelopen?'

'Ik heb de vordering weer ingetrokken.'

'Waarom?'

'Omdat ik niet langer geslagen wilde worden. Hij had me vermoord als ik het had doorgezet. Hij zegt dat hij van me houdt.'

'Nou, dat blijkt. Mag ik je wat vragen? Heb je een vader of een broer?'

'Hoezo?'

'Als mijn dochter door haar man werd mishandeld, zou ik hem zijn nek breken.'

'Mijn vader weet het niet. Mijn ouders zijn nog steeds woedend op me omdat ik zwanger ben geraakt. Daar komen ze nooit overheen. Ze hebben Cliff gehaat vanaf het moment dat hij een voet over de drempel zette. Toen mijn schande aan het licht kwam, hebben ze meteen hun handen van me afgetrokken. Ik heb ze niet meer gesproken sinds ik uit huis weg ben.'

'En je hebt geen broers?'

'Nee. Ik heb niemand die me beschermt. Totdat jij kwam.'

Dat komt hard aan. Het duurt even voordat ik het heb verwerkt. 'Ik zal alles doen wat je wilt,' zeg ik. 'Maar je moet wel een scheiding aanvragen.'

Ze veegt met haar vingers de tranen van haar gezicht en ik geef haar een tissue van het nachtkastje. 'Ik kan niet scheiden.'

'Waarom niet?'

'Dan slaat hij me dood. Dat zegt hij steeds. De vorige keer dat ik het probeerde, had ik een waardeloze advocaat – uit de gouden gids of zo. Ik dacht dat ze toch allemaal hetzelfde waren. Hij vond het een goed idee om een hulpsheriff de papieren aan Cliff te laten uitreiken op zijn werk, onder het oog van zijn vrienden, zijn kroegmakkers uit zijn softballteam. Cliff voelde zich vreselijk vernederd. Dat was de eerste keer dat ik in het ziekenhuis belandde. Een week later heb ik de vordering ingetrokken, maar hij bedreigt me nog steeds. Ik weet zeker dat hij me zou vermoorden.'

De angst in haar ogen is onmiskenbaar. Ze verplaatst haar gewicht en trekt een grimas alsof haar enkel pijn doet. Ze kreunt en vraagt: 'Wil je er een kussen onder leggen?'

Ik spring van het bed. 'Natuurlijk.' Ze wijst naar twee dikke kussens op de stoel.

'Een van die,' zegt ze. Ze schuift het laken terug. Ik help haar.

Ze aarzelt even, kijkt om zich heen en zegt dan: 'Wil je me dat hemd ook aangeven?'

Ik doe een nerveuze stap naar het nachtkastje en geef haar het schone nachthemd. 'Moet ik je helpen?' vraag ik.

'Nee. Draai je maar om.' Terwijl ze het zegt, trekt ze het vuile hemd al over haar hoofd. Ik draai me heel langzaam om.

Ze neemt de tijd. Ze gooit het vuile hemd op de grond, naast mijn voeten. Ik weet dat ze een meter achter me zit, spiernaakt op haar broekje en een gipsverband na. Als ik me nu zou omdraaien om naar haar te kijken, zou ze dat niet eens erg vinden. Daar ben ik van overtuigd. Die gedachte maakt me duizelig.

Ik sluit mijn ogen en denk: wat doe ik hier?

'Rudy, wil je me het washandje aangeven?' koert ze. 'Het ligt in de douche. Maak het nat met warm water en breng me ook een handdoek, als je wilt.'

Ik draai me om. Ze zit midden op het bed, het dunne laken tot aan haar kin opgetrokken. Het schone nachthemd ligt onaangeroerd.

Onwillekeurig staar ik haar aan. 'In de douche,' knikt ze. Ik doe een paar stappen naar de kleine badkamer, waar ik het washandje vind. Ik maak het nat en kijk naar haar in de spiegel boven de wastafel. Door de kier van de deur zie ik haar rug. Helemaal. Ze heeft een gladde, gebruinde huid, met een lelijke kneuzing tussen haar schouderbladen.

Ik besluit de leiding te nemen bij het wassen. Ik voel dat ze dat wil. Ze heeft pijn en ze is kwetsbaar. Ze houdt van flirten en ze wil dat ik haar lichaam zie. Ik sta te trillen en te tintelen.

Dan hoor ik stemmen. De zuster is terug. Ze is bezig in de kamer als ik binnenkom. Ze blijft staan en grijnst naar me, alsof ze ons bijna heeft betrapt.

'De tijd is om,' zegt ze. 'Het is bijna half twaalf. Het is hier geen hotel.' Ze neemt het washandje van me over. 'Dat doe ik wel. Ga jij maar naar huis.'

Ik glimlach tegen Kelly en droom ervan haar benen aan te raken. De verpleegster pakt me ferm bij mijn elleboog en duwt me naar de deur. 'Ga nou maar,' zegt ze met gespeelde boosheid.

Om drie uur 's nachts sluip ik naar de hangmat en even later lig ik dromerig te wiegen in de stille nacht, turend naar de fonkelende sterren tussen de takken en de bladeren. In gedachten zie ik iedere sierlijke beweging die ze maakte, hoor ik haar angstige stem en streel ik haar benen.

Het is mijn taak haar te beschermen. Ze heeft niemand anders. Ze verwacht dat ik haar zal redden en haar zal steunen. En we weten allebei hoe het daarna verder gaat.

Ik voel haar armen weer om mijn nek, die paar kostbare seconden toen ze me dicht tegen zich aan trok. Ik herinner me het vedergewicht van haar lichaam, toen ze zo natuurlijk in mijn armen lag.

Ze wil zich aan me laten zien, ze wil dat ik met een warm washandje haar huid masseer. Dat wil ze. En vanavond zal het gebeuren.

Ik tel de uren tot ik weer bij haar ben. Ik zie de zon opkomen door de bomen voordat ik eindelijk in slaap val.

19

Ik zit op kantoor voor het rechtbankexamen te studeren. Ik heb toch niets anders te doen. Ik màg zelfs niets anders doen voordat ik het examen met goed gevolg heb afgelegd.

Maar ik heb moeite me te concentreren. Waarom moest ik een paar dagen voor het examen verliefd worden op een getrouwde vrouw? Ik hoor nu nergens anders aan te denken dan aan mijn studie. Ik mag me nergens door laten afleiden. Het examen is mijn enige doel.

Kelly zit in de hoek waar de klappen vallen, dat is zeker. Ze is een gebroken meisje met zware littekens, waarvan er heel wat blijvend kunnen zijn. En Cliff is een gevaarlijke jongen. Als iemand anders maar één vinger naar zijn snoezige cheerleader uitsteekt, gaat hij volledig door het lint. Daar twijfel ik niet aan.

Ik denk erover na met mijn voeten op het bureau, mijn handen achter mijn hoofd en mijn blik op oneindig, als plotseling de deur opengaat en Bruiser naar binnen stormt. 'Wat voer jíj uit?' blaft hij.

Ik ga haastig rechtop zitten. 'Ik studeer.'

'Ik dacht dat je 's middags zou studeren.' Het is half elf. Hij ijsbeert voor mijn bureau heen en weer.

'Hoor eens, Bruiser, het is nu vrijdag. Woensdag heb ik examen. Ik ben bloednerveus.'

'Ga dan maar naar het ziekenhuis en probeer een cliënt te vinden. Je hebt al in geen drie dagen een nieuwe zaak aangebracht.'

'Het is moeilijk om te studeren en tegelijk cliënten te ronselen.'

'Het lukt Deck toch ook?'

'Ja, Deck, de eeuwige student.'

'Ik kreeg net een telefoontje van Leo F. Drummond. Zegt je dat iets?'

'Nee, moet dat dan?'

'Hij is een van de belangrijkste mensen bij Tinley Britt. Een uitstekende advocaat, met veel ervaring in bedrijfsprocedures. Hij verliest zelden een zaak. Goede jurist, goed kantoor.'

'Ja, ik weet alles over Trent & Brent.'

'Nou, je zult nog wel meer te weten komen. Ze vertegenwoordigen Great Eastern. Drummond is hun advocaat.'

Ik schat dat er in deze stad minstens honderd advocatenkantoren zijn die voor verzekeringsmaatschappijen werken. En er zijn zeker duizend verzekeraars. Hoe groot is dan de kans dat Great Eastern, de maatschappij waaraan ik het meest de pest heb, het kantoor inhuurt dat ik iedere dag opnieuw vervloek, Trent & Brent?

Maar ik vat het filosofisch op. Ik ben niet eens verbaasd.

Opeens begrijp ik waarom Bruiser zo loopt te ijsberen. Hij maakt zich zorgen. Door mijn toedoen zit hij nu opgescheept met een procedure om tien miljoen dollar tegen een grote maatschappij die wordt bijgestaan door een advocaat voor wie hij een beetje bang is. Dat is wel amusant. Ik had niet gedacht dat Bruiser Stone èrgens bang voor was.

'Wat zei hij?'

'Hallo. Een onschuldig telefoontje. Hij vertelde me dat de zaak zal dienen voor rechter Harvey Hale, met wie hij – je gelooft het toch niet! – samen op kamers zat toen ze dertig jaar geleden aan Harvard studeerden en die zelf een specialist in verzekeringszaken was voordat hij een hartaanval kreeg en zijn dokter hem adviseerde om het wat rustiger aan te doen. Hij heeft zich tot rechter laten benoemen en hij vindt nog altijd dat een recht- vaardige regeling in een verzekeringskwestie niet boven de tienduizend dollar hoort uit te komen.'

'Ik had het beter niet kunnen vragen.'

'Dus we staan tegenover Leo F. Drummond met zijn leger van juristen, en tegenover hun favoriete rechter. Maak je borst maar nat.'

'Ik? En jij dan?'

'O, ik zal je wel adviseren, maar dit is jóuw zaak. Ze zullen je begraven onder het papier.' Hij loopt naar de deur. 'Vergeet niet dat zij hun uren kunnen declareren. Hoe meer paperassen ze ophoesten, des te meer ze verdienen.' En hij slaat de deur achter zich dicht, lachend omdat ik door de grote jongens zal worden afgemaakt.

Ik sta er dus alleen voor. Er werken meer dan honderd juristen bij Trent & Brent, en opeens voel ik me vreselijk eenzaam.

Deck en ik eten een kom soep bij Trudy's. Er komen voornamelijk arbei- ders in haar koffieshop. Het ruikt er naar vet, zweet en gebraden vlees. Deck komt er graag, omdat hij er wel eens cliënten heeft geronseld – voornamelijk gevallen van letselschade op het werk. Een van die zaken leverde een schikking van dertigduizend dollar op. Deck kreeg een derde van vijfentwintig procent, of vijfentwintighonderd dollar.

Er zijn een paar bars in de omgeving waar hij ook regelmatig komt, bekent hij me, over zijn soep gebogen. Dan doet hij zijn stropdas af, probeert er als een arbeider uit te zien en drinkt cola. Hij luistert naar de klanten als ze zich laten vollopen na het werk. Hij vertelt me over de cafés waar ik moet zijn, de goede jachtterreinen, zoals hij ze noemt. Deck zit vol met ad- viezen over het ronselen van cliënten.

Hij komt zelfs in de stripteaseclubs, maar alleen om contact te onderhou- den met zijn clientèle. Je moet je gezicht laten zien, verklaart hij meer dan eens. Hij houdt van de casino's in Mississippi, hoewel hij het geen goed idee vindt dat de gewone man erheen gaat om zijn weekloon te vergokken. Maar het schept wel nieuwe kansen. De misdaad zal groeien en het aantal echtscheidingen en faillissementen zal toenemen als gevolg van het gokken. En dus hebben de mensen advocaten nodig. Ja, er speelt zich daar heel wat ellende af, en Deck houdt de vinger aan de pols. Hij ziet het wel zitten.

En hij zal me op de hoogte houden.

Ik zit weer achter een smakelijke maaltijd in de Gribus, zoals de kantine van het St. Peter's wordt genoemd. Die naam hoorde ik van een groepje co-assistenten. Ik eet pasta met salade uit een plastic schaaltje. Zo nu en dan verdiep ik me in mijn boeken, terwijl ik de klok in de gaten houd. Om tien uur zie ik de oude man in het roze jasje binnenkomen, maar hij is alleen. Hij blijft staan, kijkt om zich heen en komt naar me toe. Zijn gezicht staat ernstig. Hij is niet blij met zijn rol als boodschapper.

'Bent u de heer Baylor?' vraagt hij formeel. Hij heeft een envelop in zijn hand, die hij op het tafeltje legt als ik bevestigend knik. 'Van mevrouw Riker,' zegt hij met een lichte buiging, voordat hij zich omdraait en vertrekt.

Het is een gewone witte envelop. Ik maak hem open en haal er een blanco wenskaart uit. De tekst luidt: 'Beste Rudy, mijn dokter heeft me vanochtend uit het ziekenhuis ontslagen, dus ik ben weer thuis. Bedankt voor alles. Zeg een gebedje voor ons. Je bent geweldig.'

Daaronder staat haar naam, met een P.S.: 'Probeer me niet te bellen of op bezoek te komen. Dan krijgen we grote problemen. Nogmaals bedankt.'

Ze wist dus dat ik hier trouw zou zitten wachten. Door al mijn wellustige gedachten van de afgelopen vierentwintig uur heb ik er geen moment rekening mee gehouden dat ze zou vertrekken. Ik wist zeker dat we elkaar vanavond zouden zien.

Doelloos slenter ik door de eindeloze gangen om te bepalen wat ik nu moet doen. Ik ben vastbesloten haar terug te zien. Ze heeft me nodig. Er is niemand anders die haar kan helpen.

Bij een telefooncel hangt een gids. Ik zoek Cliff Riker op en toets het nummer. Een bandje vertelt me dat de telefoon is afgesloten.

20

Woensdagochtend in alle vroegte verzamelen we ons in de hal van het hotel en worden efficiënt naar een balzaal geloodst die nog groter is dan een voetbalveld. Daar worden we ingeschreven. De examengelden zijn allang betaald. Er wordt wat nerveus gepraat, maar de meeste mensen sluiten zich af. We hebben allemaal de zenuwen.

Van de ongeveer tweehonderd kandidaten die deze keer het rechtbankexamen afleggen, is minstens de helft vorige maand afgestudeerd aan Memphis State. Mijn vrienden en vijanden. Booker loop naar de andere kant van de zaal. We hebben afgesproken niet naast elkaar te gaan zitten. Sara Plankmore Wilcox en S. Todd zitten in een andere hoek. Ze zijn afgelopen zaterdag getrouwd. Leuke huwelijksreis. Hij is een knappe vent met de energieke, zelfverzekerde houding van iemand die weet dat hij van goede komaf is. Ik hoop dat ze allebei zakken.

Ik ben me bewust van de concurrentie, net als in de eerste weken van de studie, toen we elkaar ook met argusogen bekeken. Ik knik naar een paar bekenden, in stilte hopend dat ze zullen stralen. Dat hopen ze ook van mij. Zo is nu eenmaal de sfeer in het juridische wereldje.

De klaptafeltjes staan op grote afstand van elkaar. Als iedereen zit, krijgen we een instructie van tien minuten. Daarna, precies om acht uur, worden de opgaven rondgedeeld.

Het eerste gedeelte heet 'Multi-State': een eindeloze serie lastige meerkeuzevragen over de algemene wetten die alle Amerikaanse staten gemeenschappelijk hebben.

Ik heb geen idee of ik genoeg heb gestudeerd. De ochtend sleept zich voort. Tussen de middag krijgen we een lunch in het hotel. Ik zit naast Booker, maar we spreken met geen woord over het examen.

Het avondeten is een broodje kalkoen op het terras met juffrouw Birdie. Om negen uur lig ik in bed.

Het examen loopt vrijdagmiddag om vijf uur met een sisser af. We zijn te moe om feest te vieren. Voor de laatste keer nemen ze onze papieren in, en dan mogen we vertrekken. Een paar mensen stellen voor om wat te gaan drinken en met ons zessen verdwijnen we naar de kroeg. De Prins is vanavond afwezig en Bruiser is in geen velden of wegen te bekennen. Gelukkig maar. Ik zou niet graag willen dat mijn vrienden me in het gezelschap van mijn baas zouden zien. Dan zouden er heel wat vragen komen over onze manier van werken. Over een jaar hoop ik een betere baan te hebben.

Na het eerste semester van onze studie hebben we al geleerd dat je achteraf nooit over examens moet praten. Dan ontdek je wat je allemaal fout hebt gedaan.

We eten een pizza en drinken een paar biertjes, maar niet te veel, omdat we zo moe zijn. Op weg naar huis zegt Booker dat hij ziek is van het examen. Lichamelijk ziek. Hij weet zeker dat hij is gezakt.

Ik slaap twaalf uur. Ik heb juffrouw Birdie beloofd dat ik vandaag wat klusjes zou doen als het niet regende. De zon schijnt als ik eindelijk wakker word. Het is warm, vochtig en benauwd – karakteristiek voor Memphis in juli. Na drie dagen mijn hersens te hebben gepijnigd in een ruimte zonder ramen, heb ik wel behoefte aan wat lichaamsbeweging en frisse lucht. Het lukt me om ongezien weg te komen en twintig minuten later parkeer ik op de oprit van de Blacks.

Donny Ray zit al te wachten op de veranda, gekleed in een spijkerbroek, gympen, donkere sokken en een wit T-shirt. Hij heeft een honkbalpet op die veel te groot lijkt boven zijn ingevallen gezicht. Hij loopt met een stok, maar zelfs dan moet hij nog door een ferme hand onder zijn dunne arm worden ondersteund. Samen met Dot help ik hem over het smalle tegelpad en zet hem voorzichtig in mijn auto. Ze is blij dat hij een paar uur naar buiten kan – voor het eerst in maanden, vertelt ze me. Zij blijft achter met Buddy en de katten.

Donny Ray zit met de stok tussen zijn benen en steunt zijn kin op de knop als we de stad door rijden. Hij bedankt me, maar daarna zegt hij niet veel meer.

Drie jaar geleden heeft hij eindexamen gedaan, toen hij negentien was. Zijn tweelingbroer Ron was een jaar vroeger. Donny Ray is nooit gaan studeren. Twee jaar lang heeft hij bij een supermarkt gewerkt, maar na een roofoverval is hij weggegaan. Wat hij daarna heeft gedaan is nogal vaag, maar hij heeft altijd thuis gewoond. Uit de stukken die ik heb gezien, blijkt dat hij nooit meer dan het minimumloon heeft verdiend.

Zijn broer Ron heeft aan Memphis State gestudeerd en doet nu een vervolgstudie in Houston. Hij is ook vrijgezel, maar hij komt zelden naar Memphis. De jongens hebben nooit een hechte band gehad, volgens Dot. Donny Ray was een huismus die boeken las en modelvliegtuigjes bouwde. Ron hield van fietsen en heeft als jongetje zelfs bij een straatbende gezeten. Maar het waren beste kinderen, zegt Dot. Uit het dossier blijkt overduidelijk dat Rons beenmerg uitstekend geschikt zou zijn voor een transplantatie bij Donny Ray.

We hobbelen verder in mijn aftandse autootje. Donny Ray staart recht voor zich uit, met de klep van zijn pet ver over zijn ogen getrokken. Hij zegt alleen iets als ik hem wat vraag. We parkeren naast de Cadillac van juffrouw Birdie en ik vertel hem dat ik een appartement heb boven de garage van dit mooie oude huis in deze dure wijk. Ik weet niet of hij onder de indruk is. Waarschijnlijk niet. Ik help hem langs de stapel compostzakken en breng hem naar een schaduwrijk plekje op het terras.

Juffrouw Birdie weet van zijn komst en zit al te wachten met koele limonade. Ik stel hen aan elkaar voor en ze neemt snel de leiding. Koekjes? Chocolaatjes? Iets te lezen? Ze maakt het hem gemakkelijk met een paar kussens, terwijl ze honderd uit babbelt. Ze heeft een hart van goud. Ik heb haar verteld dat ik Donny Ray's ouders in de Cipressentuin heb ontmoet, en daarom voelt ze zich nu al met hem verbonden. Iemand van haar kudde.

Als hij goed en wel is geïnstalleerd op een koel plekje, beschermd tegen de verzengende zon die zijn bleke huid zou verbranden, verklaart juffrouw Birdie dat het tijd wordt om aan het werk te gaan. Ze zwijgt dramatisch, laat haar blik door de achtertuin dwalen, krabt aan haar kin alsof ze diep nadenkt en wijst ten slotte op de compost. Ze geeft een paar orders om Donny Ray te laten merken wie hier de baas is, en ik gehoorzaam braaf.

Al gauw ben ik drijfnat van het zweet. Maar nu geniet ik van iedere minuut. Juffrouw Birdie moppert een uur lang op de vochtige lucht en besluit dan de perkjes rondom het terras te schoffelen, waar het koeler is. Ik hoor haar aan één stuk door met Donny Ray praten, die weinig zegt maar zichtbaar van de buitenlucht geniet. Als ik weer eens met de kruiwagen hun kant uit kom, zie ik dat ze zitten te dammen. De keer daarop zit ze gezellig naast hem en wijst hem op foto's in een boek.

Ik heb al vaak overwogen om juffrouw Birdie te vragen of ze Donny Ray zou willen helpen. Ik geloof dat ze zo een cheque zou uitschrijven voor de transplantatie – àls ze echt zoveel geld heeft. Maar er zijn twee redenen waarom ik het niet heb gedaan. Om te beginnen heeft een transplantatie nu geen zin meer. En in de tweede plaats zou het een vernedering voor juffrouw Birdie zijn als blijkt dat ze niet zoveel geld heeft als ze beweert. Ze is al achterdochtig genoeg ten aanzien van mijn interesse in haar geld. Ik kan er niet naar vragen.

Kort nadat er acute leukemie bij Donny Ray was geconstateerd, is een halfslachtige poging gedaan om geld bijeen te brengen. Dot had een paar vrienden opgetrommeld en Donny Ray's foto laten afdrukken op melkpakken die in supermarkten en restaurants in het noorden van Memphis werden verspreid. Ze huurden een zaal af en gaven een groot feest met visschotels, muziek en een plaatselijke discjockey die countrymuziek draaide. Ze leden achtentwintig dollar verlies.

Donny Ray's eerste chemokuur kostte vierduizend dollar, waarvan twee derde door het ziekenhuis werd betaald. De rest wisten ze zelf bij elkaar te schrapen. Vijf maanden later kwam de leukemie net zo hevig terug.

Terwijl ik loop te sjouwen en te zweten, stop ik al mijn energie in mijn haat voor Great Eastern. Dat is niet zo moeilijk. Maar zal ik dat kunnen volhouden als de oorlog met Tinley Britt eenmaal begonnen is?

De lunch is een plezierige verrassing. Juffrouw Birdie heeft kippesoep gemaakt, niet echt waar ik behoefte aan heb op zo'n hete dag, maar een prettige afwisseling na al die broodjes kalkoen. Donny Ray eet een halve kop soep en zegt dan dat hij een uurtje moet rusten. De hangmat lijkt hem wel wat. We ondersteunen hem naar de andere kant van het grasveld en helpen hem in de hangmat. Hoewel het vijfendertig graden is, vraagt hij toch om een deken.

We zitten in de schaduw, drinken nog wat limonade en verzuchten hoe triest het allemaal is. Ik vertel haar wat over de zaak tegen Great Eastern en benadruk dat ik een vordering van tien miljoen dollar heb ingediend. Juffrouw Birdie vraagt hoe mijn examen is gegaan en verdwijnt dan naar binnen.

Als ze terugkomt, geeft ze me een envelop van een advocaat in Atlanta. Ik herken de naam van het kantoor.

'Kun je me dit uitleggen?' vraagt ze. Ze blijft voor me staan met haar handen op haar heupen.

De advocaat schrijft haar een berichtje, met een kopie van de brief die hij van mij heeft ontvangen. In die brief vertel ik hem dat ik juffrouw Birdie vertegenwoordig, dat ze mij heeft gevraagd een nieuw testament op te stellen en dat ik gegevens nodig heb over de nalatenschap van haar overleden man. De advocaat vraagt juffrouw Birdie of hij mij die inlichtingen mag geven. Het is een heel zakelijk briefje. Ik neem aan dat hij daarvoor opdracht heeft gekregen.

'Het staat er toch, zwart op wit?' zeg ik. 'Ik ben uw advocaat. Ik heb informatie nodig.'

'Je hebt me niet gezegd dat je in Atlanta ging rondneuzen.'

'Wat is het probleem? Wat hebt u te verbergen, juffrouw Birdie? Waarom doet u zo geheimzinnig?'

Ze haalt haar schouders op. 'De rechter heeft bepaald dat het dossier gesloten moet blijven,' zegt ze, alsof dat voldoende duidelijk is.

'Wat staat er dan in dat dossier?'

'Een heleboel onzin.'

'Over u?'

'Lieve hemel, nee!'

'Oké. Over wie dan?'

'Over Tony's familie. Zijn broer in Florida was stinkend rijk. Hij was een paar keer getrouwd geweest en hij had kinderen. Die hele familie is geschift. Ze maakten ruzie over het testament, vier testamenten, eigenlijk.

Ik weet het fijne er niet van, maar achteraf heb ik gehoord dat de advocaten er zes miljoen dollar aan hadden overgehouden. Een deel van het geld is volgens de wetten van Florida terechtgekomen bij Tony. Maar die heeft het nooit geweten omdat hij vlak daarna stierf. Hij liet alleen maar een echtgenote na. Mij. Meer weet ik er ook niet van.'

Het doet er niet toe hoe ze het geld heeft geërfd, maar ik wil wel weten hoevéél het is. 'Wilt u over uw testament praten?' vraag ik.

'Nee. Een andere keer,' zegt ze terwijl ze haar tuinhandschoenen pakt. 'Laten we maar weer aan het werk gaan.'

Uren later zit ik met Dot en Donny Ray op het door onkruid overwoekerde terras achter hun keuken. Buddy ligt in bed, goddank. Donny Ray is uitgeput van ons bezoek aan juffrouw Birdie.

Het is een zomerse zaterdagavond en in de buitenwijken hangt de lucht van houtskool en barbecues. De stemmen van de tuinkoks en hun gasten zweven over de houten hekken en de keurige heggen.

Geen van ons heeft de behoefte om veel te zeggen. Dot rookt liever een sigaret en drinkt haar oplos-décafé. Zo nu en dan roddelt ze wat over de buren. Of over de hond van de buren. De gepensioneerde man die naast haar woont is vorige week een vinger kwijtgeraakt door een elektrische zaag. Dat vertelt ze wel drie keer.

Het maakt mij niet uit. Ik kan hier uren zitten luisteren. Ik ben nog half versuft door het examen. Ik vind het al gauw goed. En als ik me verveel, kan ik altijd nog aan Kelly denken. Ik moet nog een onschuldige manier bedenken om met haar in contact te komen, maar dat zal wel lukken. Gun me de tijd.

– 21 –

Het gerechtshof is een modern, nogal vreemd gebouw van twaalf verdiepingen in de binnenstad. Alles is hier onder één dak bijeengebracht: rechtszalen op de begane grond, daarboven de kantoren van de griffiers en andere functionarissen, en zelfs een gevangenis.

Er zijn tien secties met tien verschillende rechters. Op de middelste verdiepingen wemelt het van de advocaten, politiemensen, verdachten en hun families. Het is een imponerende omgeving voor een beginnend advocaat, maar Deck kent de weg. Hij heeft van tevoren gebeld.

Hij wijst naar de deur van Sectie Vier en zegt dat hij daar over een uur op me zal wachten. Ik stap door de dubbele deur naar binnen en zoek een plaatsje achter in de zaal. Er ligt tapijt op de vloer en de inrichting is troosteloos modern. Voor in de zaal zie ik een hele menigte advocaten. Achter een hek aan de rechterkant staan een stuk of twaalf verdachten in oranje overalls op hun beurt te wachten. Een officier bladert in een stapel dossiers om de juiste stukken te vinden.

Op de tweede rij van voren zie ik Cliff Riker in gesprek met zijn raadsman. Ze nemen wat papieren door. Zijn vrouw is er niet.

De rechter komt binnen en iedereen staat op. Snel worden er enkele zaken afgedaan, borgtocht vastgesteld of vernietigd, nieuwe zittingsdata bepaald. De advocaten overleggen in groepjes, knikken dan en fluisteren met zijne edelachtbare.

Dan wordt Cliffs naam afgeroepen. Stoer loopt hij naar de beklaagdenbank tegenover de rechter. Zijn advocaat zit naast hem met de stukken. De officier verklaart dat de aanklacht tegen Cliff Riker is vervallen wegens gebrek aan bewijs.

'Waar is het slachtoffer?' wil de rechter weten.

'Zij wilde liever niet komen,' antwoordt de officier.

'Waarom niet?' vraagt hij.

Omdat ze in een rolstoel zit! Maar dat zeg ik niet.

De officier haalt haar schouders op alsof ze het niet weet en het haar een zorg zal zijn. Cliffs advocaat lijkt verbaasd dat Kelly niet is gekomen om haar verwondingen te laten zien.

De officier is een druk bezette dame, die vanochtend nog talloze zaken moet afwikkelen. Snel geeft ze een samenvatting van de feiten, de aanhouding en het gebrek aan bewijs omdat het slachtoffer niet wil getuigen.

'Dit is de tweede keer,' zegt de rechter met een strenge blik naar Cliff. 'Waarom laat u zich niet van haar scheiden voordat u haar vermoordt?'

'We proberen hulp te zoeken, edelachtbare,' antwoordt Cliff. Het is duidelijk ingestudeerd.

'Als u maar opschiet. Als ik u hier nog eens zie, komt u er niet zo gemakkelijk af. Is dat duidelijk?'

'Jawel, edelachtbare,' antwoordt hij, alsof hij zich vreselijk schaamt dat hij zo'n lastpost is. De rechter krijgt de stukken aangereikt. Hij tekent ze en schudt zijn hoofd. De aanklacht is vervallen.

Weer is de stem van het slachtoffer niet gehoord. Zij zit thuis met een gebroken enkel, maar dat is niet de reden waarom ze niet is verschenen. Ze verstopt zich omdat ze niet nog eens wil worden afgetuigd. Ik vraag me af welke prijs ze heeft betaald voor het intrekken van de aanklacht.

Cliff geeft zijn advocaat een hand en loopt het gangpad door, langs mijn plaats, de zaal uit. Hij is weer vrij om te doen en te laten wat hij wil, immuun voor de rechterlijke macht omdat Kelly niemand heeft om haar te helpen.

Het hele systeem heeft een frustrerende logica. Niet ver van mij vandaan, in oranje gevangeniskleding en met handboeien om, zit een stel verkrachters, moordenaars en drugdealers. Er is niet eens voldoende tijd om aandacht aan dit soort boeven te besteden en ze hun gerechte straf te geven, laat staan om de rechten van één mishandelde vrouw te beschermen.

Terwijl ik vorige week examen deed, heeft Deck een paar mensen gebeld. Hij heeft Rikers nieuwe adres en telefoonnummer gevonden. De Rikers wonen nu in een buitenwijk in het zuidoosten van Memphis. Een klein appartement met één slaapkamertje, voor vierhonderd dollar per maand. Cliff werkt bij een transportbedrijf, niet ver van ons kantoor. Het bedrijf betaalt geen cao-lonen en Deck vermoedt dat Cliff niet meer verdient dan zeven dollar per uur. Hij heeft een goedkope advocaat, een van de duizenden in deze stad.

Ik heb Deck de waarheid verteld over Kelly. Als Cliff ooit met een buks mijn kop eraf schiet, weet Deck tenminste waarom.

Hij zei ook dat ik haar beter uit mijn hoofd kon zetten.

Als ik terugkom, ligt er een briefje op mijn bureau of ik meteen naar Bruiser wil komen. Hij zit achter zijn grote bureau te bellen. Met de rechter telefoon. Links staat een ander toestel. Hij heeft er nog drie in zijn kantoor, plus een autotelefoon en een zaktelefoon in zijn koffertje. En het toestel dat hij mij heeft geleend om me ieder uur van de dag te kunnen bellen.

Hij wuift me naar een stoel, rolt met zijn donkere, roodomrande ogen alsof hij een volslagen idioot aan de lijn heeft, en bromt iets in de hoorn. De haaien slapen of houden zich verborgen achter een paar stenen. Het filter van het aquarium gorgelt en zoemt.

Deck heeft me toevertrouwd dat Bruiser tussen de driehonderd- en driehonderdvijftigduizend dollar per jaar verdient. Het is nauwelijks te geloven als je zijn rommelige kantoor ziet. Maar hij heeft vier medewerkers die dag en nacht cliënten voor hem ronselen. Vooral letselschadegevallen. (En nu heeft hij mij.) Vorig jaar heeft Deck vijf zaken gedaan waaraan Bruiser anderhalve ton heeft overgehouden. Hij verdient een kapitaal aan drugzaken en heeft binnen het drugwereldje een goede reputatie opgebouwd. Maar volgens Deck verdient hij het meest met zijn investeringen. Hoeveel, daar probeert de belastingdienst wanhopig achter te komen. Bruiser heeft belangen in de topless-industrie in Memphis en Nashville, waarin veel contant geld omgaat, dus niemand weet precies hoeveel hij verdient.

Hij is drie keer gescheiden, vertelde Deck me toen we bij Trudy's een sandwich aten. Hij heeft drie opgroeiende kinderen die – uiteraard – bij hun verschillende moeders wonen. Bruiser amuseert zich met topless-danseresjes, drinkt en gokt te veel en zit altijd krap bij kas, hoeveel geld hij ook met zijn dikke knuisten bijeen weet te graaien.

Zeven jaar geleden is hij gearresteerd op beschuldiging van gangster-praktijken, maar er was niet voldoende bewijs en na een jaar werd de aanklacht ingetrokken. Deck vertrouwde me toe dat hij zich ongerust maakt over het huidige onderzoek van de FBI naar de onderwereld van Memphis, een onderzoek waarbij herhaaldelijk de namen van Bruiser Stone en zijn beste vriend de Prins zijn opgedoken. Volgens Deck ge-draagt Bruiser zich anders dan normaal. Hij drinkt meer, hij wordt snel-ler kwaad, hij maakt meer stennis op kantoor en hij zit langer in de tele-foon te mompelen.

Over de telefoon gesproken: Deck weet zeker dat alle telefoons op kan-toor, dus ook de mijne, door de FBI worden afgeluisterd. En waarschijn-lijk zijn er ook verborgen microfoontjes aangebracht. Dat is al eerder ge-beurd, zegt hij ernstig. En bij Yogi's mag ik ook wel oppassen.

Dat kreeg ik gisteren allemaal te horen. Als ik voor het examen slaag en wat geld heb verdiend, wil ik hier zo snel mogelijk weg. Dat staat vast. Bruiser hangt eindelijk op en wrijft in zijn vermoeide ogen. Hij schuift een dikke stapel papieren naar me toe. 'Wat dacht je hiervan?' vraagt hij. 'Wat is het?'

'Het weerwoord van Great Eastern. Nu kun je eens zien hoe moeilijk het is een procedure tegen een grote firma aan te spannen. Zij hebben het geld om advocaten in te huren die niets anders doen dan stapels papier produceren. Leo F. Drummond rekent waarschijnlijk tweehonderdvijf-tig dollar per uur.'

Great Eastern verzet zich tegen de eis van de Blacks met een verdediging van maar liefst drieënzestig pagina's lang. De argumenten zullen monde-ling worden toegelicht tijdens een zitting voor de edelachtbare Harvey Hale.

Bruiser kijkt me rustig aan. 'Welkom op het slagveld.'

Ik heb een droge keel. Het zal dagen kosten om een antwoord op dit stuk op te stellen. 'Heel indrukwekkend,' zeg ik schor. Ik heb geen idee waar ik moet beginnen.

'Lees de voorwaarden zorgvuldig door en schrijf dan een repliek. En snel. Het is niet zo lastig als het lijkt.'

'O nee?'

'Nee, Rudy. Paperassen, administratie. Dat leer je gauw genoeg. Die klootzakken zullen elk argument aanwenden dat ze kunnen verzinnen, ondersteund door stapels papier. En ze lopen voortdurend naar de rechter. Het zal ze een zorg zijn of ze winnen of verliezen, ze krijgen hun geld toch wel. Ieder uitstel is meegenomen. Ze hebben die vertragingstactiek tot een kunst verheven, en hun cliënten mogen ervoor dokken. Je wordt er doodmoe van.'

'Dat ben ik al.'

'Ja, het valt niet mee. Als Drummond een zaak niet-ontvankelijk wil laten verklaren, hoeft hij alleen maar met zijn vingers te knippen. Dan begraven drie van zijn medewerkers zich in de bibliotheek en duiken twee assistenten achter hun computers om voldoende argumenten te verzamelen. Ze komen met een dossier dat Drummond voor tweehonderdvijftig dollar per uur doorleest. Vervolgens laat hij een van zijn maten er nog eens naar kijken, brengt een paar wijzigingen aan en stuurt zijn mensen weer terug naar de bibliotheek en de computer. Het is je reinste oplichterij, maar Great Eastern heeft geld genoeg en vindt het niet erg om firma's als Tinley Britt te betalen.'

Ik heb het gevoel alsof ik in mijn eentje tegenover een heel leger sta. Twee telefoons beginnen tegelijk te rinkelen en Bruiser grijpt de dichtstbijzijnde. 'Aan het werk,' mompelt hij tegen mij. 'Ja?' zegt hij in de hoorn.

Met twee handen draag ik de stapel naar mijn kantoor en doe de deur achter me dicht. Ik lees de keurig verzorgde en netjes uitgetypte stukken door. Drummond komt met argumenten tegen bijna alle punten die ik in mijn vordering heb opgesomd. Zijn taalgebruik is helder, met zo min mogelijk jargon. Zijn redenering wordt ondersteund door de verklaringen van talloze autoriteiten die allemaal aan zijn kant lijken te staan. De meeste pagina's zijn voorzien van uitvoerige voetnoten. Het dossier heeft zelfs een inhoudsopgave, een register en een bibliografie.

Het enige wat ontbreekt is een blanco volmacht voor de rechter om Great Eastern alles toe te wijzen wat ze maar willen.

Als ik het stuk voor de derde keer heb gelezen, haal ik eens diep adem en begin aantekeningen te maken. Misschien kan ik er toch een paar gaten in schieten. Ik ben over de eerste schrik heen. Ik concentreer me op mijn geweldige afkeer van Great Eastern en wat ze mijn cliënt hebben geflikt. Strijdlustig stroop ik mijn mouwen op.

Leo F. Drummond mag dan een duivelskunstenaar zijn met een heel leger medewerkers, maar ik, Rudy Baylor, heb niets anders te doen. Ik ben intelligent en ijverig. Als hij een papieroorlog tegen me wil beginnen, mij best. Hij zal er nog in smoren.

Deck heeft dit al zes keer meegemaakt. De derde keer, in Californië, had hij het bijna gehaald, maar hij kwam net twee punten te kort. Hij heeft het drie keer in Tennessee geprobeerd, zonder enige kans op succes, vertelt hij me heel openhartig. Ik vraag me af of Deck wèl wil slagen. Hij verdient veertigduizend per jaar als ronselaar voor Bruiser, en hij gaat niet gebukt onder morele bezwaren. (Bruiser ook niet, trouwens.) Deck hoeft geen beroepskosten te betalen, niet aan bijscholing te doen, geen seminars te volgen, niet voor de rechtbank op te treden, zich niet schuldig te voelen over pro-deowerk en zich geen zorgen te maken over zijn overheadkosten.

Deck is een parasiet. Zolang hij maar in dienst is van een advocaat met een naam die hij kan gebruiken en een kantoor waar hij kan werken, vindt Deck het wel best.

Hij weet dat ik het niet druk heb en daarom komt hij iedere ochtend om elf uur even langs. Dan roddelen we een half uurtje, voordat we naar Trudy's vertrekken voor een goedkope lunch. Ik ben al helemaal aan hem gewend. Hij is nu gewoon Deck, een simpele kerel die mijn vriend wil zijn. We zitten in een hoek te eten, tussen de mannen van een transportbedrijf. Deck praat zo zacht, dat ik hem nauwelijks kan verstaan. Soms, vooral in de wachtkamer van een ziekenhuis, kan hij zo brutaal zijn dat het zweet me uitbreekt, maar op andere momenten is hij zo timide als een muis. Hij mompelt weer iets, terwijl hij angstig over zijn schouder kijkt alsof hij verwacht dat iemand hem in zijn nek zal springen.

'Er heeft hier een tijdje een vent gewerkt, David Roy, die de beste maatjes was met Bruiser. Ze telden samen hun geld en trokken altijd met elkaar op. Je kent dat wel. Maar Roy werd geroyeerd omdat hij met het geld van zijn cliënten sjoemelde. Dus mocht hij geen advocaat meer zijn.' Deck veegt met zijn vingers wat tonijnsalade van zijn mond. 'Geen probleem. Roy vertrok gewoon naar de overkant om een topless-bar te beginnen. Die brandde af. Hij begon opnieuw, en die tent ging ook in de fik. Weer een nieuwe zaak. Maar toen brak er een oorlog uit in het clubcircuit. Bruiser was te slim om zich er openlijk mee te bemoeien, maar hij hield de vinger aan de pols. Net als die vriend van je, Prins Thomas. Die oorlog duurde een paar jaar. Zo nu en dan werd er iemand vermoord. Er brandden nog meer clubs af. En Roy en Bruiser kregen ruzie. Vorig jaar is Roy door de FBI in zijn kraag gegrepen en het schijnt dat hij het met ze op een akkoordje wil gooien, als je begrijpt wat ik bedoel.'

Ik knik en buig me nog dichter naar hem toe. Niemand kan ons horen, maar er wordt wel vreemd naar ons gekeken omdat we zo diep over ons tafeltje hangen.

'Gisteren heeft David Roy een verklaring afgelegd voor een onderzoeksjury. Hij heeft een deal gesloten.'

Met die woorden richt Deck zich weer op en rolt veelzeggend met zijn ogen.

'En?' vraag ik, nog steeds fluisterend.

Hij fronst, kijkt voorzichtig om zich heen en buigt zich weer naar voren.

'De kans is groot dat hij Bruiser zal verlinken. En misschien de Prins. Ik heb zelfs wilde geruchten gehoord dat er een prijs op zijn hoofd staat.'
'Willen ze hem vermoorden?'
'Ja. Ssstt!'
'Maar wie dan?' Toch niet mijn werkgever?
'Raad eens.'
'Bruiser?'
Hij grijnst me met opeengeklemde lippen triest toe en zegt: 'Het zou niet de eerste keer zijn.' Hij neemt een flinke hap van zijn sandwich, kauwt er langzaam op en knikt. Ik wacht tot hij de hap heeft doorgeslikt.
'Wat wil je nou eigenlijk zeggen?' vraag ik.
'Dat je alle mogelijkheden open moet houden.'
'Ik heb geen mogelijkheden.'
'Misschien moet je hier weg.'
'Ik werk hier pas.'
'Het kan gevaarlijk worden.'
'En jij?' vraag ik.
'Misschien vertrek ik ook.'
'En de anderen?'
'Maak je over hen maar geen zorgen. Ze maken zich ook niet druk om jou. Ik ben je enige vriend.'
Die woorden blijven me nog uren bij. Deck weet meer dan hij me wil vertellen, maar ik krijg de rest van het verhaal nog wel te horen. Ik heb sterk de indruk dat hij een goed heenkomen zoekt voor het geval dat het misgaat. Ik heb kennisgemaakt met de andere juristen van het kantoor, Nicklass, Toxer en Ridge, maar die bemoeien zich nauwelijks met de rest. Hun deuren zitten altijd op slot. Deck mag hen niet, en naar hun mening over hem kan ik alleen maar gissen. Volgens Deck zijn Toxer en Ridge van plan binnenkort hun eigen kantoor te openen. Nicklass is een alcoholist die op de schopstoel zit.
Het somberste scenario zou zijn dat Bruiser wordt gearresteerd en voor de rechter gesleept. Zo'n proces zou minstens een jaar gaan duren. Maar hij zou wel mogen doorgaan met zijn werk. Ze kunnen hem niet schorsen zolang hij niet is veroordeeld.
Maak je niet druk, zeg ik tegen mezelf.
Ik ben al eens eerder op straat gezet. Toen kwam ik ook op mijn pootjes terecht.

Als ik naar huis rijd, kom ik langs een sportpark. Op minstens drie velden wordt gesoftbald, in het licht van de schijnwerpers.
Ik stop bij een telefooncel naast een autowasserette en toets het nummer. Het toestel gaat drie keer over voordat ze opneemt. 'Hallo?' Haar stem

trilt door mijn hele lichaam heen.

'Is Cliff er ook?' vraag ik, een octaaf lager. Als ze ja zegt, hang ik weer op.

'Nee. Met wie spreek ik?'

'Met Rudy,' zeg ik met mijn normale stem. Ik hou mijn adem in. Ik weet niet wat ik moet verwachten – tuut-tuut, of een stem vol van verlangen. Het blijft even stil, maar ze hangt niet op. 'Ik had je gevraagd om niet te bellen,' zegt ze dan, maar zonder een spoor van woede of ergernis.

'Sorry. Ik kan er niets aan doen. Ik was ongerust over je.'

'We kunnen hier niet mee doorgaan.'

'Waarmee?'

'Dag, Rudy.' Nu hoor ik wel een klik en tuut-tuut-tuut.

Het heeft me heel wat moed gekost om haar te bellen, en nu heb ik spijt. Sommige mensen hebben meer lef dan gezond verstand. Ik weet dat haar man een onberekenbare driftkop is, maar ik heb geen idee hoe ver hij zou gaan. Als hij jaloers is – en natuurlijk is hij dat, want hij is een negentienjarige bink met een prachtige vrouw – zal hij haar met argusogen in de gaten houden. Maar zou hij ook haar telefoon afluisteren?

Het lijkt me onwaarschijnlijk, maar 's nachts houdt het me uit mijn slaap.

Ik heb nog geen uur geslapen als de telefoon gaat. Op mijn digitale wekker is het vier uur in de nacht. In het donker tast ik naar de telefoon.

Het is Deck, vanuit zijn auto. Hij klinkt opgewonden. Hij is drie straten bij me vandaan en hij komt naar me toe. Iets groots, iets geweldigs, dat niet kan wachten. Schiet op! Kleed je aan! Over een minuut moet ik klaarstaan op de stoep.

Hij staat al op me te wachten in zijn oude busje. Ik stap in en met piepende banden stuift hij weg. Ik heb niet eens de tijd gehad om mijn tanden te poetsen. 'Wat stelt dit voor?' vraag ik.

'Een ernstig ongeluk op de rivier,' verklaart hij plechtig, alsof hij diep ontdaan is. Voor hem is dit dagelijkse kost. 'Vanavond kort na elf uur is een olietanker van zijn anker losgeslagen en de rivier afgedreven, tot hij in aanvaring kwam met een raderboot waar een schoolfeestje werd gehouden. Zo'n driehonderd kinderen aan boord. Die raderboot is gezonken bij Mud Island, vlak bij de oever.'

'Dat is verschrikkelijk, Deck, maar wat kunnen wíj eraan doen?'

'Een kijkje nemen. Bruiser kreeg een tip en hij heeft mij gebeld. Vandaar. Het is een grote ramp, waarschijnlijk de grootste die ooit in Memphis is gebeurd.'

'En moeten we daar trots op zijn?'

'Je begrijpt het niet. Bruiser wil het niet missen.'

'Laat hij zijn dikke lijf dan in een duikerpak hijsen om naar de lichamen te zoeken.'

'Het kan een goudmijn zijn.'

Deck rijdt zo hard als hij kan. We zwijgen als we het centrum naderen. Een ambulance haalt ons in en ik voel mijn hart sneller kloppen. Een andere ziekenwagen scheurt voor ons langs.

Riverside Drive is versperd door tientallen politiewagens. Hun witte zwaailichten flitsen door de nacht. Brandweerauto's en ambulances staan bumper aan bumper. Een helikopter hangt verderop boven de rivier. Toeschouwers kijken in groepjes doodstil toe. Anderen rennen heen en weer en wijzen. Bij de oever is een kraan opgesteld.

Snel lopen we om het gele lint van de politieafzetting heen en sluiten ons aan bij de toeschouwers langs de kade. Het ongeluk is al een paar uur geleden gebeurd en de eerste paniek is voorbij. De mensen wachten af, dicht bij elkaar in angstige groepjes op de keitjes van de kade. Huilend kijken ze toe hoe duikers en ziekenbroeders naar de lichamen zoeken. Geestelijken knielen bij de familieleden neer en bidden met hen. Tientallen verbijsterde kinderen in natte smokings en gescheurde avondjurken zitten hand in hand, starend naar de rivier. Eén kant van de raderboot steekt drie meter boven het water uit. De reddingswerkers, de meesten in zwarte en blauwe duikerpakken met zuurstofflessen, houden zich aan de boot vast. Anderen werken vanaf drie pontons die met kabels aan elkaar zijn vastgesjord.

Het is een ritueel dat zich voor onze ogen afspeelt, maar het duurt even voordat ik het begrijp. Een inspecteur van politie komt via een loopplank vanaf een drijvende pier de kade op. De menigte, die toch al stil was, wordt nog stiller. De inspecteur loopt naar een politiewagen toe en wordt meteen door journalisten omstuwd. De meeste mensen blijven zitten, grijpen hun dekens vast en buigen hun hoofd in vurig gebed. Ouders, familieleden, vrienden. De inspecteur richt zich tot hen en zegt: 'Het spijt me, maar we hebben het lichaam van Melanie Dobbins geïdentificeerd.'

Zijn woorden klinken hol in de stilte, die bijna meteen wordt verscheurd door de jammerkreten van de familie van het meisje. De ouders slaan hun armen om elkaar heen en zakken op de grond. Vrienden ondersteunen hen. Een vrouw begint te gillen.

De anderen draaien zich om en kijken toe, maar slaken ook een collectieve zucht van opluchting. Hun slechte nieuws laat nog op zich wachten. Het lijkt onvermijdelijk, maar ieder uitstel betekent hoop. Later zal blijken dat eenentwintig kinderen de ramp hebben overleefd doordat ze in een luchtzak zijn gezogen.

De inspecteur loopt terug naar de pier, waar een volgend lichaam wordt opgedregd.

Daarna ontvouwt zich een ander ritueel, minder tragisch dan het vorige, maar veel walgelijker. Mannen met sombere gezichten dringen op naar de rouwende familieleden en vrienden van het meisje en overhandigen hun witte visitekaartjes. Ze houden elkaar argwanend in de gaten. Ze zouden een moord doen om deze zaak te bemachtigen. Ze willen hun pond vlees.

Deck ziet het meteen, lang voordat het tot mij doordringt. Hij knikt naar een plek in de buurt van de families, maar ik verzet geen stap. Deck verdwijnt in de menigte, op jacht naar goud.

Ik draai de rivier mijn rug toe en even later ren ik door de binnenstad.

– 22 –

De examencommissie verstuurt de uitslagen per aangetekende post. Op de universiteit hoor je verhalen over mensen die uren bij de brievenbus staan te wachten totdat ze onder de spanning bezwijken. Of ze rennen de straat door, woest zwaaiend met hun papiertje. Vroeger kon ik daar nog wel om lachen, maar nu niet meer.

Dertig dagen zijn verstreken en nog steeds geen uitslag. Ik heb mijn thuisadres opgegeven omdat ik niet wilde dat de brief zou worden geopend door iemand op kantoor.

De eenendertigste dag is een zaterdag, de dag waarop ik tot negen uur mag uitslapen voordat mijn slavendrijver met een verfkwast op mijn deur beukt. De garage onder mijn appartement moet worden geschilderd, heeft juffrouw Birdie opeens besloten. Het lijkt me niet echt nodig, maar ze lokt me uit bed met het nieuws dat ze al ham en eieren heeft gebakken die nu koud staan te worden. Opschieten dus.

Het werk vordert goed. Bij schilderen zie je meteen resultaat en dat vind ik prettig. Je ziet wat je doet. De zon gaat schuil achter een hoog wolkendek, en ik werk in een gezapig tempo.

's Middags om zes uur roept ze dat het tijd is om te stoppen, dat ik genoeg heb gedaan en dat ze een grote verrassing heeft voor het avondeten: ze gaat een vegetarische pizza bakken!

Ik heb vannacht tot één uur bij Yogi's gewerkt en voorlopig heb ik geen zin om terug te gaan. En dus heb ik vanavond niets te doen. Ik heb ook gccn andere plannen gemaakt. Het vooruitzicht om een vegetarische pizza te eten met een dametje van tachtig spreekt me best aan. Triest, dat geef ik toe.

Ik neem een douche en trek mijn kakibroek en mijn gympen aan. Uit de keuken komt een vreemde geur als ik het huis binnenkom. Juffrouw Birdie is druk bezig in de keuken. Ze heeft nog nooit een pizza gemaakt, vertelt ze, alsof ik daar blij om moet zijn.

Toch valt het mee. De courgette en de gele paprika zijn wat hard, maar ze heeft genoeg geitekaas en champignons gebruikt, en ik sterf van de honger. We eten in de huiskamer en kijken naar een oude film met Gary Grant en Audrey Hepburn. Juffrouw Birdie zit al gauw te snotteren.

Daarna een tweede film, met Bogart en Bacall. Ik begin al stijf te worden. En slaperig. Maar juffrouw Birdie zit op het puntje van de divan en geniet nog steeds van ieder detail van een film die ze uit haar hoofd kent. Opeens springt ze overeind. 'Ik ben wat vergeten!' roept ze en loopt haastig naar de keuken, waar ik haar tussen wat papieren hoor rommelen.

Even later komt ze terug met een vel papier, gaat dramatisch voor me staan en verklaart: 'Rudy, je hebt je examen gehaald!'

Ik doe een greep naar het witte papier. Het is een brief van de examencommissie, natuurlijk aan mij geadresseerd. In het midden, over de hele breedte van het papier, staat vet gedrukt de schitterende tekst: GEFELICITEERD. U BENT GESLAAGD VOOR HET EXAMEN.

Ik draai me snel om en kijk juffrouw Birdie aan. Eén moment heb ik de neiging haar te wurgen om de grove inbreuk op mijn privacy. Ze had het me eerder moeten vertellen en ze had het recht niet mijn post open te maken. Maar ze lacht al haar grauwgele tanden bloot. Ze heeft tranen in haar ogen. Ze slaat haar handen voor haar gezicht en ze is bijna net zo blij als ik. Mijn woede maakt al snel plaats voor uitgelaten vreugde.

'Wanneer is dit gekomen?' vraag ik.

'Vandaag, toen je stond te schilderen. De postbode klopte bij mij aan en vroeg naar jou, maar ik zei dat je bezig was en daarom heb ik mijn handtekening gezet.'

Ervoor tekenen is één ding, de brief openen is heel wat anders.

'U had hem niet mogen openmaken,' zeg ik, maar niet echt boos. Het is onmogelijk om kwaad te blijven op zo'n moment.

'Het spijt me. Ik dacht dat je het meteen zou willen weten. Is het niet geweldig?'

Ja, dat is het zeker. Ik zweef naar de keuken, grijnzend als een idioot, bevrijd van een loden last. Alles is fantastisch! Wat een prachtige wereld!

'Laten we het vieren,' zegt ze met een ondeugend lachje.

'Mij best,' zeg ik. Ik zou het liefst door de achtertuin rennen, roepend naar de sterren.

Ze duikt in een kast, zoekt wat, haalt een vreemd gevormd fles te voorschijn en zegt met een glimlach: 'Die bewaar ik voor speciale gelegenheden.'

Ik pak de fles aan. 'Wat is het?' Ik heb zoiets zelfs bij Yogi's nog nooit gezien.

'Meloenbrandewijn. Behoorlijk sterk.' Ze giechelt opgewonden. Ik wil alles wel drinken. Ze pakt twee bij elkaar passende koffiekopjes – er wordt nooit sterke drank gedronken in dit huis – en schenkt ze half vol. De brandewijn is dik en kleverig. De geur doet me denken aan de tandarts.

We proosten op mijn succes en nemen een slok uit onze kopjes met het logo van de 'Bank of Tennessee'. Het smaakt naar een kinderhoestdrank en brandt als wodka in mijn keel. Juffrouw Birdie smakt met haar lippen. 'Laten we maar gaan zitten,' zegt ze.

Na een paar slokken zit ze al te snurken op de divan. Ik zet het geluid van de film zachter en neem nog een kopje. Het is sterk spul, maar na de eerste aanval herstellen mijn smaakpapillen zich weer. Ik neem het kopje mee naar het terras en glimlach tegen de maan, zielsgelukkig met dit goddelijke nieuws.

De kater van de meloenbrandewijn laat zich pas ver na twaalven verdrijven. Ik neem een douche, sluip de deur uit, stap voorzichtig in mijn auto en rijd achteruit de oprit af naar de straat.

Ik ga naar een yuppie-koffiebar waar ze croissants en speciale koffie serveren. Ik koop een dikke zondagskrant en spreid hem uit op een tafeltje achter in de bar. De krantekoppen staren me aan.

Voor de vierde achtereenvolgende dag staat de voorpagina vol met nieuws over de ramp met de raderboot. Eenenveertig kinderen zijn verdronken. De advocaten zijn al bezig met de procedures.

Het tweede belangrijke onderwerp, in het stadskatern, is de nieuwste aflevering van het vervolgverhaal over corruptie bij de politie, met name de relatie tussen de topless-bars en het wettig gezag. Bruiser wordt een paar keer genoemd als advocaat van Willie McSwane, een plaatselijke crimineel. Bovendien is hij ook de advocaat van Bennie Thomas, beter bekend als de Prins, een caféhouder en ex-gevangene. De kans is groot dat de FBI ook een onderzoek zal instellen naar Bruiser zelf.

Ik kan de bui zien hangen. De onderzoeksjury is al een maand aan het werk. Deze krant komt iedere dag met meer nieuws. Deck wordt steeds nerveuzer.

Maar het derde onderwerp is een volslagen verrassing. Op de laatste pagina van het zakenkatern staat een artikeltje met de kop: 'Rechtbankexamen: 161 kandidaten geslaagd'. Het is een kort persbericht van de examencommissie, gevolgd door een alfabetische lijst van alle geslaagde kandidaten.

Ik houd de krant nog dichter bij mijn gezicht, turend naar de kleine lettertjes. Ja hoor! Daar! Het was geen administratieve vergissing. Ik ben geslaagd. Snel laat ik mijn oog over de namen van de andere geslaagden glijden, van wie ik een groot aantal de afgelopen drie jaar goed heb gekend.

Ik zoek Bookers naam, maar die staat er niet bij. Ik controleer het nog eens, en opnieuw, en laat me dan zuchtend in mijn stoel terugzakken. Ik leg de krant op het tafeltje en lees alle namen hardop. Geen Booker Kane.

Gisteravond, toen juffrouw Birdie zich opeens de brief met het goede nieuws herinnerde, had ik op het punt gestaan hem te bellen maar ik durfde niet. Ik wist dat ik geslaagd was. Ik wachtte liever tot Booker mij zou bellen. Als ik binnen een paar dagen niets van hem zou horen, zou ik weten dat hij gezakt was.

Ik aarzel wat ik moet doen. In gedachten zie ik hem nu bezig. Dit is de tijd waarop hij Charlene helpt de kinderen gereed te maken voor de kerk. Waarschijnlijk probeert hij te glimlachen en hen er allebei van te overtuigen dat het maar een tijdelijke tegenslag is en dat hij de volgende keer wèl zal slagen.

Maar ik weet dat hij verpletterd is, verdrietig en kwaad op zichzelf omdat hij is gezakt. Hij maakt zich zorgen over Shankles reactie en hij is bang om maandag naar kantoor te gaan.

Booker is een ontzettend trotse vent, die denkt dat hij alles kan. Ik zou graag naar hem toe rijden om hem te troosten, maar dat is niet verstandig.

Ik lees de lijst nog eens door en zie opeens dat Sara Plankmore er ook niet bij staat. Ook niet als Sara Wilcox, haar nieuwe naam. S. Todd Wilcox is wel geslaagd, maar zijn jonge bruidje niet.

Ik lach hardop. Ik weet dat het gemeen, haatdragend, kinderachtig, wraakzuchtig en kleinzielig is, maar ik kan het niet helpen. Ze heeft zich zwanger laten maken om te kunnen trouwen, en de druk is haar zeker te veel geworden. De afgelopen drie maanden heeft ze meer tijd besteed aan de bruiloft en de kleuren voor de kinderkamer dan aan haar studie. Ha. Ha. Ha. Wie het laatst lacht...

De dronken chauffeur die Dan Van Landel heeft aangereden heeft een WA-verzekering tot een limiet van honderdduizend dollar. Deck heeft de verzekeringsmaatschappij ervan overtuigd dat Van Landel recht heeft op het volledige bedrag en daar heeft hij gelijk in. De verzekeraar heeft toegezegd dat hij zal uitkeren. Bruisers naam is pas op het laatste moment genoemd, toen we met een procedure dreigden. Deck heeft tachtig procent van het werk gedaan, ikzelf hooguit vijftien. Die laatste vijf procent was Bruisers inspanning. Maar volgens Bruisers systeem verdienen Deck en ik er geen cent aan. Waarom? Omdat Bruiser het eerst van de zaak hoorde. Deck en ik hebben Van Landel een contract laten tekenen, maar dat is onze taak als Bruisers medewerkers. Als wij het eerst van de zaak hadden gehoord èn Van Landels handtekening hadden gekregen, zouden we pas in aanmerking zijn gekomen voor een deel van de winst.

Bruiser laat ons allebei naar zijn kantoor komen en doet de deur achter ons dicht. Hij feliciteert me met het examen. Hij is zelf ook de eerste keer geslaagd. Deck moet zich nu nòg stommer voelen, maar hij laat niets merken. Hij zit te luisteren en likt langs zijn tanden, met zijn hoofd schuin. Bruiser praat nog even over de zaak Van Landel. Vanochtend heeft hij een cheque van honderdduizend dollar ontvangen en de Van Landels komen vanmiddag op kantoor voor hun aandeel. Bruiser vindt dat wij ook wel iets verdienen voor de moeite.

Deck en ik wisselen een nerveuze blik.

Bruiser zegt dat hij goede zaken doet, dat hij nu al meer heeft verdiend dan het hele vorige jaar en dat hij zijn medewerkers graag tevreden houdt. Bovendien is deze zaak bijzonder snel geregeld. Hij heeft er zelf niet meer dan zes uur aan gewerkt.

Deck en ik vragen ons af wat hij dan die zes uur heeft gedaan.

Uit de goedheid van zijn hart wil hij ons graag iets geven. Zijn aandeel is een derde, drieëndertigduizend dollar, maar die wil hij niet voor zichzelf houden. 'Ik geef jullie samen een derde van mijn aandeel, dan kunnen jullie dat verdelen.'

Deck en ik maken een snelle berekening. Een derde van drieëndertigduizend is elfduizend dollar, de helft daarvan is vijfenvijftighonderd.

Ik vertrek geen spier en zeg: 'Bedankt, Bruiser. Dat is verdomd geschikt van je.'

'Geen punt,' zegt hij, alsof hij nu eenmaal een vrijgevig karakter heeft. 'Zie het maar als een presentje omdat je bent geslaagd.'

'Dank je.'

'Ja, bedankt,' zegt Deck. We zijn allebei stomverbaasd, hoewel we niet vergeten dat Bruiser nu tweeëntwintigduizend dollar overhoudt aan zes uur werk. Dat is ongeveer vijfendertighonderd dollar per uur.

Maar ik had geen cent verwacht en opeens voel ik me rijk.

'Goed werk, mannen. Houden zo.'

We knikken eensgezind. In gedachten ben ik al bezig mijn fortuin uit te geven. Deck ook, neem ik aan.

'Zijn we klaar voor morgen?' vraagt Bruiser aan mij. We praten nog even over de zaak tegen Great Eastern, die morgen om negen uur zal dienen voor de edelachtbare Harvey Hale. Bruiser heeft al één onaangenaam gesprek met de rechter achter de rug en niemand verheugt zich op de zitting.

'Ik geloof het wel,' antwoord ik met een zenuwtrekje. Ik heb een weerwoord van dertig pagina's op het stuk van Great Eastern ingediend, waarop onmiddellijk weer een reactie volgde van Drummond en zijn makkers. Bruiser heeft Hale gebeld om te protesteren, maar dat gesprek liep verkeerd af.

'Misschien laat ik jou een deel van de argumenten uiteenzetten, dus hou je gereed.'

Ik moet even slikken. De zenuwen slaan om in regelrechte paniek.

'Aan het werk,' zegt Bruiser. 'Het zou heel pijnlijk zijn als we in de eerste ronde al het loodje legden.'

'Ik ben er ook mee bezig,' zegt Deck behulpzaam.

'Mooi zo. Dan gaan we er alle drie naartoe. Zíj komen met minstens twintig mensen.'

Onverwachte rijkdom wekt het verlangen naar de betere dingen in het leven. Daarom besluiten Deck en ik tot een biefstuk in een naburig steakhouse in plaats van de gebruikelijke broodjes met soep bij Trudy's.

'Hij is nog nooit zo gul geweest,' zegt Deck met een heel repertoire van zenuwtrekjes. We zitten achter in de donkere zaal van het restaurant. Niemand kan ons horen, maar toch is Deck nerveus. 'Er is iets aan de hand, Rudy, ik weet het zeker. Toxer en Ridge kunnen ieder moment ontslag nemen. De FBI houdt Bruiser in de gaten, en hij geeft geld weg. Het bevalt me allemaal niks.'

'Wat kan er dan gebeuren? Ze kunnen òns niet arresteren.'

'Nee, maar ik ben bang voor mijn baantje.'

'Hoezo? Als Bruiser wordt aangehouden en aangeklaagd, betaalt hij onmiddellijk een borgtocht en is hij weer op vrije voeten. Het kantoor draait gewoon door.'

'Als het misgaat,' zegt hij geïrriteerd, 'staan ze met huiszoekingsbevelen en breekijzers op de stoep. Daar hebben ze het recht toe, en het is al eerder gebeurd in dit soort zaken. De FBI vindt het prachtig om een advocatenkantoor overhoop te halen, de dossiers in beslag te nemen en de computers weg te halen. Die trekken zich van jou en mij niets aan.'

Daar had ik niet aan gedacht. Ik kijk hem geschrokken aan. 'Ze kunnen hem het werken gewoon onmogelijk maken,' zegt Deck nadrukkelijk. 'En dat zullen ze doen ook. Dan komen wíj in de vuurlinie terecht, en denk maar niet dat iemand ons zal helpen.'

'Wat moeten we dan doen?'

'Onze biezen pakken.'

Ik wil vragen wat hij daarmee bedoelt, maar dat is wel duidelijk. Deck is mijn vriend, maar hij heeft plannen. Ik ben geslaagd voor het rechtbankexamen, en daarom kan hij zich nu bij míj aansluiten. Deck zoekt een partner. Voordat ik iets kan zeggen, gaat hij alweer verder: 'Hoeveel geld heb jij?' vraagt hij.

'Eh, vijfenvijftighonderd dollar.'

'Ik ook. Dat is samen elfduizend. Als we allebei tweeduizend dollar investeren, hebben we vierduizend. We kunnen een kantoortje huren voor vijfhonderd per maand, met nog eens vijfhonderd voor elektra en telefoon. Meubels hoeven niet veel te kosten. De eerste zes maanden kunnen we op alles bezuinigen, en dan zien we wel hoe het gaat. Ik breng de cliënten binnen en jij gaat naar de rechtbank, en we delen de winst. Alles op basis van fifty-fifty: de kosten, de inkomsten, het werk, de uren.'

Hij heeft me totaal overvallen. Ik denk snel na. 'Een secretaresse?'

'Die hebben we niet nodig,' zegt hij snel. Hij heeft er duidelijk over nagedacht. 'In het begin nog niet, tenminste. Als we op kantoor zijn, kunnen we allebei de telefoon aannemen, en anders gebruiken we een antwoordapparaat. Ik kan typen, jij ook. Dat lukt wel. Zodra we wat geld hebben verdiend, nemen we wel een secretaresse.'

'Hoe hoog zijn de vaste lasten?'

'Nog geen tweeduizend. Huur, telefoon, elektra, water, kantoorartikelen, noem maar op. Dat houden we goedkoop. Hoe lager de kosten, des te groter de winst. Heel simpel.' Hij kijkt me aan boven zijn ijsthee en buigt zich weer naar voren. 'Hoor eens, Rudy, zoals ik het zie hebben we zojuist tweeëntwintigduizend dollar laten liggen. We hadden recht op het hele bedrag. Daarmee hadden we onze vaste lasten een heel jaar kunnen dekken. We kunnen beter voor onszelf beginnen. Dan is de winst ook voor ons.'

Er bestaan ethische bezwaren tegen een samenwerkingsverband tussen advocaten en niet-advocaten. Ik wil er wat over zeggen, maar dat is zinloos. Deck heeft zijn antwoord toch al klaar.

'Die huur klinkt nogal laag,' opper ik om maar wat te zeggen en om te peilen hoe goed hij zich heeft voorbereid.

Hij knijpt zijn ogen half dicht en grijnst. Zijn bevertanden glinsteren. 'Ik heb al een ruimte gevonden. In een oud gebouw aan Madison, boven een antiekwinkel. Vier kamers plus een toilet. Het ligt precies tussen het huis van bewaring en St. Peter's in.'

De ideale plek! De droom van iedere advocaat. 'Geen beste buurt,' zeg ik. 'Waarom dacht je dat de huur zo laag is?'

'Is het in goede staat?'

'Redelijk. Het heeft alleen een verfje nodig.'

'Ik ben goed in schilderen.'

Onze salade arriveert en ik prop wat aangemaakte sla in mijn mond. Deck speelt met zijn eten. Hij is nog met zijn plannen bezig.

'Ik moet hier weg, Rudy. Ik weet dingen die ik je nu niet kan vertellen, oké? Geloof me nou maar als ik zeg dat Bruiser grote problemen heeft. Hij heeft veel te lang op zijn geluk vertrouwd.' Hij zwijgt en wipt een walnoot op zijn vork. 'Als jij geen zin hebt, ga ik vanmiddag met Nicklass praten.'

Nicklass is de enige die achterblijft als Toxer en Ridge vertrekken, en ik weet dat Deck hem niet mag. Ik heb ook het sterke vermoeden dat Deck de waarheid vertelt over Bruiser. Je hoeft de krant maar te lezen om te weten hoe slecht hij ervoor staat. Deck is al zes jaar zijn trouwste medewerker en het belooft niet veel goeds dat juist hij het zinkende schip wil verlaten.

Zwijgend en zonder veel enthousiasme werken we onze salade naar binnen, peinzend over de toekomst. Vier maanden geleden zou het geen moment bij me zijn opgekomen om in zee te gaan met iemand als Deck, maar nu weet ik eigenlijk geen goede reden te bedenken om nee te zeggen.

'Je wilt niet met me samenwerken?' vraagt hij nogal zielig.

'Ik denk erover na, Deck. Gun me even de tijd. Dit komt nogal onverwacht.'

'Sorry. Maar we hebben niet veel tijd.'

'Hoeveel weet je precies?'

'Genoeg om zeker van mijn zaak te zijn. Vraag me niet hoe.'

'Laat me er een nachtje over slapen.'

'Goed. Morgen moeten we al vroeg op de rechtbank zijn. Laten we ontbijten bij Trudy's. Op kantoor kunnen we niet praten. Laat je gedachten erover gaan en vertel me morgenochtend wat je besloten hebt.'

'Afgesproken.'

'Hoeveel zaken heb je zelf?'

Ik denk even na. Ik heb een dik dossier over de zaak Black, een voorlopig dossier over juffrouw Birdie en nog een schadevergoeding in een arbeidsconflict, een waardeloze zaak waarmee Bruiser me vorige week heeft opgescheept. 'Drie.'

'Neem alle stukken mee naar huis.'

'Nu?'

'Ja. Vanmiddag. En alles wat je verder nog uit je kantoor wilt redden. Maar zorg dat niemand het ziet, oké?'

'Worden we in de gaten gehouden?'

Hij kijkt schichtig over zijn schouder en knikt dan nadrukkelijk, met woest rollende ogen achter zijn dikke brilleglazen.

'Door wie?'

'Door de FBI, denk ik. Het kantoor staat onder bewaking.'

Bruisers luchthartige opmerking dat ik misschien een deel van de argumentatie mag voeren tijdens de zitting over de zaak Black, houdt me uit mijn slaap. Ik weet niet of het de gebruikelijke bluf van onze wijze mentor was, maar het maakt me nog nerveuzer dan het vooruitzicht om samen met Deck een eigen kantoor te beginnen.

Het is nog donker als ik bij Trudy's aankom. Ik ben haar eerste klant. De koffie staat te pruttelen en de donuts zijn warm. We praten even, maar Trudy heeft het druk.

Ik ook. Ik heb zelfs geen tijd voor de kranten en begraaf me meteen in mijn aantekeningen. Zo nu en dan tuur ik over het grotendeels verlaten parkeerterrein naar de overkant, speurend naar onopvallende auto's met FBI-agenten die sigaretten zonder filter roken en muffe koffie drinken, zoals in de film. Soms kan Deck volstrekt geloofwaardig zijn, maar soms is hij net zo gestoord als hij eruitziet.

Hij is zelf ook vroeg. Een paar minuten over zeven komt hij binnen, haalt een kop koffie en laat zich op de stoel tegenover me zakken. De koffieshop is half vol.

'En?' vraagt hij meteen.

'We kunnen het een jaartje proberen,' zeg ik. Ik heb al besloten dat we een overeenkomst zullen sluiten voor hooguit één jaar, met een wederzijdse opzegtermijn van dertig dagen voor het geval een van ons er genoeg van krijgt.

Zijn tanden blikkeren en hij heeft moeite zijn enthousiasme te bedwingen. Hij steekt me zijn rechterhand toe. Dit is een groots moment voor Deck. Ik wou dat ik het net zo voelde.

Ik heb ook besloten hem wat in te tomen, zodat hij niet langer achter elke ambulance aanrent. Door hard te werken en onze cliënten goed te behandelen kunnen we hopelijk een fatsoenlijke reputatie opbouwen. Ik zal Deck stimuleren om voor zijn rechtbankexamen te studeren en wat meer respect te tonen voor ons beroep.

Heel voorzichtig, uiteraard.

Ik ben niet achterlijk. Deck bij een ziekenhuis vandaan houden zal net zo moeilijk zijn als een alcoholist van de drank afhelpen. Maar ik zal mijn best doen.

'Heb je je dossiers mee naar huis genomen?' fluistert hij met een blik naar de deur als er twee vrachtwagenchauffeurs binnenkomen.

'Ja. Jij ook?'

'Ik ben vorige week al begonnen.'

Ik wil hier liever niets over horen en breng het gesprek op de zitting van vanochtend. Maar Deck begint weer over onze nieuwe samenwerking. Om acht uur vertrekken we naar kantoor. Als we het parkeerterrein oversteken, kijkt Deck wantrouwend naar de auto's, alsof ze allemaal vol zitten met agenten.

Om kwart over acht is Bruiser nog steeds niet op kantoor. Deck en ik nemen Drummonds argumenten nog eens door. Hier, waar de muren oren hebben, praten we uitsluitend over juridische zaken.

Het wordt half negen. Nog geen spoor van Bruiser. Hij had uitdrukkelijk beloofd dat hij hier om acht uur zou zijn voor een laatste bespreking. Rechter Hale houdt zitting in het gebouw van het Shelby Court in de binnenstad, minstens twintig minuten rijden. Deck belt met tegenzin Bruisers appartement, maar er wordt niet opgenomen. Dru zegt dat ze hem om acht uur verwachtte. Ze probeert zijn autotelefoon. Geen reactie. Misschien wacht hij ons bij de rechtbank op, zegt ze.

Deck en ik proppen de stukken in mijn koffertje en vertrekken om kwart voor negen. Hij kent de snelste route, zegt hij, dus hij rijdt, terwijl ik naast hem zit te zweten. Mijn handen zijn klam en ik heb een droge keel. Als Bruiser me nu in de steek laat, vergeef ik hem dat nooit. Dat zal ik hem altijd nadragen.

'Rustig nou maar,' zegt Deck, over het stuur gebogen. Hij zigzagt door het verkeer en rijdt door het rode licht. Zelfs Deck ziet hoe bang ik ben. 'Bruiser komt heus wel opdagen.' Maar hij klinkt niet overtuigend. 'En anders red je het in je eentje wel. Het is maar een voorlopige zitting, zonder jury.'

'Hou je kop nou maar en rij door, oké? Zonder ongelukken.'

'Wees toch niet zo snel aangebrand.'

We zitten in een file en ik kijk angstig op mijn horloge. Het is negen uur. Deck rijdt bijna twee voetgangers van de sokken en steekt een kleine parkeerplaats over. 'Zie je die deur daar?' wijst hij terwijl hij met piepende banden door een eenrichtingsstraat scheurt. Het is een groot, vierkant, recht gebouw dat het hele blok beslaat.

'Ja.'

'Daar moet je zijn. Eén trap omhoog. De rechtszaal is de derde deur rechts.'

'Denk je dat Bruiser er al is?' vraag ik wanhopig.

'Natuurlijk,' liegt hij. Hij trapt op de rem en ramt de stoeprand. Half struikelend spring ik uit het busje. 'Ik zoek een parkeerplaats en dan kom ik je achterna,' roept hij nog. Ik ren het bordes op, de deur door, nog een trap op, en opeens sta ik in de tempel der gerechtigheid.

In tegenstelling tot het strafrechtcomplex aan de overkant van de straat is het Shelby Court een oud en statig gebouw dat nog geheel in de oorspronkelijke staat verkeert. De gang is breed, donker en stil, met rijen houten banken onder de portretten van vooraanstaande juristen.

Ik vertraag mijn pas en blijf staan voor de rechtszaal van de edelachtbare Harvey Hale. Sectie Acht, volgens een koperen bordje naast de deur.

Op de gang is geen spoor van Bruiser te bekennen. Voorzichtig duw ik de deur open. Bruisers enorme gestalte schittert door afwezigheid. Hij is er niet.

Maar anderen wel. Ik zie glimmende houten banken met kussentjes. Een gangpad met een rode loper eindigt bij een klaphekje, waar een groepje mensen op me staat te wachten. Op een rode leren stoel op het podium zit een onaangename man in een zwarte toga. Rechter Harvey Hale, neem ik aan. De klok achter hem geeft twaalf minuten over negen aan. Hij steunt met zijn kin in zijn ene hand. Met de vingers van zijn andere hand trommelt hij ongeduldig op zijn tafel.

Links van mij, voorbij het hek dat de publieke tribune van de rechter, de jury en de advocaten scheidt, zie ik een groepje mannen mijn kant op kijken. Vreemd genoeg zien ze er allemaal hetzelfde uit: kort haar, donkere pakken, witte overhemden, gestreepte dassen, ernstige gezichten en een minachtende grijns.

Het is doodstil. Ik voel me een binnendringer. Zelfs de stenografe en de parketwachter stralen iets vijandigs uit.

Met knikkende knieën en lood in mijn schoenen loop ik naar het klaphekje toe. Mijn keel is droog als perkament. Mijn stem klinkt zwak: 'Neem me niet kwalijk, meneer, maar ik ben hier voor de zaak Black.'

De rechter staart me uitdrukkingsloos aan en trommelt nog steeds met zijn vingers. 'En wie bent u?'

'Mijn naam is Rudy Baylor en ik werk voor Bruiser Stone.'

'Waar is de heer Stone?' vraagt hij.

'Dat weet ik niet. We zouden elkaar hier treffen.' Ik hoor wat geroezemoes onder het groepje advocaten links van me, maar ik kijk strak voor me uit. Rechter Hale houdt op met trommelen, recht zijn rug en schudt vermoeid zijn hoofd. 'Waarom verbaast mij dat nou niet?' zegt hij in de microfoon.

Als Deck en ik voor onszelf beginnen, wil ik de zaak Black meenemen. Die is van mij! Niemand anders heeft er recht op. Rechter Hale kan niet weten dat ik deze zaak zal afhandelen, en niet Bruiser Stone. Dit lijkt me het juiste moment om dat bekend te maken.

'U wilt de zaak aanhouden, neem ik aan?' zegt hij.

'Nee, meneer. Ik ben bereid tot een gedachtenwisseling,' zeg ik zo zelfverzekerd mogelijk. Ik glip het hekje door en leg de stukken op de tafel rechts.

'Bent u advocaat?' vraagt hij.

'Ik heb zojuist het examen afgelegd.'

'Maar u hebt uw oorkonde nog niet?'

Ik weet niet waarom dat nu pas tot me doordringt. Waarschijnlijk was ik zo trots op mezelf dat het me gewoon ontschoten is. Bovendien zou Bruiser vandaag het woord voeren, met hooguit een paar opmerkingen van mijn kant, als oefening. 'Nee, meneer. Ik geloof dat we pas volgende week de eed afleggen.'

Een van mijn tegenstanders schraapt zijn keel om de aandacht van de rechter te trekken. Ik draai me om en zie een gedistingeerde man in een marineblauw pak dramatisch van zijn stoel opstaan. 'Edelachtbare,' begint hij op een toon alsof hij dit al duizenden keren heeft gezegd, 'mijn naam is Leo F. Drummond van Tinley Britt, raadsman van Great Eastern Life.' Alsof zijn oude vriend en studiegenoot dat niet zou weten. De stenografe vijlt haar nagels.

'En ik maak bezwaar tegen de aanwezigheid van deze jongeman.' Hij wijst naar mij. Zijn woorden zijn traag en stroperig. Ik heb nu al de pest aan hem. 'Hij is niet eens bevoegd.'

Ik haat die patroniserende toon. Wat zeurt hij nou? Dit is maar een voorlopige zitting. De zaak moet nog beginnen.

'Edelachtbare, volgende week heb ik mijn oorkonde,' zeg ik. De woede geeft me kracht.

'Dat is niet voldoende,' vindt Drummond. Hij heft vertwijfeld zijn armen bij zo'n belachelijk idee. Het lef!

'Ik ben geslaagd voor het examen, edelachtbare.'

'Dat is zo moeilijk niet,' snauwt Drummond.

Ik kijk hem strak aan. Hij staat in een groepje van vier andere mensen, van wie er drie achter de tafel zitten met blocnotes voor zich. De vierde zit wat verder naar achteren. Ze staren me allemaal aan.

'O nee, meneer Drummond? Vraagt u dat maar eens aan Shell Boykin,' merk ik op. Drummonds gezicht verstrakt en ik zie hem ineenkrimpen. Hij is niet de enige.

Het is goedkoop, maar ik kon het niet laten. Shell Boykin is een van de twee studenten uit ons jaar die door Trent & Brent zijn aangenomen. We hebben elkaar drie jaar lang gehaat. Vorige maand hebben we samen examen gedaan, maar ik heb zijn naam zondag niet in de krant gezien. Ik weet zeker dat het dure kantoor zich een beetje schaamt dat een van hun geniale jonge rekruten het rechtbankexamen niet heeft gehaald.

Drummond kijkt nijdig en ik glimlach hem vriendelijk toe. In die paar seconden dat onze blikken elkaar kruisen, leer ik een bijzonder nuttig les. Drummond is ook maar een mens. Hij mag dan een bekend advocaat zijn, met heel wat scalpen aan zijn riem, maar toch is hij ook van vlees en bloed. Hij kan me niet naar de strot vliegen, want ik zou hem alle hoeken van de kamer laten zien. Hij en zijn makkers kunnen me helemaal niets doen.

We staan even hoog en onze tafels zijn even groot.

'Zitten!' gromt zijne edelachtbare in de microfoon. 'Allebei!' Ik laat me achter mijn tafel zakken. 'Eén vraag, meneer Baylor: wie behandelt deze zaak namens uw kantoor?'

'Ikzelf, edelachtbare.'

'En de heer Stone?'

'Geen idee. Maar dit is míjn zaak en dit zijn míjn cliënten. Meneer Stone heeft de procedure aangespannen omdat ik toen nog geen examen had gedaan.'

'Juist. Laten we maar beginnen,' zegt hij tegen de stenografe, die zich al over haar machine heeft gebogen. 'De gedaagde heeft een verzoek ingediend om de zaak niet-ontvankelijk te verklaren. U hebt het woord, meneer Drummond. Beide partijen krijgen vijftien minuten om hun standpunt toe te lichten, daarna zal ik uitspraak doen. Ik heb geen zin om hier de hele ochtend te zitten. Akkoord?'

Iedereen knikt. De tafel van de verdediging lijkt wel zo'n rij houten eendjes in een schiettent. Alle kopjes gaan tegelijk op en neer. Leo Drummond loopt naar een verrijdbaar podium in het midden van de zaal en begint zijn betoog. Hij spreekt langzaam en zorgvuldig, en na een paar minuten wordt hij slaapverwekkend. Hij geeft een samenvatting van de hoofdpunten, die al uitvoerig zijn toegelicht in zijn dossier. Het komt erop neer dat Great Eastern ten onrechte is gedagvaard omdat er in de polis nooit sprake is geweest van beenmergtransplantaties. Bovendien valt Donny Ray Black niet onder de dekking omdat hij volwassen is en niet meer op de polis van zijn ouders is meeverzekerd.

Eerlijk gezegd had ik meer verwacht. Ik rekende op een magische show van de grote Leo Drummond. Tot gisterochtend had ik me zelfs verheugd op deze eerste schermutselingen: een stevig robbertje tussen Drummond, de gelikte advocaat, en Bruiser, de straatvechter.

Maar als ik niet zo gespannen was, zou ik bijna in slaap sukkelen. Hij gaat maar door, vijftien minuten aan één stuk. Rechter Hale zit iets te lezen, waarschijnlijk een tijdschrift. Twintig minuten. Volgens Deck rekent Drummond tweehonderdvijftig dollar per uur voor kantoorwerk en driehonderdvijftig per uur voor een optreden in de rechtszaal. Dat is minder dan wat er in Washington en New York voor wordt gerekend, maar behoorlijk prijzig naar de maatstaven van Memphis. Hij heeft dus alle reden om langzaam te spreken en voortdurend in herhalingen te vervallen. Bij dit soort tarieven is het lonend om lang van stof te zijn.

Zijn drie medewerkers zitten furieus te schrijven. Blijkbaar noteren ze al-

188

les wat hun leider te zeggen heeft. Het is bijna komisch. In andere omstandigheden had ik er hartelijk om kunnen lachen. Eerst hebben ze het onderzoek gedaan, toen het dossier geschreven, daarna alle wijzigingen aangebracht, vervolgens een weerwoord op mijn reactie opgesteld, en nu noteren ze Drummonds betoog, dat regelrecht uit hun eigen stukken afkomstig is. Maar ze krijgen er goed voor betaald. Volgens Deck rekenen de assistenten bij Tinley Britt een uurprijs van honderdvijftig dollar – en waarschijnlijk nog meer voor procedures en zittingen. Als dat klopt, zitten deze drie jonge klonen hier voor tweehonderd dollar per uur hun pennen leeg te schrijven. Dat is zeshonderd dollar, plus driehonderdvijftig voor Drummond zelf. Bijna duizend dollar per uur.

De vierde man, die wat achteraf zit, is ouder, ongeveer even oud als Drummond. Hij zit niet te schrijven, dus hij is geen advocaat. Ik houd hem voor een afgezant van Great Eastern, misschien een van hun bedrijfsjuristen.

Ik was Deck al helemaal vergeten, totdat hij me met zijn blocnote op de schouder klopt. Hij staat achter me en buigt zich over de balie. Op de blocnote heeft hij geschreven: 'Wat is die vent saai! Hou je aan je dossier en maak het niet langer dan tien minuten. Geen spoor van Bruiser?'

Ik schud mijn hoofd, zonder me om te draaien. Alsof Bruiser zich in de rechtszaal zou schuilhouden!

Na eenendertig minuten is Drummond eindelijk klaar. Hij heeft zijn leesbrilletje op de punt van zijn neus gezet, als een professor die college geeft. Zelfverzekerd loopt hij naar zijn tafel terug, voldaan over zijn briljante logica en zijn talent om de zaak kort en krachtig samen te vatten. Zijn slippendragers buigen zich naar hem toe en complimenteren hem fluisterend met zijn optreden. Stelletje bruinwerkers. Geen wonder dat Drummond zo'n opgeblazen ego heeft.

Ik loop naar het podium, leg mijn blocnote neer en kijk op naar rechter Hale, die opeens zeer geïnteresseerd lijkt. Ik barst van de zenuwen, maar ik heb geen keus. Vooruit dan maar.

Dit is een simpele zaak. Great Eastern heeft mijn cliënt ten onrechte de enige behandeling onthouden die zijn leven had kunnen redden. Daardoor hebben ze de dood van Donny Ray Black op hun geweten. Wij staan in ons recht, zij niet. Ik voel me gesterkt door het beeld van Donny Ray's ingevallen gezicht en zijn uitgeteerde lichaam. Dat maakt me kwaad.

De advocaten van Great Eastern krijgen enorm veel geld om een rookgordijn op te werpen, de feiten te verdoezelen, de rechter in te palmen en de jury te manipuleren. Dat is hun werk. Daarom is Drummond een half uur aan het woord geweest zonder iets te zeggen.

Ik zal mijn versie van de feiten en de relevante wetsartikelen veel korter houden. Mijn argumenten zullen helder en ter zake zijn. Op een gegeven moment moet dat toch vrucht afwerpen.

Zenuwachtig begin ik met een paar algemene argumenten waarom de zaak wel degelijk ontvankelijk is. Rechter Hale kijkt me aan alsof ik krankzinnig ben. Zijn gezicht straalt één en al scepsis uit, maar in elk geval houdt hij zijn mond. Ik probeer zijn blik te ontwijken.

Als twee partijen het volslagen oneens zijn, komt het zelden voor dat een zaak niet-ontvankelijk wordt verklaard. Ik ben wel onhandig en nerveus, maar ik weet zeker dat ik dit ga winnen.

Ik zwoeg me door mijn aantekeningen heen zonder iets nieuws naar voren te brengen, en al gauw kijkt zijne edelachtbare net zo verveeld als bij het betoog van Drummond. Hij buigt zich weer over zijn leesvoer. Als ik uitgesproken ben, vraagt Drummond om een weerwoord van vijf minuten, en zijn vriend gebaart naar het podium.

Drummond is nog eens elf langdradige en kostbare minuten aan het woord, zonder dat iemand begrijpt wat hij nu eigenlijk wil zeggen, en gaat dan weer zitten.

'Ik zou u beiden graag in mijn kamer spreken,' verklaart Hale. Hij staat op en verdwijnt met gezwinde spoed. Omdat ik niet weet waar Hales kamer is, wacht ik op Drummond. Hij is heel beleefd als we elkaar bij het podium tegenkomen. Hij legt zelfs zijn arm om mijn schouder en zegt dat ik het uitstekend heb gedaan.

De rechter heeft zijn toga al uitgetrokken als we zijn kamer binnenkomen. Hij staat achter zijn bureau en wijst naar twee stoelen. 'Kom binnen en ga zitten.' Het is een donkere, stijlvolle kamer met zware rode gordijnen voor de ramen, een wijnrood tapijt en boekenkasten van de vloer tot aan het plafond.

We gaan zitten. Hale denkt na. 'Deze zaak bevalt me niet, meneer Baylor,' zegt hij dan. 'Ik wil niet zeggen dat u lichtzinnig aan deze procedure bent begonnen, maar eerlijk gezegd ben ik niet erg onder de indruk. Ik krijg te veel van dit soort procedures.'

Hij zwijgt en kijkt me aan alsof hij een antwoord verwacht. Ik heb geen idee wat ik moet zeggen.

'Ik neig ertoe de zaak niet-ontvankelijk te verklaren,' zegt hij terwijl hij een la opentrekt en langzaam een reeks flesjes met pillen te voorschijn haalt. Zorgvuldig zet hij ze in een rij op zijn bureau. Wij kijken toe. 'Misschien kunt u de zaak opnieuw aanhangig maken bij een federaal gerechtshof,' vervolgt hij, 'als u mij er maar niet mee lastigvalt.' Hij telt zijn pillen – minstens twaalf, afkomstig uit vier plastic buisjes.

'Neem me niet kwalijk, ik moet even naar het toilet,' zegt hij opeens. Hij staat op, loopt naar een kleine deur, rechts van zijn bureau, en trekt die met een klap achter zich dicht.

Ik ben met stomheid geslagen en staar met nietsziende ogen naar de pillen, hopend dat hij erin zal stikken. Drummond heeft al die tijd geen woord gezegd, maar als op afspraak komt hij overeind en plaatst zijn achterste op een hoek van het bureau. Met een warme glimlach kijkt hij op me neer.

'Hoor eens, Rudy, ik ben een bijzonder dure advocaat van een bijzonder duur kantoor,' zegt hij op zachte, vertrouwelijke toon, alsof hij een geweldig geheim prijsgeeft. 'Als wij zo'n zaak binnenkrijgen, maken we meteen een berekening van de kosten. Die geven we aan onze cliënt, nog voordat we één vinger hebben uitgestoken. Ik heb heel wat zaken behandeld en ik kan het redelijk goed inschatten.' Hij verplaatst zijn gewicht en laat een pauze vallen voordat hij ter zake komt. 'Ik heb Great Eastern voorgerekend dat deze zaak hun vijftig- tot vijfenzeventigduizend dollar gaat kosten als we het hele traject afwerken.'

Hij wacht om te zien of ik onder de indruk ben, maar ik staar naar zijn stropdas. Op de achtergrond klinkt het geluid van het toilet dat wordt doorgetrokken.

'En daarom biedt Great Eastern jou en je cliënten een schikking aan van vijfenzeventigduizend dollar.'

Ik haal diep adem. Allerlei gedachten tollen door mijn hoofd, vooral de gedachte aan mijn aandeel in dat bedrag: vijfentwintigduizend dollar! Ik zie het al voor me.

Maar wacht eens even. Als zijn makker Harvey overweegt de zaak niet-ontvankelijk te verklaren, waarom biedt hij me dan zoveel geld?

En opeens begrijp ik hoe het zit. Het bekende spelletje van de goede en de slechte smeris. Harvey jaagt me de stuipen op het lijf, waarna Leo met een redelijk voorstel komt. Onwillekeurig vraag ik me af hoe vaak ze dat spelletje al hebben gespeeld in dit kantoor.

'Dat houdt uiteraard niet in dat mijn cliënt enige aansprakelijkheid erkent,' vervolgt hij. 'Het is een eenmalig aanbod dat achtenveertig uur van kracht blijft. Ik zou het maar aannemen. Als je weigert, kun je nog wat beleven.'

'Maar waarom?'

'Een simpel rekensommetje. Great Eastern spaart geld uit en loopt niet het risico van een krankzinnige uitspraak. Ze vinden het niet prettig om voor de rechter te worden gedaagd. Ze verspillen liever geen tijd aan allerlei juridische procedures. Ze blijven graag op de achtergrond. Ze houden niet van dit soort publiciteit. Het verzekeringswezen is een hard vak en ze willen niet dat de concurrentie hier lucht van krijgt. Genoeg redenen voor een discrete schikking. En genoeg redenen voor jouw cliënten om dat geld aan te pakken. Het grootste deel is nog belastingvrij ook.'

Hij is handig. Als ik mijn argumenten zou herhalen en hem voor de voeten zou werpen dat zijn cliënt niet deugt, zou hij dat glimlachend beamen. Het zal hem een zorg zijn. Al zou ik zijn eigen vrouw beledigen. Het enige wat hij wil is dat ik zijn aanbod accepteer.

De deur gaat open en zijne edelachtbare komt terug van zijn stilletje. Nu heeft Leo opeens een volle blaas en excuseert zich. Het aanbod is gedaan. Het duet gaat verder.

'Hoge bloeddruk,' mompelt Hale als hij weer achter zijn bureau gaat zitten en zijn flesjes verzamelt. Niet hoog genoeg, zeg ik bijna.

'Geen sterke zaak, knul. Misschien kan ik wat druk op Leo uitoefenen om je een schikking aan te bieden. Dat hoort ook bij mijn werk. Niet alle rechters denken er zo over, maar ik wel. Ik dring altijd op een schikking aan. Dat bespoedigt de zaak. Die jongens van Great Eastern willen je misschien een bedrag ineens bieden, om Leo geen duizend dollar per minuut te hoeven betalen.' Hij lacht luid, alsof dat vreselijk grappig is. Zijn gezicht loopt rood aan en hij begint te hoesten.

In gedachten zie ik Leo met zijn oor tegen de deur van de wc staan. Het zou me niet eens verbazen als daar een luidsprekertje is opgehangen.

Hale hoest en rochelt tot de tranen in zijn ogen springen. Als hij eindelijk tot bedaren is gekomen, zeg ik: 'Hij heeft me zojuist het bedrag aangeboden dat de verdediging zou kosten.'

Harvey is een slecht acteur. Verbaasd spert hij zijn ogen open. 'Hoeveel?'

'Vijfenzeventigduizend.'

Zijn mond valt open. 'Allemachtig. Je zou wel gek zijn als je dat niet aannam.'

'Vindt u?' Ik speel het spelletje maar mee.

'Vijfenzeventigduizend! Dat is veel geld. Dat lijkt me niets voor Leo.'

'Hij is een prima kerel.'

'Neem dat geld maar, knul. Ik doe dit werk al jaren. Ik weet wat ik zeg.'

De deur gaat open en Leo komt terug. Zijne edelachtbare staart hem aan en zegt: 'Vijfenzeventigduizend!' Je zou haast denken dat hij het geld uit zijn eigen begroting moet betalen.

'Dat is het aanbod van mijn cliënt,' antwoordt Leo, met een machteloos gebaar. Zijn handen zijn gebonden.

Zo spelen ze elkaar de bal nog even toe. Ik heb moeite om helder te denken, dus ik zeg niet veel. We vertrekken samen, Leo met zijn arm om mijn schouder.

Ik vind Deck in de gang, aan de telefoon. Ik ga op een bankje zitten en probeer alles op een rij te zetten. Ze hadden verwacht dat ze Bruiser zouden treffen. Zouden ze hebben geprobeerd om hem op dezelfde manier in te pakken? Nee, dat denk ik niet. Met Bruiser hadden ze waarschijnlijk andere plannen. Hoe konden ze dan zo snel van tactiek veranderen?

Twee dingen weet ik zeker. Om te beginnen overweegt Hale serieus om de

zaak niet-ontvankelijk te verklaren. Hij is een zieke oude man, die al jaren rechter is en zich door niets of niemand meer laat beïnvloeden. Het
zal hem worst wezen of hij gelijk heeft of niet. En het kon wel eens lastig
worden om dezelfde procedure bij een ander hof aan te spannen. Dus
hebben we een probleem. Maar aan de andere kant was Drummond veel
te happig op een schikking. Hij is bang, omdat zijn cliënt op een bijzonder smerig trucje is betrapt.

Deck heeft de afgelopen twintig minuten elf telefoontjes gepleegd, maar
Bruiser is nergens te vinden. We springen in het busje en rijden snel terug
naar kantoor. Onderweg beschrijf ik hem de bizarre scène in Hales kantoor. Deck, die met alle winden mee waait, vindt dat we het geld moeten
aannemen. Zelfs een miljoen kan Donny Ray niet meer redden, zegt hij
terecht. Dus moeten we nemen wat we krijgen kunnen, om het leven wat
draaglijker te maken voor Dot en Buddy.
Deck beweert dat hij al meer verhalen heeft gehoord over vreemde zaken
in Hales rechtszaal. Harvey Hale heeft de naam dat hij bedrijven die over
de schreef gaan bijzonder soepel aanpakt. Hij heeft de pest aan eisers. De
kans op een eerlijke behandeling is bijzonder klein. We kunnen beter het
geld pakken, vindt Deck.

Dru is in tranen als we het kantoor binnenkomen. Ze is bijna hysterisch
omdat iedereen Bruiser zoekt. Haar mascara loopt over haar wangen en
ze vloekt en huilt. Dit is niets voor Bruiser, herhaalt ze voortdurend. Er
móet iets gebeurd zijn.
Bruiser, die zelf ook niet brandschoon is, heeft nogal wat dubieuze en gevaarlijke kennissen. Het zou me niet verbazen als zijn vette lijf ooit terug-
gevonden werd in de kofferbak van een auto bij het vliegveld. Deck denkt
er ook zo over. De onderwereld zit achter hem aan.
Maar ik ook. Ik bel Yogi's om met de Prins te praten. Die weet wel waar
Bruiser uithangt. Ik krijg Billy aan de lijn. Hij is de manager en ik ken
hem goed. Na een paar minuten begrijp ik dat de Prins ook verdwenen
is. Ze hebben iedereen al gebeld, maar hij is nergens te vinden. Billy
maakt zich ongerust. De FBI is net vertrokken. Wat is er aan de hand?
Deck gaat alle kantoren langs om de troepen te verzamelen. We komen
bijeen in de vergaderzaal: Deck, Toxer, Ridge en ik, vier secretaressen en
twee meisjes die ik nooit eerder heb gezien. Nicklass, de andere advocaat,
is de stad uit. We wisselen gegevens uit over onze laatste gesprekken met
Bruiser. Gedroeg hij zich verdacht? Wat stond er voor vandaag in zijn
agenda? Met wie had hij een afspraak? Wie heeft hem het laatst gezien?
Er hangt een sfeer van paniek op kantoor, een grote verwarring die er
niet beter op wordt door Dru's onophoudelijke gesnotter. Zij vóelt ge-

woon dat er iets mis is.

Na een tijdje gaan we zwijgend terug naar onze eigen kamers en doen de deuren op slot. Deck komt met mij mee. We zitten een tijdje doelloos te praten, voorzichtig om niet te veel te zeggen, bang dat we worden afgeluisterd. Om half twaalf glippen we door een achterdeur het kantoor uit om te gaan lunchen.

We zullen er nooit meer terugkomen.

– 24 –

Het zal wel altijd een raadsel blijven of Deck werkelijk wist wat er ging gebeuren of dat hij een bijzonder scherp voorgevoel had. Hij is een simpele vent zonder veel diepgang. Hij zegt meestal wat hij denkt. Maar behalve zijn uiterlijk vertoont ook zijn karakter een paar vreemde, achterbakse trekjes. Ik heb sterk het vermoeden dat hij en Bruiser veel meer contact hadden dan de meesten van ons wisten, dat Bruisers gulheid na de zaak Van Landel aan Decks invloed te danken was en dat Bruiser verborgen toespelingen maakte op zijn afscheid.

In elk geval ben ik niet echt verbaasd als ik 's nachts om tien voor half vier een telefoontje krijg. Het is Deck, die meldt dat de FBI kort na middernacht ons kantoor is binnengevallen en dat Bruiser zijn hielen heeft gelicht. Maar er is meer. De rechter heeft ons kantoor laten verzegelen en de FBI wil praten met iedereen die er heeft gewerkt. Het grootste nieuws is misschien wel dat ook Prins Thomas is verdwenen, samen met zijn vriend en advocaat.

Stel je voor, giechelt Deck in de telefoon. Die twee varkens met hun baarden en hun lange grijze haar, die ongezien langs de bewaking op het vliegveld proberen te glippen!

Morgenochtend wordt een officiële aanklacht verwacht. Deck stelt voor dat we elkaar om twaalf uur in ons nieuwe kantoor zullen treffen. Ik vind het best. Ik heb toch niets anders te doen.

Ik staar een half uurtje naar het donkere plafond, en geef dan de moed op. Op blote voeten loop ik door het koele natte gras en klim in de hangmat. Over een kleurrijke figuur als de Prins gaan natuurlijk de wildste geruchten. Hij was dol op geld en de eerste dag dat ik bij Yogi's werkte hoorde ik al van een dienster dat tachtig procent van de inkomsten nooit werd opgegeven. Het personeel roddelde graag over de kapitalen die de Prins voor de belasting verborgen hield.

Hij hield zich ook met andere zaken bezig. Een paar jaar geleden, toen hij weer eens voor de rechter moest verschijnen, beweerde een getuige dat negentig procent van de omzet van een bepaalde topless-bar uit contant geld bestond en dat zestig procent daarvan nooit werd opgegeven. Als Bruiser en de Prins inderdaad een of meer van die clubs bezitten, moeten ze tonnen hebben verdiend.

Volgens de geruchten heeft de Prins een huis in Mexico, bankrekeningen in de Cariben, een zwarte maîtresse op Jamaica, een boerderij in Argentinië en God mag weten wat nog meer. Er is een geheimzinnige deur in zijn kantoor waarachter zich een kamer zou bevinden met kisten vol briefjes van twintig en honderd dollar.

Als hij op de vlucht is, hoop ik dat hij veilig is, dat hij genoeg geld heeft meegenomen en dat ze hem nooit te pakken zullen krijgen. Het kan me niet schelen wat hij allemaal zou hebben misdaan. Hij is mijn vriend.

Dot wijst me mijn plaats aan de keukentafel, dezelfde stoel als altijd, en schenkt oploskoffie in hetzelfde kopje. Het is nog vroeg. In de rommelige keuken hangt de geur van gebakken spek. Buddy zit buiten. Dot wijst door de ruit. Ik kijk niet eens.

'Donny Ray gaat hard achteruit,' zegt ze. 'Hij is al twee dagen zijn bed niet uit gekomen.'

'We zijn gisteren voor het eerst naar de rechtbank geweest,' zeg ik.

'Nou al?'

'De rechtszaak is nog niet begonnen. Dit was een voorlopige zitting, zonder jury. De verzekeringsmaatschappij had de rechter gevraagd de zaak niet-ontvankelijk te verklaren en daar hebben we een robbertje over gevochten.' Ik probeer het simpel te houden, maar ik weet niet of ze het begrijpt. Ze kijkt nog eens door de vuile ramen naar de achtertuin, maar niet naar de Ford, dat weet ik zeker. Het lijkt wel of het haar niet interesseert.

Vreemd genoeg is dat een geruststelling. Als rechter Hale doet wat ik dènk dat hij zal doen, en als we de zaak niet bij een ander hof aanhangig kunnen maken, is het afgelopen. Misschien hebben Dot en Donny Ray het al opgegeven. Misschien zullen ze het me niet eens verwijten als het misgaat.

Op weg hierheen heb ik besloten niets te zeggen over rechter Hale en zijn dreigementen. Dat zou de zaak nodeloos ingewikkeld maken. Daar praten we nog wel over als het zo ver is.

'Great Eastern heeft een schikking aangeboden.'

'Wat voor een schikking?'

195

'Geld.'

'Hoeveel?'

'Vijfenzeventigduizend dollar. Dat zijn ze ook kwijt aan advocaten, dus betalen ze het liever meteen.'

Ze loopt rood aan en haar mond verstrakt. 'Dus die klootzakken denken dat ze ons kunnen afkopen?'

'Ja, precies.'

'Donny Ray heeft niets aan geld. Tien maanden geleden had hij een beenmergtransplantatie nodig. Nu is het veel te laat.'

'Ja.'

Ze pakt haar sigaretten van de tafel en steekt er een op. Haar ogen zijn rood en vochtig. Ik heb me vergist. Deze moeder heeft het nog niet opgegeven. Ze wil haar recht halen. 'Wat moeten we met vijfenzeventigduizend dollar? Donny Ray gaat dood, en dan zit ik alleen nog met hèm opgescheept.' Ze knikt in de richting van de Ford Fairlane.

'De vuile schoften,' zegt ze.

'Ja.'

'Je bent er zeker niet op ingegaan?'

'Natuurlijk niet. Daar kan ik niet over beslissen zonder jullie toestemming. Het aanbod blijft geldig tot morgenochtend.' Daarna zullen ze opnieuw proberen om de zaak niet-ontvankelijk te laten verklaren. Als rechter Hale hun gelijk geeft, kunnen we in beroep gaan. We hebben een kans, hoewel het minstens een jaar kan duren. Maar daar wil ik het nu niet over hebben.

Een hele tijd zitten we zwijgend tegenover elkaar, verdiept in onze eigen gedachten. Ik probeer de zaken op een rij te zetten. God weet wat er in haar hoofd omgaat. Arme vrouw.

Ze drukt haar sigaret in de asbak uit en zegt: 'Laten we maar met Donny Ray gaan praten.'

Ik loop achter haar aan door de donkere huiskamer, het gangetje in. Donny Ray's deur is dicht. Er hangt een bordje met NIET ROKEN op. Dot klopt zachtjes aan en we stappen naar binnen. De kamer is netjes. Er hangt een geur van ontsmettingsmiddelen. In de hoek blaast een ventilator. Het raam staat open, met een hor ervoor. Op een tafel aan het voeteneind van het bed staat een televisietoestel. Op het nachtkastje naast zijn kussen zie ik een verzameling flesjes met drankjes en pillen.

Donny Ray ligt stijf als een plank, met een laken strak om zijn magere lichaam getrokken. Hij grijnst breed als hij me ziet en klopt op het bed naast zich. Ik ga zitten, met Dot aan de andere kant.

Hij probeert te blijven glimlachen als hij me verzekert dat het prima met hem gaat en dat hij zich vandaag een heel stuk beter voelt. Een beetje moe, dat is alles. Zijn stem klinkt zwak en het spreken kost hem moeite.

Soms kan ik hem nauwelijks verstaan. Hij luistert aandachtig als ik hem beschrijf hoe het gisteren is gegaan. Dot houdt zijn rechterhand vast. Ik vertel hem over het aanbod van een schikking.

'Zouden ze nog hoger gaan?' vraagt hij. Daar hebben Deck en ik het gisteren bij de lunch ook over gehad. Great Eastern heeft een geweldige sprong gemaakt, van nul naar vijfenzeventigduizend. We vermoeden allebei dat we er wel een ton uit kunnen slepen, maar ik mag mijn cliënten geen valse hoop geven.

'Ik denk het niet,' zeg ik, 'maar we kunnen het proberen. Ze kunnen hooguit nee zeggen.'

'Hoeveel krijg je zelf?' vraagt hij.

Ik leg uit dat ik een derde krijg van wat er overblijft. Hij kijkt zijn moeder aan en zegt: 'Dat is vijftigduizend voor jou en pa.'

'Wat moeten we met vijftigduizend dollar?' vraagt ze hem.

'Het huis afbetalen. Een nieuwe auto kopen. Wat opzij leggen voor jullie ouwe dag.'

'Ik hoef hun smerige geld niet.'

Donny Ray sluit zijn ogen en valt in slaap. Ik kijk naar de buisjes met pillen. Even later schrikt hij wakker. Hij legt zijn hand op mijn arm, probeert er een kneepje in te geven en zegt: 'Wil jij een schikking, Rudy? Een deel van het geld is voor jou.'

'Nee, ik wil geen schikking,' zeg ik nadrukkelijk. Ik kijk naar hem en Dot. Ze luisteren allebei. 'Great Eastern zou ons geen geld hebben aangeboden als ze zich geen zorgen maakten. Ik wil ze aan de schandpaal nagelen.'

Een advocaat heeft de plicht zijn cliënt het beste advies te geven, los van zijn eigen financiële belangen. Ik zou de Blacks kunnen overreden het geld aan te nemen. Dat weet ik zeker. Ik kan hun vertellen dat rechter Hale van plan is de zaak niet-ontvankelijk te verklaren en dat we snel moeten toehappen voordat de kans verkeken is. Ik kan hun een rampzalig beeld schetsen. Deze mensen hebben al zoveel klappen gehad dat ze me onmiddellijk zouden geloven.

Geen probleem. Ik zou hier zo kunnen weggaan met vijfentwintigduizend dollar in mijn zak, een bedrag dat ik me niet eens kan vóórstellen. Maar ik weersta de verleiding. Ik heb er vannacht in mijn hangmat al mee geworsteld, en ik ben met mezelf in het reine gekomen.

Ik heb geen hoge dunk meer van de juridische professie. Ik zou nog eerder ander werk zoeken dan mijn cliënten op zo'n manier belazeren.

Ik laat de Blacks achter in de kamer van Donny Ray en hoop vurig dat ik morgen niet hoef terug te komen met het bericht dat de zaak niet-ontvankelijk is verklaard.

Er bevinden zich minstens vier andere ziekenhuizen op loopafstand van het St. Peter's, plus een medische faculteit, een tandartsenopleiding en talloze artsenpraktijken. De medische gemeenschap van Memphis heeft zich geconcentreerd in een gebied van zes straten tussen Union en Madison. Aan Madison zelf staat een gebouw van acht verdiepingen, recht tegenover het St. Peter's, bekend als het Peabody Medical Arts Building. Het heeft een overdekte voetgangerspromenade boven de straat, zodat de doktoren vanuit hun praktijk snel naar het ziekenhuis kunnen lopen. Het hele gebouw is afgehuurd door artsen. Een van hen is dr. Eric Craggdale, een orthopeed die een praktijk heeft op de tweede verdieping.

Gisteren heb ik een paar anonieme telefoontjes gepleegd en ontdekt wat ik wilde weten. Nu zit ik te wachten in de grote hal van het St. Peter's, één verdieping boven de straat, en houd het parkeerterrein van het Peabody Medical Arts Building in de gaten. Om tien over half elf zie ik een oude Volkswagen Golf van Madison komen en een plaatsje zoeken op het drukke parkeerterrein. Kelly stapt uit.

Ze is alleen, zoals ik al verwachtte. Een uurtje geleden heb ik haar man op zijn werk gebeld en opgehangen toen hij aan de lijn kwam. Ik zie niet veel meer dan haar kruin als ze zich uit de auto wringt. Ze loopt op krukken. Moeizaam zoekt ze haar weg tussen de auto's door, naar de ingang van het gebouw.

Ik neem de lift naar een hogergelegen etage en steek de straat over via de glazen tunnel. Ik ben zenuwachtig, maar ik doe het rustig aan.

Het is druk in de wachtkamer. Kelly zit met haar rug naar de muur, bladerend in een tijdschrift. Haar gebroken enkel zit in het loopgips. De stoel naast haar is leeg en ik ga zitten voordat ze goed en wel beseft dat ik het ben.

De schrik op haar gezicht maakt snel plaats voor een warme glimlach. Nerveus kijkt ze om zich heen. Niemand let op ons.

'Lees je tijdschrift maar,' fluister ik terwijl ik een *National Geographic* opensla. Ze verbergt zich half achter een nummer van *Vogue* en vraagt: 'Wat doe jij hier?'

'Last van mijn rug.'

Ze schudt haar hoofd en kijkt nog eens om zich heen. De dame naast haar zou graag weten waarover we zitten te fluisteren, maar haar nek zit in een kraag. We kennen niemand van de patiënten, dus we hoeven ons niet ongerust te maken. 'Wie is je dokter dan?' vraagt ze.

'Craggdale,' antwoord ik.

'Heel geestig.' Kelly Riker was al mooi toen ze in een eenvoudig nachthemd, met een blauwe plek op haar wang en zonder make-up in het ziekenhuis lag. Nu kan ik mijn ogen nauwelijks van haar afhouden. Ze draagt een licht gesteven witkatoenen button-down overhemd, van het soort dat een studente van haar vriendje zou lenen, en een kaki short met opgerolde pijpen. Haar donkere haar valt tot over haar schouders.

'Is hij goed?' vraag ik.

'Gewoon, een dokter.'

'Ben je hier al eerder geweest?'

'Hou op, Rudy. Ik wil er niet over praten. Je kunt beter weggaan,' zegt ze zacht maar resoluut.

'Ik heb erover nagedacht. Ik heb zelfs heel lang nagedacht over wat jij en ik moeten doen.' Ik wacht even als er een man in een rolstoel voorbijkomt.

'En?' vraagt ze.

'Ik weet het niet.'

'Ik vind dat je weg moet gaan.'

'Dat meen je niet echt.'

'Jawel.'

'Nee. Je wilt dat ik in de buurt blijf. Je wilt dat ik contact houd en zo nu en dan eens bel, zodat je de volgende keer dat hij je botten breekt iemand hebt die om je geeft. Dat is wat je wilt.'

'Er komt geen volgende keer.'

'Waarom niet?'

'Omdat hij veranderd is. Hij probeert met drinken te stoppen en hij heeft me beloofd dat hij me nooit meer zal slaan.'

'En jij gelooft hem?'

'Ja.'

'Dat heeft hij al eerder beloofd.'

'Ga nou weg. En bel me niet meer, oké? Dat maakt het alleen maar erger.'

'Waarom? Waarom maakt dat het erger?'

Ze aarzelt even, laat het tijdschrift op haar schoot zakken en kijkt me aan. 'Omdat ik je dan niet kan vergeten.'

Het is prettig om te weten dat ze aan me denkt. Ik steek mijn hand in mijn zak en haal er een visitekaartje uit met mijn oude adres, het adres van een kantoor dat nu door de FBI en de rechter is verzegeld. Ik schrijf mijn telefoonnummer achter op het kaartje en geef het haar. 'Afgesproken. Ik zal je niet meer bellen. Maar als je me ooit nodig hebt, dit is mijn privénummer. Als hij je mishandelt, bel me dan.'

Ze pakt het kaartje aan. Ik geef haar een snelle kus op haar wang en verdwijn.

Op de vijfde verdieping van hetzelfde gebouw is een grote kankerafdeling. Dr. Walter Kord is de arts van Donny Ray. Op dit moment doet hij weinig anders dan hem wat medicijnen geven en wachten op de dood. Kord heeft hem ook de eerste chemokuur voorgeschreven en de tests ge-

199

daan die vaststelden dat het beenmerg van Ron Black ideaal was voor een transplantatie bij zijn tweelingbroer. Hij zal een belangrijke getuige zijn in de zaak, als het ooit zo ver komt.

Ik laat een brief van drie kantjes bij zijn receptioniste achter. Ik wil graag eens met hem praten als hij tijd heeft, en bij voorkeur zonder dat hij er een rekening voor stuurt. In het algemeen hebben artsen de pest aan advocaten en krijgen we hen alleen te spreken als we ervoor betalen. Maar Kord en ik staan aan dezelfde kant en ik heb niets te verliezen door contact met hem op te nemen.

Met grote aarzeling en zonder op het verkeer te letten zoek ik mijn weg door dit dubieuze gedeelte van de stad. Tevergeefs probeer ik de verbleekte en afbladderende huisnummers naast de deuren te lezen. Het lijkt of deze buurt ooit in grote haast – en met reden – is verlaten, en of er nu mondjesmaat weer mensen komen wonen. De huizen en winkels zijn allemaal twee of drie verdiepingen hoog en een halve straat diep, met gevels van baksteen en glas. De meeste staan in rijen, met hier en daar een steegje ertussen. Een groot aantal is nog dichtgespijkerd en enkele zijn jaren geleden uitgebrand. Ik passeer een stomerij, een bloemist en twee restaurants – eentje met een terras en een luifel maar geen klanten.

De antiekzaak met de weidse naam 'Verborgen Schatten' bevindt zich op een hoek. Het is een redelijk nette zaak, met donkergrijs geverfde stenen en een rood zonnescherm boven de etalages. Er zijn twee verdiepingen. Ik kijk omhoog. Dat moet mijn nieuwe kantoor zijn.

Omdat ik geen andere deur kan ontdekken, stap ik de antiekzaak binnen. In het halletje zie ik een trappenhuis. Van boven komt een vaag schijnsel. Deck staat al te wachten met een trotse lach. 'Wat vind je ervan?' vraagt hij gretig voordat ik de kans heb gekregen om rond te kijken. 'Twintig bij dertig meter, vier kamers plus een toilet, dat is nog geen dollar per vierkante meter. Niet slecht,' zegt hij. Hij slaat me op de schouder, rent vooruit, draait zich om en spreidt zijn armen. 'Dit moet de receptie worden, lijkt me. Daar kan onze secretaresse zitten als we er een in dienst nemen. Het heeft alleen een verfje nodig. Alle vloeren zijn van hardhout.' Hij stampt met zijn voet, alsof hij me wil overtuigen. 'Het plafond is vier meter hoog. De wanden zijn van gipsplaat. Gemakkelijk te schilderen.' Hij wenkt me om mee te komen. We stappen een open deur door en komen in een kort gangetje. 'Eén kamer aan iedere kant. Dit is de grootste, dus dat wordt jouw kantoor.'

Ik stap mijn nieuwe heiligdom binnen. Het is een prettige verrassing. De kamer is ongeveer vier bij vijf meter, met een raam dat op de straat uitkijkt. Hij is leeg en schoon, met een mooie vloer.

'En hier is de derde kamer. Die kunnen we als spreekkamer gebruiken, dacht ik. Ik zal hem netjes houden als ik er zit.' Hij doet vreselijk zijn best en ik heb bijna medelijden met hem. Rustig maar, Deck, ik vind het een mooi kantoor. Goed gedaan.

'En daar is de wc. Die moet nog schoongemaakt en geschilderd worden. En misschien moet er een loodgieter bij komen.' Hij loopt terug naar de kamer aan de voorkant. 'Wat zeg je ervan?'

'Heel geschikt, Deck. Wie is de eigenaar?'

'Die spullenbaas beneden. Een oude man en zijn vrouw. Ze hebben nog wel wat meubilair dat we kunnen gebruiken: tafels, stoelen, lampen, zelfs een paar oude dossierkasten. Het is niet duur, het ziet er redelijk uit en het past wel bij ons kantoor. Bovendien krijgen we het op afbetaling. Ze zijn blij dat de bovenverdieping nu verhuurd is. Ik denk dat ze een paar keer overvallen zijn.'

'Dat klinkt geruststellend.'

'Ja, we moeten wel voorzichtig zijn.' Hij geeft me een vel met kleurstalen van een verffabriek. 'Laten we het maar bij wit en crème houden. Dat is goedkoper, en minder werk bij het schilderen. Morgen wordt de telefoon aangesloten. We hebben al elektriciteit. En kijk hier eens naar.' Bij het raam staat een kaarttafeltje met een stapeltje papieren en een kleine zwart-wittelevisie.

Deck is al naar de drukker geweest. Hij geeft me een paar voorbeelden voor ons briefpapier, met mijn naam in grote letters en zijn eigen naam in een hoekje, als assistent. 'Die heb ik van een drukker verderop in de straat. Heel redelijke prijs. Ze kunnen in twee dagen klaar zijn. Vijfhonderd brieven en enveloppen, zou ik zeggen. Welk ontwerp vind je het beste?'

'Ik zal er vanavond naar kijken.'

'Wanneer wil je met schilderen beginnen?'

'Nou, ik...'

'Volgens mij kunnen we in één dag klaar zijn, als we flink aanpakken en als één laag genoeg is. Ik koop de verf en de rollers wel, dan kunnen we meteen beginnen. Kun je morgen komen helpen?'

'Ja hoor.'

'We moeten een paar dingen besluiten. Wat vind je van een fax? Meteen kopen of nog even wachten? Morgen komen de mannen voor de telefoon, weet je nog? En een kopieerapparaat? Lijkt me nog niet nodig. We kunnen eens per dag naar die drukker gaan om te fotokopiëren. Maar we hebben wel een antwoordapparaat nodig. Een goede kost tachtig dollar. Die koop ik wel, als je wilt. En we moeten een bankrekening openen. Ik ken de directeur van het bijkantoor van First Trust. Die geeft ons dertig cheques per maand gratis en twee procent rente op ons geld. Betere voorwaarden krijg je niet. We hebben die cheques snel nodig, want we moeten onze rekeningen betalen.' Opeens kijkt hij op zijn horloge. 'Verdomme, bijna vergeten.'

Hij zet de kleine televisie aan. 'Het nieuws kwam een uur geleden. Een aanklacht van meer dan honderd verschillende punten tegen Bruiser, Bennie "Prins" Thomas, Willie McSwane en anderen.'

'Wie is Willie McSwane?' vraag ik.

'Ssst.' Het nieuws van twaalf uur is al aan de gang en het eerste wat ik zie zijn rechtstreekse beelden van ons voormalige kantoor. Agenten bewaken de voordeur, die even van de ketting is. De verslaggever meldt dat de werknemers er wel in en uit mogen, maar zonder iets mee te nemen. Daarna volgt een opname van Vixens, een topless-club waar de FBI ook een inval heeft gedaan. 'Volgens de aanklacht waren Bruiser en Thomas betrokken bij drie clubs,' zegt Deck. De verslaggever bevestigt dat. We zien beelden van onze voormalige baas die in een gang van de rechtbank rondhangt tijdens een zitting van jaren geleden. Er is een arrestatiebevel uitgevaardigd, maar Stone en Thomas zijn spoorloos verdwenen. De FBI-agent die de leiding heeft van het onderzoek wordt ondervraagd. Hij is ervan overtuigd dat de twee heren de benen hebben genomen. De jacht is geopend.

'Rennen, Bruiser, rennen,' zegt Deck.

Het is een sappig verhaal over plaatselijke gangsters, een kleurrijke advocaat, politiemensen en louche nachtclubs in Memphis. Dat de hoofdverdachten op de vlucht zijn maakt het nog spannender. De Prins en Bruiser zijn ervandoor, en daar kunnen de journalisten geen weerstand aan bieden. Het nieuws gaat verder met opnamen van gearresteerde politiemensen, een andere topless-club (nu met naakte danseressen, discreet gefilmd) en de officier die een persconferentie geeft om de aanklacht bekend te maken.

De laatste beelden breken mijn hart. Ze hebben Yogi's gesloten. Er zitten kettingen voor de deuren en er staan bewakers voor het café. Het 'hoofdkwartier van Prins Thomas, de bendeleider', zo noemen ze het. De FBI is verbaasd dat ze geen geld hebben gevonden toen ze vannacht een inval deden. 'Rennen, Prins, rennen,' mompel ik bij mezelf.

De verwante onderwerpen vormen de hoofdmoot van het nieuws.

'Ik vraag me af waar ze zitten,' zegt Deck als hij de tv uitzet.

Daar denken we een paar seconden zwijgend over na.

'Wat zit daarin?' vraag ik, wijzend op een verhuisdoos naast het kaarttafeltje.

'Mijn dossiers.'

'Zit er wat goeds bij?'

'Voldoende om een paar maanden van te eten. Een paar kleinere verkeersongelukken, schaderegelingen en een sterfgeval dat ik van Bruiser

202

heb overgenomen. Of nee, zo ging het eigenlijk niet. Hij gaf me het dossier vorige week en vroeg of ik de bijbehorende polissen wilde bekijken. De stukken zijn bij mij op kantoor gebleven en nu liggen ze hier. Het zou een leuke zaak kunnen zijn.'

Ik vermoed dat Deck nog wel een paar dossiers uit Bruisers kantoor achterover heeft gedrukt, maar ik zeg er niets over.

'Denk je dat de FBI ook met ons wil praten?' vraag ik.

'Ja, misschien. Maar we weten niets, en we hebben geen dossiers meegenomen die voor hen van belang zijn, dus we hoeven ons geen zorgen te maken.'

'Dat doe ik toch.'

'Ik ook.'

– 25 –

Deck heeft de grootste moeite om zijn enthousiasme te bedwingen. De gedachte dat hij nu, zonder een bevoegd advocaat te zijn, toch zijn eigen kantoor heeft en de helft van de inkomsten mag houden, is een geweldige stimulans voor hem. Als ik hem niet voor de voeten loop, heeft hij binnen een week het hele kantoor geschilderd en ingericht. Ik heb nog nooit zo'n tomeloze energie gezien. Misschien overdrijft hij een beetje, maar ik laat hem zijn gang maar gaan.

Maar als hij me voor de tweede keer 's ochtends voor dag en dauw uit mijn bed belt, wordt het me toch te gortig.

'Heb je de krant al gezien?' vraagt hij monter.

'Nee. Ik sliep.'

'Sorry. Je zult het niet geloven. Bruiser en de Prins over de hele voorpagina.'

'Kan dat niet een uurtje wachten, Deck?' vraag ik. Dit moet afgelopen zijn. 'Als jij om vier uur wilt opstaan, mij best. Zolang je mij maar niet voor zeven... nee, acht uur uit mijn bed belt.'

'Het spijt me. Maar er is nog meer.'

'Wat dan?'

'Raad eens wie er vannacht is overleden.'

Hoe kan ik dat in godsnaam raden? Memphis is een grote stad. 'Geen idee,' snauw ik in de hoorn.

'Harvey Hale.'
'Harvey Hale?'
'Ja. Hartaanval. Dood gebleven naast zijn zwembad.'
'Rechter Hale?'
'Niemand anders. Je grote vriend.'
Ik ga op de rand van mijn bed zitten en schud mijn hoofd om de dufheid
te verdrijven. 'Niet te geloven.'
'Nee. Je bent diepbedroefd, dat hoor ik wel. Er staat een mooi verhaal
over hem op de eerste pagina van het stadskatern. Met een grote foto van
Hale in toga, heel deftig en zo. De lul.'
'Hoe oud was hij?' vraag ik, alsof dat er iets toe doet.
'Tweeënzestig. Hij is elf jaar rechter geweest. Een mooie staat van dienst.
Het staat allemaal in de krant. Lees het maar.'
'Dat zal ik zeker doen. Tot straks, Deck.'

De krant lijkt wat zwaarder vanochtend. Ongetwijfeld omdat minstens
de helft aan de avonturen van Bruiser en Prins Thomas is gewijd. Het ene
artikel na het andere. Maar ze zijn nog steeds onvindbaar.
Ik lees haastig het eerste stuk en blader dan verder naar het stadskatern.
Een bijzonder gedateerde foto van de edelachtbare Harvey Hale staart
me aan. Ik lees de slijmerige loftuitingen van zijn collega's, onder wie zijn
vriend en oude studiemakker Leo F. Drummond.
Natuurlijk wil ik vooral weten wie hem zal opvolgen. De gouverneur zal
een vervanger aanwijzen die tot de volgende verkiezingen zijn werk zal
overnemen. De bevolking van het district bestaat voor de helft uit zwarten en voor de helft uit blanken, maar slechts zeven van de negentien
rechters van het Circuit Court zijn zwart. Sommige mensen maken bezwaar tegen deze verhouding. Toen vorig jaar een oude blanke rechter te-
rugtrad, werd er druk uitgeoefend om een zwarte opvolger te benoemen.
Maar dat gebeurde niet.
Toevallig was de belangrijkste kandidaat mijn nieuwe vriend Tyrone
Kipler, de Harvard-jurist van Bookers kantoor, die ons college heeft gegeven over de grondwet toen we daar die middag zaten te studeren. Hoewel rechter Hale nog geen twaalf uur dood is, aldus de krant, lijkt de kans
groot dat Kipler hem zal opvolgen. De zwarte burgemeester van Memphis, die van zijn hart geen moordkuil maakt, heeft al verklaard dat hij
en andere politici zich sterk zullen maken voor Kiplers benoeming.
De gouverneur was de stad uit en niet bereikbaar voor commentaar,
maar hij is een Democraat en volgend jaar zijn er verkiezingen. Hij zal
deze keer wel naar zijn adviseurs moeten luisteren.

Precies om negen uur sta ik in het kantoor van de griffier met het dossier van Black versus Great Eastern. Ik slaak een zucht van verlichting. Ik was bang dat rechter Hale vlak voor zijn onverwachte dood nog had besloten onze zaak niet-ontvankelijk te verklaren. Dat heeft hij niet gedaan. We zijn nog in de race.

Er hangt een krans aan de deur van zijn rechtszaal. Heel roerend.

Ik bel Tinley Britt vanuit een cel en vraag naar Leo F. Drummond. Tot mijn verbazing krijg ik hem na een paar minuten aan de lijn. Ik condoleer hem met het verlies van zijn vriend en deel hem mee dat mijn cliënten zijn aanbod tot een schikking niet accepteren. Hij lijkt verbaasd, maar gelukkig zegt hij niet veel. Hij heeft wel wat anders aan zijn hoofd.

'Dat vind ik niet verstandig, Rudy,' zegt hij geduldig, alsof hij aan míjn kant staat.

'Misschien niet, maar die beslissing is aan mijn cliënten, niet aan mij.'

'Nou ja, dan wordt het oorlog,' besluit hij toonloos, en een beetje triest. Hij biedt me geen hoger bedrag.

Sinds de uitslag van het examen hebben Booker en ik elkaar twee keer via de telefoon gesproken. Natuurlijk bagatelliseert hij zijn eigen teleurstelling. En natuurlijk is hij oprecht verheugd voor mij.

Hij zit al achter in het kleine restaurant als ik binnenkom. We begroeten elkaar alsof het maanden geleden is. We bestellen thee en gumbo, zonder op de kaart te kijken. Met de kinderen en Charlene gaat alles prima.

Hij heeft weer moed gekregen door de kans dat hij misschien toch voor het examen zal slagen. Ik wist niet hoe weinig het had gescheeld, maar zijn totaalscore was maar één punt te laag. Hij heeft beroep aangetekend en de commissie zal zijn examen nog eens doornemen.

Marvin Shankle was niet blij. Booker zal de tweede keer echt moeten slagen, anders kan hij zijn biezen pakken. Hij is duidelijk nerveus als hij over Shankle praat.

'Hoe liggen de kansen voor Tyrone Kipler?' vraag ik.

Volgens Booker is Kiplers benoeming bijna een voldongen feit. Kipler heeft vanochtend met de gouverneur gesproken en de zaak is zo goed als beklonken. Alleen de financiën zijn misschien nog een probleem. Bij Shankle verdient hij tussen de honderdvijfentwintigduizend dollar en anderhalve ton per jaar. Een rechter verdient maar negentigduizend. Kipler heeft een gezin, maar Marvin Shankle vindt dat hij de benoeming moet aanvaarden.

Booker kent de zaak Black. Hij herinnert zich Dot en Buddy nog van ons eerste gesprek in de Cipressentuin. Dat is pas vier maanden geleden, maar sindsdien is er zoveel gebeurd. Ik praat hem bij. Hij schiet in de lach als ik hem vertel dat de zaak nu bij het Circuit Court, Sectie Acht, rust, tot een nieuwe rechter uitspraak zal doen. Ik beschrijf hem wat zich drie dagen geleden in de kamer van rechter Hale heeft afgespeeld en hoe de voormalige Harvard-studenten Drummond en Hale hebben geprobeerd me erin te luizen. Booker luistert scherp als ik hem vertel over Donny Ray en zijn tweelingbroer en de transplantatie die niet doorging omdat Great Eastern niet wilde uitkeren.

Hij glimlacht. 'Geen probleem,' zegt hij een paar keer. 'Als Tyrone wordt benoemd, zal ik ervoor zorgen dat hij àlles over die zaak te horen krijgt.'

'Dus je kunt goed met hem praten?'

'Reken maar. Hij heeft de pest aan Trent & Brent en hij háát verzekeringsmaatschappijen. Hij heeft al zo vaak tegen ze geprocedeerd. Dacht je dat ze alleen de blanke middenklasse een poot uitdraaiden?'

'Nee. Iedereen.'

'Precies. Ik zal er graag met Tyrone over praten en ik weet zeker dat hij naar me luistert.'

De gumbo komt en we doen er wat tabasco op – Booker meer dan ik. Ik vertel hem over mijn nieuwe kantoor, maar niet over mijn nieuwe partner. Hij vraagt van alles over mijn vorige werkgever. De hele stad gonst van de geruchten over Bruiser en de Prins.

Ik vertel hem wat hij wil weten en ik dik de details nog een beetje aan.

– 26 –

In deze tijd van overvolle rechtszalen en overwerkte rechters heeft wijlen Harvey Hale zijn werk opvallend overzichtelijk achtergelaten. Er zijn nauwelijks achterstanden. Dat heeft een paar goede redenen. Om te beginnen was hij lui en speelde hij liever golf. In de tweede plaats had hij de gewoonte een zaak al snel niet-ontvankelijk te verklaren omdat hij een beschermer was van verzekeringsmaatschappijen en andere grote bedrijven. Daarom waren er maar weinig advocaten die dat soort procedures bij hem aanspanden.

Er zijn manieren om bepaalde rechters te ontwijken – trucjes van ervaren advocaten die goede connecties hebben bij de griffie. Ik zal nooit begrijpen waarom Bruiser, die toch al twintig jaar in het vak zat en alle kneepjes kende, mij met de zaak Black aan rechter Hale toevertrouwde. Dat moet ik hem nog eens vragen als hij ooit weer boven water komt.

Maar Hale is dood en het leven lacht me toe. Tyrone Kipler zal binnenkort zijn zaken overnemen.

Als reactie op de jarenlange kritiek van leken en juristen zijn de regels nog niet zo lang geleden aangepast om de rechtsgang te bespoedigen. De sancties op lichtzinnig aangespannen procedures zijn verscherpt. De voorbereidingen tot een zitting moeten sneller worden afgerond. Rechters hebben meer mogelijkheden tot een eigen interpretatie van de wet en ze stellen zich actiever op bij schikkingen. Er zijn allerlei nieuwe bepalingen en wetten ingevoerd om de rechtspraak te stroomlijnen.

Een van die nieuwe regels is *fast-tracking*, een procedure die is bedoeld om bepaalde zaken sneller te kunnen behandelen dan andere. De betrokken partijen kunnen om zo'n versnelde procedure verzoeken, maar dat komt niet vaak voor. De meeste verdachten hebben weinig zin om snel voor de rechter te verschijnen. Dus is het meestal de rechter zelf die tot een versnelde procedure besluit. Dat gebeurt als een zaak heel duidelijk ligt, als de feiten onweerlegbaar zijn – hoewel er nog hevig over wordt gediscussieerd – en als iedereen op een uitspraak van de jury zit te wachten. Omdat Black versus Great Eastern mijn enige echte zaak is, wil ik een versnelde procedure. Dat zeg ik tegen Booker als we op een ochtend samen koffie drinken. Booker neemt het op met Kipler. Zo werkt het recht in de praktijk.

De dag nadat Tyrone Kipler door de gouverneur als opvolger van Harvey Hale is benoemd, ontbiedt hij me in zijn kantoor, dezelfde kamer waar ik niet zo lang geleden nog ben geweest. Het ziet er nu heel anders uit. Hales boeken en andere bezittingen zijn ingepakt, de stoffige kasten staan leeg, de gordijnen zijn open en Hales bureau is verdwenen. Kipler en ik zitten op klapstoeltjes.

Kipler is nog geen veertig, een man met een zachte stem en ogen die nooit lijken te knipperen. Hij is heel intelligent en iedereen gaat ervan uit dat hij het ooit tot federaal rechter zal schoppen. Ik bedank hem voor zijn hulp bij mijn rechtbankexamen.

Het gesprek kabbelt voort. Hij zegt vriendelijke dingen over Harvey Hale, maar is verbaasd dat er maar zo weinig zaken liggen te wachten. Hij heeft alle stukken doorgenomen en een volgorde aangebracht. Hij is klaar voor actie.

'Dus jij vindt dat de zaak Black een versnelde procedure verdient?' vraagt hij langzaam en nadrukkelijk.

'Ja, meneer. De feiten zijn simpel. En ik verwacht niet veel getuigen.'

'Hoeveel verklaringen?'

Ik heb nog niemand een verklaring afgenomen. 'Ik weet het niet. Minder dan tien.'

'Je kunt problemen verwachten met de stukken,' zegt hij. 'Dat is altijd zo bij verzekeringsmaatschappijen. Ik heb zelf een aantal procedures aangespannen en ze sturen je nooit alle documenten waar je recht op hebt. Dat zal ons wel wat tijd kosten.'

Ik vind het prettig dat hij 'ons' zegt. Dat klopt ook wel. Een rechter is immers iemand die de wet moet toepassen. Het is zijn taak om alle partijen te helpen bij het verzamelen van relevante informatie. Maar toch lijkt Kipler aan mijn kant te staan. Dat geeft niet. Drummond heeft Harvey Hale jarenlang in zijn zak gehad.

'Dien maar een verzoek tot *fast-tracking* in,' zegt hij terwijl hij een aantekening maakt. 'De verdediging zal natuurlijk protesteren, maar als ze op de zitting niet met overtuigende argumenten komen, zal ik een versnelde procedure toestaan. Vier maanden, dat moet genoeg zijn om alle stukken boven water te krijgen en iedereen te ondervragen. Daarna zal ik de datum voor het geding bepalen.'

Ik haal diep adem en slik een paar keer. Het lijkt wel erg kort dag. Ik heb nu al de zenuwen als ik eraan denk dat ik tijdens een openbare zitting, tegenover een jury, de degens zal moeten kruisen met Leo F. Drummond en zijn makkers. 'Wij zijn er klaar voor,' zeg ik, zonder enig benul wat de eerstvolgende stappen zijn. Ik hoop dat het overtuigend klinkt.

We praten nog even en dan vertrek ik. Kipler zegt dat ik hem kan bellen als ik nog vragen heb.

Nog geen uur later sta ik op het punt hem te bellen. Als ik terugkom op kantoor, ligt er een dikke envelop van Tinley Britt op me te wachten. Leo F. Drummond heeft niet stilgezeten, ondanks het verdriet om de dood van zijn vriend. Hij haalt alles uit de kast.

In de eerste plaats heeft hij een verzoek tot financiële zekerstelling ingediend – een klap in het gezicht van mij en mijn cliënten. Omdat we niet kapitaalkrachtig zijn, maakt Drummond zich zorgen of we de proceskosten wel kunnen betalen als we het geding verliezen. Bovendien vraagt hij het hof om mij en mijn cliënten een boete op te leggen voor het lichtzinnig aanspannen van een procedure. De eerste eis is niets anders dan bluf, de tweede is regelrecht agressief. Maar ze zijn allebei onderbouwd met uitvoerige, fraai opgemaakte stukken, compleet met voetnoten, een register en een bibliografie.

Pas als ik ze voor de tweede keer zorgvuldig doorlees, dringt het tot me door dat Drummond ze heeft ingediend om mij iets duidelijk te maken. Dit soort verzoeken wordt zelden toegewezen. Hij wil me alleen maar laten zien hoeveel papierwerk de koelies van Trent & Brent in korte tijd kunnen produceren – zelfs over volstrekt irrelevante kwesties. Maar omdat iedere partij verplicht is tot een weerwoord en ik zijn voorstel tot een schikking heb afgewezen, wil Drummond me waarschuwen dat hij me onder een berg papier zal bedelven.

De telefoon is nog niet gegaan. Deck is ergens in de stad. Ik wil liever niet weten waar hij nu weer rondsluipt. In elk geval heb ik tijd genoeg om op de verzoeken van de tegenpartij te reageren. De gedachte aan mijn trieste kleine cliënt en de schandelijke manier waarop hij is behandeld, is voldoende reden om aan de slag te gaan. Ik ben Donny Ray's enige advocaat en ik zal me niet laten afschrikken door stapels papier.

Het is een vaste gewoonte geworden om Donny Ray iedere middag te bellen, meestal om een uur of vijf. Na mijn eerste telefoontje, een paar weken geleden, zei Dot me hoeveel het voor hem betekende, en sindsdien heb ik geprobeerd hem elke dag te bellen. We praten over van alles, maar nooit over zijn ziekte of over de rechtszaak. Ik vertel hem grappige dingen die me in de loop van de dag zijn overkomen. Ik weet dat onze gesprekken heel belangrijk voor hem zijn in deze laatste maanden van zijn leven.

Vanmiddag klinkt zijn stem heel krachtig. Hij zegt dat hij uit bed is gekomen en voor het huis op de veranda zit. Hij zou het heerlijk vinden om er een paar uurtjes tussenuit te gaan, weg van huis en van zijn ouders.

Om zeven uur haal ik hem op. We eten bij een barbecue-tent ergens in de buurt. De mensen kijken naar hem, maar hij let er niet op. We praten over zijn jeugd – leuke verhalen uit de historie van Granger, toen hele groepen kinderen nog door de buurt zwierven. Hij lacht zelfs, waarschijnlijk voor het eerst in maanden. Maar het gesprek vermoeit hem ook. Hij raakt zijn eten nauwelijks aan.

Het is al donker als we bij een sportpark aankomen dat naast het kermisterrein ligt. Er zijn twee softbalwedstrijden in volle gang. Terwijl ik een plaatsje op het parkeerterrein zoek, kijk ik of er een team in gele shirts bij is.

We parkeren op een helling met gras, onder een boom, op enige afstand van het rechter veld. We zijn helemaal alleen. Ik haal twee tuinstoelen uit mijn kofferbak, geleend uit de garage van juffrouw Birdie, en help Donny Ray als hij voorzichtig gaat zitten. Hij kan nog zonder hulp lopen en hij wil zoveel mogelijk zelf doen.

Het is bijna augustus en zelfs 's avonds is het nog rond de dertig graden. De luchtvochtigheid is bijna zichtbaar. Mijn overhemd plakt tegen mijn rug. De verschoten vlag op het centerfield hangt slap aan zijn paal.

Het softbalterrein is mooi vlak, met keurig gemaaid gras op het buitenveld. Het binnenveld is van aangestampte aarde. Er zijn dug-outs, tribunes, scheidsrechters, een verlicht scorebord en een eettentje tussen de twee velden. Dit is de A-League, de hoogste afdeling van het softbal, met goede spelers. Dat vinden ze zelf, tenminste.

De wedstrijd waar ik uit de verte naar kijk, wordt gespeeld tussen PFX

Freight in de gele shirts en Army Surplus, het team in de groene shirts met hun bijnaam 'Gunners' op de rug. Ze nemen hun sport heel serieus. Er wordt agressief gespeeld, veel geduwd en getrokken, veel gepraat en geschreeuwd. Ze duiken met hun hoofd vooruit, ze discussiëren met de scheidsrechters en ze smijten met hun knuppels als ze scoren.

Op school heb ik ook gesoftbald, maar zonder veel enthousiasme. Hier lijkt het vooral de bedoeling de bal over het hek te meppen. De rest doet er niet toe. Als het lukt, loopt de man die de homerun heeft geslagen binnen met een houding alsof hij Babe Ruth zelf is. Bijna alle spelers zijn voor in de twintig. Ze zijn in een redelijk goede conditie, hebben veel lef en zijn uitgedost met nog meer spullen dan de profs: handschoenen, brede polsbanden, ogenzwart op hun wangen en aparte handschoenen voor als ze in het veld staan.

De meesten van deze jongens hopen dat ze ontdekt zullen worden. Zij hebben nog een droom.

Er zijn ook een paar oudere spelers bij, wat dikker om de heupen en wat minder snel. Ze maken zich belachelijk als ze tussen de honken heen en weer rennen of naar een bal sprinten. Je kunt hun spieren bijna hóren scheuren. Maar ze zijn nog fanatieker dan de jonkies. Ze willen zich bewijzen.

Donny Ray en ik zeggen niet veel. Bij het eettentje koop ik wat popcorn en een blikje fris voor hem. Hij bedankt me, en bedankt me nog eens dat ik hem heb meegenomen.

Ik let vooral op de derde honkman van PFX Freight, een gespierde, watervlugge speler. Hij is voortdurend in beweging en scheldt zijn tegenstanders de huid vol. Als de inning voorbij is, zie ik hem naar het hek achter zijn dug-out lopen om iets tegen zijn meisje te zeggen. Kelly glimlacht. Ik zie haar mooie tanden en de kuiltjes in haar wangen. Cliff lacht. Hij kust haar snel op haar mond en loopt weer terug naar zijn team, dat nu aan slag is.

Ze lijken echt verliefd, en Cliff is zeer demonstratief in zijn affectie. Ze kunnen geen genoeg krijgen van elkaar.

Kelly leunt over het hek, met haar stokken naast zich en haar voet nog in het loopgips. Ze staat in haar eentje, uit de buurt van de andere supporters. Ze kan me hier niet zien, aan deze kant van het veld, maar ik heb toch een petje opgezet.

Ik vraag me af wat ze zou doen als ze me zou herkennen. Niets, neem ik aan. Me negeren.

Ik zou blij moeten zijn dat ze zo gelukkig en gezond lijkt en dat alles weer goed is tussen haar en haar man. Goddank mishandelt hij haar niet meer. De gedachte dat hij haar met een honkbalknuppel zou slaan, maakt me ziek. Het is ironisch dat ik Kelly alleen maar kan krijgen als hij haar weer zou aftuigen.

Ik walg van mezelf om die gedachte.

Cliff staat op de plaat. Hij weet de derde bal goed te raken en slaat hem hoog over de lampen heen naar links. De bal verdwijnt uit het gezicht. Het is een geweldige klap en zelfvoldaan rent hij langs de honken en roept iets tegen Kelly bij het derde honk. Hij is een jongen met talent, veel beter dan de andere spelers. Ik ril bij de gedachte dat hij die knuppel naar mijn hoofd zou zwaaien.

Misschien dat hij Kelly niet meer slaat omdat hij met drinken is gestopt. Misschien moet ik hen verder met rust laten.

Na een uurtje is Donny Ray doodmoe en wil hij naar huis. We rijden terug en praten over zijn verklaring. Ik heb vandaag een verzoek bij het hof ingediend om hem zo snel mogelijk zijn verklaring te laten afleggen. Mijn cliënt zal spoedig te zwak zijn om zich twee uur lang door een stel advocaten te laten ondervragen, dus we hebben haast.

'Het moet nu snel gebeuren,' zegt hij zacht als we voor zijn huis stoppen.

– 27 –

De situatie zou haast komisch zijn als ik niet zo nerveus was. Een toevallige toeschouwer zou er de humor wel van inzien, maar niemand in de rechtszaal lacht. Ik zeker niet.

Ik zit in mijn eentje achter mijn tafel, met mijn papieren in keurige stapeltjes gerangschikt. Op twee blocnotes heb ik de belangrijkste punten genoteerd, zodat ik ze onmiddellijk bij de hand heb. Deck zit achter me, niet aan mijn tafel, waar hij misschien nog van nut zou kunnen zijn, maar in een stoel vlak voor de balie, minstens een meter bij me vandaan. In feite zit ik dus alleen.

Ik voel me totaal verlaten.

De tafel van de tegenpartij, aan de overkant van het smalle gangpad, is druk bezet. Leo F. Drummond zit natuurlijk in het midden, tegenover de rechter, met zijn collega's om zich heen. Twee aan iedere kant. Drummond is zestig jaar, een parel aan de kroon van Harvard, met zesendertig jaar ervaring in de rechtszaal. T. Pierce Morehouse is negenendertig, een maat bij Trent & Brent, afgestudeerd aan Yale, met veertien jaar praktijkervaring op allerlei gebied. B. Dewey Clay Hill de Derde is eenendertig, nog geen vennoot, heeft zes jaar ervaring en komt van Colombia University. M. Alec Plunk Junior is achtentwintig, heeft twee jaar ervaring en is ongetwijfeld aan deze zaak gezet omdat hij aan Harvard heeft gestudeerd. De edelachtbare Tyrone Kipler, president van het hof, is immers ook afkomstig van Harvard. Plunk is zwart, net als Kipler. Zwarte advocaten die aan Harvard hebben gestudeerd zijn in Memphis niet dik gezaaid. Maar toevallig werkt er een bij Trent & Brent en dus zit hij hier, in de hoop dat Kipler zich met hem verwant zal voelen. En als alles volgens verwachting verloopt, zullen we ooit tegenover een jury zitten. De helft van de geregistreerde kiezers in dit district is zwart, dus kunnen we aannemen dat ook de jury voor de helft uit zwarten zal bestaan. M. Alec Plunk Junior moet dus enig vertrouwen winnen bij dat gedeelte van de jury.

Als er toevallig een Cambodjaanse vrouw in de jury zou zitten, zal Trent & Brent ongetwijfeld ergens een advocate van Cambodjaanse afkomst opdiepen en haar hiernaartoe sturen.

Het vijfde lid van de juridische vertegenwoordiging van Great Eastern is Brandon Fuller Grone, helaas zonder initialen en volgnummers – hoewel het me een raadsel is waarom hij zich niet B. Fuller Grone noemt, als een èchte advocaat. Hij is zevenentwintig en is twee jaar geleden als de beste van zijn jaar afgestudeerd aan Memphis State, waar hij diepe sporen heeft nagelaten. Hij was al een legende toen ik aan mijn studie begon en ik heb voor mijn eerstejaarstentamens zitten blokken met behulp van zijn oude uittreksels.

Afgezien van de twee jaar dat M. Alec Plunk als assistent van een federale rechter heeft gewerkt, zit hier achtenvijftig jaar rechtbankervaring aan één tafel.

Ik ben nog geen maand geleden voor mijn rechtbankexamen geslaagd. Mijn medewerker is zes keer gezakt.

Die rekensommetjes heb ik gisteravond gemaakt in de bibliotheek van Memphis State, een plek waarvan ik blijkbaar niet los kan komen. Het advocatenkantoor Baylor bezit in totaal zeventien juridische handboeken, de erfenis van mijn studie en grotendeels nutteloos.

Achter de advocaten zitten twee kerels met een harde, zakelijke uitstraling. Afgezanten van Great Eastern, neem ik aan. Een van hen komt me bekend voor. Waarschijnlijk was hij er ook toen Drummond zijn verzoek bepleitte om de zaak niet-ontvankelijk te verklaren. Ik heb toen niet zo op hem gelet, en dat doe ik nu ook niet. Ik heb wel wat anders aan mijn hoofd.

Ik ben behoorlijk gespannen, maar als Harvey Hale tegenover me had gezeten, was ik nu een zenuwinstorting nabij geweest. Dan was ik misschien niet eens gekomen.

Maar gelukkig dient de zaak nu voor de edelachtbare Tyrone Kipler. Ik heb hem de laatste tijd vaak gesproken, en gisteren vertelde hij me over de telefoon dat dit zijn eerste dag als rechter wordt. Hij heeft al wat rechterlijke bevelen getekend en andere routineklussen afgehandeld, maar vandaag zal hij voor het eerst een zaak horen.

De dag nadat Kipler was beëdigd heeft Drummond een verzoek ingediend om het geding naar een federaal hof te verwijzen. Hij beweert dat Bobby Ott, de agent die de Blacks de verzekering heeft aangesmeerd, geheel onterecht als gedaagde wordt genoemd. Volgens ons is Ott nog steeds een inwoner van Tennessee, evenals de Blacks, de eisers. De federale rechtspraak komt pas aan de orde als de twee partijen in verschillende staten wonen. Ott woont in Tennessee, en dus is dit geen zaak voor een federaal hof. Maar Drummond heeft een uitgebreide argumentatie aangedragen waarom Ott geen gedaagde kan zijn. Zolang Harvey Hale hier nog zat, was het Circuit Court van Tennessee de ideale plaats om gerechtigheid te zoeken. Nu Kipler het ambt heeft overgenomen, blijkt een eerlijke behandeling alleen nog mogelijk voor een federale rechtbank. Drummond heeft wel een heel ongelukkig tijdstip gekozen voor dit verzoek. Kipler beschouwde het als een persoonlijke belediging. Ik gaf hem gelijk, voorzover dat er iets toe doet.

We zijn allemaal gereed om onze argumenten toe te lichten. Behalve zijn verzoek om de zaak te verwijzen, moet Drummond ook zijn verzoeken om financiële zekerstelling en sancties verdedigen. Ik heb me fel verweerd tegen zijn verzoek om sancties, met het argument dat Drummonds eigen motie lichtzinnig en onverantwoord was. Dit soort discussies leidt de aandacht van het onderwerp af, heeft Deck me gezegd, en daarom kun je er beter niet in verzeild raken. Maar ik heb mijn twijfels over Decks juridische adviezen. Gelukkig kent hij zijn eigen beperkingen. Zoals hij zelf vaak zegt: 'Iedereen kan forel bakken. De kunst is om er een te vangen.' Drummond loopt zelfbewust naar het podium. We werken in chronologische volgorde, dus hij mag beginnen met zijn verzoek om financiële zekerstelling – een zeer ondergeschikt punt. Hij schat dat de totale kosten tot duizend dollar kunnen oplopen en, verdorie, hij maakt zich grote zorgen dat ik noch mijn cliënten dat bedrag kunnen opbrengen als we zouden verliezen en tot de kosten zouden worden veroordeeld.

'Mag ik u even onderbreken, meneer Drummond,' zegt rechter Kipler peinzend. Zijn woorden klinken afgemeten en zijn stem draagt ver. 'Ik heb uw verzoek hier voor me liggen, met alle argumenten.' Hij zwaait ermee naar Drummond. 'U bent nu al vier minuten aan het woord en u hebt nog niets anders gezegd dan wat hier zwart op wit staat. Hebt u er nog wat aan toe te voegen?'

'Eh, edelachtbare, ik heb het recht om...'

'Ja of nee, meneer Drummond? Ik kan heel goed lezen, en u schrijft bijzonder duidelijk, moet ik zeggen. Maar als u geen nieuwe argumenten hebt, wat doen we hier dan?'

Ik weet zeker dat dit de grote Leo F. Drummond nog nooit is overkomen, maar hij doet alsof het de gewoonste zaak van de wereld is. 'Ik wil het hof alleen maar behulpzaam zijn, edelachtbare,' zegt hij met een glimlach.

'Verzoek afgewezen,' zegt Kipler kort. 'Gaat u verder.'

Drummond vertrekt geen spier. 'Juist. Ons volgende verzoek betreft een sanctie. Wij menen...'

'Afgewezen,' zegt Kipler.

'Pardon?'

'Verzoek afgewezen.'

Deck zit achter me te grinniken. De vier hoofden aan de andere tafel buigen zich eenparig over de blocnotes. Waarschijnlijk noteren ze allemaal: AFGEWEZEN.

'Beide partijen hebben om sancties gevraagd en beide verzoeken zijn afgewezen,' verklaart Kipler terwijl hij Drummond strak aankijkt. Maar ik krijg ook een veeg uit de pan.

Het is geen geringe zaak om een advocaat het woord te ontnemen die driehonderdvijftig dollar per uur verdient. Drummond staat zich te verbijten. Kipler amuseert zich kostelijk.

Maar Drummond is een oude rot met een dikke huid. Hij zal zich niet klein laten krijgen door een eenvoudige rechter van het Circuit Court. 'Goed, dan ga ik verder met het volgende punt, ons verzoek om de procedure naar een federaal hof te verwijzen.'

'Doet u dat,' zegt Kipler. 'Maar eerst een vraag. Waarom hebt u dit verzoek niet ingediend toen rechter Hale de procedure nog behandelde?'

Die vraag heeft Drummond verwacht. 'Edelachtbare, de zaak was toen nieuw en we deden nog onderzoek naar de rol van de gedaagde Bobby Ott. Inmiddels zijn we van mening dat Ott slechts als gedaagde is genoemd om aan federale jurisdictie te ontkomen.'

'Dus u wilde de zaak vanaf het eerste begin al verwijzen?'

'Inderdaad.'

'Zelfs toen Harvey Hale nog leefde?'

'Jawel, edelachtbare,' antwoordt Drummond ernstig.

Aan Kiplers gezicht is duidelijk te zien dat hij hier geen steek van gelooft, evenmin als iemand anders in de rechtszaal, maar het is slechts een detail en Kipler heeft zijn punt gescoord.

Onbewogen ploetert Drummond verder met zijn argumentatie. Hij heeft al honderd rechters zien komen en gaan, en hij is niet onder de indruk. Het zal nog heel wat jaren en heel wat rechtszaken duren voordat ik de mannen in de zwarte toga's ook zo onbevreesd tegemoet zal treden.

Hij is ongeveer tien minuten aan het woord en herhaalt alles wat al in de stukken staat als hij door Kipler in de rede wordt gevallen. 'Meneer Drummond, neemt u me niet kwalijk, maar herinnert u zich dat ik u zo-even heb gevraagd of u nog iets nieuws te melden had?'

Drummonds handen blijven in de lucht zweven en zijn mond valt open. Hij staart zijne edelachtbare aan.

'Weet u dat nog?' vraagt Kipler. 'Dat is nog geen kwartier geleden.'

'Ik dacht dat we hier waren om onze verzoeken toe te lichten,' zegt Drummond kortaf. Zijn rustige stem vertoont een paar barstjes.

'O zeker, zeker. Als u nieuwe feiten of argumenten hebt, of een onduide-lijk punt wilt ophelderen, ben ik graag bereid te luisteren. Maar u her-kauwt gewoon wat ik hier al voor me heb.'

Ik kijk naar links en zie een paar zeer bezorgde gezichten. Hun held wordt stevig aangepakt en dat vinden ze niet leuk.

Opeens dringt het tot me door dat de mensen aan die andere tafel dit geding wel héél serieus opvatten. Vorig jaar zomer, toen ik een vakantiebaantje had bij een ander advocatenkantoor, ontdekte ik al gauw dat al die zaken op elkaar lijken. Je doet je best, je declareert je uren, en de uitkomst zal je min of meer een zorg zijn. Er liggen nog tien andere zaken te wachten.

Maar ik bespeur duidelijke paniek aan de overkant, en die heeft niets te maken met mijn aanwezigheid. Het is de gewoonte om twee advocaten aan dit soort verzekeringskwesties te zetten. Altijd twee. Ongeacht de eis, de feiten, de problemen en het werk dat ermee gemoeid is, wordt de zaak altijd afgewikkeld door twee advocaten.

Maar vijf? Dat lijkt me nogal overdreven. Hier is iets vreemds aan de hand. Die lui zijn bang.

'Uw verzoek om de procedure naar een federaal hof te verwijzen is afge-wezen, meneer Drummond. We handelen de zaak hier wel af,' zegt Kipler ferm. Hij geeft zijn visitekaartje af. Zijn besluit wordt aan de overkant niet goed ontvangen, hoewel ze hun ergernis proberen te verbergen.

'Verder nog iets?' informeert Kipler.

'Nee, edelachtbare.' Drummond verzamelt zijn papieren en stapt van het podium. Ik houd hem vanuit mijn ooghoek in de gaten. Als hij naar zijn tafel terugloopt, kijkt hij heel even naar de twee mensen van Great Eastern, en weer zie ik die onmiskenbare angst. Ik krijg kippevel op mijn armen en benen.

Kipler schakelt over naar een andere versnelling. 'De eiser heeft nog twee verzoeken: een versnelde procedure en toestemming om zo snel mogelijk de verklaring van Donny Ray Black te horen. Die twee verzoeken hou-den in feite verband met elkaar, dus ik stel voor om ze tegelijk te behan-delen. Akkoord, meneer Baylor?'

Ik spring overeind. 'Natuurlijk, edelachtbare.' Alsof ik iets anders zou voorstellen.

'Hebt u genoeg aan tien minuten?'

Na het bloedbad dat ik zojuist heb meegemaakt, besluit ik bliksemsnel tot een andere strategie. 'Mijn schriftelijke argumentatie spreekt al voor zich, edelachtbare. Ik heb er niets aan toe te voegen.'

Kipler schenkt me een warme glimlach. Zo'n verstandige jonge advocaat, dat ziet hij graag. Daarna richt hij onmiddellijk zijn pijlen op de verdediging. 'Meneer Drummond, u maakt bezwaar tegen *fast-tracking*. Waarom, als ik vragen mag?'

Er is wat commotie achter de andere tafel, maar ten slotte komt T. Pierce Morehouse langzaam overeind en trekt zijn das recht.

'Edelachtbare, als ik hierop mag reageren? Wij gaan ervan uit dat deze zaak nog wel enige voorbereiding vergt. Een versnelde procedure zou een onnodige belasting voor beide partijen betekenen.' Morehouse spreekt langzaam en kiest zijn woorden met zorg.

'Onzin,' zegt Kipler ontstemd.

'Pardon?'

'Onzin, zei ik. Vertelt u me eens, meneer Morehouse. Hebt u als verdediger ooit ingestemd met een verzoek tot een versnelde procedure?'

Morehouse krimpt ineen en schuifelt met zijn voeten. 'Eh... jawel, edelachtbare.'

'Mooi zo. Welke zaak en voor welk hof?'

T. Pierce kijkt wanhopig naar B. Dewey Clay Hill de Derde, die op zijn beurt steun zoekt bij M. Alec Plunk Junior. Drummond weigert op te kijken en lijkt opeens verdiept in een heel belangrijk stuk.

'Dat zou ik moeten nazien, edelachtbare.'

'Bel me vanmiddag maar. Uiterlijk om drie uur. Als ik dan nog niets gehoord heb, bel ik ú. Ik ben werkelijk heel nieuwsgierig naar die zaak waarin u hebt toegestemd in een versnelde procedure.'

T. Pierce lijkt dubbel te vouwen en haalt diep adem alsof hij een schop in zijn maag heeft gekregen. Ik hoor de computers van Trent & Brent al zoemen, tevergeefs op zoek naar zo'n zaak. 'Jawel, edelachtbare,' zegt hij zachtjes.

'Ik ben volledig bevoegd om tot *fast-tracking* te besluiten, zoals u weet. Het verzoek van de eiser is hierbij ingewilligd. Ik verwacht binnen zeven dagen een reactie van de verdediging. Daarna hebben beide partijen de gelegenheid om alle stukken in te zien en verklaringen aan te horen. U krijgt de tijd tot exact honderdtwintig dagen vanaf nu.'

Dat veroorzaakt heel wat beroering in de tent. Drummond en zijn medewerkers schuiven elkaar allerlei papieren toe. Er wordt fluisterend en fronsend overlegd. De twee afgezanten van Great Eastern buigen zich naar voren. Het is bijna grappig.

T. Pierce Morehouse komt half overeind, met zijn achterste een paar centimeter boven de leren stoel, steunend op zijn ellebogen, klaar voor de volgende aanval.

'Het laatste verzoek betreft de verklaring van Donny Ray Black,' zegt zijne edelachtbare. Hij kijkt vragend naar de overkant. 'De eiser wil zo snel mogelijk een datum bepalen. Ik neem aan dat u daar geen bezwaar tegen hebt. Wie van u wil hierop reageren?'

Bij dit verzoek heb ik een twee pagina's lange verklaring van dr. Walter Kord gevoegd, waarin hij vaststelt dat Donny Ray niet lang meer te leven heeft. Drummonds reactie was een onbegrijpelijke mengelmoes van bezwaren. Het kwam er feitelijk op neer dat hij geen tijd had.

T. Pierce staat langzaam op, strekt zijn vingers, spreidt zijn armen en wil iets zeggen, maar Kipler is hem vóór. 'U gaat me toch niet vertellen dat u meer van zijn medische toestand weet dan zijn eigen arts?'

'Nee, meneer,' zegt Pierce.

'Of dat u bezwaar maakt tegen dit verzoek?'

Het is wel duidelijk wat de uitspraak van de rechter zal zijn, dus kiest T. Pierce haastig voor een gematigder standpunt. 'Het gaat ons alleen om het tijdschema, edelachtbare. We hebben onze reactie nog niet eens op schrift gezet.'

'Ik weet toch al wel wat uw reactie zal zijn, oké? Dat is geen verrassing. En u hebt tijd genoeg gehad om alles op schrift te zetten. Ik wil nu een datum van u horen.' Hij kijkt opeens naar mij. 'Meneer Baylor?'

'Ik ben permanent beschikbaar, edelachtbare,' zeg ik met een glimlach. Het voordeel als je toch niets anders te doen hebt.

De vijf advocaten achter de andere tafel halen haastig hun zwarte boekjes te voorschijn, alsof ze misschíen nog een datum kunnen vinden waarop ze alle vijf beschikbaar zijn.

'Mijn agenda zit vol, edelachtbare,' zegt Drummond zonder op te staan. Het leven van een belangrijk advocaat draait nu eenmaal om zijn agenda. Drummond geeft Kipler te verstaan dat hij het voorlopig gewoon te druk heeft om Donny Ray's verklaring aan te horen.

Zijn vier lakeien fronsen, knikken en wrijven zich over hun kin. Nee, zij zien ook geen kans om zich op korte termijn vrij te maken.

'Hebt u een afschrift van de verklaring van dokter Kord?' vraagt Kipler.

'Jawel,' antwoordt Drummond.

'En hebt u die gelezen?'

'Ja.'

'Hebt u er iets op aan te merken?'

'Nou eh, ik...'

'Ja of nee, meneer Drummond? Twijfelt u aan de juistheid van die verklaring?'

'Nee.'

217

'Het staat dus vast dat deze jongeman stervende is. Bent u het met me eens dat we zijn verklaring nodig hebben zodat de jury bij gelegenheid kan zien en horen wat hij te zeggen heeft?'

'Natuurlijk, edelachtbare. Alleen... op dit moment is mijn agenda...'

'Volgende week donderdag?' onderbreekt Kipler hem. Er valt een doodse stilte aan de overkant.

'Lijkt me uitstekend, edelachtbare,' zeg ik luid. Ze negeren me.

'Vandaag over een week,' zegt Kipler. Hij kijkt argwanend naar het groepje tegenover hem. Drummond bestudeert een vel papier en vindt wat hij zoekt.

'Vanaf maandag heb ik een procedure voor het federale hof, edelachtbare. Hier heb ik de gegevens, als u die wilt zien. Het gaat waarschijnlijk twee weken duren.'

'Waar?'

'Hier in Memphis.'

'Enige kans op een schikking?'

'Nauwelijks.'

Kipler kijkt even op zijn eigen schema. 'Volgende week zaterdag dan?'

'Prima,' zeg ik. Iedereen negeert me.

'Záterdag?'

'Ja, de achtentwintigste.'

Drummond kijkt naar T. Pierce. Hij is aan de beurt om een excuus te verzinnen. T. Pierce komt langzaam overeind, klemt zijn agenda in zijn handen alsof die van goud is en zegt: 'Het spijt me, edelachtbare, maar dat weekend ben ik de stad uit.'

'Waarvoor?'

'Een bruiloft.'

'Gaat u trouwen?'

'Nee. Mijn zuster.'

Strategisch is het in hun voordeel om de zaak te vertragen totdat Donny Ray gestorven is. Dan kan de jury zijn uitgeteerde lichaam niet meer zien en zijn gekwelde stem niet meer horen. Ik twijfel er niet aan dat deze vijf advocaten samen genoeg redenen voor uitstel kunnen vinden.

Dat weet rechter Kipler natuurlijk ook. 'Zaterdag de achtentwintigste,' zegt hij op besliste toon. 'Het spijt me als dat de verdediging niet goed uitkomt, maar u hebt genoeg advocaten voor deze zaak. Eén meer of minder maakt weinig uit.' Hij klapt zijn eigen agenda dicht, leunt naar voren op zijn ellebogen, grijnst de advocaten van Great Eastern toe en vraagt: 'Verder nog iets?'

Het is bijna wreed zoals hij tegen hen lacht, maar Kipler is niet boosaardig van karakter. Hij heeft zojuist vijf van hun zes verzoeken afgewezen, maar op goede gronden. Ik vind hem een uitstekende rechter. En objectief. Als ik hier in de toekomst vaker kom, zal ik ook wel eens op mijn gezicht gaan, neem ik aan.

Drummond staat op, haalt zijn schouders op en kijkt naar de stapel papieren op zijn tafel. Het liefst zou hij iets zeggen als: 'Nou, u wordt bedankt' of 'Waarom wijst u de eiser niet meteen een miljoen dollar toe?', maar natuurlijk blijft hij in de plooi. 'Nee, edelachtbare, dat was het voorlopig,' zegt hij, op een toon alsof Kipler hem geweldig heeft geholpen.

'Meneer Baylor?' vraagt Kipler aan mij.

'Nee, meneer,' zeg ik met een glimlach. Voor vandaag is het wel voldoende. Mijn eerste dag voor de rechtbank heb ik de grote jongens van Trent & Brent verpletterend verslagen. Ik weet wanneer ik moet stoppen. We hebben onze tanden laten zien, ik en mijn goede vriend Tyrone.

'Goed,' zegt Kipler, met een klap van zijn hamer. 'De zitting is gesloten. En meneer Morehouse, ik verwacht nog een telefoontje van u over die zaak waarin u met *fast-tracking* hebt ingestemd.'

T. Pierce kreunt inwendig.

– 28 –

De eerste maand van mijn samenwerking met Deck levert bijzonder weinig op. We hebben twaalfhonderd dollar aan honorarium verdiend – vierhonderd van Jimmy Monk, een winkeldief die Deck bij de rechtbank heeft opgepikt, tweehonderd voor een geval van rijden onder invloed, een zaak die Deck op een onduidelijke en dubieuze manier in de schoot is gevallen, en vijfhonderd dollar voor een schaderegeling die Deck uit Bruisers kantoor heeft gestolen op de dag dat we ervandoor gingen. De resterende honderd dollar heb ik verdiend met het opstellen van een testament voor een echtpaar van middelbare leeftijd dat toevallig in ons kantoor verzeild raakte. Ze wilden antiek kopen, namen de verkeerde trap en vonden mij slapend achter mijn bureau. We hadden een leuk gesprekje, van het een kwam het ander, en ze bleven wachten terwijl ik een testament voor hen typte. Ze betaalden me contant, maar ik heb het keurig aan Deck gemeld. Hij is onze boekhouder en ik wilde mijn eerste honorarium op een nette manier verdienen.

We hebben vijfhonderd dollar uitgegeven aan huur, vierhonderd aan briefpapier en visitekaartjes, ongeveer vijfhonderdvijftig aan voorschotten voor gas, water en elektra, achthonderd voor een gehuurd telefoonsysteem plus de eerste rekening, driehonderd als eerste aanbetaling voor de bureaus en nog wat andere meubels van de huurbaas beneden, tweehonderd aan verplichte contributies, driehonderd aan diverse, zevenhonderdvijftig voor een fax, vierhonderd voor de installatie en de eerste maand huur van een goedkope tekstverwerker en vijftig dollar voor een advertentie in een plaatselijke horecagids.

We hebben in totaal tweeënveertighonderdvijftig dollar uitgegeven, het grootste deel gelukkig aan aanloopkosten die niet meer terugkomen. Deck heeft alles tot op de laatste cent uitgerekend. Hij denkt dat de vaste lasten uiteindelijk zullen uitkomen op negentienhonderd dollar per maand. En volgens hem loopt het uitstekend. Zegt hij.

Het is moeilijk zijn enthousiasme te negeren. Hij woont praktisch op kantoor. Hij is vrijgezel, zijn kinderen wonen ver bij hem vandaan en Memphis is een vreemde stad voor hem. Ik neem aan dat hij wel uitgaat, maar het enige waar hij ooit over praat zijn de casino's in Mississippi.

Meestal komt hij 's ochtends een uurtje later dan ik. Het grootste deel van de ochtend zit hij te bellen – ik heb geen idee met wie. Ik neem aan dat hij cliënten probeert te werven, rapporten over verkeersongelukken natrekt of gewoon zijn contacten onderhoudt. Iedere ochtend vraagt hij me of ik typewerk voor hem heb. Hij kan veel beter typen dan ik en hij vindt het leuk om mijn brieven en stukken uit te werken. Hij is altijd de eerste die de telefoon opneemt, hij zorgt dat er koffie is, hij houdt het kantoor schoon en hij gaat naar de drukker om onze papieren te fotokopiëren. Deck heeft geen trots en hij maakt het mij graag naar de zin.

Hij studeert niet meer voor zijn rechtbankexamen. Ik ben er wel eens over begonnen, maar hij verandert meteen van onderwerp.

Aan het eind van de ochtend maakt hij meestal plannen voor onduidelijke expedities naar niet nader genoemde plaatsen. Ik neem aan dat hij de rechtbanken afstroopt naar mensen die failliet zijn of om andere redenen een advocaat nodig hebben. We praten er niet over. 's Avonds gaat hij de ziekenhuizen langs.

Al na een paar dagen hadden we allebei ons eigen gedeelte van het kantoor. Deck vindt dat ik ook op zoek moet gaan naar cliënten. Ik ben niet agressief genoeg en dat zint hem niet. Hij heeft genoeg van mijn gezeur over ethiek en tactiek. De wereld is hard en de concurrentie moordend. Als je de hele dag op je kont blijft zitten, wordt er geen geld verdiend. Winstgevende zaken wandelen niet zomaar je kantoor binnen.

Aan de andere kant heeft hij me nodig. Ik ben advocaat, hij niet. We delen het geld, maar het is geen gelijkwaardige maatschap. Deck ziet zichzelf als de mindere, daarom is hij bereid alle vervelende klusjes op te knappen. Daarom rent hij achter ambulances aan en hangt hij bij rouw-centra en in ziekenhuizen rond. Hij is dik tevreden met onze afspraak, die hem vijftig procent van de inkomsten oplevert. Hij zal nergens een betere regeling krijgen.

Je hoeft maar één keer raak te schieten, zegt hij steeds. Dat hoor je over-al. Eén grote zaak en je bent binnen. Dat is een van de redenen waarom advocaten zo dubieus opereren, met kleurenadvertenties in de gouden gids, reclame langs de weg en op de stadsbussen, en telefonische campag-nes om cliënten te werven. Je knijpt je neus maar dicht tegen de stank van wat je doet. En je trekt je niets aan van de minachtende houding van de grotere kantoren, want je hebt maar één grote klapper nodig.

Deck is vastbesloten die klapper te vinden voor ons kleine kantoor.

Terwijl hij op jacht is, houd ik me met andere zaken bezig. Memphis telt vijf kleinere, zelfstandige districten, alle vijf met hun eigen gerechtshof en een legertje pro-deo-advocaten. De rechters en officieren zijn nog jong. De meesten hebben aan Memphis State gestudeerd en werken voor een vergoeding van nog geen vijfhonderd dollar per maand. Ze hebben een bloeiende praktijk in de buitenwijken, maar besteden enkele uren per week aan de strafrechtspraak in hun district. Ik heb drie van deze mensen bezocht en hen de hand geschud met de vraag of ze niet wat werk voor me hadden als pro-deo-advocaat. Ik heb mijn bedenkingen over de uit-komst van dat verzoek. Ik ben inmiddels aangesteld als raadsman van zes minvermogende verdachten, beschuldigd van een hele scala aan vergrij-pen, variërend van drugbezit tot diefstal en aanstootgevend gedrag. Ik krijg maximaal honderd dollar per geval en iedere zaak moet binnen twee maanden zijn afgerond. Ik overleg met mijn cliënten, neem hun bekente-nis met hen door, onderhandel met de officier en rijd naar de buitenwij-ken als ze moeten vóórkomen. Daar ben ik minstens vier uur mee kwijt. Dat is vijfentwintig dollar per uur – bruto.

Maar het houdt me van de straat en het levert nog wat op. Ik leg contac-ten, deel visitekaartjes uit en vraag mijn cliënten om hun vrienden te ver-tellen dat ik, Rudy Baylor, al hun juridische problemen kan oplossen. Wàt die problemen zijn, daar denk ik liever niet over na. Nog meer ellen-de, dat kan niet anders. Echtscheidingen, faillissementen, misdrijven. Het leven van een advocaat.

Deck wil adverteren zodra we er het geld voor hebben. Hij vindt dat we ons als experts in letselschade moeten presenteren, dat we reclametijd moeten kopen op de kabel-tv en dat we onze spots vooral 's ochtends vroeg moeten uitzenden, als de werkende klasse zit te ontbijten voordat ze op weg gaat naar het volgende bedrijfsongeval. Hij heeft ook naar een zwart rap-station geluisterd – niet omdat hij van de muziek houdt, maar omdat de zender goed beluisterd wordt en er vreemd genoeg nog geen advocaten op adverteren. Deck heeft weer een gat in de markt ontdekt: rap-advocaten!

God sta ons bij.

Ik breng veel tijd door in het Circuit Court. Ik flirt met de assistentes en probeer wat meer inzicht te krijgen in de gang van zaken. De dossiers zijn openbaar en de computer heeft een register. Zodra ik wist hoe de computer werkte, heb ik een paar oude zaken van Leo F. Drummond opgevraagd. De meest recente dateert van achttien maanden geleden, de oudste van acht jaar terug. Ze hebben niets met Great Eastern te maken, maar wel met andere verzekeringsmaatschappijen. Alle procedures zijn gewonnen door zijn cliënt.

De afgelopen drie weken heb ik veel tijd aan die dossiers besteed. Ik heb pagina's vol aantekeningen en honderden kopieën gemaakt. Met behulp daarvan heb ik een hele serie vragen opgesteld – schriftelijke vragen die de ene partij aan de andere stuurt en waarop schriftelijk en onder ede moet worden geantwoord. Een schriftelijk verhoor dus. Er zijn talloze manieren om zulke vragen te formuleren, maar ik heb mijn stijl aan de zijne aangepast. Ik heb zijn dossiers doorgewerkt en een lijst aangelegd van de documenten die ik van Great Eastern wil opvragen. In sommige gevallen stond Drummond tegenover een bekwame tegenstander, in andere gevallen had hij weinig te duchten. Maar hij was steeds de meerdere. Ik bestudeer zijn pleidooien, zijn verzoeken, zijn schriftelijke vragen en de reacties daarop van de eisers. 's Avonds in bed verdiep ik me in zijn toelichtingen en leer ik zijn werkwijze uit mijn hoofd. Ik lees zelfs zijn brieven aan het hof.

Na een maand van subtiele hints en zachte aandrang heb ik Deck eindelijk zo ver weten te krijgen dat hij een reisje naar Atlanta heeft gemaakt. Hij heeft er twee dagen rondgeneusd. Twee nachten heeft hij in de goedkoopste motels geslapen. Het was een zakenreis.

Vandaag kwam hij terug met het nieuws dat ik al had verwacht. Juffrouw Birdie bezit iets meer dan tweeënveertigduizend dollar. Haar tweede echtgenoot heeft inderdaad geërfd van een geschifte broer in Florida, maar zijn aandeel in de erfenis bedroeg nog geen miljoen. Voordat hij met juffrouw Birdie trouwde, was Anthony Murdine al twee keer getrouwd geweest. Hij had zes kinderen, die – samen met de advocaten en de belastingdienst – bijna de hele erfenis inpikten. Juffrouw Birdie kreeg veertigduizend dollar, die ze om een of andere reden in een fonds bij een grote bank in Georgia achterliet. Na vijf jaar rockloos investeren was de hoofdsom gegroeid met tweeduizend dollar.

Slechts een klein gedeelte van de stukken is geheim, maar Deck heeft genoeg graafwerk verricht en mensen lastiggevallen om te ontdekken wat we zochten.

'Sorry,' zegt hij als hij me een samenvatting van de feiten geeft, met kopieën van de rechterlijke bevelen. Ik ben teleurgesteld, maar niet verbaasd.

Oorspronkelijk was besloten dat Donny Ray Black zijn verklaring zou afleggen op ons kantoor, een afspraak waar ik niet erg gelukkig mee was. Het kantoor is zeker geen zwijnestal, maar wel klein en erg kaal. Er hangen nog geen gordijnen voor de ramen en de wc in het kleine toilet trekt niet goed door.

Ik schaam me niet voor ons kantoor. Integendeel, het hééft wel iets – een bescheiden uitvalsbasis voor een veelbelovende jonge jurist. Maar natuurlijk zouden de dure jongens van Trent & Brent hun minachting niet onder stoelen of banken steken. Voor hen is het beste nog niet goed genoeg en in gedachten kon ik hun smalende commentaar al horen. We hebben niet eens genoeg stoelen voor de kleine vergadertafel.

Maar op vrijdag, de avond voordat Donny Ray zal worden gehoord, belt Dot me met het bericht dat hij in bed ligt en te zwak is om te worden vervoerd. Hij heeft zich te veel zorgen gemaakt over de zitting. Als Donny Ray niet naar ons kantoor kan komen, blijft er maar één oplossing over. Ik bel Drummond, maar die vertikt het om naar het huis van mijn cliënt te komen. Regels zijn regels, zegt hij. Dan moet ik het maar uitstellen en iedereen afzeggen. Het spijt hem vreselijk. Ik weet dat hij de zaak liever zou uitstellen tot na Donny Ray's begrafenis. Ik hang op en bel rechter Kipler. Een paar minuten later belt hij Drummond en na een korte woordenwisseling wordt de zitting verplaatst naar het huis van Dot en Buddy Black. Vreemd genoeg blijkt Kipler van plan om ook te komen. Dat is ongebruikelijk, maar hij heeft zijn redenen. Donny Ray is ernstig ziek en dit is misschien onze laatste kans om hem te ondervragen. De tijd dringt. Het zal niet de eerste keer zijn dat de advocaten elkaar bij zo'n gelegenheid in de haren vliegen. Dan moet de rechter worden gebeld om de zaak telefonisch te beslechten. Als de rechter niet bereikbaar is en de partijen het niet eens worden, moet de zitting worden verdaagd. Kipler is bang dat Drummond zal proberen de gang van zaken te verstoren door een zinloze ruzie te beginnen en er woedend vandoor te gaan.

Maar met Kipler erbij zal hij die kans niet krijgen. Die houdt hem wel onder de duim. Bovendien is het zaterdag, zegt Kipler, en heeft hij toch niets anders te doen.

Ik denk dat hij zich ook zorgen maakt over mijn eerste optreden bij zo'n ondervraging. En terecht.

Vrijdagnacht kan ik niet slapen bij de gedachte hoe het de volgende dag zal gaan bij Dot en Buddy thuis. Het is er donker en vochtig, en het licht is slecht. Dat is belangrijk, omdat Donny Ray's verklaring op video zal worden opgenomen. De jury moet kunnen zien hoe slecht hij eraan toe. Het huis heeft geen airconditioning, terwijl het buiten zo'n vijfendertig graden is. Ik kan me nauwelijks voorstellen hoe we vijf of zes advocaten, een rechter, een stenografe, een cameraman en Donny Ray zelf in één kamer moeten krijgen.

Ik droom dat Dot ons allemaal verstikt met haar blauwe rook, terwijl Buddy vanuit de achtertuin lege gin-flessen tegen het keukenraam smijt. Ik slaap nog geen drie uur.

Een uur voor de zitting arriveer ik bij het huis van de Blacks. Het lijkt nog kleiner en benauwder. Donny Ray zit rechtop in bed, in een veel betere stemming. Hij zal het wel redden, beweert hij. We hebben er al uren over gepraat en een week geleden heb ik hem een uitvoerige lijst gegeven met mijn eigen vragen en de vragen die hij van Drummond kan verwachten. Hij zegt dat hij er klaar voor is, en ik bespeur zelfs een lichte opwinding.

Dot zet koffie en sopt de muren. Straks komen er een stel advocaten en een rechter op bezoek, en volgens Donny Ray is ze de hele nacht aan de schoonmaak geweest. Buddy loopt de huiskamer door als ik een divan verschuif. Hij is gewassen en draagt schone kleren. Zijn witte overhemd zit netjes in zijn broek. Dat moet Dot heel wat zweetdruppeltjes en dreigementen hebben gekost.

Mijn cliënten proberen er op hun best uit te zien. Ik ben trots op hen.

Deck komt binnen met een koffer vol apparatuur. Van een vriend heeft hij een oude videocamera geleend, minstens drie keer zo groot als de nieuwe modellen. Maar het ding werkt nog prima, verzekert hij me. Hij maakt kennis met de Blacks. Ze nemen hem achterdochtig op, vooral Buddy, die van Dot het koffietafeltje moet poetsen. Deck werpt een blik door de voorkamer, de huiskamer en de keuken en fluistert tegen mij dat er niet genoeg ruimte is. Hij sleept een statief de huiskamer in en schopt een tijdschriftenrek omver, wat hem een boze blik van Buddy bezorgt.

Het huis staat vol met kleine tafeltjes, krukjes en ander meubilair uit de jaren zestig, beladen met goedkope souvenirs. Het wordt steeds warmer. Rechter Kipler arriveert, maakt kennis met de Blacks en met Deck, begint te zweten en zegt al na een paar minuten: 'Laten we eens buiten kijken.' Hij loopt met me mee door de keuken naar het kleine stenen terras achter het huis. Bij het hek achterin, in de hoek tegenover Buddy's Ford Fairlane, staat een eik die waarschijnlijk dateert uit de tijd dat het huis is gebouwd. In de schaduw van de boom is het goed uit te houden. Deck en ik lopen achter Kipler aan door het pas gemaaide maar nog niet aangeharkte gras. De rechter werpt een blik op de Fairlane met de katten op de motorkap.

'Wat dachten jullie hiervan?' vraagt hij, onder de boom. Langs het hek groeit een dichte haag die de tuin gedeeltelijk afsluit. Aan de rand van het struikgewas staan vier hoge dennen die de ochtendzon tegenhouden. Voorlopig is het hier nog koel, en er is voldoende licht.

'Lijkt me uitstekend,' zeg ik, hoewel ik met mijn beperkte ervaring nog nooit van een zitting in de open lucht heb gehoord. In gedachten dank ik de goden voor de aanwezigheid van Tyrone Kipler.

'Hebben we een verlengsnoer?' vraagt hij.

'Ja, dat heb ik meegenomen,' zegt Deck, die al terugloopt door het gras. 'Dertig meter lang.'

Het hele perceel is nog geen vijfentwintig meter breed en ongeveer dertig meter diep. De voortuin is groter dan de achtertuin, dus het terras is niet ver weg. De Ford ook niet. Tijger, de waakkat, zit statig op het dak van de auto en houdt ons argwanend in de gaten.

'Laten we maar een paar stoelen halen,' zegt Kipler, die duidelijk de leiding heeft. Hij stroopt zijn mouwen op. Dot, de rechter en ik brengen de vier keukenstoelen naar buiten, terwijl Deck zijn apparatuur opstelt. Buddy is verdwenen. Dot sleept een paar tuinstoelen naar de eik en vindt nog drie vuile, beschimmelde ligstoelen in de bijkeuken.

Na een paar minuten sjouwen zijn Kipler en ik doornat van het zweet. Natuurlijk trekken we de aandacht. Een paar buren zijn naar buiten gekomen en kijken verbaasd toe. Een zwarte man in een spijkerbroek die met stoelen sleept in de achtertuin van de Blacks? Een vreemd kereltje met een groot hoofd dat worstelt met een elektriciteitssnoer dat zich om zijn enkels heeft geslingerd? Wat gebeurt hier allemaal?

Een paar minuten voor negen bellen twee vrouwelijke stenografen aan. Helaas is het Buddy die opendoet. Ze slaan bijna op de vlucht voordat Dot hen redt en hen naar de achtertuin brengt. Gelukkig dragen ze allebei een broek in plaats van een rok. Ze overleggen met Deck over de apparatuur en de snoeren.

Drummond en zijn mensen arriveren om klokslag negen uur, geen minuut te vroeg. Drummond heeft maar twee advocaten meegebracht, B. Dewey Clay Hill de Derde en Brandon Fuller Grone. Ze zijn precies hetzelfde gekleed, in een marineblauwe blazer, een wit katoenen overhemd, een gesteven kakibroek en instappers. Alleen de kleur van hun stropdas verschilt. Drummond draagt geen das.

Ze vinden ons in de achtertuin en lijken verbijsterd over de omgeving. Kipler, Deck en ik lopen flink te zweten, maar het zal me een zorg zijn wat Drummond ervan vindt. Ik tel de koppen. 'Drie maar?' vraag ik de tegenpartij, maar ze kunnen er niet om lachen.

'Jullie zitten daar,' zegt zijne edelachtbare, wijzend naar drie keukenstoelen opzij van de getuige. 'En let op die snoeren.' Deck heeft snoeren en

kabels om de boom gewikkeld, en vooral Grone lijkt doodsbang dat hij
een schok zal krijgen.

Dot en ik helpen Donny Ray uit bed, het huis door en de tuin in. Hij is
heel zwak, maar hij probeert op eigen kracht naar de boom te lopen. Ik
let scherp op de reactie van Leo Drummond als hij Donny Ray voor het
eerst ziet. Er verandert niets in de zelfgenoegzame uitdrukking op zijn gezicht. 'Kijk maar eens goed, Drummond,' wil ik tegen hem zeggen. 'Dan
kun je zien wat je cliënt heeft aangericht.' Maar het is niet Drummonds
schuld. De beslissing om de claim af te wijzen is genomen door een nog
onbekende werknemer van Great Eastern, lang voordat Drummond er
iets van wist. Maar hij is de enige op wie ik me kan afreageren.

We zetten Donny Ray in een schommelstoel met kussens. Dot moedert
over hem. Zijn ademhaling gaat moeizaam en zijn gezicht is vochtig. Hij
lijkt er nog slechter aan toe dan de vorige keer.

Beleefd stel ik hem aan de anderen voor: rechter Kipler, de twee stenografen, Deck, Drummond en zijn twee collega's van Trent & Brent. Hij
is te zwak om handen te schudden, dus knikt hij maar en probeert te glimlachen.

We richten de camera op zijn gezicht, van ruim een meter afstand. Deck
stelt de lens scherp. Een van de stenografen is officieel bevoegd als video-
graaf en wil de zaak van Deck overnemen. De video mag niets anders laten zien dan Donny Ray. De stemmen van de anderen zullen wel te horen
zijn, maar de jury krijgt alleen zíjn gezicht te zien.

Kipler zet mij rechts van Donny Ray en Drummond aan zijn linkerhand.
Zelf zoekt hij een plaatsje naast mij. We schuiven onze stoelen zo dicht
mogelijk naar de getuige toe. Dot staat een meter achter de camera en
houdt haar zoon scherp in het oog.

De buren sterven nu van nieuwsgierigheid en leunen over het ijzeren hek,
zes meter bij ons vandaan. Ergens in de straat klinkt een nummer van
Conway Twitty uit een blèrende radio, maar de herrie is nog niet hinder-
lijk. Het is zaterdagochtend en overal zijn grasmaaiers en heggescharen
te horen.

Donny Ray neemt een slok water en probeert de blikken van de vier advocaten en de rechter te negeren. Het doel van deze zitting is duidelijk.
Zijn verklaring moet op video worden opgenomen omdat hij dood zal
zijn tegen de tijd dat de zaak voor de jury komt. Hij moet medeleven op-
wekken. Nog niet zo lang geleden zou zijn verklaring op de conventione-
le manier zijn opgenomen. Een stenografe zou de vragen en antwoorden
hebben genoteerd en uitgetypt, en de tekst zou tijdens de rechtszaak worden voorgelezen. Maar met de komst van de nieuwe technologie worden
veel getuigeverklaringen, vooral van ernstig zieke mensen, op video opgenomen en in de rechtszaal afgespeeld. Toch heeft Kipler bepaald dat

Donny Ray's woorden ook op de ouderwetse manier moeten worden vastgelegd. Dan kunnen alle partijen en de rechter zijn verklaring gemakkelijk raadplegen zonder een hele videoband te hoeven bekijken.

De kosten van deze zitting zijn afhankelijk van de duur. Stenografen berekenen hun tarieven per pagina. Om die reden heeft Deck me op het hart gedrukt mijn vragen kort te houden. Wij hebben om deze zitting gevraagd, en daarom moeten wij de kosten betalen. Deck schat het totale bedrag op zo'n vierhonderd dollar. Het recht is duur.

Kipler vraagt Donny Ray of hij gereed is. De stenografe laat hem de eed afleggen. Hij belooft de waarheid te spreken. Omdat hij mijn getuige is, moet ik hem zo efficiënt mogelijk aan de tand voelen en de omwegen van een normaal getuigenverhoor vermijden. Ik ben nerveus, maar Kiplers aanwezigheid is een grote steun.

Ik vraag Donny Ray naar zijn naam, adres, geboortedatum en een paar dingen over zijn ouders en zijn familie. Simpele feiten om hem – en mezelf – over de eerste zenuwen heen te helpen. Hij antwoordt langzaam in de camera, zoals ik hem heb opgedragen. Hij kent alle vragen die ik hem zal stellen en de meeste dingen die Drummond hem zal vragen. Hij zit met zijn rug tegen de eik, een fraai decor. Zo nu en dan veegt hij met een zakdoek het zweet van zijn voorhoofd. Hij negeert onze starende blikken. Hoewel ik hem niet heb geïnstrueerd zich zo ziek en zwak mogelijk voor te doen, doet hij dat wel. Of misschien nadert de dood inderdaad met rasse schreden.

Tegenover me, nog geen halve meter bij me vandaan, balanceren Drummond, Grone en Hill hun blocnotes op hun knieën en proberen alles te noteren wat Donny Ray zegt. Ik vraag me af welk tarief ze rekenen om op zaterdag te werken. Al gauw gaan de blauwe blazers uit en de stropdassen af.

Tijdens een lange stilte horen we de keukendeur dichtslaan en zien we Buddy het terras op wankelen. Hij heeft een ander overhemd aangetrokken en draagt zijn bekende rode pullover met de donkere vlekken. Hij heeft een bruine papieren zak in zijn hand, en dat voorspelt niet veel goeds. Ik probeer me op mijn getuige te concentreren, maar uit mijn ooghoek zie ik Buddy door de tuin strompelen terwijl hij achterdochtig onze kant op kijkt. Ik weet precies waar hij naartoe gaat.

Het linkerportier van de Ford Fairlane staat open. Buddy laat zich in de stoel zakken. De katten springen door de open raampjes naar buiten. Dots gezicht verstrakt en ze kijkt mij zenuwachtig aan. Snel schud ik mijn hoofd, alsof ik wil zeggen: 'Laat hem maar. Hij doet geen kwaad.' Ze zou hem het liefst vermoorden.

Donny Ray en ik praten over zijn school, zijn werk, het feit dat hij altijd thuis heeft gewoond, zich nooit als kiezer heeft laten inschrijven en nooit

227

met de politie in aanraking is geweest. Het is lang niet zo'n nachtmerrie als ik me vannacht had voorgesteld, zwetend in mijn hangmat. Ik klink als een echte advocaat.

Ik stel Donny Ray een reeks goed gerepeteerde vragen over zijn ziekte en de behandeling die hem is onthouden. Hier moet ik voorzichtig zijn, omdat hij niets mag herhalen wat zijn dokter hem heeft gezegd en geen medische opinies ten beste mag geven. Dat zullen andere getuigen tijdens de rechtszaak wel doen, hoop ik. Drummonds ogen lichten op. Hij analyseert ieder antwoord en wacht gretig op de volgende vraag. Hij lijkt totaal niet uit het veld geslagen.

Er is een grens aan het uithoudingsvermogen van Donny Ray, zowel psychisch als fysiek, en een grens aan de hoeveelheid ellende die de jury op video wil aanzien. Binnen twintig minuten ben ik klaar, zonder dat de tegenpartij bezwaar heeft aangetekend. Deck knipoogt naar me, alsof ik geweldig ben.

Ter wille van de opname stelt Leo Drummond zich nog eens voor aan Donny Ray, legt uit wie hij vertegenwoordigt en hoe het hem spijt dat hij hier moet zitten. Natuurlijk is dat niet voor Donny Ray bedoeld, maar voor de jury. Zijn toon is vriendelijk en neerbuigend – een advocaat met meegevoel.

Een paar vragen maar, zegt Drummond. Voorzichtig roert hij het punt aan dat Donny Ray altijd bij zijn ouders is gebleven en nooit, zelfs geen week, ergens anders heeft gewoond. Omdat Donny Ray boven de achttien is, zou Drummond graag vaststellen dat hij een tijdje op zichzelf heeft gewoond, waardoor hij niet meer onder de verzekering van zijn ouders zou vallen.

Donny Ray antwoordt steevast met een beleefd en zwak: 'Nee, meneer.' Vervolgens vraagt Drummond naar andere polissen. Heeft Donny Ray ooit zelf een verzekering afgesloten of ooit gewerkt voor een bedrijf met een collectieve ziektekostenverzekering? Hij stelt nog een paar van dit soort vragen, die Donny Ray alle beantwoordt met een zacht: 'Nee, meneer.'

Hoewel de omgeving nogal vreemd is, heeft Drummond genoeg ervaring met deze situatie. Hij heeft vermoedelijk al duizenden getuigenverklaringen afgenomen en hij weet dat hij voorzichtig moet zijn. De jury zal het hem kwalijk nemen als hij deze zielige jongen te hard aanpakt. In feite is het een goede kans voor Drummond om zich te presenteren als iemand met een warm kloppend hart, die medelijden heeft met die arme kleine Donny Ray. Bovendien zal hij van deze getuige toch geen nieuwe feiten te horen krijgen. Waarom zou hij hem de duimschroeven aandraaien?

Drummond is binnen tien minuten klaar. Ik heb geen vragen meer. De zitting is gesloten, verklaart Kipler. Dot komt haastig naar haar zoon toe om zijn gezicht met een nat washandje af te vegen. Hij kijkt vragend naar mij en ik steek mijn duimen omhoog. De advocaten van de tegenpartij pakken snel hun jasjes en hun koffertjes en excuseren zich. Ze willen hier zo snel mogelijk vandaan. Ik ook.

Rechter Kipler draagt de stoelen naar binnen en werpt nog een blik op Buddy als hij langs de Ford Fairlane komt. Tijger zit midden op de motorkap, klaar voor de aanval. Ik bid dat het niet tot bloedvergieten komt. Dot en ik helpen Donny Ray naar het terras. Vlak voordat we naar binnen gaan, kijk ik over mijn schouder en zie dat Deck op de nieuwsgierige buren bij het hek is afgestapt. Hij deelt mijn visitekaartjes uit. Wat een prachtkerel is het toch.

– 29 –

De vrouw staat midden in de huiskamer van mijn appartement als ik binnenkom. Ze heeft een van mijn tijdschriften in haar handen. Ze maakt een sprong van schrik en laat het blad vallen als ze me ziet. Haar mond valt open. 'Wie bent u?' gilt ze.

Ze lijkt me geen inbreekster. 'Ik woon hier. En wie bent u dan wel, verdomme?'

'O, hemel,' zegt ze. Overdreven hijgend grijpt ze naar haar hart.

'Wat doet u hier?' vraag ik, behoorlijk kwaad.

'Ik ben de vrouw van Delbert.'

'Wie is Delbert in vredesnaam? En hoe bent u hier binnengekomen?'

'Wie bent u?'

'Ik ben Rudy. Ik woon hier. Dit is een privé-woning.'

Ze kijkt snel om zich heen met een blik van: noem je dat een woning?

'Birdie heeft me de sleutel gegeven en zei dat ik mocht rondkijken.'

'Niet waar!'

'O jawel.' Ze haalt een sleutel uit haar strakke short en laat hem zien. Ik sluit mijn ogen en overweeg om juffrouw Birdie te wurgen.

'Ik ben Vera, uit Florida. We zijn een paar dagen bij Birdie op bezoek.'

Nu weet ik het weer. Delbert is de jongste zoon van juffrouw Birdie, de zoon die ze al in geen drie jaar heeft gezien en die nooit opbelt of schrijft. Ik kan me niet herinneren of Vera de vrouw is die door juffrouw Birdie een slet wordt genoemd, maar de beschrijving zou wel passen. Ze is rond de vijftig, met de getaande bronzen huid van een echte zonaanbidster uit Florida. Haar oranje lippen glinsteren in haar smalle gebruinde gezicht. Ze heeft magere armen en haar short zit veel te strak om haar egaal bruine spillebenen. Haar voeten zijn in afgrijselijke gele sandalen gestoken. 'U hebt het recht niet hier binnen te komen,' zeg ik, wat rustiger nu. 'Doe normaal.' Ze loopt langs me heen en ik ruik een walm van goedkoop parfum met kokosnootolie. 'Birdie wil je spreken,' zegt ze als ze vertrekt. Ik hoor haar op klapperende sandalen de trap af lopen.

Juffrouw Birdie zit op de divan, met haar armen over elkaar, en kijkt naar een stompzinnige comedy-serie, zonder enige aandacht voor de wereld om haar heen. Vera zoekt iets in de koelkast. Aan de keukentafel zit een grote gebruinde man met een permanentje, slecht geverfd haar en bakkebaarden in Elvis-stijl. Hij draagt een goudgerande bril en gouden armbanden om beide polsen. Een echte pooier.

'Jij bent zeker de advocaat,' zegt hij als ik de deur achter me dicht doe. Op tafel ligt een stapeltje papieren die hij kennelijk heeft doorgelezen.

'Ik ben Rudy Baylor,' zeg ik vanaf de andere kant van de tafel.

'Delbert Birdsong, Birdies jongste zoon.' Hij is bijna zestig, maar hij probeert wanhopig er als veertig uit te zien.

'Aangenaam.'

'Ja ja.' Hij wuift me naar een stoel. 'Ga zitten.'

'Waarom?' vraag ik. Die mensen zijn hier al uren en de spanning is te snijden. Ik zie juffrouw Birdies achterhoofd, maar ik weet niet of ze naar ons luistert of naar de televisie. Het geluid staat zacht.

'Ik probeer alleen maar vriendelijk te zijn,' zegt Delbert alsof het huis van hèm is.

Vera kan niets van haar gading in de koelkast vinden en komt naar ons toe. 'Hij schreeuwde tegen me,' jammert ze tegen Delbert. 'Hij zette me de deur uit. Heel onbeschoft.'

'Is dat zo?' vraagt Delbert.

'Natuurlijk. Ik woon daar en jullie hebben er niets te zoeken. Het is een privé-woning.'

Hij trekt zijn schouders naar achteren. Delbert heeft al heel wat robbertjes gevochten in de kroeg, als ik me niet vergis. 'Het is van mijn moeder,' zegt hij.

'Ja. Zij is mijn huisbaas. Ik betaal iedere maand huur.'

'Hoeveel?'

'Dat gaat u niets aan, meneer. Uw naam staat niet op de eigendomsakte van dit huis.'

'Volgens mij is dat appartementje wel vicr- of vijfhonderd dollar per maand waard.'

'Fijn zo. Verder nog iets?'

'Ja. Je bent een eigenwijs stuk vreten.'

'Mooi. Bent u nou klaar? Uw vrouw zei dat juffrouw Birdie me wilde spreken.' Ik zeg het zo luid dat juffrouw Birdie het kan verstaan, maar ze reageert niet.

Vera pakt een stoel en schuift die dicht naar Delbert toe. Ze kijken elkaar veelbetekenend aan. Delbert plukt aan een hoekje van een vel papier. Hij zet zijn bril recht, kijkt op en zegt: 'Heb jij je bemoeid met moeders testament?'

'Dat is iets tussen juffrouw Birdie en mij.' Ik kijk naar de stapel en herken haar testament – het meest recente, geloof ik, dat nog door haar vorige advocaat is opgesteld. Dat is een schok, want juffrouw Birdie heeft altijd beweerd dat geen van haar zoons, Delbert noch Randolph, iets van haar geld wist. Maar in dit testament wordt een bedrag van minstens twintig miljoen dollar verdeeld. Delbert weet dat nu ook. Hij heeft het testament gelezen. In de derde alinea wordt hem een bedrag van twee miljoen nagelaten, als ik het me goed herinner.

Bezorgd vraag ik me af hoe Delbert het testament in handen heeft gekregen. Juffrouw Birdie zou het nooit vrijwillig aan hem hebben gegeven.

'Een eigenwijs stuk vreten,' herhaalt hij. 'Geen wonder dat iedereen de pest heeft aan advocaten. Kom ik een keertje bij mijn moeder op bezoek en wat zie ik? Woont er zo'n etter van een advocaat bij haar in huis. Daar zou iederéén toch van schrikken?'

Dat zal wel. 'Ik woon boven de garage,' zeg ik, 'in een eigen appartement met een slot op de deur. Als u nog eens binnendringt, bel ik de politie.'

Opeens bedenk ik dat ik een kopie van juffrouw Birdies testament in een dossier onder mijn bed heb liggen. Daar hebben ze het toch niet gevonden? God, dat niet! Ik word bijna misselijk bij de gedachte dat niet juffrouw Birdie maar ik haar geheim heb prijsgegeven.

Geen wonder dat ze me negeert.

Ik heb geen idee wat ze in haar vorige testamenten heeft gezet, dus ik weet ook niet of Delbert en Vera dolblij zijn dat ze misschien miljonair zullen worden of de pest in hebben omdat ze maar zo weinig krijgen. En ik kan hun onmogelijk de waarheid vertellen. Dat wil ik ook niet, eerlijk gezegd.

Delbert snuift om mijn dreigement met de politie. 'Ik vraag het je nog één keer,' zegt hij met een slechte imitatie van Brando in *The Godfather*: 'Heb je voor mijn moeder een nieuw testament opgesteld?'

'Ze is uw moeder. Waarom vraagt u het haar zelf niet?'

'Ze zegt geen woord,' mengt Vera zich in het gesprek.

'Goed. Dan zeg ik ook niets. Het is strikt vertrouwelijk.'

Delbert begrijpt dat niet helemaal en hij is niet slim genoeg om een andere aanpak te proberen. Hij is bang dat hij dan misschien de wet overtreedt.

'Ik hoop dat je je niet bemoeit met dingen die je niet aangaan, jongen,' zegt hij zo dreigend mogelijk.

Ik sta op om te vertrekken. 'Juffrouw Birdie!' roep ik. Er komt geen reactie, behalve dat ze de afstandsbediening richt en het geluid van de televisie harder zet.

Ik vind het best. Ik wijs naar Delbert en Vera. 'Als ik jullie nog eens in de buurt van mijn appartement zie, bel ik de politie. Is dat goed begrepen?'

Delbert lacht geforceerd en Vera begint te giechelen. Ik sla de deur achter me dicht.

Ik weet niet of iemand aan de dossiers onder mijn bed is geweest. Het testament van juffrouw Birdie ligt er nog zoals ik het heb achtergelaten, geloof ik. Het is al een paar weken geleden dat ik er voor het laatst naar heb gekeken. Alles lijkt in orde.

Ik doe de deur op slot en klem een stoel onder de deurkruk.

Ik heb de gewoonte om al vroeg op kantoor te zijn, rond half acht, niet omdat ik zo ijverig ben of zo'n volle agenda heb, maar omdat ik graag in alle rust een kopje koffie drink. Iedere dag besteed ik minstens een uur aan de zaak Black. Deck en ik ontlopen elkaar zoveel mogelijk op kantoor, maar dat valt niet altijd mee. En de laatste tijd wordt er steeds vaker opgebeld.

Ik hou van de stilte voordat de werkdag begint.

Op maandag is Deck erg laat. Hij komt pas tegen een uur of tien. We praten even. Hij wil graag vroeg gaan lunchen. Het is belangrijk, zegt hij.

Om elf uur vertrekken we en lopen twee straten door naar een vegetarisch reformhuis met een restaurantje achterin. We bestellen een pizza zonder vlees, met sinaasappelthee. Deck is vreselijk nerveus. Zijn tics zijn erger dan ooit. Bij het minste geluid begint zijn hoofd te schokken.

'Ik moet je wat zeggen,' fluistert hij zacht. We zitten in een nis. Aan de andere zes tafeltjes zit niemand.

'Geen mens kan ons horen, Deck,' probeer ik hem gerust te stellen. 'Wat is er?'

'Zaterdag, na die bijeenkomst met Donny Ray, ben ik de stad uit geweest. Ik ben eerst naar Dallas gevlogen en toen naar Las Vegas. Daar heb ik een kamer genomen in het Pacific Hotel.'

O, geweldig. Hij is een weekendje wezen gokken en zuipen. En nu is hij platzak.

'Toen ik gisterochtend opstond, werd ik gebeld door Bruiser. Hij zei dat ik beter kon vertrekken omdat de FBI me vanuit Memphis was gevolgd. Ik word voortdurend geschaduwd. En ik moest tegen jou zeggen dat ze je nog steeds in de gaten houden omdat jij de enige advocaat bent die zowel voor Bruiser als voor de Prins heeft gewerkt.'

Opeens heb ik een droge keel. Ik neem een grote slok thee. 'Dus jij weet waar... waar Bruiser is?' Ik zeg het luider dan de bedoeling was, maar er is toch niemand in de buurt.

Deck kijkt spiedend om zich heen. 'Nee,' zegt hij.

'Is hij in Las Vegas?'

'Dat denk ik niet. Volgens mij heeft hij me naar Vegas laten komen om de FBI op een dwaalspoor te brengen. Het is een voor de hand liggende plaats, dus het lijkt me niet waarschijnlijk dat hij daar is ondergedoken.' De gedachten tollen door mijn hoofd en ik kijk hem glazig aan. Er komen tientallen vragen bij me op, maar ik kan ze niet allemaal stellen. Sommige dingen zou ik graag willen weten, andere liever niet. We staren elkaar een paar seconden aan.

Ik dacht echt dat Bruiser en de Prins ergens in Singapore of Australië zaten en voorgoed verdwenen waren.

'Waarom belde hij je?' vraag ik heel voorzichtig.

Deck bijt op zijn lip alsof hij op het punt staat in huilen uit te barsten. Ik zie alle vier zijn bevertanden. Hij krabt zich op zijn hoofd. De minuten verstrijken, hoewel de tijd lijkt stil te staan. 'Nou,' zegt hij nog zachter, 'blijkbaar hebben ze nog wat geld laten liggen en dat hebben ze nu nodig.'

'Zíj?'

'Ik denk dat ze nog samen zijn.'

'Juist. En wat moet je nu doen?'

'Hij heeft me nog geen details gegeven, maar hij zei dat *wij* moesten helpen om *hun* het geld te bezorgen.'

'Wíj?'

'Ja.'

'Jij en ik?'

'Precies.'

'Hoeveel geld?'

'Dat heeft hij niet gezegd, maar je kunt rustig aannemen dat het een behoorlijk bedrag is, anders zouden ze er geen moeite voor doen.'

'En waar is het?'

'Dat heeft hij me niet verteld. Het is contant geld, dat ergens verborgen ligt.'

'En wij moeten het ophalen?'

'Ja. Ik denk dat hij het in een of ander pakhuis heeft verborgen, hier in de buurt. De FBI heeft het nog niet gevonden, dus blijkbaar is het veilig. Bruiser en de Prins vertrouwen ons en bovendien zijn we nu min of meer legaal – een echt advocatenkantoor, niet een paar boeven die de centen voor zichzelf zullen houden. Ze denken dat wij het geld gewoon met een auto naar hen toe kunnen brengen.'

Ik weet niet of Bruiser hem dat allemaal verteld heeft of dat Deck er maar naar raadt. Dat wil ik ook niet weten.

Maar ik ben wel nieuwsgierig. 'En wat krijgen we voor onze moeite?'

'Zo ver zijn we niet gekomen. Maar ik neem aan dat hij ons goed zal betalen. We kunnen ons aandeel er ook af houden. Van tevoren, bedoel ik.'

Deck heeft hier goed over nagedacht.

'Vergeet het maar, Deck. Daar komt niets van in.'

'Nee, dat dacht ik al...' zegt hij triest. Hij geeft wel erg gemakkelijk toe.

'Het is veel te riskant.'

'Ja.'

'Het klinkt nu wel aantrekkelijk, maar de kans is groot dat we de bak in draaien.'

'Ja, ja, maar ik moest het je toch vertellen,' zegt hij met een wegwerpend gebaar, alsof hij het zelf ook een onzinnig voorstel vind. We krijgen een schaaltje met maïs-chips en een sausje voorgezet. We wachten tot de ober weer is vertrokken.

Ik heb zelf ook al bedacht dat ik de enige ben die zowel voor Bruiser als de Prins heeft gewerkt, maar ik had nooit verwacht dat de FBI me zou schaduwen. Ik heb opeens geen trek meer. Mijn mond is droog. Ik schrik van het minste geluid.

Een tijd lang zitten we in gedachten verzonken, starend naar het tafeltje. Als de pizza komt, beginnen we zwijgend te eten. Ik zou wel wat meer willen weten. Hoe heeft Bruiser contact opgenomen met Deck? Wie heeft dat reisje naar Las Vegas betaald? Is dit de eerste keer dat ze elkaar hebben gesproken sinds de twee mannen zijn gevlucht? Zal het de laatste keer zijn? En waarom maakt Bruiser zich nog altijd zorgen over mij?

Twee gedachten dringen zich uit de nevel aan me op. Als Bruiser genoeg contacten heeft om te weten dat Deck onderweg naar Las Vegas is geschaduwd, kan hij ook wel mensen inhuren om zijn geld uit Memphis weg te halen. Waarom heeft hij ons dan nodig? Omdat het hem een zorg zal zijn of we betrapt worden. Daarom. In de tweede plaats heeft de FBI mij nooit ondervraagd omdat ze me niet wilden alarmeren. Ze konden me veel gemakkelijker schaduwen zolang ik geen argwaan had.

En dan nog iets. Ik weet zeker dat mijn kleine vriend tegenover me een serieuze discussie wilde over het geld. Deck weet meer dan hij me heeft verteld. Hij is dit gesprek begonnen met een plannetje in zijn achterhoofd. En zo gemakkelijk zal hij dat plannetje niet opgeven.

De dagelijkse post zie ik tegenwoordig met angst en beven tegemoet. Zoals gewoonlijk gaat Deck na de lunch naar de postbus. Als hij terugkomt, geeft hij me een dikke envelop van mijn vrienden bij Tinley Britt. Ik houd mijn adem in als ik hem openscheur. Het is Drummonds boodschappen-lijstje: een reeks schriftelijke vragen, een eis tot inzage van zowat alle stukken die bekend zijn bij de eiser en zijn raadsman, plus een verzoek tot toelating van bepaalde bewijzen. Dat laatste is een handige manier om de tegenpartij binnen dertig dagen te dwingen tot een bevestiging of ontkenning van sommige feiten. Als ze niet binnen die termijn worden ontkend, worden ze definitief als geldig geaccepteerd. In het pakketje zit ook een briefje met de aankondiging dat hij Dot en Buddy Black over twee weken een verklaring wil afnemen op mijn kantoor. Normaal bellen advocaten elkaar om een tijd en een plaats af te spreken. Dat is collegiaal, het kost maar vijf minuten en het houdt de goede betrekkingen in stand. Blijkbaar is Drummond zijn manieren vergeten of heeft hij besloten het zo hard mogelijk te spelen. In elk geval zal ik onmiddellijk protest aantekenen. Niet omdat de plaats en de tijd me niet uitkomen, maar gewoon uit principe.

Vreemd genoeg heeft hij geen verzoeken om rechterlijke uitspraken mee-gestuurd. Ik wacht met spanning op de post van morgen.

Ik ben verplicht om binnen dertig dagen schriftelijk op zijn vragen te rea-geren en ik mag zelf ook een lijst indienen. Die is al bijna klaar, en Drum-monds envelop zet me tot nog grotere spoed aan. Ik zal hem eens laten zien dat ik dit spelletje net zo goed beheers als hij. Daar zal hij van opkij-ken – totdat hij zich realiseert dat hij tegenover een advocaat staat die de hele dag niets anders heeft te doen.

Het is bijna donker als ik zachtjes de oprit indraai. Er staan twee onbe-kende auto's naast de Cadillac van juffrouw Birdie, twee glimmende Pontiacs met Avis-stickers op de achterbumper. Ik hoor stemmen als ik om het huis heen sluip in de hoop om ongezien naar mijn appartement te komen.

Ik ben nog laat op kantoor gebleven, voornamelijk omdat ik Delbert en Vera wilde ontlopen. Maar dat had ik gedroomd. Ze zitten met juffrouw Birdie op het terras thee te drinken. En ze hebben gezelschap.

'Daar heb je hem,' zegt Delbert luid zodra hij me ziet. Ik aarzel en kijk zijn kant uit. 'Kom eens hier, Rudy.' Het is meer een bevel dan een uitno-diging.

Hij staat langzaam op als ik naar hem toe kom. Een andere man komt ook overeind. Delbert wijst naar hem. 'Rudy, dit is mijn broer Ran-dolph.'

Randolph geeft me een hand. 'Mijn vrouw June,' zegt hij, wijzend naar nog zo'n getaande en bejaarde snol als Vera. Deze heeft gebleekt haar. Ik knik naar haar en ze werpt me een blik toe die kaas zou kunnen smelten. 'Juffrouw Birdie,' zeg ik beleefd tegen mijn huisbaas.

'Hallo, Rudy,' zegt ze lief. Ze zit op de rieten bank met Delbert.

'Kom erbij zitten,' zegt Randolph en hij wijst me een stoel.

'Nee, bedankt,' zeg ik. 'Ik moet naar mijn appartement om te zien of er nog insluipers zijn geweest.' Ik kijk naar Vera. Ze zit achter de bank, op enige afstand, waarschijnlijk zo ver mogelijk bij June vandaan.

June is ergens in de veertig. Als ik het me goed herinner moet haar man begin zestig zijn. Zíj was het die juffrouw Birdie een slet noemde, nu weet ik het weer. Randolphs derde vrouw, die altijd naar haar geld vroeg.

'We zijn niet in je appartement geweest,' zegt Delbert geërgerd.

In tegenstelling tot zijn ordinaire broer heeft Randolph een zekere waardigheid. Hij is niet dik, hij heeft zijn haar niet geverfd en hij is niet behangen met goud. Hij draagt een golfshirt, een bermuda, witte sokken en witte tennisschoenen. Net als de anderen is hij flink gebruind. Hij zou kunnen doorgaan voor een gepensioneerde zakenman, compleet met een plastic vrouwtje als trofee. 'Hoe lang blijf je hier nog wonen, Rudy?' vraagt hij.

'Ik wist niet dat ik wegging.'

'Dat zeg ik ook niet. Ik vraag het alleen maar. Volgens moeder is er geen huurcontract, dus ik was nieuwsgierig.'

'Waarom?' Het gaat me allemaal veel te snel. Tot gisteravond had ik juffrouw Birdie nog nooit over een huurcontract gehoord.

'Omdat ik moeder van nu af aan zal helpen bij haar zaken. En die huur is nogal laag.'

'Zeg dat wel,' beaamt June.

'U hebt toch niet geklaagd, juffrouw Birdie?' vraag ik haar.

'Nee hoor,' zegt ze aarzelend, alsof ze daar wel aan heeft gedacht maar er niet aan toe is gekomen.

Ik kan natuurlijk over de compost, het schoffelen en het schilderwerk beginnen, maar ik heb geen zin om met deze idioten in discussie te gaan. 'Ziet u?' zeg ik. 'Als de huisbaas geen bezwaar heeft, waar maakt u zich dan druk over?'

'We willen niet dat er misbruik van mamma wordt gemaakt,' verklaart Delbert.

'Rustig aan, Delbert,' zegt Randolph.

'Wie maakt er misbruik van haar?' vraag ik.

'Nou, niemand, maar...'

'Wat hij wil zeggen,' onderbreekt Randolph hem, 'is dat het hier voortaan anders toegaat. Wij zullen moeder helpen en we maken ons zorgen over haar zaken. Dat is alles.'

Ik kijk naar juffrouw Birdie terwijl hij dat zegt, en zie haar gezicht stralen. Haar zoons zijn bij haar, bekommeren zich om haar, stellen vragen en eisen, beschermen hun moeder. Hoewel ik zeker weet dat ze haar twee huidige schoondochters verafschuwt, is juffrouw Birdie op dit moment een heel tevreden mens.

'Goed,' zeg ik. 'Als jullie mij maar met rust laten. En blijf uit mijn appartement.' Ik draai me snel om en laat hen achter met al hun onuitgesproken vragen en opmerkingen. Ik doe mijn deur op slot, eet een sandwich en luister van achter mijn donkere raam naar hun gesprekken in de verte. Ik denk nog een tijdje over deze familiebijeenkomst na. Delbert en Vera zijn gisteren vanuit Florida gearriveerd – waarom, dat zal ik wel nooit te weten komen. Op de een of andere manier hebben ze het testament van juffrouw Birdie gevonden en ontdekt dat ze twintig miljoen te vergeven had, waarop ze plotseling heel bezorgd werden om haar welzijn. Ze kwamen erachter dat ze een advocaat op kamers had, en dat beviel hun niet erg. Delbert belde Randolph, die ook in Florida woont, en Randolph kwam haastig opdraven met zijn plastic vrouw. Vandaag hebben ze hun moeder ondervraagd over alles wat ze weten wilden, en nu hebben ze zich als haar beschermers opgeworpen.

Mij kan het niet schelen. Ik moet wel lachen om dit samenzijn. Ik vraag me af hoe lang het zal duren voordat ze de waarheid ontdekken.

Voorlopig is juffrouw Birdie heel gelukkig. En dat gun ik haar van harte.

– 30 –

Om negen uur heb ik een afspraak met dr. Walter Kord. Ik ben ruim op tijd, maar dat helpt me weinig. Ik moet een uur wachten en dood de tijd met het doorlezen van Donny Ray's medische dossier, dat ik al uit mijn hoofd ken. De wachtkamer vult zich met kankerpatiënten. Ik probeer niet naar hen te kijken.

Om tien uur komt een verpleegster me halen. Ik loop met haar mee naar een onderzoekkamer zonder ramen, ergens diep in het labyrint. Waarom zou een arts uit al die medische specialismen in vredesnaam kanker kiezen? Nou ja, iemand moet het doen.

Waarom kiest iemand rechten?

Ik ga in een stoel zitten met mijn dossier en wacht weer een kwartier. Dan hoor ik stemmen op de gang. De deur gaat open en een jongeman van een jaar of vijfendertig komt haastig binnen. 'Meneer Baylor?' vraagt hij terwijl hij me zijn hand toesteekt. Ik kom overeind.

'Ja.'

'Walter Kord. Ik heb het nogal druk. Is vijf minuten voldoende?'

'Ik denk het wel.'

'Graag. Ik heb nog een hele lijst met patiënten,' zegt hij, zowaar met een echte glimlach. Ik weet heel goed dat artsen de pest hebben aan advocaten. En eerlijk gezegd kan ik hun dat niet kwalijk nemen.

'Bedankt voor de medische indicatie. Die had het gewenste effect. Donny Ray heeft al een verklaring neergelegd.'

'Geweldig.' Hij is een kop groter dan ik en hij kijkt op me neer alsof ik niet goed wijs ben.

Ik bijt op mijn tanden en zeg: 'We hebben ook een verklaring van u nodig.'

Hij reageert zoals alle artsen. Ze houden niet van rechtszalen. Daarom zijn ze soms bereid om vooraf een verklaring af te leggen, om maar niet in de getuigenbank te hoeven plaatsnemen. Maar ze zijn er niet toe verplicht. Als ze weigeren, kan een advocaat naar een paardemiddel grijpen: de dagvaarding. Advocaten kunnen bijna iedereen dagvaarden, dus ook een arts. Tot op zekere hoogte hebben advocaten dus macht over doktoren. Daarom hebben artsen nog meer de pest aan hen.

'Ik heb het erg druk,' zegt hij.

'Dat weet ik. Het is niet voor mij, maar voor Donny Ray.'

Hij fronst en haalt diep adem, alsof deze zaak hem lichamelijk ongemak bezorgt. 'Ik reken vijfhonderd dollar per uur voor een getuigenverklaring.'

Daar schrik ik niet van, omdat ik het wel had verwacht. Tijdens mijn studie heb ik verhalen gehoord over artsen die nog veel meer vroegen. Maar ik kom als bedelaar. 'Dat kan ik niet betalen, dokter Kord. Ik ben pas zes weken geleden voor mezelf begonnen en ik heb nauwelijks geld om te eten. Dit is de enige serieuze zaak die ik heb.'

Wonderbaarlijk wat de waarheid soms vermag. Deze man verdient vermoedelijk een miljoen per jaar, maar hij is onmiddellijk geraakt door mijn openhartigheid. Ik zie medelijden in zijn ogen. Hij aarzelt even. Misschien denkt hij aan Donny Ray en aan de frustratie om iemand niet te kunnen helpen. Misschien vindt hij het zielig voor mij. Wie zal het zeggen?

'Ik zal u een rekening sturen, oké? Betaal maar wanneer het u uitkomt.'

'Dank u, dokter.'

'Vraag mijn secretaresse om een afspraak te maken. Kan het hier in het ziekenhuis?'

'Natuurlijk.'

'Goed. Maar nu moet ik weg.'

238

Als ik terugkom, heeft Deck een cliënt bij zich op kantoor, een goed geklede vrouw van middelbare leeftijd. Hij wenkt me als ik langs zijn kamer kom en stelt me voor aan mevrouw Madge Dresser, die wil scheiden. Ze heeft gehuild. Als ik naast Deck over het bureau leun, schuift hij me zijn blocnote toe, met de tekst: 'Ze heeft geld.'

We luisteren een uurtje naar Madge. Eén en al ellende. Drank, mishandeling, overspel, gokschulden, ontspoorde kinderen. Terwijl zij nooit iets verkeerds heeft gedaan. Twee jaar geleden heeft ze echtscheiding aangevraagd, waarop haar man een kogel door de ruit van haar advocaat joeg. Hij speelt met geweren en hij is gevaarlijk. Ik kijk even naar Deck als ze dat verhaal vertelt. Hij ontwijkt mijn blik.

Ze betaalt zeshonderd dollar contant en belooft meer. Morgen zullen we de eis tot echtscheiding indienen. Ze is in goede handen bij het kantoor van Rudy Baylor, verzekert Deck haar.

Kort nadat ze is vertrokken, gaat de telefoon. Een mannenstem vraagt naar mij. Ik noem mijn naam.

'Dag Rudy, je spreekt met Roger Rice, advocaat. Ik geloof niet dat we elkaar ooit hebben ontmoet.'

Ik heb alle advocaten in Memphis afgewerkt toen ik nog op zoek was naar een baantje, maar ik kan me geen Roger Rice herinneren. 'Nee, ik geloof het niet. Ik ben nieuw.'

'Ja. Ik moest inlichtingen bellen voor je nummer. Hoor eens, ik ben in bespreking met twee broers, Randolph en Delbert Birdsong, en hun moeder, Birdie. Ik heb begrepen dat je deze mensen kent.'

In gedachten zie ik juffrouw Birdie tussen haar twee zoons zitten met een stupide grijns op haar gezicht. 'Wat leuk,' zal ze wel zeggen.

'Ja, juffrouw Birdie ken ik heel goed,' zeg ik alsof ik dit telefoontje wel had verwacht.

'Ze zitten op dit moment in mijn kantoor. Ik ben even naar de vergaderzaal gelopen om te bellen, dus we kunnen vrijuit spreken. Ik ben bezig met haar testament. Het gaat om behoorlijk veel geld, heb ik gezien. Ze zeiden dat jij er ook bij betrokken was geweest.'

'Dat is zo. Een paar maanden geleden heb ik een nieuw testament opgesteld, maar dat heeft ze nog steeds niet ondertekend.'

'Waarom niet?' Hij is vriendelijk genoeg. Hij doet gewoon zijn werk en hij kan het ook niet helpen dat ze bij hem gekomen zijn. Daarom geef ik hem een korte samenvatting van juffrouw Birdies plannen om haar fortuin aan dominee Kenneth Chandler na te laten.

'Hééft ze dat geld wel?' vraagt hij.

Ik mag hem de waarheid niet vertellen. Ik ben niet bevoegd om mededelingen over juffrouw Birdie te doen zonder dat ik eerst met haar heb overlegd. Bovendien heb ik deze informatie verkregen via nogal twijfelachtige methoden, al was het niet tegen de wet. Mijn lippen zijn verzegeld.

'Wat heeft ze jou verteld?' vraag ik.

'Niet veel. Iets over een kapitaal in Atlanta, geld dat ze van haar tweede man heeft geërfd, maar ze weigert op de details in te gaan.'

Dat klinkt bekend. 'Wat moet er in dit nieuwe testament komen te staan?' vraag ik.

'Ze wil nu alles aan haar familie nalaten – aan haar kinderen en kleinkinderen. Ik vraag me alleen af of ze het geld wel heeft.'

'Dat weet ik ook niet. De dossiers in Atlanta mogen niet worden vrijgegeven. Verder ben ik niet gekomen.'

Hij is niet gelukkig, maar ik kan hem ook niet helpen. Ik beloof dat ik hem de naam en het telefoonnummer van de advocaat in Atlanta zal faxen.

Als ik 's avonds na negen uur thuiskom, staan er nog meer huurauto's op de oprit. Ik moet in de straat parkeren en dat irriteert me mateloos. Ik sluip door het donker naar mijn appartement, zonder dat iemand me ziet. Het zullen de kleinkinderen wel zijn. Ik blijf in het donker achter het raam van mijn kleine woonkamer zitten, eet een kippepasteitje en luister naar de geluiden uit het huis. Ik herken de stemmen van Delbert en Randolph, en zo nu en dan het kirrende lachje van juffrouw Birdie. De andere stemmen zijn jonger.

Ze hebben elkaar gebeld alsof er brand was. Kom snel! Ze bulkt van het geld! We wisten wel dat die ouwe taart een paar centen had, maar zóveel? Het ene telefoontje lokt het andere uit, en al gauw weet de hele familie ervan. Kom snel! Je naam staat in het testament, voor een bedrag van één miljoen dollar! Maar ze wil een nieuw testament opstellen. Dus laten we snel de rijen sluiten en lief zijn voor oma.

– 31 –

Op aanraden van rechter Kipler en met zijn zegen komen we naar zijn rechtszaal om Dot een verklaring af te nemen. Toen Drummond zonder enig overleg mijn kantoor had aangewezen, heb ik meteen protest aangetekend tegen de tijd en de plaats. Daarop heeft Kipler ingegrepen. Hij heeft Drummond gebeld en de zaak binnen enkele seconden geregeld.

Toen we Donny Ray's verklaring opnamen, had iedereen Buddy al in zijn oude auto zien zitten. Ik heb Kipler en Drummond gezegd dat het me niet verstandig lijkt om Buddy ook te ondervragen. Hij is niet helemaal goed, zoals Dot het uitdrukt. De arme kerel is ongevaarlijk en hij weet niets over die verzekeringszaak. Nergens in het hele dossier is ook maar één verwijzing naar Buddy te vinden. Ik heb hem nog nooit een zin horen afmaken. Ik kan me niet voorstellen dat hij tegen de spanning van een ondervraging bestand zou zijn. De kans is groot dat hij zijn zelfbeheersing verliest en een paar advocaten naar de strot vliegt.

Dot laat hem thuis achter. Gisteren ben ik twee uur bij haar geweest om Drummonds vragen voor te bereiden. Ze zal ook tijdens de juryzitting worden opgeroepen, dus haar verklaring dient nu slechts ter informatie en niet als bewijs. Drummond is het eerst aan de beurt. Hij mag alles vragen wat hij wil. Dat kan uren gaan duren.

Kipler heeft aangekondigd dat hij weer aanwezig wil zijn. We gaan aan een van de tafels zitten die voor het podium staan. Kipler organiseert de video-opname en geeft de stenografe haar instructies. Dit is zijn terrein en hij wil dat het goed gebeurt.

Ik geloof echt dat hij bang is dat Drummond over me heen zal walsen als hij er niet bij is. De sfeer tussen Kipler en Drummond is om te snijden. Ze kijken elkaar nauwelijks aan. Ik vind het best.

Die arme Dot heeft trillende handen als ze aan één kant van de tafel gaat zitten. Ik zit vlak bij haar, maar dat maakt haar waarschijnlijk nog zenuwachtiger. Ze draagt haar mooiste katoenen blouse en haar beste spijkerbroek. Ik heb haar gezegd dat ze zich niet speciaal hoeft te kleden, omdat deze video niet aan de jury zal worden vertoond. Tijdens de rechtszaak kan ze beter een jurk aantrekken. God weet wat we met Buddy moeten doen.

Kipler zit aan mijn kant van de tafel, maar zo ver mogelijk weg, naast de camera. Drummond zit tegenover me, met maar drie assistenten: B. Dewey Clay Hill de Derde, M. Alec Plunk Junior en Brandon Fuller Grone. Deck is ook in het gebouw, ergens in de gang, om nietsvermoedende cliënten aan de haak te slaan. Hij komt later misschien nog langs, heeft hij gezegd.

En dus zitten er vijf advocaten en een rechter tegenover Dot Black als ze haar rechterhand opsteekt en zweert de waarheid te zullen spreken. Ik zou ook zitten trillen van de zenuwen. Drummond lacht haar stroperig toe, stelt zich ter wille van de opname nog een keer voor en neemt vijf minuten de tijd om uit te leggen waarom deze zitting nodig is. Hij wil de waarheid achterhalen. Hij zal niet proberen haar te misleiden of in verwarring te brengen. Ze mag met haar eigen raadsman overleggen als ze dat wil, enzovoort. Hij heeft geen haast. De klok tikt door.

241

Het eerste uur wordt besteed aan de familie-achtergrond van de Blacks. Drummond heeft zich uitstekend voorbereid, zoals gewoonlijk. Rustig werkt hij alle onderwerpen af – schoolopleiding, werk, huiselijke omstandigheden, hobby's – en stelt vragen die ik nooit zou hebben bedacht. Er is een heleboel onzin bij, maar zo opereert een handige advocaat nu eenmaal. Vragen, spitten, uitlokken, nog eens vragen. Je weet maar nooit wat je toevallig tegenkomt. Maar zelfs als hij een sappig nieuwtje zou ontdekken, bijvoorbeeld een ongewenste zwangerschap, zou hij daar niets mee kunnen doen. Dat is totaal irrelevant, en dus mag hij het niet gebruiken tijdens het geding. Maar dit soort vragen zijn toegestaan en Drummonds cliënt betaalt hem een kapitaal om alles te proberen wat maar mogelijk is.

Kipler kondigt een pauze aan en Dot rent naar de gang. Ze heeft al een sigaret tussen haar lippen voordat ze bij de deur is. We lopen naar een fonteintje.

'Het gaat prima,' zeg ik tegen haar. Ze houdt zich inderdaad heel goed.

'Straks vraagt die klootzak nog naar mijn seksleven,' gromt ze.

'Dat zou best kunnen.' Even krijg ik een beeld voor ogen van Dot en haar man in bed. Ik word niet goed.

Ze neemt snelle halen van haar sigaret, alsof het haar laatste kan zijn.

'Kun je hem niet tegenhouden?'

'Als hij buiten zijn boekje gaat, grijp ik in. Maar hij mag bijna alles vragen.'

'Bemoeizieke etter.'

Het tweede uur verstrijkt bijna net zo traag als het eerste. Drummond vraagt naar de financiële situatie van de Blacks en we horen alles over de aankoop van hun huis, hun auto's (waaronder de Ford Fairlane) en andere grote zaken. Kipler krijgt er genoeg van en verzoekt Drummond om voort te maken. Dot vertelt over Buddy, over zijn oorlogsverwondingen, zijn baantjes en zijn pensioen. O ja, en zijn hobby's – hoe hij zijn dagen doorbrengt.

Kipler vraagt Drummond op scherpe toon om zich tot relevante onderwerpen te beperken.

Dot zegt dat ze het recht heeft naar de wc te gaan. Ik heb haar geadviseerd om dat te vragen zodra ze zich moe voelde. Ze rookt haastig drie sigaretten op de gang, terwijl ik met haar praat en de rookwolken ontwijk.

Halverwege het derde uur komen we eindelijk bij de verzekeringsclaim. Ik heb kopieën gemaakt van alle relevante stukken, waaronder de medische gegevens van Donny Ray. Ze liggen in nette stapeltjes op tafel. Kipler heeft ze al doorgenomen. We zijn in de zeldzame en benijdenswaardige positie dat we geen documenten hoeven achter te houden. We hebben niets te verbergen. Drummond mag alles zien.

Volgens Kipler, en ook volgens Deck, is het in dit soort zaken niet ongebruikelijk dat verzekeringsmaatschappijen bepaalde feiten voor hun
eigen advocaten achterhouden. Dat komt zelfs regelmatig voor, zeker als
een maatschappij over de schreef is gegaan en de vuile was niet buiten wil
hangen.

Tijdens een college vorig jaar hebben we stomverbaasd een aantal zaken
geanalyseerd waarin grote bedrijven werden veroordeeld omdat ze zelfs
hun eigen advocaten een rad voor ogen draaiden.

Ik zit op het puntje van mijn stoel als we aan de officiële stukken toekomen. Kipler ook. Drummond heeft alle papieren al opgevraagd toen hij
zijn schriftelijke vragen indiende, maar ik heb nog een week de tijd voordat ik ze officieel moet opsturen. Ik ben benieuwd naar zijn reactie als hij
de 'Stomme Brief' te zien krijgt. Kipler ook.

We gaan ervan uit dat hij het meeste – zo niet alles – van wat er op tafel
ligt al heeft gezien. Hij heeft zijn stukken van zijn cliënt gekregen, ik de
mijne van Dot. Ze zullen wel grotendeels overeenkomen. Ik heb Drummond schriftelijk om zijn documenten gevraagd. Als hij die opstuurt,
krijg ik dus kopieën van stukken die ik al drie maanden in bezit heb. Over
papierverkwisting gesproken.

Maar als alles gaat zoals verwacht, moeten er ook nieuwe documenten bij
zitten, van het hoofdkantoor van Great Eastern in Cleveland.

We beginnen met de aanvraag en de polis. Dot geeft de formulieren aan
Drummond, die er een snelle blik op werpt en ze dan doorgeeft aan Hill,
Plunk en Grone. Dat kost tijd, want zijn vriendjes willen er ook naar kijken. Ze hebben die stukken al maanden op kantoor liggen, maar tijd is
geld. Ten slotte noteert de stenografe de aanvraag en de polis als be-
wijsstukken behorend bij Dots verklaring.

Het volgende document is de eerste brief met de weigering tot betalen.
Die gaat ook weer de hele tafel rond, evenals de andere afwijzingen. Ik
val zowat in slaap.

Dan komt de 'Stomme Brief'. Ik heb Dot gezegd dat ze hem zonder commentaar aan Drummond moet geven. Ik wil hem niet waarschuwen, voor
het geval hij de brief nog niet eerder heeft gezien. Dot wordt bijna kwaad
als ze de brief van de tafel pakt. Drummond neemt hem aan en leest hem
door:

'Geachte mevrouw Black. Al zeven keer heeft ons bedrijf uw claim
schriftelijk afgewezen. Dit is de achtste en laatste keer. U moet wel
heel stom zijn. Stom, stom, stom!'

Ik heb Drummond al eens aan het werk gezien tegenover een jury en ik
weet dat hij een uitstekend acteur is. Maar dit overvalt hem. Deze tekst

heeft hij nooit eerder gezien. Zijn cliënt heeft de brief niet in het dossier opgenomen. De klap komt hard aan. Zijn mond valt open. Hij trekt drie diepe rimpels in zijn voorhoofd en knijpt zijn ogen samen. Verbijsterd leest hij de brief opnieuw.

En dan doet hij iets waar hij later spijt van zal krijgen. Hij kijkt op en staart mij aan. Ik kijk terug met een half triomfantelijke uitdrukking op mijn gezicht die zoveel wil zeggen als: 'Daar heb ik je te grazen, flinke jongen.'

Hij maakt het nog erger door ook Kipler aan te kijken. Zijne edelachtbare houdt Drummonds reactie nauwlettend in het oog, en hij weet genoeg. Drummond is totaal verrast door wat hij in zijn handen houdt.

Hij herstelt zich goed, maar het onheil is al geschied. Hij geeft de brief aan Hill, die half zit te slapen en niet heeft gemerkt dat zijn baas een bom-brief in zijn hand houdt. We kijken toe terwijl Hill de brief leest. Het duurt even, maar dan dringt de betekenis tot hem door.

'Stop maar even,' zegt Kipler. De stenografe houdt op met typen en de video wordt stilgezet. 'Meneer Drummond, het is wel duidelijk dat u deze brief nooit eerder hebt gezien. En ik heb zo'n vermoeden dat het niet het eerste of laatste document zal zijn dat uw cliënt voor u probeert achter te houden. Ik heb genoeg ervaring met procedures tegen verzekeringsmaat-schappijen om te weten dat sommige stukken op onverklaarbare wijze zoek raken.' Kipler buigt zich naar voren en priemt met zijn wijsvinger in Drummonds richting. 'Als ik nog één keer merk dat u of uw cliënt do-cumenten voor de eiser verborgen houdt, zal ik u allebei ter verantwoor-ding roepen. Dan krijgt u een boete van minimaal het bedrag dat u uw eigen cliënt voor deze zaak in rekening brengt. Is dat goed begrepen?'

Dat is de enige manier waarop ik ooit tweehonderdvijftig dollar per uur zal verdienen.

Drummond en zijn mensen zitten nog te suizebollen van de klap. Ik pro-beer me voor te stellen hoe een jury op deze brief zal reageren. Dat vragen zij zich ook af, neem ik aan.

'Beschuldigt u mij van het achterhouden van documenten, edelacht-bare?'

'Nog niet.' Kiplers vinger wijst nog altijd naar Drummond. 'Maar ik waarschuw u.'

'Ik vind dat u zich beter uit deze zaak kunt terugtrekken, edelachtbare.'

'Is dat een formeel verzoek?'

'Ja, meneer.'

'Afgewezen. Verder nog iets?'

Drummond rommelt wat in zijn papieren om tijd te winnen. De spanning verdwijnt. Die arme Dot zit als verstijfd. Waarschijnlijk denkt ze dat zíj deze uitbarsting heeft veroorzaakt. Ik zit zelf ook wat verkrampt.

'Dan gaan we weer verder,' zegt Kipler tegen de stenografe en de cameravrouw, zonder zijn blik één moment van Drummond af te wenden.

Nieuwe vragen en antwoorden. Nog meer documenten schuiven over de lopende band. Om half een houden we een lunchpauze en een uurtje later zijn we terug voor de middagsessie. Dot is de uitputting nabij.

Kipler vermaant Drummond nogal streng om haast te maken. Dat probeert hij wel, maar het valt niet mee. Hij heeft het al zo lang op zíjn manier gedaan en daarmee zoveel geld verdiend, dat hij letterlijk tot in de eeuwigheid kan doorgaan met zijn vragen.

Mijn cliënt gaat over tot een strategie die ik bijzonder kan waarderen. Informeel deelt ze de aanwezigen mee dat ze een blaasprobleem heeft – niets ernstigs, maar ja, ze is bijna zestig. In de loop van de dag moet ze steeds vaker naar de wc. Natuurlijk vraagt Drummond nu ook naar haar blaas, totdat Kipler ingrijpt. Om het kwartier excuseert Dot zich en verlaat de rechtszaal. Ze neemt er de tijd voor.

Ik weet zeker dat er niets met haar blaas aan de hand is en dat ze gewoon een sigaretje gaat roken op het damestoilet. Zo kan ze weer op krachten komen. Drummond blijkt daar niet tegen bestand.

Om half vier, zesenhalf uur nadat we zijn begonnen, maakt Kipler een einde aan de zitting.

Voor het eerst in ruim twee weken zie ik geen enkele huurauto meer op de oprit. De Cadillac van juffrouw Birdie staat in zijn eentje. Ik parkeer erachter, op mijn oude plekje, en loop om het huis heen. Niemand.

Ze zijn eindelijk vertrokken. Ik heb juffrouw Birdie niet meer gesproken sinds de dag dat Delbert kwam, en we moeten nodig eens praten. Ik ben niet boos, ik wil alleen een gesprekje.

Als ik de trap naar mijn appartement wil beklimmen, hoor ik een stem. Het is niet die van juffrouw Birdie.

'Rudy, heb je even?' Het is Randolph, die opstaat uit een schommelstoel op het terras.

Ik leg mijn koffertje en mijn jasje op de trap en loop naar hem toe.

'Ga zitten,' zegt hij. 'We moeten eens praten.' Hij lijkt in een uitstekende stemming.

'Waar is juffrouw Birdie?' vraag ik. Het hele huis is donker.

'Ze is eh... ze is een tijdje weg. Ze wilde graag bij ons in Florida logeren. Ze is vanochtend vertrokken.'

'Wanneer komt ze terug?' vraag ik. Het zijn mijn zaken niet, maar toch.

'Geen idee. Misschien komt ze niet meer terug. Hoor eens, Delbert en ik zullen van nu af aan haar zaken behartigen. De laatste tijd hebben we haar een beetje aan haar lot overgelaten, maar dat wordt nu anders. We willen graag dat jij hier blijft. Daarom doe ik je een voorstel. Als jij hier blijft wonen, op het huis past en wat onderhoud pleegt, hoef je geen huur meer te betalen.'

'Wat bedoel je met onderhoud?'

'De gewone dingen. Geen grote klussen. Moeder zegt dat je haar van de zomer goed hebt geholpen in de tuin. We zullen de post laten doorsturen, dus dat is al geregeld. Als er problemen zijn, bel je me maar. Het lijkt me een mooi aanbod, Rudy.'

Dat is het zeker. 'Akkoord,' zeg ik.

'Mooi. Moeder is echt op je gesteld, weet je. Ze vindt je een aardige en betrouwbare jongeman. Al ben je dan advocaat. Ha, ha, ha!'

'En haar auto?'

'Daar rijd ik morgen mee naar Florida.' Hij geeft me een grote envelop. 'Hier zijn de sleutels van het huis, en de telefoonnummers van de verzekering, de alarmcentrale en dat soort dingen. Plus mijn eigen adres en telefoonnummer.'

'Waar logeert ze nu?'

'Bij ons, in de buurt van Tampa. We hebben een leuk huisje met een logeerkamer. We zullen goed voor haar zorgen. Een paar van mijn kinderen wonen in de buurt, dus ze heeft genoeg gezelschap.'

Ik zie het al voor me, de hele familie die zich uitslooft voor oma. Dat houden ze nog wel een tijdje vol, in de hoop dat oma niet al te oud zal worden. Ze kunnen nauwelijks wachten op de erfenis. Ik heb moeite niet te grijnzen.

'Geweldig,' zeg ik. 'De laatste tijd was ze vreselijk eenzaam.'

'Ze is echt dol op je, Rudy. Je bent goed voor haar geweest.' Zijn stem is zacht en oprecht en opeens voel ik me triest.

We geven elkaar een hand en nemen afscheid.

Ik lig te schommelen in de hangmat, sla de muggen weg en tuur naar de maan. Ik vraag me af of ik juffrouw Birdie ooit terug zal zien en ik heb het vreemde, eenzame gevoel dat ik een vriendin ben kwijtgeraakt. Die mensen zullen haar geen moment meer uit het oog verliezen, tot ze dood is. Ze zullen haar zeker niet de kans geven om nog iets aan haar testament te veranderen. Ik voel me een beetje schuldig omdat ik de waarheid weet over haar 'kapitaal', maar dat geheim moet ik nu eenmaal voor me houden.

Toch ben ik ook blij voor haar. Ze is weg uit dit eenzame oude huis en ze wordt weer omringd door haar familie. Opeens is juffrouw Birdie weer het middelpunt, zoals ze zo graag wil. Ik zie haar nog in de Cipressentuin, zoals ze de zaal bespeelde, de koorzang leidde, toespraakjes hield, Bosco en die andere oude kereltjes bemoederde. Ze heeft een hart van goud, maar ze snakt naar aandacht.

Ik hoop dat de zon goed voor haar is. Ik bid dat ze gelukkig wordt. En ik vraag me af wie haar plaats zal innemen in de Cipressentuin.

– 32 –

Ik neem aan dat Booker dit dure restaurant heeft gekozen omdat hij goed nieuws heeft. Op de tafeltjes liggen linnen servetten en zilveren bestek. Hij moet wel een cliënt hebben die hiervoor betaalt.

Hij komt een kwartier te laat, wat niets voor hem is, maar hij is tegenwoordig een druk bezet man. Zijn eerste woorden zijn: 'Ik heb het gehaald!' We drinken mineraalwater terwijl hij me enthousiast vertelt hoe zijn beroep bij de examencommissie is afgelopen. Zijn examen is opnieuw nagekeken, zijn score is drie punten opgetrokken en hij is dus nu officieel bevoegd als advocaat. Ik heb hem nog nooit zoveel zien lachen. Slechts twee anderen uit onze groep hebben met succes beroep aangetekend. Sara Plankmore was daar niet bij. Booker heeft het gerucht gehoord dat ze heel laag heeft gescoord en dat haar baan bij het OM nu ook gevaar loopt. Onder protest van Booker bestel ik een fles champagne en vraag ik de ober om mij de rekening te geven. Geld moet rollen.

Het eten komt – ongelooflijk miezerige plakjes zalm, maar prachtig opgediend – en we kijken er bewonderend naar voordat we toetasten. Booker heeft het vreselijk druk bij Shankle. Hij werkt vijftien uur per dag, maar Charlene heeft veel geduld. Ze begrijpt dat hij deze eerste jaren offers moet brengen om er later de vruchten van te plukken. Voorlopig ben ik blij dat ik geen vrouw en kinderen heb.

We praten over Kipler, die het een en ander aan Shankle heeft verteld, en dat heeft de ronde gedaan. Advocaten kunnen moeilijk een geheim bewaren. Shankle heeft tegen Booker gezegd dat ik volgens Kipler een miljoenenzaak in handen heb. Blijkbaar is Kipler ervan overtuigd dat ik Great Eastern bij de kloten heb en dat het alleen nog de vraag is hoevéél de jury ons zal toewijzen. En Kipler is vastbesloten om mij heelhuids door de voorronden te loodsen.

Dat is prachtig nieuws.

Booker vraagt wat ik verder nog doe. Blijkbaar heeft Kipler ook gezegd dat ik niet veel om handen had, of woorden van die strekking.

Bij de kwarktaart vertelt Booker dat hij een paar dossiers heeft liggen waar ik misschien belangstelling voor heb. Hij legt het uit. Ruffin's, de op één na grootste meubelzaak in Memphis, is een bedrijf met een zwarte directie en filialen in de hele stad. Iedereen kent Ruffin's, vooral omdat ze 's avonds op alle tv-netten reclame maken met voordelige aanbiedingen waarvoor niet eens een aanbetaling nodig is. Hun omzet is ongeveer acht miljoen per jaar en Marvin Shankle is hun advocaat. Ze hebben een eigen financieringsmaatschappij met heel wat mensen die hun schulden niet willen of kunnen betalen. Dat hoort er nu eenmaal bij. En Shankle mag proberen het geld binnen te halen.

Of ik een paar van die dossiers wil overnemen?

De meeste studenten zijn niet aan hun rechtenstudie begonnen om voor deurwaarder te spelen. Bovendien gaat het hier om arme mensen die goedkope meubeltjes hebben aangeschaft. Ruffin's wil de meubels niet terug, ze willen alleen het geld. In de meeste gevallen komen de wanbetalers niet eens opdagen als ze voor de rechtbank worden gedagvaard, zodat het incassobureau beslag kan laten leggen op hun persoonlijke bezittingen of hun inkomsten. Dat kan gevaarlijk zijn. Drie jaar geleden is er een plaatselijke advocaat doodgeschoten door een nijdige jongeman wiens loonzakje zojuist in beslag was genomen.

Om winst te maken moet een advocaat een hele stapel van zulke dossiers hebben liggen, omdat iedere zaak afzonderlijk maar een paar honderd dollar oplevert. Hij is wettelijk gerechtigd zijn kosten in rekening te brengen.

Het is onaangenaam werk, maar Booker biedt het me aan omdat je er toch wat mee verdient. Veel is het niet, maar als je voldoende zaken afwerkt, kun je er je vaste lasten en je broodbeleg mee betalen.

'Ik heb er vijftig voor je liggen,' zegt hij, 'compleet met alle formulieren. Ik zal je wel wegwijs maken. Het gaat volgens een bepaald systeem.'

'Wat levert het op?'

'Moeilijk te zeggen, omdat je aan sommige zaken geen cent verdient. Soms zijn die mensen gewoon verdwenen of failliet verklaard. Maar gemiddeld kun je rekenen op zo'n honderd dollar per dossier.'

Vijftig keer honderd is toch vijfduizend dollar.

'De afwikkeling van een zaak kost ongeveer vier maanden,' legt hij uit. 'Als je wilt, stuur ik je er twintig per maand. Je maakt ze allemaal tegelijk aanhangig bij hetzelfde hof en dezelfde rechter, dan kunnen ze over vier maanden allemaal op één dag worden behandeld en hoef je maar één keer op te draven. Je begint met de wanbetalers, en dan zie je wel hoe het gaat. Het is voor negentig procent bureauwerk.'

'Ik doe het,' zeg ik. 'Hebben jullie verder nog wat voor me?'

'Misschien. Ik ben altijd op zoek.'

De koffie komt en we doen wat advocaten het beste kunnen: over andere advocaten roddelen. In ons geval over onze oud-jaargenoten en hun ervaringen in de echte wereld.

Booker is er weer bovenop.

Deck kan geruisloos door de kleinste deuropening glippen. Dat flikt hij me steeds weer. Dan zit ik achter mijn bureau, in gedachten verzonken of verdiept in een van mijn schaarse dossiers, en opeens doemt Deck naast me op. Ik heb liever dat hij klopt, maar ik wil niet moeilijk doen.

Ook nu duikt hij plotseling op, met zijn armen vol post. Hij ziet de glanzende stapel nieuwe formulieren op de hoek van mijn bureau. 'Wat heb je daar?' vraagt hij.

'Werk.'

Hij pakte een dossier op. 'Ruffin's?'

'Jawel, meneer. Vanaf vandaag vertegenwoordigen wij de op één na grootste meubelzaak van Memphis.'

'Maar dat is incassowerk!' zegt hij vol afschuw. Hij legt het dossier terug alsof hij zijn handen niet vuil wil maken. En dat voor iemand die droomt van meer scheepsrampen op de rivier.

'Het is eerlijk verdiend geld, Deck.'

'Ja. Met je hoofd tegen een stenen muur beuken.'

'Ga jij nou maar achter die ambulances aan.'

Hij verdwijnt net zo geruisloos als hij gekomen is. Ik haal diep adem en scheur een zware envelop van Trent & Brent open. Er zit een stapel papier in van minstens vijf centimeter dik.

Drummond heeft al mijn vragen beantwoord, mijn verzoeken tot toelating van bepaalde feiten afgewezen en een deel van de documenten opgestuurd waarom ik hem had gevraagd. Het zal me uren kosten om alles door te werken, en nog meer tijd om erachter te komen wat hij me níet heeft gestuurd.

Vooral zijn antwoorden op mijn schriftelijke vragen zijn van belang. Ik wil een afgevaardigde van Great Eastern een verklaring afnemen en hij noemt de naam van een zekere Jack Underhall van het hoofdkantoor in Cleveland. Ik heb hem ook gevraagd naar de officiële functies en adressen van vijf werknemers van Great Eastern, van wie ik de namen herhaaldelijk ben tegengekomen in Dots papieren.

Met behulp van een formulier dat ik van rechter Kipler heb gekregen, dien ik een verzoek in om deze mensen al volgende week te kunnen ondervragen. Ik weet wel dat Drummond zal protesteren. Maar hij heeft mij ook een datum door de strot willen duwen voor Dots verklaring, dus betaal ik hem nu met gelijke munt. Zo gaat dat. Hij zal meteen naar Kipler rennen, die vermoedelijk niet veel begrip zal tonen.

Ik zal dus een paar dagen op het hoofdkantoor van Great Eastern in Cleveland moeten doorbrengen. Geen prettig vooruitzicht, maar ik heb geen keus. Het zal een duur reisje worden: vliegtickets, onderdak, eten, stenografen. Deck en ik hebben het er nog niet over gehad. Eerlijk gezegd hoop ik erop dat hij voor die tijd nog een leuk verkeersongeluk weet binnen te slepen.

Het dossier Black heeft inmiddels een grotere behuizing gekregen. Het ligt nu in een kartonnen doos naast mijn bureau. Ik kijk er regelmatig naar en vraag me af of ik wel weet waar ik mee bezig ben. Wat verbeeld ik me wel? Dacht ik nu echt dat ik een overwinning zou kunnen behalen op de grote Leo F. Drummond?

Ik heb nog nooit één woord tot een jury gesproken.

Toen ik een uurtje geleden belde, was Donny Ray te zwak om aan de telefoon te komen, dus ben ik naar hun huis in Granger gereden. Het is eind september. Ik kan me de juiste datum niet herinneren, maar het moet ongeveer een jaar geleden zijn dat er leukemie bij Donny Ray werd geconstateerd. Dots ogen zijn roodomrand als ze naar de deur komt. 'Ik denk dat het niet lang meer duurt,' snottert ze. Ik had niet gedacht dat hij er nòg beroerder bij kon liggen, maar toch is zijn gezicht nog bleker en zijn lichaam nog breekbaarder. Hij ligt te slapen in de donkere kamer. De zon gaat onder in het westen en de schaduwen vallen in zuivere rechthoeken over de witte lakens op zijn smalle bed. De tv staat uit. Het is stil in de kamer.

'Hij heeft vandaag geen hap gegeten,' fluistert ze als we samen op hem neerkijken.

'Heeft hij veel pijn?'

'Het gaat wel. Ik heb hem twee injecties gegeven.'

'Ik blijf wel een tijdje bij hem zitten,' fluister ik terwijl ik me op een klapstoeltje laat neerzakken. Dot verdwijnt. Ik hoor haar zachtjes huilen in de gang.

Voor zover ik kan zien, zou hij ook dood kunnen zijn. Ik kijk ingespannen naar zijn borst en wacht tot die beweegt, maar ik zie niets. Het wordt donkerder in de kamer. Ik doe een lampje aan op een tafel bij de deur en Donny Ray beweegt zich even. Zijn ogen gaan open en weer dicht.

Dus zo ga je dood als je niet goed verzekerd bent. Het is toch waanzin dat Donny Ray Black in een samenleving als de onze, met zoveel rijke artsen, luxe ziekenhuizen, hypermoderne medische apparatuur en de meeste Nobelprijswinnaars ter wereld, moet wegkwijnen en sterven zonder voldoende medische zorg?

Hij had gered kunnen worden. Volgens de wet viel hij onder de grote paraplu van Great Eastern, hoe lek die ook was, toen hij door deze afschuwelijke ziekte werd getroffen. Op het moment dat de diagnose werd gesteld, had hij een verzekering waarvoor zijn ouders goed geld hadden betaald. Volgens de wet was Great Eastern verplicht zijn medische behandeling te vergoeden.

Binnenkort hoop ik degene te ontmoeten die verantwoordelijk is voor zijn dood. Hij of zij is misschien een eenvoudige medewerker die niets anders heeft gedaan dan zijn of haar orders uitvoeren. Maar het kan ook een adjunct-directeur zijn die de orders zelf heeft uitgevaardigd. Ik wou dat ik nu een foto van Donny Ray kon nemen om hem aan die beklagenswaardige figuur te geven als we elkaar eindelijk ontmoeten.

Donny Ray hoest en beweegt zich weer. Ik geloof dat hij me wil laten weten dat hij nog leeft. Ik doe het licht uit en blijf in het donker zitten.

Ik ben alleen, kwetsbaar, bang en onervaren, maar ik heb wel *gelijk*. Als de Blacks deze zaak niet winnen, deugt dit systeem van geen kant.

Ergens in de verte gaat een straatlantaarn aan. Een verdwaalde straal valt door het raam naar binnen, over Donny Ray's borst. Ik zie hem nu licht ademen. Ik denk dat hij probeert wakker te worden.

Ik zal niet vaak meer in deze kamer zitten. Ik staar naar zijn broodmagere lichaam dat het laken nauwelijks doet opbollen, en ik zweer wraak.

– 33 –

Het is een zeer ontstemde rechter die met een wapperende zwarte toga achter zijn tafel plaats neemt. Vandaag worden alle verzoeken behandeld, een aaneenschakeling van toelichtingen en pleidooien in tientallen verschillende zaken. Het wemelt van de advocaten.

Wij zijn meteen aan de beurt, omdat rechter Kipler nog steeds nijdig is. Ik had een verzoek ingediend om zes werknemers van Great Eastern een verklaring af te nemen, vanaf volgende week maandag op hun hoofdkantoor in Cleveland. Drummond heeft meteen protest aangetekend omdat zijn heilige agenda vol zat. En dat niet alleen, ook de zes werknemers bleken verhinderd. Alle zes!

Daarop belegde Kipler een telefonische vergadering met Drummond en mij, maar dat liep voor ons niet gunstig af. Drummond heeft een legitiem excuus voor zijn verhindering, zoals hij aantoonde met een fax over de andere zaak waaraan hij werkt. Maar wat Kipler zo kwaad maakte was Drummonds bewering dat hij de eerste twee maanden geen tijd had om drie dagen naar Cleveland te gaan. En die zes mensen van Great Eastern hadden het zo druk, dat het nog veel langer kon gaan duren voordat ze allemaal op dezelfde dag en dezelfde plaats beschikbaar zouden zijn.

Kipler heeft deze zitting vastgesteld om Drummond formeel de mantel uit te vegen en om de argumenten schriftelijk vast te leggen. Omdat ik zijne edelachtbare de afgelopen vier dagen elke dag gesproken heb, weet ik precies wat er gaat gebeuren. Het zal er niet vriendelijk toegaan, maar gelukkig hoef ik niet veel te zeggen.

'We gaan beginnen,' snauwt Kipler tegen de stenografe, en Drummonds collega's buigen zich als één man over hun blocnotes. Vandaag zijn ze met hun vieren. 'In zaak nummer 214668, Black versus Great Eastern, heeft de eiser verzocht om aanstaande maandag, vijf oktober, de woordvoerder van de maatschappij en vijf andere werknemers een verklaring af te nemen op hun hoofdkantoor in Cleveland, Ohio. Uiteraard heeft de raadsman van de gedaagde protest aangetekend omdat hij, noch de genoemde werknemers, in die periode beschikbaar zijn. Correct, meneer Drummond?'

Drummond komt langzaam overeind. 'Ja, meneer. Ik heb het hof de gegevens doen toekomen over een andere zaak voor het federale hof, waarbij ik vanaf aanstaande maandag aanwezig moet zijn. Ik vertegenwoordig de gedaagde in die procedure.'

Drummond en Kipler hebben al twee keer ruzie gehad over dit punt, maar het is belangrijk dat het officieel wordt vastgelegd.

'En wanneer kunt u dan wèl een gaatje voor ons vinden?' vraagt Kipler sarcastisch. Ik zit alleen aan mijn tafel. Deck is er niet. Achter me zitten minstens veertig advocaten, die er allemaal getuige van zijn hoe de grote Leo F. Drummond de wind van voren krijgt. Ze kijken naar mij en vragen zich natuurlijk af wie de onbekende nieuwkomer is die de rechter zo duidelijk aan zijn kant heeft gekregen.

Drummond schuifelt wat met zijn voeten. Zijn grootste fout is dat hij tegen Kipler heeft gezegd dat het nog twee maanden kan duren voordat hij tijd had. Een ernstige fout. 'Eh, edelachtbare, mijn agenda zit propvol. Misschien dat ik...'

'Twee maanden, had u toch gezegd? Of vergis ik me nu?' vraagt Kipler geschokt, alsof hij zich niet kan voorstellen dat een advocaat het zó druk heeft.

'Jawel, edelachtbare. Twee maanden.'

'En al die tijd bent u bezig met procedures?'

'Inderdaad. En alles wat er verband mee houdt. Ik zal u graag mijn agenda laten zien.'

'Ik kan me wel wat leukers voorstellen, meneer Drummond,' antwoordt Kipler. 'Ik zal u zeggen wat we gaan doen, en luister goed, want dit wordt vastgelegd als een gerechtelijk bevel. Ik wil u eraan herinneren, meneer Drummond, dat wij hebben besloten tot een versnelde procedure, dus ik zal geen onnodig uitstel dulden. Daarom beginnen we maandagochtend vroeg met deze zes getuigenverklaringen. In Cleveland.'

Drummond laat zich in zijn stoel terugzakken en begint te schrijven.

'Als u niet aanwezig kunt zijn, meneer Drummond,' vervolgt Kipler, 'dan spijt me dat bijzonder. Maar bij de laatste telling werd u nog bijgestaan door vier andere advocaten, Morehouse, Plunk, Hill en Grone, die alle vier meer ervaring hebben dan meneer Baylor hier, die nog geen drie maanden geleden zijn examen heeft afgelegd, als ik goed ben geïnformeerd. Ik begrijp wel dat één advocaat voor u niet voldoende is, dat u twee als het absolute minimum beschouwt, maar ik vertrouw erop dat u voldoende mensen naar Cleveland kunt afvaardigen om uw cliënt naar behoren te vertegenwoordigen.'

Die woorden blijven even hangen. De advocaten achter me zijn opeens muisstil. Heel wat collega's hebben hier jaren op zitten wachten, neem ik aan.

'De zes genoemde werknemers zullen zich beschikbaar houden vanaf maandagochtend tot het moment waarop meneer Baylor hen niet meer nodig heeft. Dit verzekeringsbedrijf staat officieel ingeschreven in Tennessee en valt dus onder mijn jurisdictie. Daarom gelast ik deze zes werknemers om volledig mee te werken.'

Drummond en zijn makkers zakken nog dieper in hun stoelen en beginnen nog sneller te schrijven.

'Bovendien heeft de eiser om bepaalde dossiers en documenten verzocht.' Kipler wacht even en werpt een vernietigende blik naar de tafel van de verdediging. 'Luister goed, meneer Drummond. Ik accepteer geen gesjoemel met de stukken. Ik eis volledige toegankelijkheid en alle medewerking. Maandag en dinsdag blijf ik telefonisch bereikbaar. Als ik van meneer Baylor hoor dat hij de gevraagde stukken niet heeft gekregen, zal ik persoonlijk ingrijpen. Hebt u me goed begrepen?'

'Ja, meneer,' zegt Drummond.

'Kunt u uw cliënt hiervan doordringen?'

'Dat denk ik wel.'

Het is nog steeds doodstil in de zaal. Kipler haalt diep adem en vervolgt op wat rustiger toon: 'Bij nader inzien wil ik toch uw agenda wel eens zien, meneer Drummond. Als u het goedvindt, natuurlijk.'

Drummond heeft het zelf aangeboden, dus hij kan er niet onderuit. Zijn agenda is de dikke, zwarte, in leer gebonden kroniek van het leven van een druk bezet man. Er staan ook persoonlijke gegevens in, en ik denk dat Drummond nu al spijt heeft.

Maar hij heeft geen keus. Met rechte rug loopt hij naar het podium, geeft de rechter zijn agenda en wacht af. Kipler bladert snel het zwarte boek door, maar zonder iets te lezen. Hij zoekt naar vrije dagen. Drummond staat er wat verloren bij, naast het podium in het midden van de rechtszaal.

'Ik zie dat u nog niets hebt staan voor de week van acht februari.'

Drummond buigt zich naar voren en kijkt naar de pagina's die Kipler hem aanwijst. Hij knikt zwijgend. Kipler geeft hem de agenda terug en Drummond loopt weer naar zijn plaats.

'De datum voor de procedure in deze zaak is hierbij vastgesteld op maandag acht februari,' verklaart zijne edelachtbare. Ik slik even, haal diep adem en probeer zelfvertrouwen uit te stralen. Vier maanden lijkt veel tijd, maar voor iemand die zelfs geen ervaring heeft met de afhandeling van een simpel verkeersongeluk is het angstig dichtbij. Ik heb het dossier bijna uit mijn hoofd geleerd. Ik ken alle regels en bepalingen van de verdere procedure. Ik heb talloze boeken over getuigenverklaringen, bewijsvoering, jurykeuze, kruisverhoren en pleidooien gelezen, maar ik heb nog steeds geen idee hoe de zaak op acht februari in deze zelfde rechtszaal zal aflopen.

We kunnen vertrekken. Haastig pak ik mijn spullen en sta op. Als ik de zaal uit loop, langs de advocaten die nog op hun beurt zitten te wachten, zie ik heel wat mensen mijn kant op kijken.

Wie is die vent?

Hoewel hij het nooit heeft toegegeven, weet ik nu dat Decks beste vrienden twee louche privé-detectives zijn die hij heeft leren kennen toen hij nog voor Bruiser werkte. Een van hen, Butch, is een ex-politieman die Decks voorliefde voor casino's deelt. Eén of twee keer per week reizen ze naar Tunica voor een spelletje poker of blackjack.

Butch heeft op de een of andere manier de verblijfplaats ontdekt van Bobby Ott, de verzekeringsagent die de Blacks de polis van Great Eastern heeft aangesmeerd. Ott blijkt in de gevangenis van Shelby County te zitten, waar hij tien maanden uitzit wegens fraude met cheques. Nader onderzoek heeft uitgewezen dat Ott kort geleden is gescheiden en failliet verklaard.

Deck vindt het zonde dat hij deze vis niet aan de haak heeft kunnen slaan. Ott heeft grote juridische problemen. Hij zit te springen om een advocaat.

Nadat ik door een forse bewaarder met grote handen ben gefouilleerd, word ik opgevangen door een ambtenaar die me naar een kamertje aan de voorkant van de gevangenis brengt. Het is een vierkante ruimte, met hoge camera's in alle hoeken. Een hekwerk in het midden scheidt de gedetineerden van hun bezoek. We moeten dus door de tralies met elkaar praten. Ik vind het best. Ik hoop dat het een kort bezoekje wordt. Na vijf minuten wordt Ott door een zijdeur binnengebracht. Hij is een man van rond de veertig, met een ziekenfondsbrilletje, stekeltjeshaar, een tenger postuur en een blauwe gevangenisoverall. Hij neemt me scherp op als hij tegenover me gaat zitten. De bewaarder laat ons alleen.

Ik schuif mijn visitekaartje onder het hekwerk door. 'Mijn naam is Rudy Baylor. Ik ben advocaat.' Waarom klinkt dat zo onheilspellend?

Hij vat het goed op en probeert te glimlachen. Ooit heeft deze man zijn geld verdiend door met goedkope verzekeringen langs de deuren te gaan. Ondanks zijn pech is hij in zijn hart waarschijnlijk een vriendelijke kerel met een vlotte babbel.

'Hoe maakt u het,' zegt hij uit gewoonte. 'Waar komt u voor?'

'Hiervoor,' zeg ik, en ik haal een kopie van het dossier uit mijn koffertje. Ik schuif het door de opening. 'Dit is een procedure dat ik heb aangespannen uit naam van een paar ex-cliënten van u.'

'Wie?' vraagt hij met een blik op het eerste vel, een dagvaarding.

'Dot en Buddy Black, en hun zoon Donny Ray.'

'O. Great Eastern,' zegt hij. Dot heeft me verteld dat veel van deze agenten voor meer dan één maatschappij werken. 'Mag ik het lezen?'

'Natuurlijk. U wordt ook genoemd als gedaagde. Ga uw gang.'

Hij spreekt en beweegt zich heel efficiënt, zonder verspilling van energie. Hij leest het dossier zorgvuldig en slaat met tegenzin de bladzijden om. Arme kerel. Hij heeft net een scheiding achter de rug, is failliet verklaard, zit in de gevangenis wegens fraude, en nu kom ik binnen met een vordering van tien miljoen.

Maar het schijnt hem niet te deren. Als hij klaar is, legt hij het dossier op de balie voor zich. 'U weet dat ik beschermd word door mijn faillissement?' vraagt hij.

'Ja, dat weet ik.' Eigenlijk is dat niet zo. Volgens de gegevens heeft hij zich in maart failliet laten verklaren, twee maanden eerder dan ik, en is het faillissement inmiddels opgeheven. Daarom is hij niet langer immuun voor nieuwe vorderingen, maar dat is een academisch punt. Hij heeft toch geen rooie cent. 'We moesten u wel als gedaagde noemen, omdat u de verzekering met de Blacks hebt afgesloten.'

'Ja, ik begrijp het. U doet gewoon uw werk.'

'Zo is het. Wanneer komt u vrij?'

'Over achttien dagen. Hoezo?'

'Misschien willen we u een verklaring afnemen.'

'Hier?'

'Zou kunnen.'

'Waarom zo'n haast? Waarom wacht u niet tot ik vrij ben?'

'Ik zal erover denken.'

Dit bezoekje is voor hem een soort vakantie en hij ziet me niet graag gaan. We praten nog een paar minuten over het gevangenisleven in het algemeen, maar dan kijk ik toch naar de deur.

Ik ben nog nooit op de bovenverdieping van juffrouw Birdies huis geweest. Het is er net zo stoffig en schimmelig als beneden. Ik open de deuren van alle kamers, doe het licht aan, kijk haastig rond, doe het licht weer uit en sluit de deur. De vloer van de gang kraakt als ik eroverheen loop. Er is nog een smalle trap naar de tweede verdieping, maar ik durf niet goed naar boven.

Het huis is veel groter dan ik had gedacht. En veel eenzamer. Ik kan me nauwelijks voorstellen dat ze hier zo lang in haar eentje heeft gewoond. Ik voel me echt schuldig dat ik niet meer aandacht aan haar heb besteed. Ik had best wat vaker naar die tv-series en televisiedominees kunnen kijken, wat meer van haar kalkoensandwiches kunnen eten en wat meer van haar oploskoffie kunnen drinken.

Ik kan nergens een spoor van inbrekers ontdekken. Ik controleer of de terrasdeuren op slot zitten. Vreemd dat ze nu weg is. Ik kan niet zeggen dat ik veel aan haar had, maar het was toch prettig te weten dat ze er was, in dat grote huis. Voor het geval ik iets nodig had. Nu voel ik me alleen.

In de keuken staar ik naar de telefoon. Het is nog een oud model met een draaischijf. Ik overweeg Kelly's nummer te draaien. Als zij opneemt, verzin ik wel iets. Als hij opneemt, hang ik weer op. Het gesprek kan naar dit huis worden getraceerd, maar ik woon hier niet.

Ik heb vandaag vaker aan haar gedacht dan gisteren. En deze week vaker dan de vorige week.

Ik wil haar zien.

– 34 –

Zondagochtend rijd ik met Deck in zijn bestelbusje naar het busstation. Het is een mooie, heldere dag met de eerste tekenen van de naderende herfst. Gelukkig is die drukkende warmte voorlopig weer voorbij. Memphis is prachtig in oktober.

Een retourticket naar Cleveland kost bijna zevenhonderd dollar. Een kamer in een goedkoop maar veilig hotel komt op veertig dollar per nacht.

Ik eet niet veel, dus dat valt mee. Omdat wij om deze verklaringen hebben gevraagd, moeten wij ook de kosten betalen. De goedkoopste stenografe in Cleveland die ik heb gesproken rekent honderd dollar per dag, plus twee dollar per pagina. Dit soort verklaringen beslaat soms honderd pagina's of meer. We zouden ze graag op video opnemen, maar dat wordt veel te duur.

Vliegen dus ook. Het advocatenkantoor van Rudy Baylor kan gewoon geen ticket naar Cleveland betalen. En mijn oude Toyota vertrouw ik niet. Als die ergens onderweg de geest geeft, kom ik te laat en moeten de verklaringen worden uitgesteld. Deck heeft me min of meer zijn busje aangeboden, maar dat lijkt me ook niet betrouwbaar genoeg voor een reis van 2500 kilometer.

De Greyhound is wel betrouwbaar, maar erg langzaam. Uiteindelijk kom je altijd waar je wezen wilt. Het is niet mijn eerste keus, maar vooruit. Haast heb ik niet. Zo zie ik nog iets van het land, en we sparen geld uit. Redenen genoeg.

Deck rijdt en zegt niet veel. Ik geloof dat hij zich een beetje schaamt dat we ons geen ticket kunnen veroorloven. En hij weet dat hij eigenlijk mee had moeten gaan. Ik krijg straks te maken met vijandige getuigen en allerlei nieuwe documenten die snel moeten worden doorgelezen. Een beetje hulp zou welkom geweest zijn.

We nemen afscheid op het parkeerterrein bij het busstation. Hij belooft dat hij goed op het kantoor zal passen en wat nieuwe cliënten zal versieren. Ik geloof hem onmiddellijk. Hij rijdt weg in de richting van het St. Peter's.

Ik heb nog nooit eerder in een Greyhound gezeten. Het drukke busstation is klein maar schoon. De meeste reizigers zijn oud en zwart. Ik haal mijn gereserveerde kaartje af en betaal het astronomische bedrag van honderdnegenendertig dollar.

De bus vertrekt om acht uur, precies op tijd. Eerst rijden we in westelijke richting naar Arkansas, daarna naar St. Louis in het noorden. Gelukkig zit er niemand naast me.

De bus is bijna vol. Er zijn maar drie of vier lege plaatsen. Over zes uur moeten we in St. Louis zijn, om zeven uur vanavond in Indianapolis en om elf uur in Cleveland. Vijftien uur in de bus. Morgenochtend om negen uur word ik bij Great Eastern verwacht.

Ik weet zeker dat mijn tegenstanders bij Trent & Brent nog op één oor liggen. Straks zitten ze aan een heerlijk ontbijt, samen met hun vrouw, lezen een zondagskrant op het terras, gaan misschien nog naar de kerk, terug naar huis voor de lunch, en vanmiddag een spelletje golf. Pas om een uur of vijf worden ze door hun vrouw naar het vliegveld gereden, om zich na een afscheidszoen in de eersteklas te installeren. Een uurtje later landen ze in Cleveland, waar ze ongetwijfeld worden opgewacht door iemand van Great Eastern om hen naar het beste hotel van de stad te rijden. Na een uitstekend diner met een goed glas wijn is het dan tijd voor een bespreking in een luxe vergaderzaal om de strategie voor morgenochtend door te nemen. Tegen de tijd dat ik me in een goedkoop motel laat inschrijven, stappen zij ontspannen in bed, goed voorbereid op de strijd.

Het kantoor van Great Eastern staat in een welvarend district van Cleveland, een van die buitenwijken waar de blanken uit de binnenstad naartoe zijn gevlucht. Ik zeg tegen de taxichauffeur dat ik een goedkoop hotel in de buurt zoek en hij weet precies waar hij moet zijn. Hij stopt voor de Plaza Inn. Ernaast is een McDonald's en aan de overkant een Blockbuster Video. Eén lange aaneenschakeling van restaurants, clubs, neonreclames en eenvoudige motels. Een winkelcentrum kan niet ver weg zijn. Het lijkt een veilige omgeving.
Er zijn genoeg kamers vrij en ik betaal tweeëndertig dollar, contant, voor één nacht. Ik vraag om een kwitantie, hoewel ik niet goed weet waarom. Ik kan Dot en Buddy niet om een onkostenvergoeding vragen.
Om twee minuten na middernacht lig ik in bed. Starend naar het plafond bedenk ik – onder meer – dat behalve de receptionist geen mens in de wereld weet waar ik nu ben. Ik heb niemand om te bellen.
Natuurlijk kan ik de slaap niet vatten.

Sinds ik Great Eastern begon te haten heb ik me een beeld gevormd van hun hoofdkantoor. Ik stelde het me voor als een hoog, modern gebouw met veel glinsterend glas, een fontein bij de ingang, vlaggemasten, en de naam met het logo op een grote bronzen plaquette naast de deur. Rijkdom en luxe waar je ook keek.
De werkelijkheid is anders. Het gebouw is gemakkelijk te vinden omdat het adres in grote zwarte letters boven de betonnen ingang staat: Baker Gap Road 5550. Maar de naam Great Eastern is nergens te zien. Het kantoor valt nauwelijks op. Geen fonteinen of vlaggemasten, maar een grote steenklomp van vijf verdiepingen – een soort uitdijende blokkendoos. Heel modern en ongelooflijk lelijk. De buitenkant is van wit cement, met zwartgetinte ramen.
Gelukkig is de hoofdingang duidelijk aangegeven. Even later sta ik in een kleine ontvangsthal met een paar plastic potplanten langs de ene muur en een charmante receptioniste tegen de andere. Ze heeft een chique kleine koptelefoon op met een dun gebogen draadje langs haar wang en een minuscuul microfoontje voor haar mond. Op de wand achter haar staan de namen van drie bedrijven: PennTron Group, Great Lakes Marine en

Great Eastern Life Insurance. Niet erg duidelijk. Wie is van wie? Ze hebben alle drie een protserig logo in brons.

'Mijn naam is Rudy Baylor. Ik heb een afspraak met Paul Boyer,' zeg ik beleefd.

'Eén momentje, alstublieft.' Ze drukt op een knop, wacht even en zegt dan: 'Meneer Boyer, er is een meneer Baylor om u te spreken.' Ze blijft glimlachen.

Zijn kantoor kan niet ver weg zijn, want binnen een minuut staat hij al voor me en begroet me met een stevige handdruk en een hartelijk 'Hoe gaat het?' Ik loop met hem mee de hoek om, naar een lift. Hij is ongeveer van mijn leeftijd en hij praat honderd uit. We stappen uit op de derde verdieping. Ik ben nu al verdwaald in dit architectonische wangedrocht. Er ligt tapijt op de vloer, de lichten zijn gedimd en er hangen schilderijen aan de muren. Boyer kletst maar door terwijl we nog een gang door lopen. Dan duwt hij een zware deur open en brengt me naar mijn plaats.

Welkom in ondernemersland. Het is een lange, brede directiekamer met een glimmende rechthoekige tafel in het midden en minstens vijftig stoelen eromheen. Leren stoelen. Een glinsterende kroonluchter hangt een meter boven het midden van de tafel. Links in de hoek zie ik een bar. Rechts staat een dienblad met koffie, koekjes en broodjes. Rondom het blad heeft zich een groepje samenzweerders verzameld, minstens acht, allemaal gekleed in een donker pak met een wit overhemd, een effen das en zwarte schoenen. Acht tegen een. De zenuwen gieren door mijn keel. Waar is Tyrone Kipler nu ik hem nodig heb? Zelfs Deck zou een hele steun zijn geweest.

Vier van de donkere pakken zijn mijn vrienden van Trent & Brent. De vijfde man herken ik van de zittingen in Memphis. De andere drie zijn onbekenden. Ze zwijgen abrupt als ik binnenkom. Ze houden zelfs op met drinken en kauwen. Ze staren me met grote ogen aan. Ik heb hen gestoord bij een belangrijk gesprek.

T. Pierce Morehouse is de eerste die zich herstelt. 'Rudy, kom binnen,' zegt hij, omdat hij geen andere keus heeft. Ik knik naar B. Dewey Clay Hill de Derde, M. Alec Plunk Junior en Brandon Fuller Grone, en schud daarna de vier anderen de hand. Morehouse raffelt hun namen af, die ik meteen weer vergeet. Het bekende gezicht uit de rechtszaal van Kipler blijkt Jack Underhall te zijn. Hij is een van bedrijfsjuristen van Great Eastern.

Mijn opponenten maken een frisse, montere indruk. Ze hebben vannacht uitstekend geslapen na een korte vliegreis en een ontspannen etentje. Ze zitten keurig in het pak, alsof hun kleren zo uit de kast komen en niet uit een koffer. Mijn ogen zijn rood van vermoeidheid en mijn overhemd is gekreukt. Maar ik heb belangrijker dingen aan mijn hoofd.

De stenografe arriveert en T. Pierce verzamelt iedereen aan het eind van de tafel. Hij denkt even over de tafelschikking na en wijst ons dan allemaal een stoel, met de getuigen aan het hoofd van de tafel. Ik ga braaf op de aangewezen plaats zitten en probeer mijn stoel wat dichter naar de tafel toe te schuiven, wat niet meevalt, omdat het ding een ton weegt. Aan de overkant, minstens drie meter bij me vandaan, openen de jongens van Trent & Brent met veel kabaal hun koffertjes. Scharnieren klappen open, ritsen splijten zich, dossiers worden met een klap op tafel gelegd, papieren ritselen. Binnen een paar seconden ligt de tafel vol met stapeltjes.

De vier pakken van Great Eastern hebben zich aarzelend achter de stenografe opgesteld en wachten op wat komen gaat. Als T. Pierce zich heeft geïnstalleerd, zegt hij: 'Rudy, we wilden beginnen met de verklaring van de woordvoerder van onze cliënt, Jack Underhall.'

Daar had ik al op gerekend en ik protesteer. 'Dat lijkt me geen goed idee,' zeg ik. Ik ben nog steeds nerveus, maar ik probeer een rustige indruk te maken, al ben ik op vreemd terrein en word ik door vijanden omringd. Er zijn verschillende redenen waarom ik niet met de woordvoerder wil beginnen, waarvan de belangrijkste wel is dat zíj dat willen. En dit is míjn zitting.

'Pardon?' zegt T. Pierce.

'Je hoorde me wel. Ik wil beginnen met Jackie Lemancyzk van de afdeling Vergoedingen. Maar laat me eerst het dossier maar zien.'

De kern van dit soort procedures is het verzekeringsdossier, de verzameling brieven en documenten die op het hoofdkantoor wordt bewaard. Meestal geeft dit dossier een chronologisch beeld van wat er allemaal verkeerd is gegaan. Ik heb recht op inzage. Sterker nog, ik had het dossier al tien dagen geleden moeten hebben, maar Drummond beweerde dat zijn cliënt niet opschoot. Daarom heeft Kipler bepaald dat het dossier vanochtend voor me klaar moest liggen.

'Ik vind dat we beter met meneer Underhall kunnen beginnen,' zegt T. Pierce zonder veel gezag.

'Het kan me niet schelen wat jij vindt,' zeg ik met veel vertoon van verontwaardiging. Dat kan ik me permitteren omdat Kipler aan mijn kant staat. 'Of zullen we de rechter bellen?' vraag ik uitdagend, om mijn spierballen te tonen.

Hoewel Kipler niet aanwezig is, laat hij zijn macht toch voelen. Hij heeft in niet mis te verstane termen bepaald dat de zes getuigen die ik wil ondervragen zich vanaf vanochtend negen uur beschikbaar moeten houden en dat ik zelf de volgorde kan bepalen waarin ik hen wil horen. Ze mogen pas weg als ik het zeg. Dat geeft me ook de mogelijkheid om hen later op de dag nog eens te ondervragen als ik op nieuwe feiten stuit. Maar ik kon niet nalaten hen met de rechter te dreigen.

'Maar eh... er is een probleem met Jackie Lemancyzk,' zegt T. Pierce met een zenuwachtige blik naar de vier pakken, die steeds dichter naar de deur toe schuiven. Ze staren allemaal naar de grond en schuifelen nerveus met hun voeten. T. Pierce zit recht tegenover me en ik zie dat hij het moeilijk heeft.

'Wat dan?' vraag ik.

'Ze werkt hier niet meer.'

Mijn mond valt bijna open. Ik ben stomverbaasd en weet even niet wat ik moet zeggen. Ik staar hem aan en probeer me te herstellen. 'Wanneer is ze dan weggegaan?' vraag ik.

'Eind vorige week.'

'Wanneer precies? We stonden donderdag nog voor de rechter. Wist je het toen al?'

'Nee. Ze is zaterdag vertrokken.'

'Is ze ontslagen?'

'Ze heeft zelf ontslag genomen.'

'En waar is ze nu?'

'Ze werkt hier niet meer, oké? We kunnen haar dus geen verklaring afnemen.'

Ik raadpleeg mijn aantekeningen en zoek een andere naam. 'Goed, laten we dan beginnen met Tony Krick van Vergoedingen.'

Nog meer zenuwachtig geschuifel en moeizaam gezucht.

'Die is ook vertrokken,' zegt T. Pierce.

Weer een klap in mijn gezicht. Het duizelt me. Wat nu? Great Eastern heeft die mensen gewoon ontslagen om te voorkomen dat ik hen kon ondervragen.

'Heel toevallig,' zeg ik zuchtend. Plunk, Hill en Grone durven niet op te kijken van hun blocnotes. Ik heb geen idee wat ze opschrijven.

'Onze cliënt is met een reorganisatie bezig,' zegt T. Pierce, die zijn gezicht in de plooi weet te houden.

'En Richard Pellrod, bureauchef Vergoedingen? Die is ook afgevloeid, neem ik aan?'

'Nee, die werkt hier nog.'

'En Russell Krokit?'

'Meneer Krokit is naar een ander bedrijf gegaan.'

'Die is dus niet afgevloeid?'

'Nee.'

'Hij heeft zelf ontslag genomen, net als Jackie Lemancyzk?'

'Dat klopt.'

Russell Krokit was afdelingschef Vergoedingen toen hij de 'Stomme Brief' schreef. Hoe bang en nerveus ik ook was voor deze reis, ik had me erop verheugd hem te ondervragen.

'En Everett Lufkin, adjunct-directeur Vergoedingen? Ook gesaneerd?'
'Nee, die is hier.'
Het blijft een hele tijd stil, terwijl iedereen zich bezighoudt met nietsdoen. Het stof trekt langzaam op. Mijn procedure heeft een ware slachting veroorzaakt. Zorgvuldig maak ik een lijstje van de dingen die ik nu moet doen.
'Waar is het dossier?' vraag ik.
T. Pierce reikt achter zich en pakt een stapel papieren die hij over de tafel naar me toe schuift. Het zijn keurige kopieën, met dikke elastieken eromheen.
'Ligt het in chronologische volgorde?' vraag ik. Dat had Kipler bepaald. 'Ik geloof het wel,' zegt T. Pierce, met een blik naar de vier pakken alsof hij hen graag zou wurgen.
Het dossier is bijna vijf centimeter dik. Zonder de elastiekjes eraf te halen, zeg ik: 'Geef me een uur. Dan gaan we verder.'
'Goed,' zegt T. Pierce. 'Er is daar een kleine spreekkamer.' Hij staat op en wijst naar een deur achter me.
Ik loop met hem en Jack het Pak naar een aangrenzende kamer, waar ze me haastig alleen laten. Ik ga aan de tafel zitten en begin de documenten door te werken.

Een uur later stap ik de grote vergaderzaal weer binnen. Ze zitten koffie te drinken en te babbelen. 'We moeten de rechter bellen,' kondig ik aan.
T. Pierce kijkt me snel aan. 'Kom maar mee,' zeg ik, wijzend naar mijn kleine kamer.
Met hem aan de ene telefoon en mezelf aan de andere toets ik het nummer van Kiplers kantoor. Het toestel gaat twee keer over voordat hij opneemt. We noemen onze naam en wensen hem goedemorgen. 'We zitten met een probleem, edelachtbare,' zeg ik, hopelijk op de juiste toon.
'Wat dan?' vraagt Kipler. T. Pierce luistert mee en staart met een nietszeggende uitdrukking op zijn gezicht naar de vloer.
'Van de zes getuigen die in mijn verzoek en in uw rechterlijk bevel staan genoemd, zijn er drie met de noorderzon vertrokken. Ze zijn ontslagen of hebben zelf ontslag genomen, en dus werken ze hier niet meer. Dat is allemaal eind vorige week gebeurd.'
'Om wie gaat het?'
Ik weet zeker dat hij het dossier al voor zich heeft liggen.
'Jackie Lemancyzk, Tony Krick en Russell Krokit zijn verdwenen. Pellrod, Lufkin en Underhall, de woordvoerder, hebben de slachting op miraculeuze wijze overleefd.'
'En het dossier?'

'Dat heb ik gekregen en doorgelezen.'

'En?'

'Er ontbreekt minstens één document,' zeg ik terwijl ik T. Pierce scherp in de gaten houd. Hij kijkt me fronsend aan, alsof hij me niet gelooft.

'Welk document?' vraagt Kipler.

'De "Stomme Brief". Die zit niet in het dossier. Ik heb nog niet gecontroleerd wat er verder nog ontbreekt.'

De advocaten van Great Eastern hebben de 'Stomme Brief' vorige week pas voor het eerst gezien. Op de fotokopie die Dot tijdens haar ondervraging aan Drummond overhandigde, had ik duidelijk drie keer het stempel KOPIE gezet, zodat we hem onmiddellijk kunnen herkennen als hij ergens anders opduikt. Het origineel zit veilig in mijn eigen dossier. Het was dus veel te riskant voor Drummond en zijn makkers om hun kopie aan Great Eastern te sturen, zodat die hem nog in het dossier kon opnemen.

'Is dat waar, Pierce?' wil Kipler weten.

T. Pierce tast volledig in het duister. 'Het spijt me, edelachtbare, maar ik weet het niet. Ik heb het dossier doorgenomen, maar... nou ja, ik kon niet alles controleren.'

'Zitten jullie nu in dezelfde kamer?' vraagt Kipler.

'Ja, meneer,' antwoorden we tegelijk.

'Goed. Pierce, ga even weg. Rudy, blijf aan de lijn.'

T. Pierce wil nog iets zeggen, maar bedenkt zich dan. Verward legt hij de telefoon neer en verlaat de kamer.

'Ik ben nu alleen, edelachtbare,' zeg ik.

'In wat voor stemming zijn ze?' vraagt hij.

'Behoorlijk gespannen.'

'Dat verbaast me niets. Ik zal je zeggen wat ik ga doen. Door getuigen weg te moffelen en documenten achter te houden hebben ze mij het recht gegeven de zitting hier in Memphis voort te zetten. Die straf hebben ze wel verdiend. Het lijkt me nuttig dat je Underhall vast een verklaring afneemt, omdat hij er nu toch is. Vraag hem alles wat je maar kunt bedenken, vooral over het ontslag van die drie andere getuigen. Pak hem hard aan. Als je met hem klaar bent, kom je naar huis. Ik zal een zitting vaststellen voor het einde van de week, om deze zaak tot op de bodem uit te zoeken. En neem het dossier van Great Eastern mee.'

Ik maak driftig aantekeningen.

'Geef me Pierce maar even,' zegt hij. 'Dan zal ik hem de oren wassen.'

Jack Underhall is een kleine, gedrongen man met een borstelsnorretje en een afgemeten manier van spreken. Hij is een typische woordvoerder, die helemaal niets van de zaak Black af wist voordat wij een procedure hadden aangespannen. Maar hij kan me wel het een en ander vertellen over het bedrijf zelf. Great Eastern is eigendom van PennTron, een holding-maatschappij waarvan de eigenaren moeilijk te traceren zijn. Ik onder-vraag hem uitvoerig over de connecties en de onderlinge constructies van de drie firma's in dit gebouw, maar het verhaal wordt steeds warriger. We praten een uurtje over de bedrijfsstructuur, te beginnen met de president-directeur. Ik vraag hem naar de produkten, de verkoop, de marketing, de divisies en het personeel. Heel interessant allemaal, maar van weinig be-lang voor onze zaak. Hij laat me de ontslagbrieven van de drie ontbre-kende getuigen zien en wijt hun vertrek aan de reorganisatie. Het had niets te maken met deze kwestie, verzekert hij me meer dan eens.

Ik voel hem drie uur aan de tand, maar dan stop ik ermee. Ik had me er al mee verzoend dat ik minstens drie dagen in Cleveland zou moeten blij-ven, overdag opgesloten in één kamer met de jongens van Trent & Brent en een reeks vijandige getuigen, en 's avonds op mijn motelkamertje om de stukken door te ploegen.

Maar 's middags om een uur of twee ben ik al vertrokken, om nooit meer terug te komen. Ik neem stapels nieuwe documenten mee, die Deck mag napluizen. Eén ding is zeker. Door hun eigen stommiteit moeten deze klootzakken nu naar Memphis komen voor een getuigenverklaring op míjn terrein, onder het toeziend oog van mijn eigen rechter.

De terugreis met de bus lijkt veel korter.

– 35 –

Op Decks visitekaartje noemt hij zichzelf 'praktijkjurist', iets waar ik nog nooit van heb gehoord. Hij sluipt door de gangen van het gerechtshof en slaat kleine criminelen aan de haak die op hun eerste confrontatie met de rechter wachten. Als hij iemand ontdekt met een angstige blik in zijn ogen en een vel papier in zijn hand, slaat hij toe. Deck noemt dat zijn Snelle Tackle, een techniek die is geperfectioneerd door de advocaten die bij de rechtbank rondhangen, op zoek naar een prooi. Hij heeft me eens uitgenodigd om mee te gaan, zodat ik de kneepjes van het vak kon leren. Ik heb hem vriendelijk bedankt.

Deck had zijn oog laten vallen op Derrick Dogan, maar zijn Snelle Tackle mislukte toen Dogan hem vroeg: 'Wat is in vredesnaam een praktijk-jurist?' Deck stond met zijn mond vol tanden en blies de aftocht. Maar Dogan bewaarde Decks visitekaartje en werd nog die zelfde dag geschept door een jeugdige automobilist die veel te hard reed. Ongeveer vierentwintig uur nadat hij Deck van zich af had geschud, draaide hij ons nummer vanuit zijn kamer in het St. Peter's. Deck nam op. Ik had me begraven onder verzekeringspapieren. Een paar minuten later reden we haastig naar het ziekenhuis. Dogan wilde een echte advocaat spreken, geen praktijkjurist.

Het is mijn eerste semi-legale bezoekje aan het ziekenhuis. We treffen Dogan alleen op zijn kamer, met een gebroken been, gebroken ribben, een gebroken pols en snijwonden en kneuzingen in zijn gezicht. Hij is jong, een jaar of twintig, en hij draagt geen trouwring. Ik neem de leiding, als een echte advocaat, en vertel hem dat hij moet uitkijken voor verzekeringsmaatschappijen en vooral met niemand moet praten. Wij zullen alles wel regelen, want mijn kantoor behandelt meer letselschadegevallen dan enige andere firma in de stad. Deck glimlacht tevreden. Zijn goede lessen zijn niet verspild geweest.

Dogan tekent een contract en een formulier dat ons inzage geeft in zijn medische dossier. Hij heeft behoorlijk veel pijn, dus blijven we niet te lang. We hebben zijn handtekening. We nemen afscheid en beloven morgen terug te komen.

Tegen de middag ligt het rapport over het ongeluk op Decks bureau en heeft hij al met de vader van de bestuurder gebeld. Ze zijn verzekerd bij State Farm. Tegen beter weten in vertelt de vader hem dat de polis een limiet heeft van vijfentwintigduizend dollar. Hij en zijn zoon vinden het heel vervelend wat er is gebeurd. Geen probleem, zegt Deck, die juist blij is met het ongeluk.

Een derde van vijfentwintigduizend is ruim achtduizend dollar. We gaan lunchen bij Dux, een goed restaurant in het Peabody. Ik bestel wijn, Deck neemt een toetje. Het is een hoogtepunt in de geschiedenis van ons kleine kantoor. Drie uur lang tellen we ons geld en geven het alvast uit.

Op donderdag, drie dagen nadat ik uit Cleveland ben teruggekomen, zitten we om half zes 's middags in de rechtszaal van Kipler. Zijne edelachtbare heeft dit tijdstip bewust gekozen, zodat de grote Leo F. Drummond na een lange dag op de rechtbank nog even langs kan komen om zich de mantel te laten uitvegen. Het hele team is present. Drummond en zijn vier collega's lijken zelfverzekerd genoeg, hoewel iedereen weet dat ze het niet gemakkelijk zullen krijgen. Jack Underhall, de bedrijfsjurist van Great Eastern, is ook aanwezig, maar de andere pakken zijn in Cleveland gebleven. Ik kan het hun niet kwalijk nemen.

'Ik had u gewaarschuwd wat die documenten betreft, meneer Drummond,' snauwt zijne edelachtbare van achter zijn tafel. We zijn nog geen vijf minuten bezig, en nu krijgt Drummond al de wind van voren. 'Ik ben duidelijk genoeg geweest. Ik heb het zelfs op schrift gezet. En wat gebeurt er?'

Waarschijnlijk is het niet eens Drummonds schuld. Zijn cliënt speelt een spelletje met hem en ik vermoed dat Drummond zelf al stennis heeft gemaakt in Cleveland. Leo Drummond heeft een geweldig ego en wordt niet graag voor schut gezet. Ik heb bijna medelijden met hem. Hij zit midden in een rechtszaak om miljoenen dollars, hij slaapt misschien maar drie uur per nacht, hij heeft van alles aan zijn hoofd en nu wordt hij ook nog naar de overkant van de straat gesleurd om de verdachte handelwijze van zijn dubieuze cliënt te verdedigen.

Bijna heb ik medelijden met hem. Bíjna.

'Ik heb geen excuus, edelachtbare,' zegt hij. Het klinkt oprecht.

'Wanneer hoorde u voor het eerst dat deze drie getuigen niet meer in dienst waren van uw cliënt?'

'Zondagmiddag.'

'Hebt u geprobeerd de raadsman van de eiser te waarschuwen?'

'Ja. We konden hem niet bereiken. We hebben zelfs de luchtvaartmaatschappijen gebeld. Tevergeefs.'

Je had Greyhound moeten bellen.

Kipler schudt vermoeid zijn hoofd, met veel gevoel voor drama. 'Gaat u maar weer zitten, meneer Drummond,' zegt hij. Ik heb mijn mond nog niet opengedaan.

'Heren, ik zal u zeggen wat we gaan doen,' vervolgt zijne edelachtbare. 'Maandag over een week komen we hier bijeen om alsnog deze verklaringen te horen. Ten behoeve van de eisende partij worden de volgende mensen opgeroepen: Richard Pellrod, bureauchef Vergoedingen; Everett Lufkin, adjunct-directeur Vergoedingen; Kermit Addy, adjunct-directer Acquisitie; Bradford Barnes, adjunct-directeur Administratie en M. Wilfred Keeley, president-directeur.'

Ik hóór bijna hoe de lucht vanuit de rechtszaal in de longen van de jongens aan de overkant wordt gezogen.

'Geen excuses, geen uitstel, geen verdaging. De reiskosten worden niet vergoed. De getuigen dienen zich ter beschikking te stellen van de eiser en ze mogen pas vertrekken als meneer Baylor dat toestaat. Alle kosten van de verklaring worden gedragen door Great Eastern. Ik zal er drie dagen voor uittrekken.

Voorts bepaal ik hierbij dat de kopieën van alle documenten uiterlijk volgende week woensdag in het bezit van de eiser dienen te zijn, vijf dagen vóór de zitting. De stukken moeten netjes worden gekopieerd en in chronologische volgorde worden gelegd. Zo niet, dan volgen er zware sancties.

Over sancties gesproken, ik bepaal hierbij dat de gedaagde, Great Eastern, de heer Baylor de kosten van zijn zinloze reis naar Cleveland zal vergoeden. Meneer Baylor, hoeveel kost een retourticket naar Cleveland?'

'Zevenhonderd dollar,' antwoord ik naar waarheid.

'Eersteklas of toeristenklasse?'

'Toeristenklasse.'

'Meneer Drummond, u hebt vier advocaten naar Cleveland gestuurd. Hebben die eersteklas of toeristenklasse gereisd?'

Drummond kijkt even naar T. Pierce, die ineenkrimpt als een jochie dat op stelen is betrapt, en zegt dan: 'Eersteklas.'

'Dat dacht ik al. Hoeveel kost dat?'

'Dertienhonderd dollar.'

'Wat hebt u uitgegeven aan voedsel en onderdak, meneer Baylor?'

Nog geen veertig dollar, maar dat zeg ik liever niet. Ik schaam me dood. Achteraf beschouwd had ik beter een dure suite kunnen huren. 'Ongeveer zestig dollar.' Een leugentje, maar ik haal ze niet het vel over de oren. Ik weet zeker dat hun kamers honderdvijftig dollar per nacht hebben gekost.

Kipler noteert het nadrukkelijk. Je hoort hem tellen. 'Hoe lang duurde de reis? Twee uur heen, twee uur terug?'

'Zoiets,' zeg ik.

'Tegen tweehonderd dollar per uur, dus dat maakt achthonderd dollar. Nog andere kosten?'

'Tweehonderdvijftig dollar voor de stenografe.'

Hij noteert het, telt alles op, controleert zijn berekening nog eens en zegt: 'Ik draag de gedaagde bij wijze van sanctie op om meneer Baylor binnen vijf dagen een bedrag van vierentwintighonderdtien dollar te betalen. Iedere dag dat de cheque later komt, wordt het bedrag verdubbeld. Duidelijk, meneer Drummond?'

Ik kan een glimlach niet onderdrukken.

Drummond komt langzaam overeind, een beetje gebogen, met zijn handen gespreid. 'Ik protesteer,' zegt hij. Hij kookt van woede, maar hij weet zich te beheersen.

'Daar neem ik nota van. Uw cliënt heeft vijf dagen.'

'Er is geen enkel bewijs dat meneer Baylor eersteklas heeft gevlogen.'

Het is de tweede natuur van iedere advocaat om overal tegen te protesteren, hoe onbenullig ook. Vaak levert dat wat op. Maar het geld is geen enkel probleem voor zijn cliënt en Drummond zou beter zijn mond kunnen houden.

'Een reisje naar Cleveland en terug kost blijkbaar dertienhonderd dollar, meneer Drummond. Dat bedrag zal uw cliënt dus vergoeden.'

'En meneer Baylor wordt niet per uur betaald,' gaat Drummond verder.

'Wilt u daarmee zeggen dat zijn tijd niet kostbaar is?'

'Nee.'

Wat hij wil zeggen is dat ik een schooier ben die lang niet zoveel verdient als hij en zijn makkers.

'U betaalt hem dus tweehonderd dollar per uur. En dan mag u niet klagen. Ik had u ook kunnen verplichten hem àl zijn uren in Cleveland te vergoeden.'

Bijna was ik rijk geweest.

Drummond zwaait gefrustreerd met zijn armen als hij weer gaat zitten. Kipler kijkt nijdig naar hun tafel. Hij is pas vier maanden bezig, maar hij is nu al berucht om zijn afkeer van de grote advocatenkantoren. Ook in andere zaken heeft hij al een paar sancties opgelegd. Er wordt druk over gepraat in het juridische wereldje. Daar is trouwens niet veel voor nodig.

'Verder nog iets?' gromt hij in hun richting.

'Nee, meneer,' zeg ik luid, om te laten weten dat ik er ook nog ben.

De samenzweerders aan de andere tafel schudden hun hoofd en Kipler geeft een klap met zijn hamer. Ik raap haastig mijn papieren bij elkaar en verlaat de zaal.

Mijn avondeten is een broodje bacon bij Dot. De zon zakt langzaam achter de bomen in de achtertuin, waar Buddy nog in zijn Ford Fairlane zit. Hij wil niet komen eten. Ze zegt dat hij steeds meer tijd in dat oude wrak doorbrengt, vanwege Donny Ray, die niet lang meer te leven heeft. Buddy vlucht in de drank en de eenzaamheid. Iedere ochtend zit hij een paar minuten bij zijn zoon, waarna hij meestal huilend de kamer verlaat en de rest van de dag ieder gezelschap mijdt. En van bezoek houdt hij toch al niet.

Ik vind het best. Dot ook. We praten over de rechtszaak, het optreden van Great Eastern en de onvermurwbare houding van rechter Tyrone Kipler. Maar na een tijdje verliest Dot haar interesse. De onverzettelijke vrouw die ik zes maanden geleden in de Cipressentuin ontmoette, heeft haar vechtlust verloren. Toen dacht ze nog echt dat een advocaat – iedere advocaat, zelfs ik – Great Eastern zou kunnen dwingen haar verplichtingen na te komen. Toen was er nog genoeg tijd voor een wonder. Nu is alle hoop vervlogen.

Dot zal zichzelf altijd de schuld blijven geven van Donny Ray's dood. Ze heeft me meer dan eens gezegd dat ze meteen naar een advocaat had moeten gaan toen Great Eastern weigerde te betalen. In plaats daarvan is ze zelf een briefwisseling begonnen. Ik vermoed dat Great Eastern snel tot uitbetaling was overgegaan als Dot meteen met een advocaat had gedreigd. Dat denk ik om twee redenen. In de eerste plaats zitten ze helemaal fout, en dat weten ze. In de tweede plaats hebben ze Dot onmiddellijk een schikking van vijfenzeventigduizend dollar aangeboden toen ze door mij, een onervaren beginneling, voor de rechter werden gedaagd. Ze zijn bang. Hun advocaten zijn bang. En het hoofdkantoor in Cleveland is bang.

Dot schenkt een kop oplos-décafé voor me in en gaat een kijkje nemen bij haar man. Ik neem de koffie mee naar het kamertje van Donny Ray, die ligt te slapen onder de lakens, ineengerold op zijn rechterzij. Het enige licht komt van een lamp in de hoek. Ik ga ernaast zitten, met mijn rug naar het open raam, in een koele bries. Buiten is het rustig. De kamer is doodstil.

Zijn testament is een eenvoudig document van twee pagina's. Hij heeft alles aan zijn moeder nagelaten. Ik heb het een week geleden opgesteld. Hij heeft geen bezittingen en geen schulden, dus een testament was overbodig, maar hij wilde het graag. Hij heeft ook gezegd hoe hij begraven wil worden. Dot heeft alles geregeld. Ik ben een van de dragers.

Ik pak hetzelfde boek waarin ik nu al twee maanden met tussenpozen zit te lezen, een omnibus met vier ingekorte romans. Het is dertig jaar oud en een van de weinige boeken in het huis. Ik laat het steeds op dezelfde plaats achter en lees een paar bladzijden bij elk bezoek.

Hij mompelt wat en beweegt zich. Ik vraag me af wat Dot zal doen als ze op een ochtend binnenkomt en haar zoon niet meer in leven vindt.

Ze laat ons altijd alleen als ik bij hem zit. Ik hoor haar bezig met de afwas. Ik geloof dat Buddy nu ook binnen is. Ik zit een uurtje te lezen en kijk zo nu en dan naar Donny Ray. Als hij wakker wordt, kunnen we praten of naar de televisie kijken, wat hij maar wil.

Ik hoor een vreemde stem in de voorkamer en even later wordt er geklopt. De deur gaat zachtjes open. Het duurt een paar seconden voordat ik de jonge man in de deuropening herken. Het is dokter Kord, die komt kijken hoe het gaat. We geven elkaar een hand en fluisteren even aan het voeteneind van het bed. We doen drie stappen naar het raam.

'Ik kom zomaar even langs,' zegt hij, nog steeds fluisterend, alsof hij iedere dag door deze buurt rijdt.

'Ga zitten,' zeg ik, wijzend naar de enige andere stoel. We gaan met onze rug naar het raam zitten, onze knieën tegen elkaar aan, en kijken naar de stervende jongen in het bed, anderhalve meter bij ons vandaan.

'Hoe lang bent u hier al?' vraagt hij.

'Een uur of twee. Ik heb met Dot gegeten.'

'Is hij al wakker geweest?'

'Nee.'

We zitten in het halfdonker, met een zacht windje in onze nek. Klokken regeren ons leven, maar op dit moment hebben we alle gevoel van tijd verloren.

'Ik heb eens nagedacht,' zegt Kord, bijna binnensmonds. 'Over die rechtszaak. Wanneer dient de zaak?'

'Acht februari.'

'Is dat definitief?'

'Daar lijkt het wel op.'

'Denk u niet dat het meer indruk zou maken als ik persoonlijk zou getuigen, niet op een videoband of op schrift?'

'Natuurlijk.'

Kord heeft al een paar jaar ervaring. Hij weet hoe het toegaat bij rechtszittingen en verklaringen. Hij buigt zich naar voren, met zijn ellebogen op zijn knieën. 'Laten we dat dan maar doen – *live* en in kleur. En ik zal er niets voor rekenen.'

'Dat is heel geschikt van u.'

'Geen punt. Het is het minste wat ik kan doen.'

We denken een hele tijd na. Er klinkt wat gestommel in de keuken, maar verder is het stil in huis. Kord is iemand die niet zenuwachtig wordt van lange stiltes in een gesprek.

'Weet u wat mijn werk is?' vraagt hij ten slotte.

'Wat dan?'

'Ik stel een diagnose bij de mensen en bereid ze dan voor op de dood.'

'Waarom bent u oncoloog geworden?'

'De waarheid?'

'Ja, waarom niet?'

'Omdat er gebrek is aan oncologen. Zo simpel lag dat. Er is minder belangstelling voor dan voor andere specialismen.'

'Ja, en íemand moet het toch doen.'

'Nou, zo erg is het ook weer niet. Ik hou van mijn werk.' Hij zwijgt even en kijkt naar zijn patiënt. 'Maar hier heb ik het heel moeilijk mee – dat je gewoon de kans niet krijgt om iemand te behandelen. Als die beenmergtransplantaties niet zo duur waren, hadden we nog iets kunnen doen. Ik had hem wel gratis willen opereren, maar dan kost het nog zo'n tweehonderdduizend dollar. Geen enkel ziekenhuis kan zich zulke uitgaven veroorloven.'

'Het is een schoftenstreek van die verzekeringsmaatschappij.'

'Ja, zeg dat wel.' Een lange stilte, en dan: 'We kunnen het ze betaald zetten.'

'Ik doe mijn best.'

'Ben je getrouwd?' vraagt hij terwijl hij zich opricht en op zijn horloge kijkt.

'Nee. Jij?'

'Nee. Gescheiden. Zullen we een biertje gaan drinken?'

'Goed. Waar?'

'Ken je Murphy's Oesterbar?'

'Ja.'

'Goed, dan rijden we daarnaartoe.'

Op onze tenen sluipen we langs het bed van Donny Ray. Op de veranda nemen we afscheid van Dot, die zit te roken in de schommelstoel. Voorlopig laten we hen weer alleen.

Midden in de nacht, om tien voor half vier, word ik wakker van de telefoon. Of Donny Ray is dood, of er is een vliegtuig neergestort en Deck is al onderweg. Wie belt er anders op zo'n godvergeten uur?

'Rudy?' zegt een zenuwachtige maar heel bekende stem.

'Juffrouw Birdie!' zeg ik. Ik schiet overeind en doe een lampje aan.

'Sorry dat ik op zo'n rare tijd bel.'

'Dat geeft niet. Hoe gaat het met u?'

'Nou... ze zijn erg gemeen tegen me.'

Ik sluit mijn ogen, haal diep adem en laat me terugzakken in bed. Gek, maar waarom verbaast me dat nou niet? 'Wie is er gemeen?' vraag ik, om maar wat te zeggen. Het kan me niet echt schelen.

'June is de ergste,' zegt ze, alsof er een ranglijst is. 'Zij wil me niet in huis hebben.'

'Maar u woont toch bij Randolph en June?'

'Ja, en het is vreselijk. Afschuwelijk. Ik ben zelfs bang om wat te eten.'

'Waarom?'

'Omdat er misschien vergif in zit.'

'Toe nou, juffrouw Birdie.'

'Ik meen het serieus. Ze zitten allemaal op mijn dood te wachten. Ik heb een nieuw testament getekend, waarin ze krijgen wat ze hebben willen. Dat is nog in Memphis gebeurd. Toen we in Tampa aankwamen, waren ze een paar dagen heel lief tegen me. De kleinkinderen kwamen steeds op bezoek, met bloemen en chocolaatjes. Maar toen nam Delbert me mee naar de dokter, die me onderzocht en zei dat ik kerngezond was. Ik geloof dat ze iets anders hadden verwacht. Ze waren vreselijk teleurgesteld en opeens gingen ze zich heel anders gedragen. June werd weer de gemene kleine slet die ze werkelijk is. Randolph ging weer golfen en is nooit thuis. Delbert zit altijd bij de windhondenrennen. Vera haat June, en June haat Vera. De meeste kleinkinderen hebben geen werk, maar toch zie ik ze nooit meer.'

'Waarom belt u me midden in de nacht, juffrouw Birdie?'

'Nou, omdat ik stiekem moet bellen. Gisteren zei June dat ik niet meer mocht telefoneren. Toen ik het aan Randolph vroeg, zei hij dat ik twee keer per dag mocht bellen, vaker niet. Ik mis mijn eigen huis, Rudy. Is alles goed?'

'Ja hoor, juffrouw Birdie.'

'Ik wil hier niet lang meer blijven. Ze hebben me een achterkamertje gegeven, met een piepkleine badkamer. Ik ben ruimte gewend, Rudy.'

'Ja, juffrouw Birdie.' Ze wacht tot ik zal aanbieden om haar te komen halen, maar dat lijkt me niet verstandig. Ze is nog geen maand weg. Dit is wel goed voor haar.

'En Randolph probeert een volmacht te krijgen, zodat hij dingen uit mijn naam kan doen. Wat vind je daarvan?'

'Ik adviseer mijn cliënten zulke dingen nooit te ondertekenen, juffrouw Birdie. Dat is geen goed idee.' Ik heb nog nooit een cliënt gehad met dat probleem, maar in haar geval is het zéker niet verstandig.

Die arme Randolph. Hij doet zo zijn best om die twintig miljoen dollar in handen te krijgen. Hoe zal hij reageren als hij de waarheid ontdekt? Juffrouw Birdie denkt nú al dat ze problemen heeft. Wacht maar af.

'Ach, ik weet het niet...' zegt ze vaag.

'Niets ondertekenen, juffrouw Birdie.'

'O, en nog iets. Gisteren heeft Delbert... o jee, er komt iemand aan. Ik moet ophangen.' En ze gooit de hoorn erop. In gedachten zie ik June met een leren riem op haar afkomen om haar een pak ransel te geven wegens misbruik van de telefoon.

Het telefoontje lijkt me niet echt belangrijk. Het is bijna komisch. Als juffrouw Birdie naar huis wil, ga ik haar wel halen.

Met moeite val ik weer in slaap.

– 36 –

Ik bel de gevangenis en vraag naar dezelfde dame die ik gesproken heb toen ik de eerste keer bij Ott op bezoek ging. Zij regelt alle afspraken. Ik wil hem nog een keer spreken voordat we zijn verklaring opnemen.

Ik hoor haar iets intoetsen op een computer. 'Bobby Ott is hier niet meer,' zegt ze.

'Wat?'

'Hij is drie dagen geleden vrijgekomen.'

'Hij zei dat hij nog achttien dagen moest zitten. En dat was een week gele-den.'

'Jammer. Hij is vertrokken.'

'Waarheen?' vraag ik ongelovig.

'Toe nou, meneer,' zegt ze, en ze hangt op.

Ott is verdwenen. Hij heeft tegen me gelogen. De eerste keer heeft het ons al zoveel moeite gekost om hem te vinden. En nu zijn we hem weer kwijt.

Het telefoontje waar ik zo bang voor was komt op een zondagochtend. Ik zit met een kop koffie en een zondagskrant op het terras van juffrouw Birdie, alsof het mijn eigen huis is. Ik geniet van de dag. Dan belt Dot. Ze heeft hem een uur geleden gevonden. Hij is vanochtend niet meer wak-ker geworden.

Haar stem trilt een beetje, maar ze heeft haar emoties goed in bedwang. We praten even en ik merk dat mijn keel steeds droger wordt en mijn ogen vochtig. Er klinkt enige opluchting in haar woorden. 'Hij is nu beter af,' zegt ze meer dan eens. Ik zeg haar hoe erg ik het vind en ik beloof van-middag naar haar toe te komen.

Ik loop over het grasveld naar de hangmat, waar ik tegen een eik leun en de tranen van mijn wangen veeg. Ik ga half in de hangmat zitten, met mijn voeten op de grond, mijn hoofd gebogen, en prevel de laatste van mijn vele gebeden voor Donny Ray.

Ik bel rechter Kipler thuis om hem te vertellen dat Donny Ray gestorven is. Morgenmiddag om twee uur wordt hij begraven, en dat is een pro-bleem. De zitting met de vertegenwoordigers van Great Eastern zou mor-genochtend om negen uur beginnen en drie dagen duren. Ik weet zeker dat de pakken uit Cleveland al in Memphis zijn aangekomen. Waar-schijnlijk zitten ze nu bij Drummond op kantoor om te repeteren voor een videocamera. Zo grondig is hij wel.

Kipler vraagt me om morgen toch om negen uur te verschijnen. Dan re-gelt hij het wel. Ik zeg hem dat ik er klaar voor ben. Dat moet ook wel. Ik heb alle denkbare vragen voor iedere getuige op schrift gezet. Zijne edelachtbare heeft me nog een paar suggesties aan de hand gedaan. En Deck heeft alles nog eens doorgelezen.

Kipler laat doorschemeren dat hij de zitting misschien zal verdagen om-dat hij morgen twee belangrijke zaken heeft.

Hij ziet maar. Het kan me op dit moment niet zoveel schelen.

Tegen de tijd dat ik bij de Blacks aankom, is de hele buurt al in de rouw. De oprit en de straat staan vol met auto's. Oude mannen slenteren door de voortuin of zitten op de veranda. Glimlachend en knikkend wring ik me door de menigte heen naar binnen, waar ik Dot in de keuken aantref, naast de koelkast. Het huis is barstensvol met mensen. De keukentafel en het aanrecht staan vol met pasteitjes, ovenschotels en Tupperware-bakken met gebraden kip.

Zwijgend omhels ik haar. Ik betuig mijn medeleven door simpel te zeggen hoe verdrietig ik ben en zij bedankt me voor mijn komst. Haar ogen zijn roodomrand, maar ik geloof dat ze moe is van het huilen. Ze gebaart naar al het eten en zegt dat ik kan nemen wat ik wil. Ik vertrouw haar toe aan een groepje vrouwen uit de buurt.

Opeens heb ik honger. Ik pak een groot papieren bord, leg er een stuk kip, wat koolsla en witte bonen in tomatensaus op en loop naar het kleine terras, waar ik in mijn eentje ga zitten eten. Buddy, die arme kerel, zit niet in zijn auto. Waarschijnlijk heeft Dot hem in de slaapkamer opgesloten, zodat hij haar niet voor schut kan zetten. Ik eet langzaam en luister naar de gedempte gesprekken achter de open ramen van de keuken en de huis-kamer. Als ik mijn bord leeg heb, haal ik nog een tweede portie en trek me weer terug op het terras.

Even later krijg ik gezelschap van een jongeman die me op een vreemde manier bekend voorkomt. 'Ik ben Ron Black,' zegt hij als hij in de stoel naast me gaat zitten. 'De tweelingbroer.'

Hij is niet erg lang, maar mager en fit. 'Prettig kennis te maken,' zeg ik. 'Dus jij bent de advocaat.' Hij heeft een blikje fris in zijn hand.

'Ja. Rudy Baylor. Gecondoleerd met je broer.'

'Dank je.'

Ik weet dat Dot en Donny Ray maar zelden over hem spraken. Toen hij van school kwam, is hij meteen het huis uit gegaan en heeft zich altijd op een afstand gehouden. Tot op zekere hoogte kan ik dat wel begrijpen.

Ron Black is niet in een spraakzame bui. Hij spreekt in korte, moeizame zinnen, maar ten slotte komt het gesprek toch op de beenmergtransplan-tatie. Hij bevestigt wat ik al weet, dat hij in staat en bereid was om zijn broer te redden en dat hij van dokter Kord had gehoord dat zijn been-merg ideaal was voor de transplantatie. Ik vertel hem dat hij dat over een paar maanden ook tegen een jury zal moeten zeggen en hij antwoordt dat hij dat graag zal doen. Hij heeft een paar vragen over de rechtszaak, maar hij is niet nieuwsgierig naar het geld.

Ik weet zeker dat hij bedroefd is, maar hij houdt zich goed. Ik begin voor-zichtig over hun jeugd, in de hoop een paar geanimeerde verhalen te ho-ren die iedere tweeling kan vertellen over de grappen die ze met anderen hebben uitgehaald. Niets. Hij is hier opgegroeid, in dit huis en in deze buurt, maar verder wil hij er niets van weten.

De begrafenis is morgenmiddag om twee uur, en ik durf te wedden dat Ron Black om vijf uur weer in het vliegtuig terug naar Houston zit.

Het wordt wat stiller en daarna weer drukker, maar er is nog steeds genoeg te eten. Ik werk twee stukken chocoladecake naar binnen, terwijl Ron zijn lauwe frisdrank drinkt. Na twee uur ben ik doodmoe. Ik excuseer me en vertrek.

Maandagochtend zit er een hele menigte plechtige, donker geklede heren rondom Leo F. Drummond aan de andere kant van de rechtszaal.

Ik ben goed voorbereid – bang, nerveus en voorzichtig, maar met al mijn vragen onder handbereik. Zelfs als ik volledig dichtklap, kan ik ze nog gewoon oplezen en de tegenpartij tot een antwoord dwingen.

Het is wel amusant om die belangrijke baasjes zo angstig te zien. Ik neem aan dat ze Drummond, Kipler, mijzelf, de juridische professie en deze zaak in het bijzonder hebben vervloekt toen ze hoorden dat ze hier moesten verschijnen om vragen te beantwoorden. Erger nog, dat ze zelfs uren en dagen zouden moeten wachten, totdat ik met hen klaar was.

Kipler komt binnen en begint met onze zaak. We krijgen de beschikking over een aangrenzende rechtszaal, die deze week toevallig vrij is. Zo kan zijne edelachtbare regelmatig zijn hoofd om de hoek van de deur steken om Drummond in het gareel te houden. Maar eerst roept hij ons naar voren omdat hij nog iets te zeggen heeft.

Ik loop naar de tafel rechts, de vier jongens van Trent & Brent laten zich achter de andere tafel zakken.

'Dit hoeft niet in het verslag,' zegt Kipler tegen de stenografe. Het is geen officiële zitting. 'Meneer Drummond, weet u dat Donny Ray Black gisterochtend is overleden?'

'Nee, meneer,' antwoordt Drummond ernstig. 'Heel verdrietig om te horen.'

'Hij wordt vanmiddag begraven en dus hebben we een probleem. Meneer Baylor hier is een van de dragers. Eigenlijk zou hij nu bij de familie moeten zijn.'

Drummond kijkt eerst naar mij en dan naar Kipler.

'We zullen de getuigenverklaringen opschorten. Zorg ervoor dat iedereen volgende week maandag weer hier aanwezig is. Zelfde tijd, zelfde plaats.' Kipler kijkt Drummond scherp aan, in afwachting van de verkeerde reactie.

De vijf belangrijke mannen van Great Eastern worden dus gedwongen hun drukke agenda weer om te gooien en volgende week naar Memphis terug te komen.

'Waarom kunnen we morgen niet beginnen?' vraagt Drummond verbijsterd. Het is een heel redelijke vraag.

'Dit is mijn hof, meneer Drummond, en ik bepaal wat er gebeurt.'

'Maar neem me niet kwalijk, edelachtbare... ik wil niet lastig zijn, maar

275

uw aanwezigheid bij het opnemen van de verklaring is niet strikt noodzakelijk. Deze vijf heren hebben veel moeite gedaan om hier vandaag te kunnen zijn. Dat zal volgende week misschien niet lukken.'

Dat is precies wat Kipler wilde horen. 'O, maar toch zullen ze hier zijn, meneer Drummond. Maandagochtend om klokslag negen uur.'

'Nou, ik vind het niet eerlijk. Met alle respect.'

'Niet eerlijk? We hadden twee weken geleden al klaar kunnen zijn met deze verklaring, meneer Drummond. In Cleveland. Maar toen begon uw cliënt opeens spelletjes te spelen.'

Een rechter heeft een onbeperkte bevoegdheid in dit soort kwesties, en er is geen beroep mogelijk. Kipler neemt Drummond en Great Eastern flink te grazen. Naar mijn bescheiden mening overdrijft hij het een beetje. Het is een territoriumstrijd tussen de twee mannen. Over een paar maanden zal hier een geding plaatsvinden, en de rechter wil zijn gezag vestigen. Drummond mag dan een dure advocaat zijn, van een vooraanstaand kantoor, maar Kipler is hier de baas.

Ik vind het best.

Achter een kleine plattelandskerk, een paar kilometer ten noorden van Memphis, wordt Donny Ray Black naar zijn laatste rustplaats gebracht. Als een van de acht dragers blijf ik achter de stoelen van de familie staan. Het is een kille, bewolkte dag – een echte begrafenisdag.

De laatste begrafenis die ik heb meegemaakt was die van mijn eigen vader, maar daar probeer ik wanhopig niet aan te denken.

De menigte dromt samen onder het wijnrode tentzeil als de jonge dominee uit de bijbel leest. We staren naar de grijze kist met bloemen eromheen. Ik hoor Dot zachtjes huilen. Ik zie Buddy naast Ron zitten. Ik wend mijn blik af en probeer me los te maken van deze plek en aan prettiger dingen te denken.

Als ik op kantoor terugkom, is Deck een zenuwinzinking nabij. Zijn makker Butch, de privé-detective, zit op een tafel. Ik zie zijn spierballen zwellen onder een strakke coltrui. Hij is een sjofel type met rode wangen, laarzen met puntneuzen en de houding van iemand die een vechtpartij niet uit de weg gaat. Deck stelt ons aan elkaar voor, noemt Butch een cliënt en geeft me een blocnote met de waarschuwing: 'Blijven babbelen, over niets, oké?' in viltstift op het bovenste blaadje.

'Hoe was de begrafenis?' vraagt Deck terwijl hij me bij de arm pakt en me meeneemt naar de kant van de tafel waar Butch zit te wachten.

'Gewoon, een begrafenis,' zeg ik met een nietszeggende blik naar de twee mannen.

'Hoe houdt de familie zich?' vraagt Deck.

'Ze redden het wel, denk ik.' Butch schroeft snel het mondstuk van de telefoon en wijst.

'Voor die arme jongen is het maar beter zo, vind je niet?' zegt Deck terwijl Butch me een klein rond apparaatje laat zien dat tegen de binnenkant van de telefoon is bevestigd. Ik staar er zwijgend naar.

'Vind je niet?' herhaalt Deck. Hij port me in de ribben.

'Eh... ja, dat denk ik ook. Veel beter zo. Een vreselijk trieste zaak.'

We kijken toe hoe Butch de telefoon vakkundig weer in elkaar zet en me daarna schouderophalend aankijkt alsof ik precies weet wat ik nu doen moet.

'Laten we koffie gaan drinken,' oppert Deck.

'Goed idee,' zeg ik, met een ijsklomp in mijn maag.

Buiten op de stoep blijf ik staan en kijk hen aan. 'Wat krijgen we nou?'

'Kom mee.' Deck wijst de straat door. Een eindje verderop is een artistieke koffiebar. We lopen er zwijgend naartoe, stappen naar binnen en verbergen ons in een hoek alsof we door huurmoordenaars worden achtervolgd.

Al snel wordt het me duidelijk. Sinds de verdwijning van Bruiser en de Prins zijn Deck en ik al benauwd voor de FBI. We verwachtten dat ze wel langs zouden komen voor een praatje. Hoewel ik dat niet wist, heeft Deck er blijkbaar ook met Butch over gesproken. Ik zou de man voor geen cent vertrouwen.

Een uurtje geleden was Butch bij ons op kantoor toen Deck hem vroeg eens naar onze telefoons te kijken. Butch geeft toe dat hij geen expert is in afluisterapparatuur, maar hij weet wel íets. Dit soort microfoontjes is gemakkelijk te herkennen. Alle drie de telefoons worden afgeluisterd. Deck en Butch wilden op zoek gaan naar nog meer microfoons, maar ze besloten eerst op mij te wachten.

'Nog meer microfoons?' vraag ik.

'Ja, ergens in het kantoor verborgen om de rest van de gesprekken op te vangen,' zegt Butch. 'Heel eenvoudig. We moeten gewoon het hele kantoor met een vergrootglas onderzoeken.'

Decks handen trillen. Ik vraag me af of hij via onze telefoon met Bruiser heeft gebeld.

'En als we er nog meer vinden?' vraag ik. We hebben nog geen slok van onze koffie gedronken.

'Juridisch gesproken mag je ze weghalen,' verklaart Butch. 'Of je kunt heel voorzichtig zijn met wat je zegt. Eromheen praten, als het ware.'

'En als we ze weghalen?'

'Dan weet de FBI dat jullie ze hebben ontdekt. Dan worden ze nog achterdochtiger en verzinnen ze wel wat anders. Je kunt beter doen of je van niets weet.'

'Dat kun jij gemakkelijk zeggen.'

Deck veegt het zweet van zijn voorhoofd en ontwijkt mijn blik. Ik vertrouw hem niet erg. 'Ken je Bruiser Stone?' vraag ik Butch.

'Natuurlijk. Ik heb wel eens voor hem gewerkt.'

Dat verbaast me niets. 'Goed,' zeg ik. En tegen Deck: 'Heb jij vanuit ons kantoor met Bruiser gebeld?'

'Nee,' zegt hij. 'Ik heb hem niet meer gesproken sinds de dag dat hij verdween.'

Dat is een leugen, maar ik weet nu dat ik niets mag zeggen waar Butch bij is.

'Ik vraag me af of er nog meer microfoontjes verborgen zijn,' zeg ik tegen Butch. 'Ik zou wel graag willen weten wat ze precies horen.'

'Dan moeten we het kantoor uitkammen.'

'Vooruit dan maar.'

'Ik vind het best. We beginnen met de tafels, de bureaus en de stoelen. Daarna de prullenbakken, de boeken, de klokken, de nietmachines, noem maar op. Die dingetje zijn nog kleiner dan rozijnen.'

'Kunnen ze horen dat we ernaar zoeken?' vraagt Deck doodsbenauwd.

'Nee. Houden jullie maar een gewoon gesprek, zoals altijd. Ik zeg niets, dan weten ze niet eens dat ik er ben. Als jullie iets vinden, gebruik dan gebarentaal.'

We nemen de koffie mee terug naar kantoor, waar opeens een dreigende, griezelige sfeer hangt. Deck en ik beginnen een onschuldig gesprek over de zaak Derrick Dogan terwijl we voorzichtig tafels en stoelen ondersteboven keren. Iedereen met een greintje verstand hoort meteen dat we in het geniep ergens mee bezig zijn.

We kruipen op handen en voeten over de vloer. We zoeken in prullenmanden en dossiers. We inspecteren luchtroosters, plinten en verwarmingsbuizen. Voor het eerst ben ik blij dat we zo weinig meubels en stoffering hebben.

Na vier uur zoeken hebben we nog niets gevonden. Blijkbaar worden alleen onze telefoons afgeluisterd. Deck en ik trakteren Butch op een bord spaghetti in een bistro in de straat.

Om middernacht lig ik in bed, zonder de slaap te kunnen vatten. Ik lees de ochtendkrant en staar zo nu en dan naar mijn telefoon. Zou die ook worden afgeluisterd? Zo ver zullen ze toch niet gaan? De hele middag en avond zie ik al schaduwen en hoor ik geluiden. Ik schrik overal van. Ik heb voortdurend kippevel. Ik krijg geen hap door mijn keel. Ik word geschaduwd, dat weet ik nu, maar de vraag is alleen: hoe dicht zitten ze me op de hielen?

En wat willen ze precies?

Met uitzondering van de kleine advertenties heb ik de krant van voren naar achteren gelezen. Sara Plankmore Wilcox is gisteren bevallen van een dochter van zeven pond. Ik wens haar veel geluk. Ik haat haar niet meer. Sinds de dood van Donny Ray treed ik de wereld veel milder tegemoet. Behalve natuurlijk Leo F. Drummond en zijn walgelijke cliënt.

PFX Freight is nog ongeslagen in de softbalcompetitie.

Ik vraag me af of hij haar dwingt naar alle wedstrijden te gaan.

Iedere dag lees ik de gegevens van de burgerlijke stand, vooral de echtscheidingsprocedures, hoewel ik weinig hoop heb. En ik pluis de politieberichten na om te zien of Cliff Riker weer is gearresteerd wegens mishandeling van zijn vrouw.

– 37 –

De documenten beslaan vier gehuurde klaptafeltjes die we naast elkaar in de voorkamer van ons kantoor hebben gezet. Ze liggen op keurige stapels, in chronologische volgorde, genummerd, geïndexeerd en compleet met computergegevens.

Ik ken ze inmiddels uit mijn hoofd. Ik heb deze papieren zo vaak doorgelezen, dat ik precies weet wat erin staat. De stukken die ik van Dot heb gekregen beslaan in totaal 221 pagina's. De polis, bijvoorbeeld, die door de rechtbank slechts als één document wordt beschouwd, telt in werkelijkheid 30 bladzijden. De stukken die ons door Great Eastern zijn gestuurd beslaan 748 pagina's, inclusief de kopieën van het dossier dat we van de Blacks hebben gekregen.

Ook Deck heeft zich urenlang in de papierwinkel verdiept en een gedetailleerde analyse geschreven. Hij doet het meeste computerwerk. Hij zal me assisteren bij het afnemen van de verklaringen. Het is zijn taak om alle papieren bij de hand te houden en snel de stukken op te zoeken die we nodig hebben.

Hij is niet dol op dit soort werk, maar hij wil me graag van dienst zijn. Hij is ervan overtuigd dat Great Eastern de zaak gaat verliezen, maar hij denkt dat we er niet genoeg aan zullen verdienen. Deck is niet overtuigd van mijn kwaliteiten als advocaat. Hij weet ook dat de twaalf juryleden vijftigduizend dollar als een fortuin zullen beschouwen.

Zondagavond laat drink ik een biertje op kantoor en loop nog eens langs de tafels. Er ontbreekt nog iets. Deck weet zeker dat Jackie Lemancyzk van de afdeling Vergoedingen niet de bevoegdheid had de claim meteen af te wijzen. Zij heeft haar werk gedaan en het dossier daarna doorgestuurd. Er is een conflict geweest tussen de afdelingen Acceptatie en Vergoedingen. Dat blijkt ook uit de memo's. Maar op dat punt loopt het spoor dood.

Er bestond een of andere tactiek om de claim van Donny Ray – en vermoedelijk nog duizenden andere – af te wijzen. Die tactiek moeten we ontrafelen.

Na veel overleg en discussies met de collega's van mijn kantoor heb ik besloten om M. Wilfred Keeley, de president-directeur van Great Eastern, als eerste te ondervragen. Het leek me verstandiger om met het grootste ego te beginnen en zo de rij af te gaan. Keeley is een man van zesenvijftig, een joviale figuur die zelfs voor mij een hartelijke glimlach heeft. Hij bedankt me omdat hij het eerst aan de beurt is. Hij wil graag zo snel mogelijk terug naar kantoor.

Het eerste uur beperk ik me tot algemene vragen. Ik zit aan mijn kant van de tafel in een spijkerbroek, een flanellen overhemd, instappers en witte sokken. Dat vond ik wel een leuk contrast met die zwarte pakken aan de andere kant. Deck vindt het een bewuste provocatie.

Na een uur of twee overhandigt Keeley me een financieel overzicht en praten we een tijdje over geld. Deck neemt de cijfers door en schuift me de ene vraag na de andere toe. Drummond en drie van zijn jongens geven ook briefjes door en kijken verveeld. Kipler is in de aangrenzende rechtszaal met andere zaken bezig.

Keeley kent nog enkele andere procedures die op dit moment in andere delen van het land tegen Great Eastern worden gevoerd. Ik vraag hem naar de gegevens, de onderwerpen, de namen van de advocaten en de gerechtshoven waar de zaken aanhangig zijn gemaakt. In geen van deze procedures is Keeley als getuige opgeroepen. Ik popel om de andere advocaten te bellen die met Great Eastern in de clinch liggen. Een goede gelegenheid om informatie uit te wisselen en onze strategieën op elkaar af te stemmen.

Het afsluiten van polissen en het afhandelen van claims is binnen het verzekeringsbedrijf niet de tak die het meeste aanzien geniet. Veel belangrijker is het investeren van de premies. Keeley is dan ook uit die branche afkomstig. Hij weet maar weinig van claims en vergoedingen.

Omdat ik deze verklaring niet hoef te betalen, heb ik weinig haast. Ik stel honderden nutteloze vragen en hoop op een toevalstreffer. Drummond kijkt verveeld en gefrustreerd, maar hij kent het klappen van de zweep en bovendien tikt zijn meter rustig door. Soms opent hij zijn mond om te protesteren, maar hij ziet er weer van af als hij beseft dat ik toch naar rechter Kipler zal lopen om hem af te bluffen.

's Middags gaan we op dezelfde voet verder, tot half zes, als we de zitting schorsen. Ik ben uitgeput. Keeley's glimlach is na de lunch verdwenen, maar hij heeft braaf al mijn vragen beantwoord. Hij bedankt me nog eens voor het feit dat ik hem als eerste heb ondervraagd en hem toestemming heb gegeven om naar Cleveland terug te gaan. Hij vertrekt meteen.

Op dinsdag wordt het wat levendiger, deels omdat ik geen tijd meer wil verspillen, deels omdat de getuigen weinig weten of zich niet veel kunnen herinneren. Ik begin met Everett Lufkin, de adjunct-directeur Vergoedingen, een man die geen woord te veel zegt. Ik laat hem een paar stukken zien, en halverwege de ochtend geeft hij eindelijk toe dat het bedrijfspolitiek is om na het indienen van een claim een onderzoek in te stellen naar het medische verleden van de cliënt. Die 'acceptatie achteraf' is een verwerpelijke maar wettelijk toegestane werkwijze. Als een verzekerde een claim indient, wordt zijn hele medische dossier gelicht. In ons geval vroeg Great Eastern gegevens op bij de huisarts van de Blacks, die Donny Ray vijf jaar eerder voor een zware griep had behandeld. Dot had dat niet op haar aanvraagformulier vermeld. De griep had niets met de leukemie te maken, maar toch weigerde Great Eastern in eerste instantie te betalen omdat de griep een reeds bestaande conditie was.

Het zou me weinig moeite kosten om de vloer met hem aan te vegen, maar dat is niet verstandig. Ik wacht wel tot het moment waarop Lufkin voor de jury moet getuigen. Sommige advocaten scoren hun punten al van tevoren, maar met mijn enorme ervaring weet ik dat ik de sappigste details beter voor de jury kan bewaren. Ik heb dat ooit eens in een boek gelezen. En bovendien is het de strategie van Jonathan Lake.

Kermit Addy, de adjunct-directeur Acquisitie, is al even nors en gesloten als Lufkin. Zijn afdeling moet de aanvragen van de agenten of tussenpersonen beoordelen en het besluit nemen of een cliënt wel of niet wordt geaccepteerd. Veel administratie en weinig spannende ontwikkelingen, maar Addy lijkt de aangewezen man om daar leiding aan te geven. Binnen twee uur ben ik met hem klaar, zonder bloedvergieten.

Bradford Barnes is adjunct-directeur Administratie. Het kost me alleen al een uur om uit te vissen wat hij precies doet. Het is nu woensdagochtend en ik heb schoon genoeg van deze figuren. Ik word misselijk bij de aanblik van de jongens van Trent & Brent die aan de overkant van de tafel zitten, met dezelfde donkere pakken en hooghartige smoelen waar ze nu al maanden mee rondlopen. Ik krijg zelfs een hekel aan de stenografe. Barnes weet nergens van. Wat ik ook probeer, hij weet iedere vraag te ontwijken. Ik zal hem later niet als getuige oproepen, want ik heb niets aan hem.

281

Woensdagmiddag begin ik mijn ondervraging van de laatste getuige, Richard Pellrod, bureauchef van de afdeling Vergoedingen, die minstens twee van de afwijzingsbrieven heeft geschreven. Hij zit al sinds maandagochtend in de rechtszaal, dus hij heeft zwaar de pest aan me. Hij snauwt me een paar keer af, maar dat stimuleert me juist. Ik leg hem zijn eigen brieven voor, en de sfeer wordt onaangenaam. Het is zijn standpunt – en nog steeds het standpunt van Great Eastern – dat beenmergtransplantaties in een experimenteel stadium verkeren en dus niet als een serieuze behandelingsmethode kunnen worden aangemerkt. Maar in een van zijn brieven wijst hij de claim af omdat Donny Ray's ziekte al zou hebben bestaan op het moment dat de polis werd afgesloten. Pellrod schuift de schuld op iemand anders af. Een nalatigheid. Hij draait en hij liegt, en ik besluit hem stevig aan te pakken. Ik pak een stapel documenten en we nemen ze één voor één door. Hij moet ze uitleggen en er de verantwoordelijkheid voor nemen. Hij was immers de chef van Jackie Lemancyzk, die helaas niet meer bij Great Eastern werkt. Volgens hem is ze teruggegaan naar haar geboorteplaats, ergens in het zuiden van Indiana. Van tijd tot tijd stel ik een scherpe vraag over haar vertrek, wat Pellrod mateloos irriteert. Ik pak nog wat papieren. Weer schuift hij de schuld op anderen af. Maar ik geef niet op. Ik mag alles vragen wat ik wil en hij weet nooit wat de volgende vraag zal zijn. Als ik hem vier uur meedogenloos heb doorgezaagd, vraagt hij om een pauze.

Woensdagavond om half acht zijn we met Pellrod klaar en is de zitting gesloten. Drie dagen, zeventien uur, in totaal zo'n duizend pagina's. We hebben nog heel wat te lezen.
Als zijn collega's hun koffertjes inpakken, neemt Leo F. Drummond me even apart. 'Goed gedaan, Rudy,' zegt hij zacht, alsof hij werkelijk onder de indruk is van mijn optreden maar dat niet openlijk wil toegeven.
'Dank je.'
Hij zucht eens diep. We zijn allebei doodmoe en we hebben genoeg van elkaar.
'Wie is er nog over?' vraagt hij.
'Ik ben klaar,' zeg ik. Ik zou niet weten wie ik verder nog moet ondervragen.
'En dokter Kord?'
'Die getuigt voor de jury.'
Dat is een verrassing voor hem. Hij kijkt me scherp aan en vraagt zich ongetwijfeld af hoe ik aan het geld kom om de dokter te betalen.
'Wat gaat hij zeggen?'
'Dat het beenmerg van Ron Black ideaal was voor een transplantatie bij

zijn tweelingbroer. Donny Ray had dus gered kunnen worden. Jouw cliënt heeft hem de dood in gejaagd.'

Hij vertrekt geen spier. Dat is geen nieuws voor hem.

'Waarschijnlijk vragen wij hem ook om een verklaring,' zegt hij.

'Vijfhonderd dollar per uur.'

'Ja, dat weet ik. Hoor eens, Rudy, zullen we wat gaan drinken? Ik wil iets met je bespreken.'

'Wat dan?' Er zijn op dit moment maar weinig dingen waar ik minder zin in heb dan in een borrel met Drummond.

'Zakelijk. De kansen op een schikking. Loop je even mee naar mijn kantoor? Een kwartiertje maar. We zitten vlak om de hoek.'

Het woord schikking heeft een prettige klank. Bovendien wil ik hun kantoor wel eens zien. 'Goed. Maar niet te lang,' zeg ik, alsof er een stel prachtige en belangrijke vrouwen op me wacht.

'Oké. Kom mee dan.'

Ik vraag Deck of hij op de hoek wil wachten als Drummond en ik naar het hoogste gebouw in Memphis lopen, drie straten verderop. We babbelen over het weer als we in de lift naar de veertigste verdieping stappen. Het kantoor is aangekleed met veel koper en marmer. Het wemelt er van de mensen, alsof het nog midden op de dag is. Een stijlvol ingerichte fabriek. Ik kijk of ik mijn oude vriend Loyd Beck, die etter van Brodnax & Speer, ergens zie. Ik loop hem liever niet tegen het lijf.

Drummond heeft een mooie maar niet overdreven grote kamer. Dit gebouw heeft de hoogste huren van de stad en de ruimte wordt efficiënt benut. 'Wat wil je drinken?' vraagt hij als hij zijn koffertje en zijn jasje op het bureau gooit.

Ik hou niet erg van sterke drank. Bovendien is het een vermoeiende dag geweest en ik ben bang dat ik na één glas al boven mijn theewater ben. 'Doe maar een cola,' zeg ik. Dat valt hem tegen. Maar hij herstelt zich en loopt naar een kleine bar in de hoek om voor zichzelf een scotch met water in te schenken.

Er wordt geklopt, en tot mijn grote verbazing zie ik M. Wilfred Keeley binnenkomen. We hebben elkaar niet meer gezien sinds ik hem maandag acht uur lang heb ondervraagd. Hij doet alsof hij het enig vindt me terug te zien. Hij geeft me een hand en we begroeten elkaar als oude makkers. Hij loopt naar de bar en pakt een glas.

Even later zitten we in een hoek van de kamer aan een kleine ronde tafel. Ze drinken hun whisky. Dat Keeley zo snel weer terug is, kan maar één ding betekenen. Ze willen een schikking. Ik ben benieuwd.

Vorige maand heb ik met al mijn geploeter zeshonderd dollar verdiend. Drummond is goed voor minstens een miljoen per jaar. Keeley is directeur van een bedrijf met een omzet van een miljard en verdient waar-

283

schijnlijk meer dan zijn advocaat. En nu willen ze zaken doen met míj. 'Ik maak me bijzonder ongerust over rechter Kipler,' zegt Drummond abrupt.

'Ik heb nog nooit zoiets meegemaakt,' beaamt Keeley meteen.

Drummond staat bekend om zijn onberispelijke voorbereiding en ik weet zeker dat dit kleine duet zorgvuldig is ingestudeerd.

'Eerlijk gezegd, Rudy, ben ik bang dat hij rare streken zal uithalen tijdens de zitting,' vervolgt Drummond.

'Er wordt gewoon over ons heen gewalst,' zegt Keeley. Hij schudt ongelovig zijn hoofd.

Ze hebben inderdaad reden om bang te zijn voor Kipler, maar alleen omdat ze op heterdaad zijn betrapt. Ze hebben de dood van een jonge man op hun geweten en dat dreigt nu aan het licht te komen. Ik besluit om hen welwillend aan te horen.

Ze nemen allebei nog een slok voordat Drummond zegt: 'We zouden graag een schikking treffen, Rudy. We hebben alle vertrouwen in onze verdediging, dat meen ik serieus. Als het eerlijk toeging, zouden we graag de degens met je kruisen. Ik heb al elf jaar geen zaak meer verloren. Ik hou van een pittig gevecht. Maar deze rechter is zo bevooroordeeld, dat ik er bang van word.'

'Hoeveel?' onderbreek ik zijn schijnheilige betoog.

Ze doen alsof ze hevig geschokt zijn. Met een pijnlijk gezicht zegt Drummond: 'Dubbel zoveel. Honderdvijftigduizend dollar. Dan krijg jij vijftigduizend en je cliënt...'

'Ja, ik kan rekenen,' zeg ik. Het gaat hem niets aan hoe groot mijn aandeel is. Hij weet dat ik geen cent bezit en dat vijftigduizend dollar een kapitaal voor mij is.

Vijftigduizend dollar!

'Wat moet ik met dat aanbod?' vraag ik.

Ze kijken elkaar verbaasd aan.

'Mijn cliënt is dood. Zijn moeder heeft hem vorige week begraven, en nu moet ik haar vertellen dat jullie opeens je aanbod hebben verhoogd?'

'Ethisch gesproken ben je verplicht haar te zeggen dat...'

'Hou je mond over ethiek, Leo.'

'We zijn erg verdrietig over zijn dood,' verklaart Keeley droevig.

'Ja, dat zie ik, meneer Keeley. Ik zal de familie uw medeleven overbrengen.'

'Hoor eens, Rudy, we doen ons best om iets te regelen,' zegt Drummond. 'Maar op het verkeerde moment.'

Het blijft even stil als we alle drie een slok nemen. Drummond is de eerste die weer glimlacht. 'Wat wil je cliënte? Zeg het maar, Rudy. Hoe kunnen we haar tevreden stellen?'

'Op geen enkele manier.'

'Nee?'

'Jullie kunnen niets meer doen. Haar zoon is dood.'

'Waarom gaat ze dan door met deze zaak?'

'Om de wereld te laten weten wat jullie hebben gedaan.'

Zenuwachtig geschuifel, gekwetste blikken, nog een slok whisky.

'Ze wil jullie aan de schandpaal nagelen. Ze wil jullie nek breken,' zeg ik.

'Daar zijn we te groot voor,' zegt Keeley zelfgenoegzaam.

'Dat zullen we wel zien.' Ik sta op en pak mijn koffertje. 'Ik kom er zelf wel uit,' zeg ik.

Ze blijven zitten en kijken me na.

– 38 –

Zo langzamerhand begint er op ons kantoor enige commerciële activiteit te ontstaan, hoe nederig en weinig winstgevend ook. Hier en daar liggen stapels dossiers, altijd duidelijk in het zicht, zodat bezoekende cliënten ze goed kunnen zien. Ik werk aan een stuk of tien pro-deozaken – zware overtredingen of lichte misdrijven. Deck beweert dat hij met dertig zaken bezig is, hoewel me dat wat overdreven lijkt.

Ook de telefoon gaat vaker. Er is veel zelfbeheersing voor nodig om te telefoneren met een toestel dat wordt afgeluisterd. Ik heb daar iedere dag moeite mee. Maar er is een gerechtelijk bevel voor nodig om iemand te mogen afluisteren, denk ik maar, dus het moet wel legitiem zijn.

In de voorkamer staat nog steeds een rij gehuurde tafeltjes met de dossiers van de zaak Black. Als je die stapels ziet, lijkt het echt of we met grote dingen bezig zijn.

In elk geval wordt het steeds drukker. Vier maanden na onze start hebben we een overhead van maar zeventienhonderd dollar per maand, tegenover een bruto omzet van tweeëndertighonderd. Op papier hebben Deck en ik dus vijftienhonderd dollar te verdelen. Maar eerst moet de belasting er nog af.

We redden het wel. Onze beste cliënt is Derrick Dogan. Als we zijn letselschade kunnen regelen voor vijfentwintigduizend dollar, de limiet van de polis, hebben we opeens veel meer speelruimte. Deck en ik hopen dat de zaak nog voor Kerstmis rond komt, hoewel ik niet weet waarom. We hebben geen van beiden iemand om het geld aan uit te geven.

Ik weet nu al dat ik tijdens de feestdagen gewoon aan de zaak Black blijf werken. Februari komt steeds dichterbij.

De post brengt niets bijzonders, hoewel er niet één envelop bij is van Trent & Brent, en dat is al bijzonder genoeg. De tweede verrassing is zo groot, dat het even duurt voordat ik van de schok bekomen ben. Zenuwachtig loop ik heen en weer.

Het is een grote, vierkante envelop met mijn naam en adres erop, met de hand geschreven. Er zit een uitnodiging in van een juwelier in een naburig winkelcentrum, voor een kerstverkoop van gouden halskettingen en armbanden. Het is gewoon reclame. Ik zou de envelop hebben weggegooid als er een voorgedrukt etiket op had gezeten.

Maar onder aan de folder, naast de openingstijden van de winkel, staat in een mooi handschrift haar naam: Kelly Riker. Verder niets. Geen boodschap. Alleen haar naam.

Bij het winkelcentrum gekomen, loop ik eerst een uurtje rond. Ik kijk naar de kinderen die op de overdekte ijsbaan schaatsen. Ik zie jongelui in grote groepen langs de winkels slenteren. Ik koop een bakje met een opgewarmde Chinese hap en loop ermee naar de promenade boven de schaatsers.

De juwelier is een van de ruim honderd winkels onder dit dak. De eerste keer dat ik erlangs kwam, zag ik haar al achter een kassa staan.

Ten slotte stap ik achter een jong stel aan naar binnen en loop langzaam naar de vitrine waar Kelly Riker een klant helpt. Ze kijkt op, ziet me en glimlacht. Ik doe een paar stappen terug, leun met mijn ellebogen op een toonbank en bekijk een fonkelende uitstalling van gouden armbanden, zo dik als koorden. Het is druk in de winkel. Een stuk of zes verkopers en verkoopsters praten met de klanten en laten sieraden zien.

'Kan ik u helpen, meneer?' zegt ze. Ze staat tegenover me, een halve meter bij me vandaan. Ik kijk haar aan en ik smelt.

We glimlachen naar elkaar zolang als we durven. 'Ik kijk even rond,' zeg ik. Ik hoop dat niemand ons in de gaten houdt. 'Hoe gaat het?'

'Goed. En met jou?'

'Geweldig.'

'Mag ik je wat laten zien? Dit is een voordelige aanbieding.'

Ze wijst, en ik staar naar een paar halskettingen zoals pooiers die dragen. 'Heel mooi,' zeg ik zachtjes. 'Kunnen we praten?'

'Niet hier,' zegt ze. Ze buigt zich nog verder naar me toe en ik vang een vleugje op van haar parfum. Ze maakt de vitrine open, schuift de deur opzij en pakt een gouden ketting van vijfentwintig centimeter lang. Ze laat me hem zien en zegt: 'Verderop is een bioscoop. Koop een kaartje voor de film met Eddie Murphy. Achterste rij van de zaal. Ik ben er over een half uur.'

'Eddie Murphy?' vraag ik terwijl ik de ketting bewonderend in mijn hand houd.

'Ja. Mooi hè?'

'Geweldig. Precies wat ik zoek. Maar ik kijk nog even verder.' Ze neemt hem weer van me aan en zegt: 'Ik hoop u snel terug te zien.' De perfecte verkoopster.

Met knikkende knieën loop ik het winkelcentrum door. Het lijkt of ik zweef. Ze wist dat ik zou komen en ze heeft alles al geregeld: de bioscoop, de film, de plaats in de zaal. Ik drink een beker koffie naast een overwerkte kerstman en probeer te bedenken wat ze zal zeggen. Wat zou er aan de hand zijn? Om niet te lang naar de film te hoeven kijken koop ik pas op het laatste moment een kaartje.

Er zijn nog geen vijftig bezoekers. Een paar kinderen, onder de toegestane leeftijd, zitten vooraan en giechelen om iedere dubbelzinnigheid. Verspreid door het duister zitten nog een paar andere trieste zielen. De achterste rij is leeg.

Een paar minuten te laat komt ze binnen en gaat naast me zitten. Ze slaat haar benen over elkaar en haar rok kruipt een paar centimeter op. Onwillekeurig kijk ik.

'Kom je hier vaak?' vraagt ze, en ik moet lachen. Ze lijkt helemaal niet nerveus. Ik wel.

'Zijn we veilig?' vraag ik.

'Veilig voor wie?'

'Je man.'

'Ja. Die is stappen met zijn vrienden.'

'Dus hij drinkt weer?'

'Ja.'

Dat verandert de zaak.

'Maar niet veel,' zegt ze erbij.

'Dus hij heeft je niet meer...'

'Nee. Laten we maar ergens anders over praten.'

'Sorry. Ik maakte me zorgen over je, dat is alles.'

'Waarom?'

'Omdat ik steeds aan je denk. Denk je wel eens aan mij?'

We staren naar het filmdoek zonder iets te zien.

'Voortdurend,' zegt ze, en mijn hart staat stil.

Op het scherm rukken een man en een vrouw elkaar de kleren van het lijf. Ze laten zich op een bed vallen, kussens en ondergoed vliegen door de lucht, dan omhelzen ze elkaar en het bed begint te schokken. Terwijl we naar de liefdesscène kijken, steekt Kelly haar arm door de mijne en schuift wat dichter naar me toe. We zeggen geen woord tot aan de volgende scène. Ik haal diep adem.

'Hoe lang werk je daar al?' vraag ik.

'Twee weken. We hadden wat extra geld nodig voor de kerst.'

Tussen nu en Kerstmis zal ze waarschijnlijk meer verdienen dan ik. 'Mag je wel werken van hem?'

'Ik praat liever niet over hem.'

'Waarover dan?'

'Hoe is het met je advocatenkantoor?'

'Druk. We hebben een belangrijke zaak in februari.'

'Dus het gaat goed?'

'Het valt niet mee, maar we krijgen steeds meer werk. Advocaten lijden honger totdat ze een keer geluk hebben. Dan verdienen ze veel geld.'

'En als ze geen geluk hebben?'

'Dan blijven ze honger lijden. Ik praat liever niet over advocaten.'

'Goed. Cliff wil een kind.'

'Wat schiet hij daarmee op?'

'Dat weet ik niet.'

'Niet doen, Kelly,' zeg ik met een hartstocht die me zelf verbaast. We kijken elkaar aan en knijpen in elkaars hand.

Wat doe ik hier in een bioscoop, hand in hand met een getrouwde vrouw? Goede vraag. Stel dat Cliff opeens binnenkwam en me betrapte terwijl ik hand in hand zit met zijn vrouw? Wie zou hij het eerst vermoorden?

'Hij zei dat ik moest stoppen met de pil.'

'Heb je dat gedaan?'

'Nee. Maar ik ben bang voor wat er kan gebeuren als ik niet snel zwanger word. De vorige keer ging het heel gemakkelijk, dat weet je.'

'Het is jouw lichaam.'

'Ja, en hij wil het steeds. Hij is geobsedeerd door seks.'

'Hoor eens, eh... kunnen we ergens anders over praten?'

'Oké. Maar er blijft niet veel over.'

'Nee.'

We laten elkaars hand los en kijken even naar de film. Kelly draait zich langzaam opzij en steunt op haar elleboog. We zitten met onze gezichten vlak bij elkaar. 'Ik wilde je gewoon weer zien, Rudy,' zegt ze, bijna fluisterend.

Ik streel haar wang met de rug van mijn hand. 'Ben je gelukkig?' vraag ik. Hoe kan ze nou gelukkig zijn?

Ze schudt haar hoofd. 'Nee, niet echt.'

'Kan ik niets voor je doen?'

'Nee.' Ze bijt op haar lip en het lijkt of haar ogen vochtig worden.

'Je moet een besluit nemen,' zeg ik.

'O ja?'

'Je moet me vergeten of een echtscheiding aanvragen.'

'Ik dacht dat je mijn vriend was.'

'Dat dacht ik ook. Maar dat is niet zo. Het is meer dan vriendschap, en dat weten we allebei.'

We kijken weer even naar de film.

'Ik moet weg,' zegt ze. 'Mijn pauze is bijna voorbij. Sorry dat ik je lastig heb gevallen.'

'Je valt me niet lastig, Kelly. Ik vind het fijn om je te zien. Maar ik heb geen zin in dit stiekeme gedoe. Je moet een echtscheiding aanvragen of mij vergeten.'

'Ik kan je niet vergeten.'

'Vraag dan echtscheiding aan. We kunnen het morgen al regelen. Ik zal je wel helpen om van die schooier af te komen, dan kunnen we eindelijk wat plezier maken.'

Ze buigt zich naar me toe, kust me op de wang en is verdwenen.

Zonder eerst met mij te overleggen heeft Deck zijn telefoon mee naar Butch genomen en samen hebben ze hem naar een kennis gebracht die voor een of andere militaire dienst werkt. Volgens die kennis lijkt het microfoontje dat in onze telefoons zit totaal niet op het type dat normaal door de FBI en de politie wordt gebruikt. Het microfoontje is gemaakt in Tsjechoslowakije, het is van middelmatige kwaliteit en het voedt een zender die dicht in de buurt moet staan. Hij weet bijna zeker dat het niet door de politie of de FBI is aangebracht.

Deck vertelt me het nieuws bij een kop koffie, vlak voor Thanksgiving.

'Iemand anders luistert ons dus af,' zegt hij nerveus.

Ik ben te zeer van mijn stuk gebracht om te reageren.

'Maar wie dan?' vraagt Butch.

'Hoe moet ik dat weten?' snauw ik tegen hem. Butch heeft hier niets mee te maken. Zodra hij weg is, zal ik Deck eens onder handen nemen. Hij had Butch nooit zoveel mogen vertellen. Ik kijk nijdig naar mijn partner, die mijn blik ontwijkt en nerveus over zijn schouder loert, alsof de onbekende vijand hem ieder moment in zijn nek kan springen.

'Nou, het is dus niet de FBI,' zegt Butch op autoritaire toon.

'Dank je.'

We rekenen onze koffie af en lopen terug naar kantoor. Voor alle zekerheid controleert Butch de telefoons nog eens. De microfoontjes zitten nog op hun plaats.

Maar wie luistert ons af?

Ik loop naar mijn kamer om te wachten tot Butch vertrokken is. In de

289

tussentijd komt er een briljant idee bij me op. Na een tijdje klopt Deck zachtjes op mijn deur.

We bespreken mijn plannetje. Deck vertrekt en rijdt naar het gerechtshof in de binnenstad. Een half uur later belt hij me met gegevens over een paar verzonnen cliënten. Heb ik nog iets nodig uit de stad?' vraagt hij. We praten een paar minuten, totdat ik zeg: 'Weet je wie opeens een schikking wil?'

'Nou?'

'Dot Black.'

'Dot Black?' vraagt hij met overdreven ongeloof. Acteren kan hij niet.

'Ja. Ik ben vanochtend bij haar langsgegaan om haar een appeltaart te brengen. Ze zei dat ze gewoon niet meer de kracht heeft om die hele procedure te doorstaan. Ze wil liever een schikking.'

'Hoeveel?'

'Honderdzestigduizend dollar. Ze heeft er lang over nagedacht, zei ze. Great Eastern heeft honderdvijftigduizend geboden, maar ze wil tienduizend meer. Dan heeft ze toch het gevoel dat ze gewonnen heeft. Ze vindt zichzelf een hele onderhandelaar. Ik heb geprobeerd met haar te praten, maar je weet hoe koppig ze kan zijn.'

'Niet doen, Rudy. Die zaak is een fortuin waard.'

'Dat weet ik. Kipler denkt ook dat we een behoorlijk bedrag zullen krijgen, maar ethisch gesproken moet ik Drummond nu bellen om een schikking voor te stellen. Dat wil de cliënt.'

'Niet doen. Honderdzestigduizend is een fooi,' reageert Deck – redelijk overtuigend, denk ik grijnzend. Je hoort de kassa gewoon rinkelen als hij zijn eigen aandeel berekent. 'Maar denk je dat ze tot honderdzestigduizend zullen gaan?' vraagt hij.

'Geen idee. Ik had de indruk dat anderhalve ton wel het maximum was, maar ik heb geen tegenbod gedaan.' Als Great Eastern een schikking van honderdvijftigduizend dollar wil betalen, doen ze die tienduizend extra er ook wel bij.

'We praten er nog wel over als ik terug ben,' zegt hij.

'Oké.' We hangen op en een half uur later zit Deck weer tegenover me.

De volgende morgen, om vijf voor negen, gaat de telefoon. Deck neemt op in zijn kantoor en stormt even later mijn kamer binnen. 'Het is Drummond,' zegt hij.

Ons kleine kantoor heeft diep in de buidel getast en voor veertig dollar een cassetterecorder van Radio Shack gekocht. Hij is al aangesloten op mijn telefoon. We hopen vurig dat hij de afluisterapparatuur niet stoort. Volgens Butch kan het geen kwaad.

Ik probeer mijn zenuwen te bedwingen. 'Hallo?' zeg ik.

'Rudy, met Leo Drummond,' begroet hij me hartelijk. 'Hoe gaat het?' Eigenlijk hoor ik hem nu te zeggen dat dit gesprek wordt opgenomen, zodat hij de kans heeft om te reageren. Maar om voor de hand liggende redenen hebben Deck en ik besloten hem niets te vertellen. Dat heeft ook geen zin. Wat is ethiek onder vrienden?

'Goed, meneer Drummond,' zeg ik formeel. 'En met u?'

'Uitstekend. Hoor eens, we moeten nog een datum afspreken voor die verklaring van dokter Kord. Ik heb zijn secretaresse gebeld. Wat dacht je van twaalf december? Op zijn kantoor, natuurlijk. 's Ochtends om tien uur.'

Kords verklaring zal wel de laatste zijn, neem ik aan, tenzij Drummond nog iemand kan bedenken die van enig belang is voor de zaak. Maar het is vreemd dat hij me van tevoren belt om te vragen of de datum mij schikt.

'Mij best,' zeg ik. Deck hangt gespannen over mijn bureau.

'Mooi. Het hoeft niet lang te duren. Dat hoop ik tenminste niet, tegen vijfhonderd dollar per uur. Schandalig, vind je niet?'

Ouwe jongens onder elkaar. Wij advocaten tegen die geldwolven van de medische stand.

'Ja, schandalig.'

'Trouwens, Rudy, weet je wat mijn cliënten het liefst zouden willen?'

'Nou?'

'In elk geval hebben ze géén zin om een week in Memphis rond te hangen voor dat geding. Het zijn managers, Rudy, mensen met een dik salaris, een groot ego en een positie die ze moeten beschermen. Ze willen het liefst een schikking, dat mag je best weten. Dat wil niet zeggen dat ze enige aansprakelijkheid erkennen, dat begrijp je wel.'

'Ja hoor.' Ik knipoog tegen Deck.

'Jullie deskundige beweert dat de kosten van een beenmergtransplantatie tussen anderhalve ton en tweehonderdduizend dollar liggen, en daar willen we niet om strijden. Laten we nou eens aannemen, zuiver hypothetisch, dat mijn cliënt die transplantatie wèl had moeten betalen. Dat de behandeling inderdaad door de polis zou zijn gedekt. Dan waren ze zo'n honderdvijfenzeventigduizend dollar kwijt geweest.'

'Als u het zegt.'

'Dan bieden we hetzelfde bedrag nu als schikking aan. Honderdvijfenzeventigduizend dollar. Geen getuigenverklaringen meer. Binnen een week heb je de cheque.'

'Nee.'

'Luister nou eens, Rudy. Zelfs een biljoen dollar brengt die jongen niet meer terug. Probeer je cliënte te overtuigen. Ik denk dat ze wel wil schikken. Er komt een moment waarop een advocaat het heft in handen moet nemen. Dat is zijn plicht. Die arme vrouw heeft geen idee wat ze tijdens die zitting allemaal over zich heen krijgt.'

'Ik zal met haar praten.'

'Bel haar nu meteen. Ik ben nog een uurtje op kantoor voordat ik weg moet. Bel haar.' De smerige klootzak heeft waarschijnlijk een luidsprekertje in zijn kamer staan. Wat zou hij graag meeluisteren als ik haar bel!

'U hoort nog van mij, meneer Drummond. Tot ziens.'

Ik hang op, spoel het bandje terug en draai het af.

Deck leunt achterover in zijn stoel. Zijn mond valt open en zijn vier voortanden glinsteren. 'Dus zíj hebben onze telefoon afgeluisterd!' zegt hij ongelovig als het bandje afgelopen is. We staren naar de recorder, alsof die een verklaring kan geven. Ik ben letterlijk verdoofd door de schok. Een paar minuten lang kan ik geen vin verroeren. Opeens gaat de telefoon, maar we laten hem rinkelen. We zijn doodsbang voor het ding.

'Eigenlijk moeten we Kipler waarschuwen,' zeg ik ten slotte. Mijn stem klinkt traag en zwaar.

'Nee,' zegt Deck. Hij zet zijn bril af en wrijft in zijn ogen.

'Waarom niet?'

'Laten we er even over nadenken. We weten – dat dènken we, tenminste – dat Drummond en/of zijn cliënt onze telefoon afluisteren. Drummond weet er in elk geval iets van, dat is wel duidelijk. Maar we kunnen het nooit bewijzen zolang we hem niet op heterdaad hebben betrapt.'

'En hij zal het in alle toonaarden ontkennen.'

'Precies. Dus wat kan Kipler doen? Hem beschuldigen zonder bewijs? Hem nog zwaarder onder druk zetten?'

'Daar is Drummond wel aan gewend.'

'En het heeft geen invloed op de zaak. We mogen de jury niet vertellen dat Drummond en zijn cliënt een vuil spelletje hebben gespeeld.'

We staren nog een tijdje naar de recorder, terwijl we een oplossing proberen te vinden. Vorig jaar, bij het college ethiek, hebben we een geval besproken van een advocaat die een ernstige berisping kreeg omdat hij in het geniep een gesprek met een andere advocaat had opgenomen. Dat heb ik nu ook gedaan, maar mijn vergrijp verbleekt bij wat Drummond heeft geflikt. Het probleem is alleen dat ze míj zullen aanpakken als ik dat bandje laat horen. En Drummond ontspringt de dans, omdat we niets kunnen bewijzen. Wat is zijn rol precies? Wat het zijn idee om onze telefoons af te luisteren? Of gebruikt hij gewoon de afgeluisterde gegevens die zijn cliënt hem toespeelt?

Ook dat weten we niet. Het maakt ook weinig uit. Hij is op de hoogte van onze telefoongesprekken, dat staat vast.

'We kunnen er misschien gebruik van maken,' zeg ik.

'Dat is precies wat ik ook al dacht.'

'Maar we moeten voorzichtig zijn, anders krijgen ze argwaan.'

'Ja, laten we het maar bewaren voor de zitting. Misschien komt er nog

een geschikt moment om die jongens een loer te draaien.'
Langzaam beginnen we allebei te grinniken.

Ik wacht twee dagen voordat ik Drummond bel met het teleurstellende bericht dat mijn cliënte zijn smerige geld niet wil. Ze gedraagt zich wel vreemd, vertrouw ik hem toe. De ene dag is ze doodsbang voor de rechtszaak, de volgende dag kan ze niet wachten om de jury met de feiten te confronteren. Op dit moment is ze weer in een strijdlustige bui.
Zo te horen vermoedt hij niets. Hij gaat weer over tot de harde aanpak en dreigt me dat dit mijn laatste kans is en dat het een bijzonder onaangename zitting kan worden. Dat zal de afluisteraars in Cleveland wel goed in de oren klinken. Ik vraag me af hoe lang het duurt voordat zij het bandje van deze gesprekken horen.
Eigenlijk zouden we de schikking moeten accepteren. Dot en Buddy zouden er ruim een ton aan overhouden, meer dan ze ooit kunnen opmaken. En hun advocaat zou bijna zestigduizend dollar verdienen, naar zijn maatstaven een kapitaal. Maar geld betekent niets voor de Blacks. Ze hebben het nooit gehad en ze dromen er niet van om nu nog rijk te worden. Dot wil gewoon een officiële erkenning dat Great Eastern verantwoordelijk is voor de dood van haar zoon. Ze wil een rechterlijke uitspraak dat zij gelijk had en dat Donny Ray is gestorven omdat Great Eastern haar verplichtingen niet is nagekomen.
Tot mijn verbazing interesseert het geld mij ook niet zoveel. Het is verleidelijk, maar niet doorslaggevend. Ik kom niet om van de honger, ik ben nog jong en er komen wel andere zaken.
En van één ding ben ik overtuigd. Als Great Eastern bang genoeg is om mijn telefoon af te luisteren, hebben ze inderdaad iets te verbergen. Hoe zenuwachtig ik ook ben, ik droom al van de zitting.

Booker en Charlene nodigen me uit om op Thanksgiving bij de Kanes te komen eten. Bookers grootmoeder woont in een klein huis in het zuiden van Memphis en schijnt al een week met koken bezig te zijn. Het is koud, dus moeten we de hele middag binnen blijven. Er zijn minstens vijftig mensen, variërend in leeftijd van zes maanden tot tachtig jaar. Ik ben de enige blanke. Er wordt urenlang gegeten. De mannen zitten in de huiskamer voor de televisie naar sport te kijken. Booker en ik eten onze notentaart op de motorkap van een auto in de garage en wisselen huiverend de laatste roddels uit. Hij is nieuwsgierig naar mijn liefdeleven. Dat staat voorlopig in de ijskast, verzeker ik hem. Maar de zaken gaan goed, zeg ik. Zelf werkt hij bijna dag en nacht. Charlene wil nog een baby, maar dan moet hij wel eens thuis zijn om haar zwanger te kunnen maken.
Het leven van een drukbezette advocaat.

We wisten dat het geld onderweg was, maar aan Decks rennende voetstappen hoor ik dat het is aangekomen. Hij stormt mijn kantoor binnen, zwaaiend met de envelop. 'Het is er! Het is er! We zijn rijk!'

Hij scheurt de envelop open, haalt voorzichtig de cheque eruit en legt hem op mijn bureau. We kijken er bewonderend naar. Vijfentwintigduizend dollar van State Farm! Het is nu echt Kerstmis.

Omdat Derrick Dogan nog met krukken loopt, rijden we met de papieren naar zijn huis. Hij zet zijn handtekening op de aangegeven plaatsen. Wij betalen hem zijn aandeel. Hij krijgt ruim zestienduizend dollar, wij ruim achtduizend. Deck wilde hem nog een paar kosten in rekening brengen – fotokopieën, porto en telefoon, de paar centen die de meeste advocaten nog van hun cliënten proberen los te krijgen – maar daar steek ik een stokje voor.

We nemen afscheid, wensen hem het beste en proberen een gepast zorgelijke toon aan te slaan. Dat valt niet mee.

We hebben besloten elk drieduizend dollar te houden en de rest in het kantoor te steken, voor de onvermijdelijke magere maanden die nog zullen komen. In ruil daarvoor biedt het kantoor ons een lunch aan in een duur restaurant in het oosten van de stad. Het kantoor heeft nu een gouden creditcard, uitgegeven door een wanhopige bank die blijkbaar onder de indruk was van mijn status als advocaat. De vragen over faillissementen op het aanvraagformulier heb ik maar omzeild. Deck en ik hebben elkaar plechtig beloofd dat de card alleen mag worden gebruikt als we het er allebei over eens zijn.

Ik incasseer mijn drieduizend dollar en koop een auto. Nieuw is hij zeker niet, maar ik heb er al van gedroomd sinds we wisten dat de zaak Dogan in kannen en kruiken was. Het is een Volvo DL uit 1984, een blauwe, met vier versnellingen en een overdrive. Hij is in goede staat en heeft pas honderdnegentigduizend op de teller. Dat is niet veel voor een Volvo. De eerste en enige eigenaar van de auto was een bankier die het leuk vond om hem zelf te onderhouden.

Ik heb overwogen een nieuwe auto te kopen, maar ik wil geen schulden maken.

Het is mijn eerste advocatenauto. De Toyota brengt nog driehonderd dollar op, en daarvoor koop ik een autotelefoon. Rudy Baylor krabbelt langzaam uit het dal.

Ik heb al weken geleden besloten dat ik geen Kerstmis wil vieren in deze stad. De herinneringen aan vorig jaar zijn nog te pijnlijk. Ik zit toch alleen, dus kan ik net zo goed ergens anders heen gaan. Deck opperde nog om samen de kerst door te brengen, maar dat was een vage suggestie. Ik zei dat ik waarschijnlijk naar mijn moeder zou gaan.

Als mijn moeder en Hank niet rondtrekken met hun camper, parkeren ze het ding achter Hanks kleine huis in Toledo. Ik heb het huis en de camper nog nooit gezien, en ik ben zeker niet van plan om de kerst bij Hank te gaan logeren. Mijn moeder belde na Thanksgiving op, met een plichtmatige uitnodiging om met de kerst bij hen te komen. Ik heb gezegd dat ik het veel te druk had. Ik stuur wel een kaartje.

Ik heb geen hekel aan mijn moeder, maar we hebben gewoon geen contact meer. We zijn langzaam van elkaar vervreemd geraakt, zonder drama's of ruzies die jaren blijven broeien.

Volgens Deck ligt de rechtbank vanaf half december tot na nieuwjaar plat. Dan worden er geen zaken meer behandeld en op de advocatenkantoren wordt alleen nog geluncht en feest gevierd. Voor mij het juiste moment om te vertrekken.

Ik laad de vier kartonnen dozen met het Black-dossier in de kofferbak van mijn glimmende kleine Volvo, pak een koffer met kleren in en ga op weg. Ik rijd doelloos over rustige tweebaanswegen naar het noorden en het westen, tot het begint te sneeuwen in Kansas en Nebraska. Ik slaap in goedkope motels, ik eet junk-food en ik bekijk de plaatselijke bezienswaardigheden. Winterse buien teisteren de noordelijke vlakten. Er liggen sneeuwhopen langs de weg. De prairies zijn wit en stil als neergedaalde wolken.

Ik voel me verkwikt door de eenzaamheid van de weg.

Op 23 december kom ik aan in Madison, Wisconsin. Ik vind een klein hotel met een gezellig restaurantje en ik slenter de stad door alsof ik er dagelijks mijn boodschappen doe. Sommige aspecten van het kerstfeest kunnen me gestolen worden.

Ik zit op een koud bankje in het park, met de sneeuw onder mijn voeten, luisterend naar een vrolijk koortje dat kerstliederen zingt. Niemand in de wereld weet waar ik ben, in welke stad of welke staat. Ik geniet van die vrijheid.

Na het eten en een paar borrels in de bar van het hotel bel ik Max Leuberg. Hij geeft weer les aan de plaatselijke universiteit na zijn gastdocentschap aan Memphis State, en de afgelopen tijd heb ik hem eens in de maand gebeld voor advies. Hij heeft me al een paar keer uitgenodigd. Ik heb hem kopieën van de belangrijkste stukken, de argumenten en de getuigenverklaringen opgestuurd. Het pakket woog zeven kilo en kostte me bijna dertig dollar aan porto. Maar zelfs Deck vond het een goed idee. Max klinkt oprecht verheugd dat ik in Madison ben. Als jood viert hij geen kerstfeest. Hij zei me pas nog over de telefoon dat het een ideale tijd is om rustig te werken. Hij vertelt me hoe ik zijn faculteit kan vinden.

De volgende morgen om negen uur is het tien graden onder nul als ik de rechtenfaculteit binnenstap. De deur is open, maar het gebouw is verlaten. Leuberg zit in zijn kantoor en heeft de koffie al klaar. We praten een uurtje over de dingen in Memphis die hij mist. De universiteit is daar niet bij. Zijn kantoor hier verschilt nauwelijks van zijn oude kamer: een rommelige warboel met opruiende politieke posters en bumper-stickers aan de muren. Hij ziet er nog altijd hetzelfde uit: warrig haar, een spijkerbroek en witte gympen. Hij draagt nu sokken, maar alleen omdat er dertig centimeter sneeuw ligt. Hij is hyperactief.

Ik volg hem door de gang naar een kleine collegezaal met een lange tafel in het midden. Hij heeft een sleutel. Het dossier dat ik hem heb gestuurd, ligt op de tafel. We gaan tegenover elkaar zitten en hij schenkt nog eens koffie in uit een thermosfles. Hij weet dat ik nog maar zes weken de tijd heb tot aan de zitting.

'Hebben ze nog een schikking aangeboden?'

'Ja, een paar keer. Het laatste bod was honderdvijfenzeventigduizend dollar, maar mijn cliënte heeft het afgewezen.'

'Dat is ongebruikelijk, maar het verbaast me niet.'

'Waarom niet?'

'Omdat je ze klem hebt. Ze staan behoorlijk in hun hemd, Rudy. Dit is een van de duidelijkste voorbeelden van wanprestatie die ik ooit ben tegengekomen, en ik ken er duizenden, geloof me.'

'En er is nog meer,' zeg ik, en ik vertel hem dat onze telefoon wordt afgeluisterd, vermoedelijk door Drummond.

'Dat heb ik wel eens eerder gehoord,' zegt hij. 'Een zaak ergens in Florida. Maar de raadsman van de eiser controleerde zijn telefoon pas toen de zaak al achter de rug was. Hij kreeg argwaan omdat de verdediging steeds leek te weten wat hij van plan was. Dit is wel héél brutaal.'

'Ze zijn bang, neem ik aan,' zeg ik.

'Ja, doodsbang. Maar laten we niet te vroeg juichen. Ze zijn op bevriend terrein. Die jury's bij jullie geloven niet in hoge bedragen.'

'Wat bedoel je?'

'Je kunt beter de schikking accepteren.'

'Dat kan niet. Dat wil ik niet. En mijn cliënte ook niet.'

'Mooi zo. Het wordt tijd om die lui aan hun verstand te brengen dat we in de twintigste eeuw leven. Waar is je cassetterecorder?' Hij springt van zijn stoel en loopt haastig heen en weer. Aan de muur hangt een schoolbord en Leuberg staat klaar om college te geven. Ik haal een cassetterecorder uit mijn koffertje en zet die op tafel. Mijn pen en een blocnote liggen al klaar.

Max begint en een uur lang zit ik druk te schrijven en bestook ik hem met vragen. Hij praat over mijn getuigen, hun getuigen, de documenten en de verschillende strategieën. Hij heeft de stukken die ik heb gestuurd goed bestudeerd. Hij vindt het prachtig om Great Eastern een kopje kleiner te maken.

'Bewaar het beste voor het laatst,' zegt de professor. 'De videoband waarop die jongen zijn verklaring aflegt, vlak voor zijn dood. Ik neem aan dat hij toen al een wrak was.'

'Erger nog.'

'Geweldig. Dat beeld moet de jury voor ogen houden. Als alles volgens verwachting verloopt, kun je binnen drie dagen klaar zijn.'

'En daarna?'

'Daarna wacht je rustig af hoe ze zich willen verdedigen.' Hij zwijgt abrupt en schuift iets over de tafel naar me toe.

'Wat is dat?'

'De nieuwe polis van Great Eastern. Een van mijn studenten kreeg hem vorige maand toegestuurd en ik heb ervoor betaald. Volgende maand zeggen we hem weer op. Ik wilde de polisvoorwaarden eens zien. En raad eens wat er nu, in vette letters, van dekking is uitgesloten?'

'Beenmergtransplantaties?'

'Alle transplantaties, dus ook beenmerg. Houd de polis maar, dan kun je hem tijdens de rechtszaak gebruiken. Vraag de president-directeur waarom de voorwaarden plotseling zijn veranderd, een paar maanden nadat de Blacks een procedure hadden aangespannen. Waarom worden beenmergtransplantaties nu expliciet uitgesloten? Dat stond niet in de polis van de Blacks. En als dat er niet in stond, waarom heeft Great Eastern dan niet betaald? Dat zijn sterke argumenten, Rudy. Verdomme, misschien kom ik wel kijken.'

'Goed idee.' Het zou een hele steun zijn om naast Deck nog iemand achter de hand te hebben.

Max heeft wat problemen met onze analyse van het verzekeringsdossier en al spoedig zijn we verdiept in de papieren. Ik sleep de vier kartonnen dozen uit mijn kofferbak naar de collegezaal, en tegen een uur of twaalf lijkt het of er een lawine heeft gewoed.

Zijn energie werkt aanstekelijk. Tijdens de lunch krijg ik een hele verhandeling over de boekhouding van verzekeringsmaatschappijen. Omdat de bedrijfstak niet onder de federale antitrustwetten valt, is er een eigen boekhoudsysteem ontwikkeld. Zelfs een ervaren accountant kan niet wijs worden uit de boeken van een verzekeringsmaatschappij. Dat is ook juist de bedoeling, want geen enkele verzekeraar wil de buitenwereld laten weten wat hij doet. Maar Max heeft een paar tips.

Great Eastern is tussen de vierhonderd en vijfhonderd miljoen dollar waard, plus ongeveer de helft van dat bedrag aan verborgen reserves en overschotten. Dat moet ik de jury duidelijk maken.

Ik durf niet het onbetamelijke voorstel te doen om op eerste kerstdag door te werken, maar Max is niet te stoppen. Zijn vrouw is op bezoek bij familie in New York. Hij heeft niets anders te doen en hij wil graag de laatste twee dozen van het dossier doornemen.

Ik schrijf drie blocnotes vol en na twee dagen heb ik zes cassettebandjes met zijn meningen en adviezen over de zaak. Pas tegen de avond van 25 december, eerste kerstdag, zet hij er een punt achter. Ik ben doodmoe. Hij helpt me bij het inpakken van de dozen en we brengen ze samen naar mijn auto. Het sneeuwt weer flink.

Max en ik nemen afscheid bij de ingang van de rechtenfaculteit. Ik kan hem niet genoeg bedanken. Hij wenst me veel succes, vraagt of ik hem tot aan de zitting minstens één keer per week wil bellen en tijdens de rechtszaak iedere dag. Hij hoopt dat hij een gaatje kan vinden om zelf te komen. Ik wuif nog eens als ik wegrijd door de sneeuw.

Het kost me drie dagen om naar Spartanburg in South Carolina te komen. De Volvo rijdt voortreffelijk, zeker op de besneeuwde en bevroren wegen van het Midden-Westen. Onderweg bel ik Deck met mijn autotelefoon. Het is rustig op kantoor, zegt hij. Niemand zoekt me.

De afgelopen drieënhalf jaar heb ik hard gestudeerd en in de late uurtjes bij Yogi's achter de bar gestaan. Veel vrije tijd heb ik niet gehad. De meeste mensen zullen dit goedkope reisje door mijn eigen land heel saai vinden, maar voor mij is het een luxe vakantie. Ik voel me heerlijk ontspannen. Eindelijk kan ik eens aan andere dingen denken dan aan de wet. Ik bevrijd me van overbodige ballast, zoals Sara Plankmore en allerlei opgekropte wraakgevoelens. Het leven is te kort om mensen te haten die toch niet weten wat ze doen. Ergens in West Virginia vergeef ik Loyd Beck en Barry X. Lancaster hun zonden. Ik beloof plechtig me niet langer ongerust te maken over juffrouw Birdie en haar ellendige familie. Ze lossen hun problemen zelf maar op.

Kilometers lang droom ik van Kelly Riker met haar volmaakte tanden, haar heerlijke bruine benen en haar zachte stem.

Als mijn gedachten toch weer in de richting van mijn werk gaan, concentreer ik me op de naderende zitting. Andere belangrijke zaken heb ik ook niet. Ik oefen mijn eerste woorden tot de jury. Ik veeg de vloer aan met die schurken van Great Eastern. Ik ben zowat in tranen als ik mijn slotpleidooi houd.

Een paar passerende automobilisten kijken bevreemd opzij, maar wat geeft het? Niemand kent me hier.

Ik heb inmiddels met vier advocaten gebeld die ooit een procedure tegen Great Eastern hebben aangespannen of daar nog mee bezig zijn. Van de eerste drie werd ik niet veel wijzer. De vierde woont in Spartanburg. Hij heet Cooper Jackson en er is iets vreemds met zijn zaak. Hij wilde het me niet over de telefoon vertellen (de telefoon in mijn appartement), maar hij nodigde me uit om een keertje langs te komen en zijn dossier in te zien. Hij zit in een bankgebouw ergens in de binnenstad, een modern kantoor met zes advocaten. Gisteren heb ik hem vanuit North Carolina gebeld, en hij had vandaag wel tijd voor me. Het is altijd rustig rond de kerst, zei hij. Jackson is een forse man met een brede borstkas, stevige armen en benen, een zwarte baard en heel donkere ogen met een felle gloed, die zijn hele gezicht verlevendigt. Hij is zesenveertig en hij heeft zijn geld verdiend met procedures wegens produktaansprakelijkheid, vertelt hij me. Hij doet de deur van zijn kantoor dicht voordat hij verder gaat.

Het meeste van wat hij me vertelt, is vertrouwelijk. Hij heeft een schikking getroffen met Great Eastern en hij en zijn cliënt hebben een verklaring ondertekend waarin ze met ernstige sancties worden bedreigd als ze de voorwaarden van die schikking ooit bekend zouden maken. Hij houdt niet van dat soort verklaringen, maar ze komen wel vaker voor. Een jaar geleden heeft hij een procedure aangespannen voor een dame met ernstige voorhoofdsholteklachten, die een medische ingreep noodzakelijk maakten. Great Eastern weigerde te betalen omdat ze bij haar aanvraag niet had vermeld dat ze zes jaar eerder een cyste in haar eierstokken had laten verwijderen. Die cyste was een bestaande conditie, schreef Great Eastern in de brief. De claim bedroeg elfduizend dollar. Na een korte briefwisseling nam ze Cooper Jackson in de arm. Hij reisde vier keer naar Cleveland, met zijn eigen vliegtuig, om acht werknemers van Great Eastern een verklaring af te nemen.

'Ik heb nog nooit zo'n dom en onbetrouwbaar stelletje meegemaakt,' zegt hij. Jackson houdt van harde confrontaties en gooit zich met verve in de strijd. Hij stuurde op een rechtszaak aan, maar opeens wilde Great Eastern een schikking.

'Nu wordt het vertrouwelijk,' zegt hij, grijnzend bij de gedachte dat hij de overeenkomst schendt. Volgens mij heeft hij het al aan tientallen mensen verteld. 'Ze hebben ons die elfduizend dollar betaald, en nog eens twee ton om ons af te kopen.' Zijn ogen glinsteren als hij mijn reactie ziet. Het is een opmerkelijke regeling, vooral vanwege die twee ton extra. Geen wonder dat ze dat niet bekend wilden maken.

'Ongelooflijk,' zeg ik.

'Ja. Zelf voelde ik niets voor een schikking, maar mijn arme cliënte had het geld hard nodig. Ik weet zeker dat we van een jury een veel hoger bedrag hadden gekregen.' Hij vertelt me een paar oorlogsverhalen om te laten merken hoeveel geld hij al heeft verdiend. Daarna neemt hij me mee naar een kleine opslagruimte vol met dozen. Hij wijst er drie aan en leunt met zijn zware gestalte tegen de kast. 'Dit is hun tactiek,' zegt hij, met zijn hand op een van de dozen alsof die een geweldig geheim bevat. 'Als er een claim binnenkomt, wordt die eerst behandeld door een gewone medewerker. De mensen van de afdeling Vergoedingen zijn het voetvolk van het verzekeringsbedrijf. Zij verdienen het minst. De sectie Investeringen geniet veel meer prestige dan de afdelingen Acceptatie en Vergoedingen. Als de medewerker de claim heeft bekeken, begint het proces van "acceptatie achteraf". Ze vragen alle medische gegevens van de verzekerde op, met terugwerkende kracht tot vijf jaar vóór het aangaan van de verzekering. Daarna sturen ze de verzekerde een brief met de mededeling dat het er somber uitziet. Jouw cliënte zal zo'n brief ook wel hebben gekregen. In het medische dossier wordt een of andere reden gezocht om de claim af te wijzen. De verzekerde krijgt weer een brief: "Claim afgewezen, hangende verder onderzoek." Nu wordt het pas echt leuk. Het dossier gaat naar de afdeling Acceptatie, die Vergoedingen een memo stuurt met de mededeling: "Niet uitbetalen tot je van ons hoort." Er gaan nog wat brieven en memo's heen en weer tussen Vergoedingen en Acceptatie, en de stapel papier wordt steeds dikker als de twee afdelingen elkaar in de haren vliegen. Je moet niet vergeten dat al die mensen, hoewel ze voor hetzelfde bedrijf en in hetzelfde gebouw werken, elkaar maar zelden zien. Ze weten nauwelijks van elkaar wat voor werk ze doen. En dat is ook de bedoeling. Ondertussen zit de cliënt te wachten in zijn stacaravan. De ene keer krijgt hij een brief van Vergoedingen, dan weer van Acceptatie. Na een tijdje geven de meeste mensen de moed wel op. En dat is precies waar ze op rekenen. Slechts één op de vijfentwintig mensen loopt uiteindelijk naar een advocaat.'

Ik herinner me de stukken en bepaalde fragmenten uit de getuigenverklaringen en opeens vallen de stukjes van de puzzel op hun plaats. 'Maar kun je dat bewijzen?' vraag ik.

Hij tikt op de dozen. 'Alles zit hierin. Er is een heleboel ballast bij, maar ik heb de handboeken.'

'Ik ook.'

'Je mag alles doorlezen. Het ligt allemaal op volgorde. Ik heb een uitstekende assistent. Twee zelfs.'

Ja, maar ik, Rudy Baylor, heb een praktijkjurist!

Hij laat me alleen met de dozen en ik grijp meteen naar de donkergroene handboeken, één voor Vergoedingen en één voor Acceptatie. Eerst zie ik geen verschil met de exemplaren die ik zelf heb gekregen. De werkwijze is in secties ingedeeld. Voorin staat een overzicht, achterin een woordenlijst. Droge kost. Niets bijzonders.

Maar opeens valt me iets op. Achter in het handboek Vergoedingen zie ik een Sectie U. Die komt in mijn exemplaar niet voor. Ik lees hem aandachtig door en plotseling gaat me een licht op. Het handboek Acceptatie heeft ook een Sectie U. Dat is de andere helft van de tactiek, precies zoals Cooper Jackson die heeft beschreven. De handboeken geven beide afdelingen de opdracht de claim af te wijzen, hangende verder onderzoek, en het dossier weer naar de collega's terug te sturen met de instructie voorlopig niet tot uitbetaling over te gaan.

En daar blijft het bij. Geen van beide afdelingen mag haar fiat geven voor de andere afdeling ermee heeft ingestemd.

Sectie U bevat uitvoerige richtlijnen voor de schriftelijke documentatie van iedere stap – met als enige bedoeling om, als dat ooit nodig mocht zijn, te kunnen aantonen dat de claim uitvoerig is onderzocht voordat hij is afgewezen.

In mijn handboeken ontbreekt Sectie U. Die is er gewoon uitgehaald. Die schoften in Cleveland, en misschien ook hun advocaten in Memphis, hebben bewust met het bewijsmateriaal geknoeid. Ik ben verbijsterd.

Maar al snel ben ik over de schok heen en begin ik te grijnzen bij het vooruitzicht om tijdens de rechtszaak met Sectie U op de proppen te komen en die aan de jury te laten zien.

Ik besteed nog een paar uur aan de rest van het dossier, maar mijn blik dwaalt voortdurend naar de handboeken.

Na zessen drinkt Cooper graag een glas wodka op zijn kantoor. Hij nodigt me uit. Hij heeft een kleine koelkast in een kastje dat als bar dienst doet en hij drinkt zijn wodka puur, zonder ijs of water. Ik neem voorzichtig een slokje. De wodka brandt zich een weg naar mijn maag.

Na zijn eerste glas zegt hij: 'Ik neem aan dat je kopieën hebt van de verschillende officiële onderzoeken die naar Great Eastern zijn ingesteld?'

Ik voel me nogal onnozel, maar liegen heeft geen zin. 'Eh, nee... die heb ik niet.'

'Daar moet je zeker naar kijken. Ik heb het bedrijf aangegeven bij de procureur-generaal van South Carolina, een oude studievriend van me. Hij stelt nu een onderzoek in. In Georgia zijn ze daar al mee bezig, en de Verzekeringskamer in Florida is ook een officieel onderzoek begonnen. Het schijnt dat er in korte tijd een opvallend groot aantal claims is afgewezen.'

Maanden geleden, toen ik nog studeerde, zei Max Leuberg een keer dat hij een klacht had ingediend bij de Verzekeringskamer. Hij zei ook dat het waarschijnlijk weinig zin had, omdat iedereen in het verzekeringswereldje elkaar beschermde.

Maar blijkbaar is me iets ontgaan. Nou ja, het is ook pas mijn eerste zaak.

'Er zijn plannen voor een gemeenschappelijke procedure,' zegt Cooper met twinkelende ogen. Opeens kijkt hij me achterdochtig aan als hij beseft dat ik nergens van weet.

'Door wie?'

'Een paar advocaten in Raleigh. Zij houden een handvol kleinere zaken achter de hand en wachten op een beslissende procedure tegen Great Eastern. Het bedrijf voelt de bui al hangen, daarom proberen ze zoveel mogelijk zaken te schikken.'

'Om hoeveel polissen gaat het eigenlijk?' Die vraag heb ik Great Eastern ook gesteld, maar ik wacht nog steeds op het antwoord.

'Bijna honderdduizend. Als je uitgaat van tien procent claims, kom je op tienduizend claims per jaar – het gemiddelde voor de hele bedrijfstak. Laten we eens aannemen dat ze de helft van die claims afwijzen. Dan blijven er vijfduizend over. Gemiddeld gaat het om een bedrag van tienduizend dollar. Vijfduizend keer tienduizend is vijftig miljoen. Stel dat ze tien miljoen uitgeven aan schikkingen. Dan levert deze truc hun toch veertig miljoen dollar op. Volgend jaar betalen ze misschien alle legitieme claims weer uit, om de aandacht niet op zich te vestigen. Daarna verzinnen ze weer een andere tactiek. Ze verdienen zo verdomd veel geld, dat ze iedereen in de luren kunnen leggen.'

Ik staar hem een tijdje aan en vraag: 'Kun je dat bewijzen?'

'Nee, het is maar een vermoeden. Ik denk niet dat je het kunt aantonen. Ze maken wel ongelooflijke blunders, maar ze zullen niet zo stom zijn om zo'n gigantische fraude op papier te zetten.'

Ik wil iets zeggen over de 'Stomme Brief', maar ik doe het niet. Cooper Jackson zit op zijn praatstoel. En hij weet veel meer dan ik.

'Ben je actief binnen de orde van advocaten of een van de liga's?' vraagt hij.

'Nee, ik ben pas zes maanden bezig.'

'Ik heb heel wat contacten. We hebben een informeel netwerk gevormd van advocaten die zich specialiseren in procedures tegen de grote verzekeringsmaatschappijen. We houden contact en wisselen gegevens uit. Volgens mij worden er veel te veel claims afgewezen. Iedereen zit te wachten op een werkelijk grote zaak. Een echte klapper. En als het eerste schaap over de dam is...'

'Ik weet niet hoe het vonnis zal luiden, maar er komt zeker een rechtszaak van.'

Hij zal contact opnemen met zijn vrienden, zegt hij, om te horen wat er in de rest van het land gebeurt. En misschien komt hij in februari wel naar Memphis om de zitting bij te wonen. Eén grote klapper, herhaalt hij nog eens, en de hele zaak wordt aan het rollen gebracht.

De volgende dag neem ik de rest van Jacksons stukken door. Ten slotte bedank ik hem voor zijn hulp en stap weer in mijn auto. Hij vraagt me dringend om contact te houden. Hij heeft het gevoel dat veel advocaten deze zaak nauwlettend zullen volgen.

Waarom maakt me dat zo nerveus?

Ik rijd in twaalf uur naar Memphis terug. Als ik de Volvo uitlaad achter juffrouw Birdies donkere huis, begint het licht te sneeuwen. Morgen is het nieuwjaar.

– 40 –

Half januari ontmoeten we elkaar weer in de rechtszaal van Tyrone Kipler. Hij zet ons rond een tafel en posteert zijn parketwachter bij de deur om verdwaalde advocaten tegen te houden. Zelf gaat hij aan één kant van de tafel zitten, zonder toga, tussen zijn secretaresse en de stenografe in. Ik zit rechts van hem, met mijn rug naar de zaal. Tegenover ons zit het hele team van de verdediging. Het is de eerste keer dat ik Drummond weer zie sinds Kords verklaring op 12 december. Het kost me moeite om beleefd tegen hem te blijven. Steeds als ik op kantoor mijn telefoon oppak, zie ik die goed geklede, onberispelijk verzorgde en zeer gerespecteerde boef mijn gesprek afluisteren.

Beide partijen hebben hun eigen ideeën over het verloop van de procedure, en vandaag zullen we proberen tot overeenstemming te komen. De rechter zal uiteindelijk de gang van zaken bepalen.

Kipler was nauwelijks verbaasd toen ik hem de handboeken liet zien die ik van Cooper Jackson had geleend. Hij heeft ze zorgvuldig vergeleken met de boeken die ik van Drummond heb gekregen. Volgens zijne edelachtbare hoef ik Drummond niet te zeggen dat ik weet dat Great Eastern belangrijke stukken heeft achtergehouden. Ik mag ook wachten tot de zitting, om Great Eastern ermee te confronteren waar de jury bij is.

Dat moet een vertoning worden! Ze zullen niet weten wat hun overkomt. We beginnen met de getuigen. Ik heb een lijstje gemaakt met de namen van bijna iedereen die iets met de zaak te maken heeft.

'Jackie Lemancyzk werkt niet meer bij mijn cliënt,' zegt Drummond.

'Weet je waar ze is?' vraagt Kipler aan mij.

'Nee.' Dat is zo. Na honderden telefoontjes met allerlei instanties in Cleveland en omstreken weet ik nog steeds niet waar ze gebleven is. Ik heb zelfs Butch gevraagd om haar telefonisch op te sporen, maar het is hem niet gelukt.

'En u?' vraagt hij aan Drummond.

'Nee.'

'Dus zij blijft een vraagteken.'

'Inderdaad.'

Drummond en T. Pierce Morehouse vinden dat blijkbaar erg grappig. Ze wisselen een vermoeide grijns. Het lachen zal ze wel vergaan als we haar weten te vinden, maar die kans lijkt niet groot.

'En Bobby Ott?' vraagt Kipler.

'Ook een vraagteken,' zeg ik. Beide partijen mogen de namen noemen van de mensen die ze als getuigen willen oproepen. We zijn Ott weer kwijt, maar àls hij nog opduikt, wil ik het recht hebben hem te ondervragen. Ik heb Butch achter hem aan gestuurd.

Daarna komen we op de getuige-deskundigen. Ik heb er maar twee, dokter Walter Kord en Randall Gaskin, het hoofd van de kankerafdeling. Drummond heeft één naam op zijn lijstje staan, een dokter Milton Jiffy uit Syracuse. Die heb ik niet om een getuigenverklaring gevraagd, om twee redenen. In de eerste plaats had het me te veel geld gekost, en in de tweede plaats – nog belangrijker – weet ik al wat hij zal gaan zeggen. Hij vindt dat beenmergtransplantaties nog in een experimentele fase verkeren en dus niet als een normale medische behandeling kunnen worden beschouwd. Walter Kord is het daar absoluut niet mee eens en zal me helpen bij de voorbereiding van mijn kruisverhoor.

Kipler betwijfelt of Jiffy werkelijk zal getuigen.

We hakketakken nog een uurtje over de documenten. Drummond verzekert de rechter dat ze mij alle stukken hebben gestuurd. Hij klinkt heel overtuigend, maar ik vermoed dat hij liegt. Kipler ook.

'En het verzoek van de eiser om informatie over het totale aantal polissen dat uw cliënt de afgelopen twee jaar in portefeuille had – plus het aantal claims dat in die tijd is ingediend en het percentage dat is afgewezen?'

Drummond haalt diep adem en kijkt wanhopig. 'Daar werken we nog aan, edelachtbare. Dat zweer ik. Maar die informatie is verspreid over de verschillende bijkantoren in het land. Mijn cliënt heeft eenendertig filialen, zeventien districtskantoren en vijf regionale kantoren. Het is heel moeilijk om...'

'Uw cliënt heeft toch computers, neem ik aan?'

Totale frustratie. 'Natuurlijk. Maar het is niet een kwestie van een paar opdrachten intoetsen en, hopla, daar komen de cijfertjes.'

'De zitting dient over minder dan drie weken, meneer Drummond. Ik wil die gegevens.'

'We doen ons best, edelachtbare. Ik zit mijn cliënt iedere dag achter de broek.'

'Als het maar gebeurt,' zegt Kipler. Hij priemt met zijn wijsvinger naar de grote Leo F. Drummond. Morehouse, Hill, Plunk en Grone laten zich nog een paar centimeter onderuitzakken, maar ze schrijven ijverig door. We gaan verder met minder gevoelige zaken. We zijn het erover eens dat we twee weken moeten uittrekken voor de zitting, hoewel Kipler me al heeft toevertrouwd dat hij zal proberen de zaak binnen vijf dagen af te handelen. Na twee uur is dit punt ook opgelost.

'Heren,' vraagt Kipler, 'hoe staat het met die schikking?' Natuurlijk heb ik hem verteld dat Great Eastern honderdvijfenzeventigduizend dollar heeft geboden. Hij weet ook dat Dot Black niet wil schikken. Ze wil geen geld maar bloed zien.

'Wat is uw hoogste bod, meneer Drummond?'

Het vijftal wisselt vergenoegde blikken, alsof ze een grote verrassing in petto hebben. 'Edelachtbare, vanochtend heeft mijn cliënt me een volmacht gegeven om de eiser een schikking van tweehonderdduizend dollar aan te bieden,' verklaart Drummond met een mislukte poging tot dramatiek.

'Meneer Baylor?'

'Sorry. Mijn cliënt wil niet schikken.'

'Voor geen enkel bedrag?'

'Nee. Ze wil de zaak aan een jury voorleggen en de wereld laten weten wat er met haar zoon is gebeurd.'

Schrik en verbijstering aan de overkant van de tafel. Ik heb mensen nog nooit zo verbaasd hun hoofd zien schudden. Zelfs de rechter wendt verbazing voor.

Ik heb Dot sinds de begrafenis nauwelijks meer gesproken. Onze korte gesprekjes waren moeizaam. Ze heeft verdriet en ze is woedend. Heel begrijpelijk. Ze geeft iedereen de schuld van Donny Ray's dood: Great Eastern, het systeem, de artsen, de advocaten en soms zelfs mij. Dat neem ik haar niet kwalijk. Ze wil hun geld niet en ze heeft het ook niet nodig. Ze wil dat er recht geschiedt. Zoals ze zei toen we de laatste keer op haar veranda stonden: 'Ik wil dat die klootzakken hun tent moeten sluiten.'

'Dat is krankzinnig,' zegt Drummond dramatisch.

'Er komt een rechtszaak, Leo,' zeg ik. 'Wen daar nou maar aan.'

Kipler wijst naar een dossier en zijn secretaresse reikt het aan. Hij geeft Drummond en mij een lijstje. 'Dit zijn de namen en adressen van de kandidaat-juryleden. Het zijn er tweeënnegentig, geloof ik, hoewel een aantal waarschijnlijk al is verhuisd of wat dan ook.'

Ik pak haastig de lijst aan en lees de namen door. Er wonen een miljoen mensen in dit district. Dacht ik nou echt dat ik iemand van die lijst zou kennen? Nee dus.

'We kiezen de jury een week voor de zitting, dus op 1 februari. Jullie mogen hun achtergrond verifiëren, maar rechtstreeks contact is een ernstig vergrijp.'

'Waar zijn de formulieren?' wil Drummond weten. Ieder kandidaat-jurylid vult een vragenlijst in met vitale gegevens als leeftijd, ras, sekse, beroep, werkgever en opleiding. Vaak is dit de enige informatie die een advocaat over de juryleden heeft als de selectieprocedure begint.

'Daar zijn we mee bezig. Ze gaan morgen op de post. Verder nog iets?'

'Nee, meneer,' zeg ik.

Drummond schudt zijn hoofd.

'En zorg ervoor dat die informatie over polissen en claims zo snel mogelijk beschikbaar komt, meneer Drummond.'

'We doen ons best, edelachtbare.'

Ik lunch in mijn eentje in het vegetarische restaurant bij ons kantoor. Kapucijners, risotto en kruidenthee. Iedere keer dat ik hier kom voel ik me wat gezonder. Ik eet langzaam, roer in mijn kapucijners en tuur naar de tweeënnegentig namen op de jurylijst. Drummond zal natuurlijk een grootscheeps onderzoek laten instellen naar de achtergrond van die mensen. Dat gaat altijd zo. Waar wonen ze? Wat hebben ze voor hun huis betaald? Zijn ze ooit met de rechter in aanraking geweest? Wat is hun arbeidsverleden? Hebben ze schulden? Zijn ze ooit gescheiden, veroordeeld of failliet verklaard? Alles wordt uitgeplozen. De enige beperking is persoonlijk contact, rechtstreeks of via een tussenpersoon.

Tegen de tijd dat we weer bijeenkomen om de twaalf juryleden te selecteren, zal Drummond een keurig dossier hebben over alle kandidaten. Die dossiers worden niet alleen beoordeeld door hemzelf en zijn medewerkers, maar ook door professionele juryconsulenten. De juryconsulent is een vrij nieuw begrip in de Amerikaanse rechtspleging. Meestal zijn het advocaten met enig inzicht in de menselijke geest. Vaak hebben ze psychologie of zelfs psychiatrie gestudeerd. Ze reizen het hele land door om hun kennis te verkopen aan advocaten die zich hun exorbitant hoge tarieven kunnen veroorloven.

Op de universiteit deed het verhaal de ronde over een juryconsulent die door Jonathan Lake was ingehuurd voor een honorarium van tachtigduizend dollar. Toch was het geld goed besteed, want de jury veroordeelde de gedaagde tot een bedrag van enkele miljoenen.

Drummonds juryconsulenten zullen ook in de rechtszaal aanwezig zijn als wij de juryleden kiezen. Onopvallend zullen ze die nietsvermoedende mensen in het oog houden en hun persoonlijkheid – hun gezichtsuitdrukking, hun lichaamstaal, hun kleding, hun houding en god-mag-weten-wat – bestuderen.

Ik heb niemand anders dan Deck, die zelf al een studie is in de menselijke natuur. We zullen het lijstje aan Butch, aan Booker en aan iedereen laten zien die een kandidaat zou kunnen herkennen. We zullen wat telefoontjes plegen en een paar adressen controleren, maar toch zijn we duidelijk in het nadeel. Wij zullen onze keuze moeten baseren op de indruk die de kandidaten in de rechtszaal maken.

– 41 –

Ik ga nu minstens drie keer per week naar het winkelcentrum, meestal omstreeks etenstijd. Ik heb zelfs mijn eigen tafeltje bij de balustrade van de promenade, met uitzicht op de schaatsbaan, waar ik naar de schaatsende kinderen kijk terwijl ik mijn kip chow-mein van Wong's Chinese restaurant naar binnen werk. Vanaf die plaats kan ik ook de voorbijgangers in de gaten houden zonder dat het opvalt. Ik heb haar maar één keer voorbij zien komen, slenterend in haar eentje. Ik moest me beheersen om haar niet achterna te gaan, haar hand te pakken en haar mee te nemen naar een chique kleine boetiek waar we ons tussen de kledingrekken konden verbergen om te praten.

Dit is het grootste winkelcentrum in de wijde omtrek en het is er meestal druk. Als ik naar al die mensen kijk, vraag ik me af of er toekomstige juryleden bij zijn. Hoe vind ik tweeënnegentig mensen op een bevolking van een miljoen?

Onmogelijk. En dus moet ik me behelpen. Deck en ik hebben de gegevens van de kandidaat-juryleden op kaartjes gezet en ik heb er altijd een serie bij me.

Vanavond zit ik weer op de promenade. Ik kijk naar de voorbijgangers en pak het volgende kaartje van de stapel: R.C. Badley, lees ik in blokletters. Hij is zevenenveertig jaar, blank, loodgieter van beroep, goed opgeleid, en hij woont in een zuidoostelijke buitenwijk van Memphis. Ik draai het kaartje om en controleer of ik de gegevens uit mijn hoofd kan opdreunen.

Dat lukt. Ik heb het al zo vaak gedaan, dat het me de strot uit komt. De namen van die mensen hangen aan de muur van mijn kantoor, en iedere dag sta ik er minstens een uur op te studeren. De volgende kaart: Lionel Barton, een zwarte man van vierentwintig, parttime student en verkoper

307

bij een autoshop. Hij woont in een appartement in het zuiden van Memphis.

Mijn ideale jurylid is jong en zwart, met minstens een middelbare opleiding. Het is een oude waarheid dat zwarte juryleden de eiser gunstiger gezind zijn. Zij hebben sympathie voor het slachtoffer en staan wantrouwend tegenover de grote, blanke firma's. Wie zal het hun kwalijk nemen? De keuze tussen mannen en vrouwen is moeilijker. Vrouwen zouden zuiniger zijn met geld omdat ze het huishoudboekje bijhouden. Ze zijn minder snel geneigd een groot bedrag toe te kennen omdat het geld toch niet in hun eigen portemonnee terechtkomt. Maar in dit geval heeft Max Leuberg een voorkeur voor vrouwelijke juryleden omdat ze moeders zijn. Die kunnen meevoelen met het verlies van een kind. Ze zullen zich met Dot identificeren, en als ik mijn werk goed doe en hun verontwaardiging weet aan te wakkeren, zullen ze Great Eastern hard aanpakken. Ik denk dat Max gelijk heeft.

Als het aan mij lag, zou ik dus twaalf zwarte vrouwen in de jury kiezen, bij voorkeur allemaal met kinderen.

Deck heeft natuurlijk een andere theorie. Hij ziet liever geen zwarten in de jury omdat er in Memphis zo'n polarisatie tussen de rassen bestaat. Een blanke eiseres, een blanke gedaagde, iedereen blank behalve de rechter. Wat kan het die zwarten schelen wat de uitkomst is?

Dat bewijst nog eens hoe onzinnig het is op vooroordelen af te gaan. Ras, sociale klasse, leeftijd, opleiding, het zegt allemaal zo weinig. Niemand kan voorspellen hoe een jury zal reageren. Ik heb alles over juryselectie gelezen wat er te lezen valt, maar ik ben er geen steek wijzer van geworden.

Er is maar één type jurylid dat we moeten mijden: blanke managers. Die kunnen fataal zijn in dit soort zaken. Ze nemen de leiding bij het juryberaad, ze zijn goed opgeleid, zakelijk en overtuigend, en ze houden niet van advocaten. Gelukkig hebben ze het meestal te druk om in een jury te gaan zitten. Ik heb er tot nu toe vijf kunnen ontdekken op mijn lijst, en ik weet zeker dat ze allemaal goede argumenten zullen hebben om zich aan hun juryverplichting te onttrekken. In andere omstandigheden zou Kipler hun het vuur na aan de schenen leggen, maar ik vermoed dat Kipler hen ook niet wil. Ik durf er mijn hele, niet-geringe kapitaal onder te verwedden dat zijne edelachtbare zoveel mogelijk zwarte gezichten in de jury wil zien.

Als ik langer in het vak zit, zal ik misschien nog eens een smeriger truc bedenken, maar voorlopig ben ik heel tevreden. Ik denk er al weken over na en een paar dagen geleden heb ik mijn plannetje aan Deck voorgelegd. Hij ging volledig door het lint.

Als Drummond en zijn bende mijn telefoon willen afluisteren, zullen ze dat weten ook. We wachten tot laat in de middag. Ik zit op kantoor. Deck is naar een telefooncel op de hoek gelopen om me te bellen. We hebben het al een paar keer gerepeteerd, zelfs met een draaiboek.

'Rudy, met Deck. Ik heb Dean Goodlow gesproken.'

Goodlow is een blanke man van negenendertig, met een middelbare opleiding. Hij heeft een zaak in tapijtreiniging. Hij is een van de 'nullen' op onze lijst, een jurylid dat we beslist niet willen. Maar voor Drummond is hij heel aantrekkelijk.

'Waar?' vraag ik.

'Op zijn kantoor. Hij is een week de stad uit geweest. Een verdomd aardige vent. We hebben ons totaal in hem vergist. Hij heeft de pest aan verzekeringsmaatschappijen. Hij ligt er altijd mee in de clinch, zegt hij. Ze verdienen een afstraffing. Ik heb hem de zaak beschreven en hij werd woedend. Een ideaal jurylid.' Decks toon is een beetje vreemd – waarschijnlijk leest hij het op – maar verder klinkt hij wel overtuigend.

'Dat had ik nooit verwacht,' zeg ik goed verstaanbaar in de telefoon. Drummond mag er geen woord van missen.

Advocaten die voor een rechtszaak met kandidaat-juryleden spreken, maken zich schuldig aan een ernstig vergrijp. Deck en ik waren zelfs bang dat onze valstrik zo absurd was, dat Drummond er nooit in zou trappen. Aan de andere kant, wie had kunnen denken dat een advocaat zijn tegenpartij zou afluisteren? Bovendien ben ik een onervaren beginner en Deck een eenvoudige 'praktijkjurist'. We wéten niet eens wat we doen.

'Wilde hij wel met je praten?' vraag ik.

'Nou, in het begin aarzelde hij even. Maar ik heb hem verteld wat ik ook tegen de anderen heb gezegd – dat ik een assistent ben, geen advocaat. Het kan weinig kwaad. Zolang ze het niet verder vertellen.'

'Mooi zo. Dus jij denkt dat Goodlow aan onze kant staat?'

'Absoluut. We moeten hem in de jury hebben.'

Ik ritsel met mijn papieren, vlak bij de telefoon. 'Wie heb je nog over op je lijst?' vraag ik luid.

'Even kijken.' Ik hoor Deck ook met papieren ritselen. We vormen een prachtig duo. 'Ik heb gesproken met Dermont King, Jan DeCell, Lawrence Perotti, Hilda Hinds en RaTilda Browning.'

Afgezien van RaTilda Browning zijn het allemaal blanken die wij niet in de jury willen. Als ons plannetje slaagt, zal Drummond zijn uiterste best doen om hen te wraken.

'Dermont King?' vraag ik.

'Die is oké. Hij heeft een keer een schade-expert de deur uit gegooid. Ik geef hem een negen.'

'Perotti?'

'Prima kerel. Hij kon niet geloven dat een verzekeringsmaatschappij iemand zomaar kon laten sterven. Hij staat aan onze kant.'

'Jan DeCell?'

Geritsel van papieren. 'Even kijken. Een heel aardige dame, maar ze zei niet veel. Ze was bang dat het niet mocht, geloof ik. We hebben wel over verzekeringsmaatschappijen gesproken. Ik heb haar verteld dat Great Eastern vierhonderd miljoen dollar waard is. Ik denk dat ze ons wel zal steunen. Ik geef haar een vijf.'

Ik heb moeite mijn gezicht in de plooi te houden. Ik druk de hoorn nog steviger tegen mijn gezicht.

'RaTilda Browning?'

'Een radicale zwarte meid. Ze moet niets van blanken hebben. Ze werkt bij een zwarte bank en ze zette me meteen haar kantoor uit. Die geeft ons geen cent.'

Een lange stilte als Deck in zijn papieren bladert. 'En jij?' vraagt hij dan.

'Een uurtje geleden heb ik Esther Samuelson gesproken, bij haar thuis. Een heel vriendelijk dame van voor in de zestig. We hebben een tijd over Dot gepraat en hoe vreselijk het is om een kind te verliezen. Ze voelt met ons mee.'

De overleden echtgenoot van Esther Samuelson heeft jarenlang een hoge functie bij de Kamer van Koophandel gehad. Dat weet ik van Marvin Shankle. Ik zou haar niet graag in de jury hebben. Ze zal alles doen wat Drummond van haar vraagt.

'Daarna ben ik naar het kantoor van Nathan Butts gegaan. Hij was nogal verbaasd toen ik hem zei dat ik een van de advocaten was die aan de zaak werkten, maar later ontdooide hij. Hij houdt niet van verzekeringsmaat-schappijen.'

Als ik Drummond nú nog geen hartaanval heb bezorgd, dan weet ik het niet meer. De gedachte dat ik – geen eenvoudige assistent maar een heuse advocaat – de stad rondzwerf om de details van de zaak te bespreken met potentiële juryleden, moet zijn bloeddruk tot ongekende hoogte hebben opgejaagd. Maar tegelijkertijd weet hij dat hij volkomen machteloos staat. Als hij er iets over zegt, zal hij moeten toegeven dat hij mijn telefoon afluistert. En dan wordt hij onmiddellijk geroyeerd en vermoedelijk voor de rechter gedaagd.

Dus heeft hij geen andere keus dan zijn mond te houden en de juryleden af te wijzen die wij zojuist hebben besproken.

'Ik heb er nog een paar,' zeg ik. 'Laten we daar maar achteraan gaan tot een uur of tien. Dan zien we elkaar weer op kantoor.'

'Oké,' zegt Deck vermoeid. Hij acteert al een heel stuk beter.

We hangen op. Een kwartier later gaat de telefoon. Een vaag bekende stem vraagt: 'Mag ik Rudy Baylor?'

'Spreekt u mee.'

'U spreekt met Billy Porter. U bent vandaag op de zaak geweest.'

Billy Porter is blank, draagt een stropdas en is manager van een grote garage. Hij is een magere één op onze schaal van tien. We willen hem niet.

'Inderdaad, meneer Porter. Fijn dat u terugbelt.'

In werkelijkheid is het Butch, die ons wel wilde helpen met dit toneelspel. Hij staat samen met Deck in de telefooncel, bibberend van de kou. Butch, die niets aan het toeval overlaat, is zelf naar de garage geweest om met Porter over een stel nieuwe banden te praten. Hij doet zijn best om Porters stem te imiteren. Ze zullen elkaar nooit meer ontmoeten.

'Wat wilt u?' vraagt Billy/Butch. We hebben hem opgedragen om agressief te beginnen maar snel bij te draaien.

'Eh, het gaat over de rechtszaak. U weet wel, waar u een oproep voor hebt gekregen om als jurylid op te treden. Ik ben een van de advocaten.'

'Is dit wel toegestaan?'

'Natuurlijk, als u er maar niet over praat. Hoor eens, ik vertegenwoordig een oude dame die haar zoon heeft verloren omdat zijn medische behandeling niet werd vergoed door een verzekeringsmaatschappij, Great Eastern.'

'Is hij overleden?'

'Ja. Hij had een operatie nodig, maar de verzekeraar weigerde te betalen. Zonder enige reden. Twee maanden geleden is hij gestorven aan leukemie. Daarom hebben we een procedure aangespannen. We hebben uw hulp nodig, meneer Porter.'

'Het klinkt afschuwelijk.'

'De ergste zaak die ik ooit heb meegemaakt, en ik heb heel wat ervaring. Die verzekeringsmaatschappij zit volkomen fout, meneer Porter, gelooft u mij. Ze hebben al een schikking van tweehonderdduizend dollar aangeboden, maar we vragen veel meer. We willen smartegeld en daarbij hebben we uw hulp nodig.'

'Denkt u dat ik als jurylid word aangewezen? Ik heb het erg druk.'

'We hebben de keuze uit ongeveer zeventig kandidaten, meer kan ik u niet zeggen. Wilt u ons alstublieft helpen?'

'Goed, ik zal mijn best doen. Als het zover komt. Maar ik heb weinig zin om in die jury te gaan zitten, dat begrijpt u.'

'Natuurlijk. Bedankt, meneer Porter.'

Deck komt het kantoor binnen en we eten een sandwich. Die avond gaat hij nog twee keer naar de telefooncel om me te bellen. We noemen nog een stel namen van mensen met wie we zogenaamd hebben gesproken en die nu vastbesloten zijn om Great Eastern een lesje te leren. We doen alsof we de hele stad door rijden, bij mensen aankloppen, ons verhaal houden en voldoende ethische principes schenden om levenslang te worden geroyeerd. En dat allemaal op de avond voordat de jury moet worden gekozen!

We hebben onze voorkeur uitgesproken voor minstens twintig van de ruim zestig mensen die morgen zullen worden ondervraagd. En daarbij zitten de kandidaten van wie we het meest te vrezen hebben.

Ik durf te wedden dat Leo Drummond vannacht geen oog dichtdoet.

– 42 –

Eerste indrukken zijn erg belangrijk. De kandidaat-juryleden arriveren tussen half negen en negen uur. Zenuwachtig komen ze door de dubbele houten deuren de zaal binnen, lopen aarzelend door het gangpad en staren bijna met open mond om zich heen. Voor de meesten is het de eerste keer dat ze in een rechtszaal zijn. Dot en ik zitten samen aan het eind van onze tafel, tegenover de tribune met beklede bankjes waarop de kandidaten plaatsnemen. We zitten met onze rug naar de rechter. De tafel is leeg, op mijn blocnote na. Deck zit op een stoel naast de jurytribune, bij ons uit de buurt. Dot en ik fluisteren wat en proberen te glimlachen. Ik heb het gevoel alsof er dolgedraaide vlinders door mijn maag tollen.

Aan de tafel van de verdediging zitten vijf grimmige mannen in zwarte pakken diep gebogen over stapels papieren die de hele tafel in beslag nemen.

Ik heb gekozen voor een tactiek van David tegen Goliath. De juryleden zien meteen dat ik in het nadeel ben en niet over dure assistenten beschik. Mijn arme cliënte is zwak en kwetsbaar. Wij zijn geen partij voor dat rijke stelletje aan de overkant.

Nu de voorbereidingen achter de rug zijn besef ik pas goed hoe onnodig het was om zoveel mensen – vijf uitstekende advocaten – aan deze zaak te zetten. En het verbaast me dat Drummond niet begrijpt hoe bedreigend hij daardoor op de juryleden overkomt. Zijn cliënt moet wel schuldig zijn. Waarom zou Drummond anders zo'n overmacht nodig hebben van vijf tegen één?

Vanochtend wilden ze niet met me praten. We bleven op afstand, maar de verontwaardigde en minachtende blikken vanaf de overkant maakten wel duidelijk dat ze verbijsterd waren over mijn persoonlijke contact met de kandidaat-juryleden. Ze zijn diep geschokt, maar ze weten niet wat ze eraan kunnen doen. Behalve je cliënt geld afhandig maken, is dit waarschijnlijk de grootste zonde die een advocaat kan begaan. Net zo verwerpelijk als het afluisteren van de telefoon van je opponent. Hun verontwaardiging is nogal lachwekkend.

De griffier verzamelt de juryleden aan één kant en zet hen in de zaal, tegenover ons. Van de tweeënnegentig mensen op de lijst zijn er eenenzestig komen opdagen. Sommigen waren niet te vinden, twee waren overleden en een handjevol beweert ziek te zijn. Drie mensen hebben hun leeftijd aangevoerd als excuus. Kipler heeft een paar anderen geëxcuseerd wegens uiteenlopende persoonlijke redenen. Terwijl de griffier de namen afroept, maak ik aantekeningen. Ik heb het gevoel of ik die mensen al maanden ken. Nummer zes is Billy Porter, de bedrijfsleider van Western Auto, die mij zogenaamd gisteravond heeft gebeld. Ik ben benieuwd wat Drummond met hem zal doen.

Great Eastern wordt vertegenwoordigd door Jack Underhall en Kermit Addy. Ze zitten achter Drummond en zijn mensen. In totaal zeven pakken, zeven ernstige gezichten die grimmig naar de juryleden staren. Niet zo somber, jongens! Ik blijf vriendelijk glimlachen.

Kipler komt binnen en iedereen staat op. De zitting is geopend. Hij verwelkomt de kandidaten en houdt een kort, duidelijk toespraakje over juryplicht en burgerzin. Er gaan een paar handen de lucht in als hij vraagt of er nog mensen met geldige excuses zijn. Kipler vraagt hen één voor één naar voren te komen. Op gedempte toon leggen ze hun omstandigheden uit. Vier van de vijf manager-types op mijn lijst vervoegen zich bij de rechter. Kipler geeft hun toestemming om zich terug te trekken. Dat verbaast me niet.

In de tussentijd bestuderen wij de kandidaten. Vermoedelijk komen we niet verder dan de eerste drie rijen. Dat zijn zesendertig mensen. We hebben er maar twaalf nodig, plus twee reserves.

In de rijen direct achter Drummonds tafel zie ik twee goed geklede onbekenden. De juryconsulenten, neem ik aan. Ze houden de kandidaten scherp in de gaten. Ik vraag me af of ons toneelstukje van gisteravond hun 'psychologische profiel' van de juryleden heeft doorkruist. Ha! Dit zal wel de eerste keer zijn dat ze op een paar advocaten zijn gestuit die de avond tevoren persoonlijk met de juryleden hebben gesproken.

Zijne edelachtbare laat nog zeven kandidaten gaan, zodat er nu vijftig over zijn. Daarna geeft hij een beknopte samenvatting van de zaak en stelt de partijen en de advocaten voor. Buddy is er niet. Buddy zit in de Fairlane.

Daarna begint Kipler met zijn vragenlijst. Hij verzoekt de kandidaten hun hand op te steken als ze iets willen zeggen.

Kent u een van de partijen, een van de advocaten of een van de getuigen? Hebt u zelf een polis bij Great Eastern? Bent u op dit moment betrokken bij een gerechtelijke procedure? Heeft iemand van u ooit een rechtszaak aangespannen tegen een verzekeringsmaatschappij?

Er komen een paar reacties. De mensen staan op en lichten hun antwoord toe. Ze zijn nerveus, maar al snel is de spanning gebroken. Iemand maakt een geestige opmerking en iedereen haalt opgelucht adem. Soms heb ik heel even het gevoel dat ik hier echt thuishoor. Dit is mijn werk. Ik ben advocaat. Maar ik heb nog geen woord gezegd.

Kipler heeft me van tevoren zijn vragenlijst gegeven. Hij zal alles vragen wat ik weten wil. Daar is niets verkeerds aan. Drummond heeft de lijst ook gekregen.

Ik maak aantekeningen, kijk naar de kandidaten en luister aandachtig. Deck doet hetzelfde. Het is niet aardig, maar ik ben bijna blij dat de juryleden niet weten dat hij bij mij hoort.

Het vragenuurtje sleept zich voort. Na bijna twee uur is Kipler eindelijk klaar. Ik voel weer een klomp ijs in mijn maag. Het wordt tijd voor Rudy Baylor om zijn eerste opmerkingen te maken op een echte zitting. Een kort optreden maar.

Ik sta op, loop naar het hekje, glimlach tegen de kandidaten en spreek de tekst uit die ik al duizend keer heb gerepeteerd. 'Goedemorgen. Mijn naam is Rudy Baylor en ik vertegenwoordig Dot Black.' Goed, dat is eruit. Na al die vragen van de rechter zijn ze wel aan iets anders toe. Ik kijk hen warm en eerlijk aan. 'Rechter Kipler heeft u heel wat vragen gesteld. Belangrijke vragen. Ik weet nu bijna alles wat ik weten wil, dus ik zal het kort houden. Ik heb eigenlijk nog maar één vraag. Kan iemand van u een reden bedenken waarom u niet geschikt bent om zitting te nemen in deze jury?'

Ik verwacht geen reactie, en die komt er ook niet. Ze hebben al twee uur in mijn richting zitten staren en ik wil alleen maar kennismaken en een vriendelijk woord zeggen. Zo kort mogelijk. Niets is zo erg als een breedsprakige advocaat. Bovendien heb ik het vermoeden dat Drummond hen hard zal aanpakken.

'Dank u,' zeg ik met een glimlach. Dan draai ik me langzaam naar de rechter toe en verklaar luid: 'Dit lijken mij uitstekende kandidaten, edelachtbare.' Ik loop terug naar mijn stoel en geef Dot een klopje op haar schouder als ik ga zitten.

Drummond is al overeind gesprongen. Hij probeert zich rustig en minzaam voor te doen, maar hij is één brok spanning. Hij stelt zich nog eens voor, maar is zo verstandig om de namen van zijn kameraden achterwege te laten. Hij zegt het een en ander over zijn cliënt en over het feit dat Great Eastern een groot en gezond bedrijf is. Daar mag je een firma toch niet voor straffen? Of laat u zich daardoor beïnvloeden?

In feite is hij al met een pleidooi bezig, en dat mag niet. Maar hij balanceert op het randje en Kipler ziet het door de vingers. Ik weet niet of ik moet protesteren. Ik heb me voorgenomen dat alleen te doen als ik zeker weet dat ik gelijk krijg. Drummond is bijzonder effectief. Zijn sonore stem boezemt vertrouwen in en zijn grijzende haar suggereert wijsheid en ervaring.

Hij behandelt nog een paar punten, zonder dat er een reactie komt. Dit is nog maar een inleiding, want nu komt het.

'Wat ik u wil vragen is bijzonder belangrijk,' verklaart hij ernstig. 'Luister goed, alstublieft. Dit is essentieel.' Een lange, dramatische pauze. Dan haalt hij diep adem. 'Is iemand van u ooit benaderd over deze zaak?'

Het is doodstil in de zaal. Zijn woorden blijven hangen en dringen dan langzaam door. Het is eerder een beschuldiging dan een vraag. Ik kijk naar de tafel aan de overkant. Hill en Plunk werpen broeierige blikken in mijn richting. Morehouse en Grone letten op de juryleden.

Drummond blijft een paar seconden roerloos staan, klaar om te reageren zodra er iemand opspringt die roept: 'Ja! De advocaat van de eiser is gisteravond bij me langs geweest!' Want dat gaat nu gebeuren, dat wéét Drummond gewoon. Hij zal de waarheid aan het licht brengen, mij en mijn corrupte assistent aan de kaak stellen en een verzoek indienen om mij te laten berispen en royeren. Zo kan de zaak zich nog jaren voortslepen. Het gaat gebeuren!

Langzaam zie ik zijn schouders zakken. Hij ademt hoorbaar uit. Stelletje vuile leugenaars!

'Dit is heel belangrijk,' zegt hij nog eens. 'We móeten het weten.' Zijn toon is wantrouwend.

Niets. Geen enkele reactie. Maar alle juryleden houden hem scherp in de gaten en voelen zich heel ongemakkelijk. Ga vooral zo door, flinke jongen.

'Laat ik het anders vragen,' zegt hij koeltjes. 'Heeft iemand van u gisteren gesproken met meneer Baylor hier of met meneer Deck Shifflet, die daar zit?'

Ik veer overeind. 'Ik protesteer, edelachtbare! Dit is absurd!'

Kipler springt bijna over zijn tafel heen. 'Toegewezen! Waar bent u mee bezig, meneer Drummond?' buldert hij in zijn microfoon. De muren trillen.

Drummond draait zich om. 'Edelachtbare, wij hebben reden om aan te nemen dat deze kandidaten beïnvloed zijn.'

'O ja? Dat is een rechtstreekse beschuldiging aan mijn adres,' zeg ik nijdig.

'Ik begrijp niet waar u naartoe wilt, meneer Drummond,' zegt Kipler.
'Misschien kunnen we dit beter in kleine kring bespreken,' zegt Drummond met een nijdige blik naar mij.
'Kom maar mee,' zeg ik woedend, alsof ik wel zin heb in een vechtpartij.
'Een korte schorsing,' zegt Kipler tegen zijn parketwachter.

Drummond en ik zitten tegenover het bureau van zijne edelachtbare. De vier andere Trent & Brents staan achter ons. Kipler kookt van woede. 'Ik hoop voor u dat u met goede argumenten komt,' zegt hij tegen Drummond.
'Deze kandidaten zijn beïnvloed,' verklaart Drummond.
'Hoe weet u dat?'
'Dat kan ik u niet zeggen, maar ik weet het zeker.'
'Geen spelletjes, Leo. Ik wil bewijzen.'
'Die kan ik u niet geven, edelachtbare. Dan zou ik een vertrouwelijke bron compromitteren.'
'Onzin! Laat horen.'
'Het is de waarheid, edelachtbare.'
'Beschuldig je mij?' vraag ik.
'Ja.'
'Je bent geschift.'
'Je gedraagt je hoogst merkwaardig, Leo,' zegt de rechter.
'Ik denk dat ik het kan bewijzen,' zegt hij zelfvoldaan.
'Hoe dan?'
'Laat me de kandidaten ondervragen. Dan komt de waarheid wel aan het licht.'
'Ze hebben nog niets gezegd.'
'Maar ik ben nauwelijks begonnen.'
Kipler denkt even na. Als deze zaak achter de rug is, zal ik hem de waarheid wel vertellen.
'Ik zou bepaalde kandidaten graag apart willen ondervragen,' zegt Drummond. Dat is ongebruikelijk, maar wel toegestaan.
'Wat vind jij, Rudy?'
'Geen bezwaar.' Eerlijk gezegd verheug ik me al op Drummonds verhoor van de 'beïnvloede' kandidaten. 'Ik heb niets te verbergen.' Een paar van die drollen achter ons kuchen veelzeggend.
'Goed. Je graaft je eigen graf, Leo. Maar houd je aan de regels.'

'Wat was dat allemaal?' vraagt Dot als ik terugkom.
'Juridisch gesteggel,' fluister ik. Drummond loopt naar het hekje. De juryleden zien hem argwanend aankomen.
'Zoals ik al zei, het is heel belangrijk dat u mij vertelt of iemand u over

deze zaak heeft benaderd. Steek alstublieft uw hand op als dat zo is.' Hij vraagt het op de toon van een ontstemde leraar.

Geen handen.

'Het is een bijzonder ernstige zaak als een jurylid direct of indirect wordt benaderd door een van de partijen in een rechtszaak. Daar staan zware straffen op voor alle betrokkenen, ook voor het jurylid als hij het verzwijgt.' Dat klinkt nog dreigender.

Geen handen, geen reactie. Maar de irritatie onder de kandidaten neemt duidelijk toe.

Drummond hipt van de ene voet op de andere, wrijft over zijn kin en richt zich dan tot Billy Porter.

'Meneer Porter,' zegt hij met zware stem. Porter schrikt op. Hij schiet overeind en knikt. Hij loopt rood aan.

'Meneer Porter, ik wil u een rechtstreekse vraag stellen en ik zou graag een eerlijk antwoord krijgen.'

'Als u mij een eerlijke vraag stelt, zal ik eerlijk antwoorden,' zegt Porter nijdig. Hij is een kortaangebonden type. Ik zou hem maar met rust laten als ik Drummond was.

Drummond aarzelt even, maar zet toch door. 'Goed, meneer Porter. Hebt u gisteravond een telefoongesprek gevoerd met de heer Rudy Baylor, ja of nee?'

Ik sta op, spreid onschuldig mijn armen en staar Drummond aan alsof hij gek geworden is, maar ik zeg niets.

'Nee, natuurlijk niet,' zegt Porter. Hij wordt steeds roder.

Drummond leunt tegen het hekje, met twee handen op de dikke mahoniehouten balk. Scherp kijkt hij Billy Porter aan, die op de eerste rij zit, nog geen anderhalve meter bij hem vandaan.

'Weet u dat zeker, meneer Porter?' vraagt hij.

'Reken maar!'

'Volgens mij zit u te liegen,' valt Drummond uit. Hij verliest zijn zelfbeheersing. Voordat ik kan protesteren en voor Kipler hem tot de orde kan roepen, is Billy Porter al overeind gesprongen en de grote Leo F. Drummond naar zijn strot gevlogen.

'Durf je míj een leugenaar te noemen, gore klootzak?' brult Porter als hij Drummond bij de keel grijpt. Drummond tuimelt over het hekje. Zijn instappers vliegen door de lucht. Vrouwen beginnen te gillen, juryleden springen van hun stoelen. Porter ligt nu boven op Drummond, die zich heftig verzet en met zijn vuisten zwaait.

T. Pierce Morehouse en M. Alec Plunk Junior rennen naar de kemphanen toe, met de anderen op hun hielen. De parketwachter stormt achter hen aan. Twee juryleden proberen de vechtenden te scheiden.

Ik blijf zitten en amuseer me kostelijk. Kipler komt van zijn plaats en bereikt het strijdtoneel op het moment dat Porter wordt weggesleurd, Drummond overeind krabbelt en de twee vechtersbazen veilig uit elkaars buurt zijn. Een van Drummonds instappers is onder de bank van de tweede rij terechtgekomen. Iemand geeft hem terug aan Leo, die het stof van zijn kleren slaat zonder Porter een moment uit het oog te verliezen. Porter wordt met vereende krachten weer naar zijn plaats gebracht.

De juryconsulenten zijn geschokt. Van hun computermodellen blijft weinig over. Hun fraaie theorieën slaan nergens meer op. Ze zitten voor schut.

Na een kort reces dient Drummond een formeel verzoek in om alle kandidaten te wraken. Kipler wijst het verzoek af.

Billy Porter wordt vrijgesteld van jurydienst en vertrekt, nog steeds ziedend van woede. Volgens mij wilde hij Drummond nog even te grazen nemen. Ik hoop dat hij hem buiten opwacht.

Aan het begin van de middag zitten we bij rechter Kipler op kantoor om de twaalf juryleden te kiezen. Drummond en zijn mensen mijden zorgvuldig iedereen die Deck en ik gisteren via de telefoon hebben genoemd. Ze zijn ervan overtuigd dat we met die mensen hebben gepraat en hen op de een of andere manier tot stilzwijgen hebben gedwongen. Ze zijn zo kwaad, dat ze me niet één keer aankijken.

Het resultaat is de beste jury die ik me had kunnen dromen. Zes zwarte vrouwen, allemaal met kinderen. Twee zwarte mannen, van wie één met een universitaire opleiding en de ander een arbeidsongeschikte vrachtwagenchauffeur. Drie blanke mannen, onder wie twee actieve vakbondsleden. De andere woont vier straten bij de Blacks vandaan. Eén blanke vrouw, getrouwd met een vooraanstaande makelaar. Ik kon niet voorkomen dat ze werd gekozen, maar ik maak me geen zorgen. We hebben maar negen van de twaalf stemmen nodig.

Om vier uur worden ze door Kipler beëdigd. Hij vertelt hun dat de zitting over een week zal beginnen. Ze mogen met niemand over de zaak praten. Dan doet hij iets waar ik eerst van schrik, maar wat daarna een uitstekend idee blijkt te zijn. Hij vraagt beide advocaten, Drummond en mij, of we informeel nog even met de jury willen praten om iets over de zaak te zeggen. Geen lange pleidooien, uiteraard.

Ik ben totaal verrast, omdat het nogal ongebruikelijk is. Maar dan overwin ik mijn zenuwen en loop naar de jurytribune. Ik vertel wat over mijn cliënte, over Donny Ray, over de verzekeringspolis en onze bezwaren tegen Great Eastern. Ik ben binnen vijf minuten klaar.

Als Drummond naar hen toe loopt, kan zelfs een blind paard zien hoe weinig ze hem nog vertrouwen. Hij maakt zijn excuses voor het incident, maar is zo dom om Porter de schuld te geven. Wat een ego heeft die man.

318

Hij geeft zijn versie van de feiten, betuigt zijn medeleven met de dood van Donny Ray, maar vindt het belachelijk dat zijn cliënt daarvoor verantwoordelijk zou zijn.

Ik kijk eens naar de overkant. Drummonds collega's en de afgevaardigden van Great Eastern zitten er wanhopig bij. Hun zaak staat zwak, ze hebben een ongunstige jury, de rechter is op mijn hand en hun grote ster heeft niet alleen alle vertrouwen bij de jury verspeeld maar is ook nog in elkaar geslagen.

Kipler sluit de zitting en de jury vertrekt.

– 43 –

Zes dagen nadat we de jury hebben gekozen en vier dagen voordat de rechtszaak begint, krijgt Deck een telefoontje van een advocaat uit Cleveland die mij wil spreken. Ik ben meteen achterdochtig, want ik ken geen advocaten in Cleveland. Daarom houd ik het gesprek zo kort mogelijk. Ik vraag hem naar zijn naam en hang dan midden in een zin op, alsof de verbinding is verbroken. Dat gebeurt de laatste tijd wel vaker, zeg ik tegen Deck, met de telefoon nog in mijn hand, zodat mijn woorden door het microfoontje worden opgevangen. Daarna leggen we de drie telefoons van de haak en ren ik naar mijn Volvo. Butch heeft mijn autotelefoon gecontroleerd. Die is veilig. Ik bel inlichtingen en toets het nummer van de advocaat in Cleveland.

Het blijkt een heel belangrijk gesprek te zijn.

Zijn naam is Peter Corsa. Hij is gespecialiseerd in arbeidswetgeving en discriminatie, en hij vertegenwoordigt een jonge vrouw die Jackie Lemancyzk heet. Ze is naar hem toe gekomen nadat ze plotseling en zonder enige reden was ontslagen door Great Eastern, en samen werken ze nu aan een procedure tegen het bedrijf. In tegenstelling tot wat ik heb gehoord is Jackie Lemancyzk nooit uit Cleveland weggegaan. Ze woont nu wel op een ander adres en ze heeft een geheim telefoonnummer.

Ik vertel Corsa dat we allerlei instanties in Cleveland hebben afgebeld, zonder een spoor van Jackie Lemancyzk te vinden. Volgens Richard Pellrod van Great Eastern was ze teruggegaan naar haar geboorteplaats, ergens in het zuiden van Indiana.

Dat is niet zo, zegt Corsa. Ze is nooit uit Cleveland vertrokken, hoewel ze zich wel een tijd verborgen heeft gehouden.

Het blijkt een zeer smeuïg verhaal te zijn, en Corsa laat niets weg.

Zijn cliënte had een verhouding met enkelen van haar chefs bij Great Eastern. Ze is heel aantrekkelijk, zegt hij. Haar carrière was afhankelijk van haar bereidheid om seksuele gunsten te verlenen. Op een gegeven moment was ze bureauchef bij de afdeling Vergoedingen, als enige vrouw die ooit zo hoog gekomen was. Maar ze raakte haar functie kwijt toen ze een eind maakte aan haar affaire met de adjunct-directeur, Everett Lufkin, een akelig mannetje met een voorkeur voor bizarre seks.

Dat Lufkin een akelig mannetje is, ben ik met Corsa eens. Ik heb hem vier uur ondervraagd en als hij de volgende week moet getuigen, maak ik hem met de grond gelijk.

Corsa en Jackie willen Great Eastern aanklagen wegens ongewenste intimiteiten en andere verwerpelijke praktijken. Maar Jackie kent ook een heleboel duistere geheimen van het bedrijf. Ze ging immers naar bed met de adjunct-directeur Vergoedingen! Dat muisje zal nog wel een staartje krijgen, voorspelt hij.

Eindelijk stel ik de belangrijkste vraag: 'Is ze bereid om te getuigen?'

Dat weet hij niet. Misschien. Maar ze is bang. Ze staat tegenover gevaarlijke mensen met veel geld. Op dit moment is ze in therapie en erg kwetsbaar. Hij vindt het goed dat ik haar benader en we spreken af dat ik haar 's avonds laat vanuit mijn eigen appartement zal bellen. Het is niet verstandig om mij op kantoor te bellen, zeg ik erbij.

Het is onmogelijk om nog ergens anders aan te denken dan aan de zitting. Als Deck niet op kantoor is, loop ik te ijsberen en in mezelf te praten. Ik repeteer mijn verklaring tegenover de jury, ik onderwerp de mensen van Great Eastern aan een kruisverhoor, ik stel voorzichtige vragen aan Dot en dokter Kord, en ik houd een vurig slotpleidooi. Maar het valt me nog altijd moeilijk om de jury met een strak gezicht om tien miljoen dollar smartegeld te vragen. Als ik vijftig was, honderden van dit soort zaken had behandeld en precies wist wat ik deed, zou ik misschien het recht hebben om zulke hoge bedragen te eisen. Maar voor een beginneling die pas negen maanden geleden is afgestudeerd vind ik het vrij belachelijk.

Toch heb ik geen keus. En dus repeteer ik mijn eis overal: op kantoor, in mijn auto en vooral thuis, vaak om twee uur 's nachts, als ik niet kan slapen. Ik praat tegen de jury, die twaalf namen waarbij ik nu de gezichten ken, die eerlijke, objectieve burgers die instemmend naar me luisteren en nauwelijks kunnen wachten om uitspraak te doen.

Ik sta op het punt een goudmijn aan te boren en Great Eastern voor het oog van de wereld te vernederen. Maar ik moet me beheersen. Ik mag me niet laten meeslepen door die gevoelens, maar dat valt niet mee, verdomme. De getuigen, de jury, de rechter, de zenuwachtige advocaten aan de andere tafel. Alles bij elkaar voorspelt dat een heleboel geld.

Dat kàn niet goed gaan.

Ik bel een uur met Jackie Lemancyzk. Soms klinkt ze krachtig en zelfbewust, dan weer stort ze volledig in. Ze wilde helemaal niet met die kerels naar bed, herhaalt ze steeds, maar het was de enige manier om vooruit te komen. Ze is gescheiden en ze heeft twee kinderen.

Ze belooft dat ze naar Memphis zal komen. Ik bied aan om haar te komen ophalen en haar kosten te betalen, alsof mijn kantoor over kapitalen beschikt. Ze vraagt me om haar één ding te beloven. Als ze getuigt, moet dat een complete verrassing voor Great Eastern zijn.

We zitten het hele weekend op kantoor, gaan alleen naar huis om een paar uur te slapen, en komen dan als verdoolde schapen weer terug om door te werken.

In stilte dank ik Tyrone Kipler, die me zo op mijn gemak heeft gesteld. Het is een hele geruststelling dat hij de jury al een week voor de zitting heeft aangewezen en mij de kans heeft gegeven een paar woorden tegen hen te zeggen. Tot dan toe vormden de juryleden een onbekende factor die me grote angst inboezemde. Nu ken ik hun namen en gezichten en heb ik hen informeel toegesproken. Ze reageerden sympathiek, en ze hadden duidelijk de pest aan mijn opponent.

Hoe onervaren ik ook ben, ik denk dat rechter Kipler me wel tegen mezelf zal beschermen.

Zondagavond omstreeks middernacht nemen Deck en ik afscheid. Het sneeuwt licht als ik naar buiten stap. Sneeuw in Memphis betekent meestal dat de scholen en alle overheidskantoren een week gesloten worden. De stad heeft nooit een sneeuwschuiver aangeschaft. Ik hoop half op een sneeuwstorm, zodat de zitting van morgen zal worden uitgesteld, maar aan de andere kant heb ik het liever achter de rug.

Tegen de tijd dat ik bij mijn appartement aankom, is het al opgehouden met sneeuwen. Ik drink twee lauwe biertjes en bid dat ik kan slapen.

'Heeft iemand nog iets in te brengen?' vraagt rechter Kipler aan het gespannen groepje tegenover zijn tafel. Ik zit naast Drummond en we kijken hem allebei aan. Mijn ogen zijn rood van het gebrek aan slaap, ik heb hoofdpijn en er tollen twintig problemen tegelijk door mijn hoofd.

Tot mijn verbazing ziet Drummond er net zo moe uit als ik. Voor iemand met een jarenlange ervaring maakt hij een opvallend uitgeputte indruk. Mooi zo. Ik hoop dat hij ook het hele weekend heeft doorgewerkt.

'Ik zou niets weten,' zeg ik. Dat is geen verrassing. Meestal heb ik weinig te zeggen bij deze onderonsjes.

Drummond schudt ook zijn hoofd.

'Kunnen we het van tevoren eens worden over de kosten van een been-mergtransplantatie?' vraagt Kipler. 'Dan hebben we Gaskin niet nodig als getuige-deskundige. Blijkbaar kost zo'n operatie rond de honderd-vijfenzeventigduizend dollar.'

'Akkoord,' zeg ik.

De advocaten van de gedaagde verdienen meer als ze een geringer bedrag opvoeren, maar Drummond heeft niets te winnen. 'Klinkt redelijk,' zegt hij onverschillig.

'Je bedoelt ja?' vraagt Kipler scherp.

'Ja.'

'Bedankt. En dan de andere kosten. Die schat ik op zo'n vijfentwintig-duizend dollar. Kunnen we aannemen dat het totale bedrag van de be-handeling op tweehonderdduizend dollar zou zijn uitgekomen? Ak-koord?' Zijn ogen bliksemen als hij Drummond aankijkt.

'Uitstekend,' zeg ik, ongetwijfeld tot ergernis van Drummond.

'Ja,' zegt Drummond.

Kipler maakt een notitie. 'Dank je. Verder nog iets, voordat we begin-nen? Is er nog een mogelijkheid tot een schikking?'

'Edelachtbare,' zeg ik ferm (we hebben dit al voorbereid), 'mijn cliënte is bereid te schikken voor een bedrag van één komma twee miljoen dollar.'

Advocaten zijn erin getraind om ontsteltenis en ongeloof voor te wenden bij ieder voorstel tot een schikking, en de jongens van Trent & Brent schrapen unaniem hun keel en schudden hun hoofd. Ergens achter me hoor ik zelfs iemand grinniken.

'Dat zou je wel willen,' zegt Drummond zuur. Ik geloof echt dat hij zijn greep begint te verliezen. Toen deze zaak begon, was hij nog de gentle-man, een beheerste vakman, zowel in de rechtszaal als daarbuiten. Nu ge-draagt hij zich meer als een mokkend schoolmeisje.

'Geen tegenvoorstel, meneer Drummond?' vraagt Kipler.

'Ons aanbod blijft bij tweehonderdduizend dollar.'

'Goed. Laten we dan maar beginnen. Beide partijen krijgen vijftien mi-nuten om hun zaak uiteen te zetten. Korter mag natuurlijk ook.'

Ik heb mijn eerste verklaring al zo vaak gerepeteerd, dat ik precies weet hoe lang zij duurt: zesenhalve minuut. De jury komt binnen, wordt ver-welkomd door zijne edelachtbare, krijgt een paar instructies, en daarna heb ik het woord.

Als ik dit vaker doe, ontwikkel ik misschien wel enig acteertalent. Voor-lopig is elk gevoel voor dramatiek me vreemd. Ik wil het zo snel mogelijk achter de rug hebben. Ik pak mijn aantekeningen en geef de jury mijn versie van de zaak. Ik blijf naast het podium staan en hoop dat ik eruitzie als een echte advocaat in mijn nieuwe grijze pak. De feiten spreken zo duidelijk in mijn voordeel, dat ik er niet te veel omheen wil praten. De Blacks hadden een polis en betaalden op tijd hun premie. Donny Ray viel ook onder hun verzekering, maar toen hij ernstig ziek werd, weigerde Great Eastern de behandeling te betalen. Dat werd zijn dood. U, de jury, zult Donny Ray nog te zien krijgen, maar alleen op video. Hij is overleden. Wij hebben deze procedure niet alleen aangespannen om Great Eastern alsnog te dwingen de kosten te betalen waartoe ze verplicht waren, maar ook om een bedrag aan smartegeld te eisen, als straf voor hun verwerpelijke houding. Het is een bijzonder rijke firma, die veel geld heeft verdiend door wel premies te incasseren maar geen claims uit te betalen. Als alle getuigen zijn gehoord, zal ik zeggen welk bedrag wij Great Eastern willen opleggen.

Het is belangrijk om de jury meteen te laten weten dat het om veel geld gaat en dat Great Eastern een zware straf verdient.

Mijn eerste optreden valt mee. Ik begin niet te stotteren of te trillen en Drummond valt me niet in de rede. Ik vermoed dat Leo tijdens deze zitting niet vaak uit zijn stoel zal komen. Hij wil niet door Kipler voor schut worden gezet, zeker niet tegenover een jury.

Ik ga weer zitten, naast Dot. We zitten helemaal alleen aan onze lange tafel. Drummond loopt zelfverzekerd naar de jurytribune, met een kopie van de polis in zijn hand. Hij begint met veel theater. 'Dit is de polis die werd afgesloten door meneer en mevrouw Black,' zegt hij terwijl hij de papieren omhooghoudt. 'Nergens in deze polis staat dat Great Eastern verplicht is tot het vergoeden van transplantaties.' Een lange stilte om dit te laten bezinken. De juryleden mogen hem niet, maar hij heeft wel hun aandacht. 'Deze verzekering kost achttien dollar per week en biedt geen dekking tegen beenmergtransplantaties. Toch verwachtten de eisers dat mijn cliënt tweehonderdduizend dollar zou betalen voor... inderdaad... een beenmergtransplantatie. Mijn cliënt was daar niet toe bereid. Niet uit kwade wil tegenover Donny Ray Black, of omdat het een kwestie van leven of dood betrof, maar heel simpel omdat het niet in de voorwaarden staat.' Hij wuift nog eens met de polis. Heel effectief. 'Niet alleen vragen de eisers nu om die tweehonderdduizend dollar waar ze geen recht op hebben, maar ze willen ook tien miljoen dollar smartegeld. Bij wijze van boete. Dat noem ik geen boete, dat noem ik hebzucht.'

Dat schot treft doel, maar het is wel riskant. De polis sluit alle orgaantransplantaties uit, maar zegt niets over beenmerg. Dat is een fout geweest bij het opstellen van de voorwaarden. In de nieuwe polis die Max Leuberg me liet zien, worden beenmergtransplantaties expliciet uitgesloten.

323

De strategie van de verdediging is duidelijk. In plaats van de schuld te geven aan anonieme werknemers, opgaand in het grote bedrijf, speelt Drummond het keihard en erkent hij geen enkele aansprakelijkheid. Hij houdt vol dat beenmergtransplantaties experimenteel en onbetrouwbaar zijn en nog lang niet als een geaccepteerde behandeling van leukemie worden beschouwd.

Hij klinkt als een dokter wanneer hij een betoog houdt over de geringe kans om een geschikte donor te vinden – één op de miljoen, in sommige gevallen – en het gevaar van mislukkingen. 'Bovendien staat het gewoon niet in de polis,' herhaalt hij keer op keer.

Hij wil me uit mijn tent lokken. Als hij opnieuw het woord 'hebzucht' gebruikt, spring ik uit mijn stoel en protesteer. We zijn nog niet toe aan een pleidooi. Dat komt later pas. Hij mag de jury alleen vertellen wat hij dènkt dat de bewijzen zullen aantonen.

Kipler laat me niet zakken. 'Toegewezen,' zegt hij snel.

De eerste slag heb ik gewonnen.

'Neemt u me niet kwalijk, edelachtbare,' zegt Drummond oprecht. Hij praat verder over zijn getuigen, wie ze zijn en wat ze zullen zeggen. Maar na een tijdje raakt de vaart eruit. Hij had zijn betoog beter tot tien minuten kunnen beperken. Na een kwartier vraagt Kipler hem om af te ronden. Drummond bedankt de jury.

'Uw eerste getuige, meneer Baylor?' vraagt Kipler. Hij geeft me de tijd niet om nerveus te worden.

Dot Black loopt zenuwachtig naar de getuigenbank, legt de eed af en kijkt naar de jury. Ze draagt een oude, eenvoudige katoenen jurk, maar ze ziet er keurig uit.

We hebben een draaiboek, Dot en ik. Ik heb het haar een week geleden gegeven en we hebben het al tien keer doorgenomen. Ik stel de vragen, zij geeft antwoord. Ze is doodsbang – heel begrijpelijk – en haar antwoorden klinken houterig en uit het hoofd geleerd. Ik heb haar steeds gezegd dat ze best nerveus mag zijn. De juryleden zijn ook mensen. Ik vraag naar haar naam, haar echtgenoot, haar familie, haar werk, haar verzekeringen en haar leven met Donny Ray voor en tijdens zijn ziekte en na zijn dood. Ze veegt een paar keer langs haar ogen, maar ze houdt zich goed. Ik heb haar gevraagd om niet in huilen uit te barsten. Iedereen weet wel hoeveel verdriet ze heeft.

Ze beschrijft de frustratie om als moeder niets te kunnen doen voor haar stervende zoon. Ze heeft Great Eastern zo vaak geschreven en gebeld. Ze heeft zich zelfs tot politici en tot de burgemeester gewend, maar het mocht niet baten. Ze heeft plaatselijke ziekenhuizen gevraagd om gratis hulp. Samen met vrienden en buren heeft ze geprobeerd het geld bijeen te krijgen, maar dat is op een mislukking uitgelopen. Ze identificeert de polis en het aanvraagformulier. Ze beantwoordt mijn vragen over het afsluiten van de verzekering en de wekelijkse bezoekjes van Bobby Ott om de premie te innen.

Daarna wordt het pas echt spannend. Ik geef haar de eerste zeven brieven waarin Great Eastern de claim heeft afgewezen, en Dot leest ze hardop voor. Ze klinken nog schandelijker dan ik had gehoopt. Eerst een botte weigering, zonder enige reden. Dan een afwijzing, hangende een nader onderzoek door Acceptatie. Een afwijzing door Acceptatie, hangende een onderzoek door Vergoedingen. Een afwijzing door Vergoedingen op grond van een reeds bestaande medische conditie. Een afwijzing door Acceptatie omdat Donny Ray als meerderjarige niet langer deel uitmaakte van het gezin. Een afwijzing door Vergoedingen omdat beenmergtransplantaties niet door de polis worden gedekt. Een afwijzing door Vergoedingen omdat beenmergtransplantaties nog in het experimentele stadium verkeren en dus geen geaccepteerde behandeling vormen.

De juryleden luisteren gefascineerd. De stank verspreidt zich al.

En dan volgt de 'Stomme Brief'. Ik houd de jury in de gaten als Dot hem voorleest. Sommige juryleden zijn zichtbaar geschokt. Anderen knipperen ongelovig met hun ogen. Weer anderen kijken nijdig naar de tafel van de verdediging, waar alle advocaten voor zich uit staren alsof ze in gepeins verzonken zijn.

Als Dot is uitgesproken, valt er een diepe stilte in de zaal.

'Wilt u dat nog eens lezen?' vraag ik.

'Protest!' roept Drummond, die haastig overeind springt.

'Afgewezen,' snauwt Kipler.

Dot leest de brief opnieuw, nog nadrukkelijker en met nog meer gevoel.

Dit lijkt me het moment om Dot aan Drummond over te dragen. Ik loop terug en Drummond neemt mijn plaats in. Het zou heel dom van hem zijn om haar nu hard aan te pakken, en het zou me verbazen als hij dat deed. Hij begint met wat vage vragen over eerdere polissen die ze heeft afgesloten en de reden waarom ze voor deze verzekering heeft gekozen. Wat was haar bedoeling? Dot wilde gewoon een ziektekostenverzekering, dat is alles. En dat is precies wat de agent haar beloofde. Maar had de agent ook gezegd dat transplantaties waren meeverzekerd?

'Ik dacht helemaal niet aan transplantaties,' zegt ze. 'Ik had er nog nooit een nodig gehad.' Een paar juryleden glimlachen, maar niemand lacht hardop.

Drummond gaat nog even door op de vraag of ze een verzekering wilde die beenmergtransplantaties dekte. Daar had ze nog nooit van gehoord, herhaalt Dot.

'Dus u zocht niet specifiek naar een verzekering die zo'n transplantatie zou vergoeden?' vraagt hij nog eens.

'Aan dat soort dingen dacht ik helemaal niet. Ik wilde gewoon een volledige dekking.'

In zekere zin heeft Drummond een punt gescoord, maar het is niet erg overtuigend en waarschijnlijk zal de jury het snel vergeten.

'Waarom hebt u Great Eastern aangeklaagd voor een bedrag van tien miljoen dollar?' vraagt hij. Die vraag is een poging de eiser als een geldwolf af te schilderen. Dat kan rampzalige gevolgen hebben. De bedragen die in dit soort procedures worden gevraagd zijn vaak door de advocaat uit de lucht gegrepen, zonder ruggespraak met zijn cliënt. Ik heb Dot nooit gevraagd hoeveel geld ze van Great Eastern wilde.

Maar ik wist dat Drummond die vraag zou stellen omdat ik de stukken van zijn oude procedures kende. En dus heb ik Dot erop voorbereid.

'Tien miljoen?' herhaalt ze.

'Inderdaad, mevrouw Black. U hebt mijn cliënt aangeklaagd voor tien miljoen dollar.'

'Is dat alles?' vraagt ze.

'Pardon?'

'Ik dacht dat het meer was.'

'O ja?'

'Ja. Uw cliënt bezit een miljard dollar en uw cliënt heeft mijn zoon gedood. Ik had een veel hoger bedrag gewild.'

Drummonds knieën knikken en hij verplaatst zijn gewicht. Maar hij blijft glimlachen – een bijzondere gave. In plaats van zich te verbergen achter een onschuldige vraag of naar zijn plaats terug te lopen, maakt hij nog één laatste fout. Het is weer een van zijn standaardvragen: 'Wat gaat u met het geld doen als de jury u tien miljoen dollar zou toewijzen?'

Het zou niet gemakkelijk zijn om daar onvoorbereid een antwoord op te geven. Maar Dot is niet onvoorbereid. 'Dan geef ik het geld aan de Amerikaanse Vereniging van Leukemiepatiënten. Tot aan de laatste cent. Ik wil geen stuiver van jullie smerige geld.'

'Dank u,' zegt Drummond en hij loopt haastig naar zijn tafel terug.

Twee van de juryleden zitten te grinniken als Dot de getuigenbank verlaat en weer naast mij komt zitten. Drummond ziet bleek.

'Hoe ging het?' fluistert ze.

'Je hebt hem alle hoeken van de zaal laten zien,' fluister ik terug.

'Ik wil een sigaret.'

'Straks is het pauze.'

Ik roep Ron Black als getuige op. Hij is ook gesouffleerd en zijn ondervraging duurt nog geen half uur. Het enige wat we van hem willen horen is dat hij tests heeft ondergaan, dat zijn beenmerg ideaal was voor een transplantatie bij zijn tweelingbroer en dat hij steeds bereid is geweest om als donor op te treden. Drummond ziet af van een kruisverhoor. Het is bijna elf uur en Kipler schorst de zitting voor tien minuten.

Dot rent naar de toiletten om op de wc een sigaretje te roken. Ik heb haar gewaarschuwd om niet te roken waar de juryleden bij zijn. Deck en ik steken de koppen bij elkaar. Hij zit achter me en hij heeft scherp op de jury gelet. Ze waren vooral geïnteresseerd in de afwijzingen. En ze reageerden woedend op de 'Stomme Brief'.

Probeer ze kwaad te houden, zegt hij. Houd de spanning erin. Je krijgt alleen een hoog bedrag als een jury woedend is.

Dokter Walter Kord maakt indruk als hij plaats neemt in de getuigenbank. Hij draagt een geruit sportjasje, een donkere broek en een rode das – op en top de geslaagde jonge arts. Hij komt uit Memphis, heeft hier op school gezeten en daarna gestudeerd aan Vanderbilt en Duke. Zijn staat van dienst is onberispelijk. Ik neem zijn curriculum door en heb geen enkele moeite hem als een zeer deskundig oncoloog te presenteren. Ik overhandig hem Donny Ray's medische dossier en hij geeft de jury een goede samenvatting van zijn behandeling. Hij houdt het zo eenvoudig mogelijk, zonder te veel medisch jargon. Hij is arts, dus houdt hij niet van rechtszalen, maar hij is volkomen op zijn gemak en treedt de jury ontspannen tegemoet.

'Kunt u de jury de aard van de ziekte uitleggen, dokter Kord?' vraag ik.

'Natuurlijk. Acute myeloïde leukemie, of AML, is een ziekte die twee leeftijdsgroepen treft: jonge volwassenen tussen twintig en dertig jaar, en bejaarden, meestal ouder dan zeventig. De aandoening komt onder blanken vaker voor dan onder niet-blanken en om onbekende redenen worden mensen met een joodse achtergrond het meest getroffen. Mannen krijgen het vaker dan vrouwen. De oorzaak is in feite nog onbekend.

Het lichaam produceert bloed in het beenmerg, en daar slaat de ziekte toe. Bij acute leukemie krijgen de witte bloedcellen, die infecties van buitenaf moeten bestrijden, een kwaadaardig karakter en nemen vaak in aantal toe tot honderdmaal de normale hoeveelheid. Als dit gebeurt, worden de rode bloedcellen onderdrukt, zodat de patiënt verzwakt, verbleekt en bloedarmoede krijgt. Als het aantal witte bloedcellen ongebreideld toeneemt, verstikken ze ook de produktie van bloedplaatjes, het derde type cel dat we in het beenmerg aantreffen. Dat leidt ertoe dat de patiënt snel kneuzingen, bloedingen en hoofdpijn krijgt. Toen Donny Ray voor het eerst bij mij kwam, klaagde hij over duizeligheid, ademnood, vermoeidheid, koorts en griepverschijnselen.'

Toen Kord en ik de vorige week zijn getuigenverklaring doornamen, vroeg ik hem om over Donny Ray te spreken en hem niet 'meneer Black' of 'de patiënt' te noemen.

'En wat deed u toen?' vraag ik. Dit gaat van een leien dakje.

'Ik heb een routinetest gedaan die bekend staat als een beenmergpunctie.'

'Kunt u dat onderzoek aan de jury uitleggen?'

'Zeker. Bij Donny Ray verrichtten we die punctie in zijn heupbeen. Je legt de patiënt op zijn buik, verdooft een deel van zijn huid, maakt een kleine opening en steekt daar een grote naald in. Die naald bestaat uit twee delen. Het buitenste gedeelte is een holle buis, met daarin een massief buisje. Als de naald in het beenmerg is gestoken, wordt het massieve buisje weggetrokken en een slangetje aan de opening van de naald bevestigd. Zo ontstaat een soort injectienaald, waarmee een kleine hoeveelheid beenmerg kan worden opgezogen. Dat beenmerg hebben we getest op de hoeveelheid witte en rode bloedcellen. Er was geen enkele twijfel dat Donny Ray aan acute leukemie leed.'

'Wat kost die test?' vraag ik.

'Ongeveer duizend dollar.'

'En hoe heeft Donny Ray die betaald?'

'Toen hij de eerste keer bij me kwam, heeft hij de standaardformulieren ingevuld en verklaarde hij dat hij tegen ziektekosten was verzekerd bij Great Eastern. Mijn secretaresse heeft contact opgenomen met Great Eastern, waar hij inderdaad een polis had. Dus ben ik met de behandeling doorgegaan.'

Ik geef hem kopieën van de betreffende stukken en hij identificeert ze.

'Werden de rekeningen door Great Eastern betaald?'

'Nee. De maatschappij liet ons weten dat de claim om verschillende redenen niet werd geaccepteerd. Zes maanden later werd de claim definitief afgewezen. Mevrouw Black kreeg een afbetalingsregeling van vijftig dollar per maand.'

'Hoe hebt u Donny Ray behandeld?'

'Met de zogenaamde inductietherapie. Hij werd in het ziekenhuis opgenomen, waarna ik een catheter in een grote ader onder zijn sleutelbeen inbracht. Voor de eerste inductie van de chemotherapie gebruikten we ara-C, een middel dat zeven dagen lang, vierentwintig uur per dag in het lichaam moet blijven. De eerste drie dagen kreeg hij ook een middel dat idarubicine wordt genoemd. Het staat ook bekend als de "rode dood", vanwege de rode kleur en de zeer efficiënte wijze waarop het de cellen in het beenmerg doodt. Verder kreeg hij Allopurinol, een middel tegen jicht, omdat jicht een veel voorkomend verschijnsel is als er grote aantallen bloedcellen afsterven. Grote hoeveelheden intraveneus ingebrachte vloeistoffen moesten de bijprodukten uit zijn nieren spoelen. Hij kreeg antibiotica en antischimmelbehandelingen omdat hij heel vatbaar was voor infecties. De schimmels werden bestreden met amphotericine-B, een bijzonder toxisch middel, dat hoge koorts en heftige trillingen veroorzaakt. Daarom staat het bekend als *shake and bake*. Het is een bijzonder zware behandeling die Donny Ray goed doorstond, met een opvallend positieve houding voor zo'n zieke jongen.

De theorie achter intensieve inductietherapie is het doden van alle cellen in het beenmerg om hopelijk een nieuwe omgeving te scheppen waarin de normale cellen zich sneller zullen ontwikkelen dan de leukemiecellen.'

'En gebeurt dat ook?'

'Ja. Maar niet voor lang. We behandelen iedere patiënt in de wetenschap dat de leukemie weer de kop zal opsteken. Behalve bij een beenmerg-transplantatie.'

'Kunt u de jury uitleggen hoe zo'n transplantatie in zijn werk gaat, dokter Kord?'

'Ja. Het is niet zo'n ingewikkelde procedure. Nadat de patiënt de chemo-kuur heeft ondergaan die ik zojuist heb beschreven, en als hij of zij het geluk heeft een donor te vinden die genetisch geschikt is, nemen we het merg bij de donor weg en brengen dat intraveneus bij de patiënt in. Daarbij wordt een hele populatie beenmergcellen van de een naar de ander overgebracht.'

'Was Ron Black een geschikte donor voor Donny Ray?'

'Absoluut. Ze zijn een eeneiïge tweeling. Die lijken het meest op elkaar. We hebben hen allebei getest en de transplantatie zou zeker een succes zijn geweest.'

Drummond springt overeind. 'Ik protesteer. Dat is gissen. De dokter kan niet bewijzen of de transplantatie het gewenste resultaat zou hebben gehad.'

'Afgewezen. Bewaart u dat maar voor uw kruisverhoor.'

Ik stel nog een paar vragen over de procedure, terwijl ik op de reactie van de juryleden let. Ze luisteren nog steeds aandachtig naar Kord, maar het wordt tijd om af te ronden.

'Weet u nog bij benadering wanneer u gereed was om de transplantatie uit te voeren?'

Hij raadpleegt zijn aantekeningen, hoewel hij het antwoord al weet. 'In augustus '91, ongeveer achttien maanden geleden.'

'Zou Donny Ray door zo'n transplantatie meer kans hebben gehad de leukemie te overleven?'

'Absoluut.'

'Kunt u ons een percentage noemen?'

'Tachtig tot negentig procent.'

'En zijn kansen zònder transplantatie?'

'Nul.'

'Ik heb geen vragen meer.'

Het is na twaalven en tijd voor de lunch. Kipler schorst de zitting tot half twee. Deck biedt aan om broodjes te halen en Kord en ik bereiden ons voor op de volgende ronde. Hij verheugt zich al op zijn confrontatie met Drummond.

Ik zal nooit weten hoeveel medici Drummond heeft geraadpleegd bij zijn voorbereiding op de zitting. Dat hoeft hij niet bekend te maken. Op zijn lijst staat maar één deskundige genoteerd als mogelijke getuige. Dokter Kord heeft me herhaaldelijk verzekerd dat beenmergtransplantaties tegenwoordig zo algemeen worden geaccepteerd als de beste vorm van behandeling, dat alleen een kwakzalver nog het tegendeel zou beweren. Hij heeft me tientallen artikelen en verhandelingen gegeven, zelfs hele boeken, om aan te tonen dat dit gewoon de beste remedie is tegen acute leukemie.

Blijkbaar is Drummond tot dezelfde conclusie gekomen. Hij is geen medicus en hij staat toch al zwak, daarom gaat hij geen discussie aan met Kord. Het blijft bij een korte woordenwisseling. Zijn belangrijkste argument is dat er maar zo weinig patiënten met acute leukemie daadwerkelijk een beenmergtransplantatie ondergaan. Nog geen vijf procent, bevestigt Kord, maar dat komt alleen omdat het zo moeilijk is om een donor te vinden. In heel Amerika worden er jaarlijks bijna zevenduizend transplantaties uitgevoerd.

De mensen die het geluk hebben een donor te vinden, hebben een veel grotere kans op overleven. Donny Ray was zo gelukkig. Hij had een donor.

Kord kijkt bijna teleurgesteld als Drummond het bij een paar snelle vragen laat. Ik heb er niets meer aan toe te voegen, dus Kord mag gaan.

Nu gaat het erom spannen. De getuigen van Great Eastern zijn aan de beurt. Drummond heeft me vanochtend al gevraagd wie ik wilde oproepen, maar ik zei dat ik nog geen besluit genomen had. Hij beklaagde zich bij Kipler, die antwoordde dat ik de namen pas hoefde te noemen als ik er klaar voor was. Alle potentiële getuigen zitten zich te verbijten in een getuigenkamer in de gang.

'De heer Everett Lufkin,' kondig ik aan. Als de parketwachter vertrekt om hem te halen, ontstaat er grote drukte aan de tafel van de verdediging. Drukte om niets, voor zover ik kan zien. Er worden papieren en aantekeningen doorgegeven, en de juiste dossiers verschijnen op tafel.

Lufkin komt binnen. Hij kijkt verward om zich heen alsof hij zojuist uit zijn winterslaap is ontwaakt, trekt zijn das recht en volgt de parketwachter door het gangpad. Nerveus kijkt hij naar zijn hulptroepen aan de linkerkant van het pad als hij naar de getuigenbank loopt.

Het is bekend dat Drummond zijn getuigen voorbereidt door ze aan een keihard kruisverhoor te onderwerpen, soms met de hulp van vier of vijf advocaten, die de getuige met vragen bestoken terwijl hij op video wordt opgenomen. Daarna besteden ze uren aan de analyse van de opname en proberen ze alle foutjes weg te werken.

Ik weet zeker dat de mensen van Great Eastern uitstekend zijn getraind.

Lufkin kijkt eerst naar mij, dan naar de jury, en probeert een kalme indruk te maken, hoewel hij weet dat er vragen zullen komen waarop hij het antwoord schuldig moet blijven. Hij is ongeveer vijfenvijftig jaar, een man met een regelmatig gezicht, een rustige stem en grijs haar dat vlak boven zijn wenkbrauwen begint. Je zou hem voor de hopman van de plaatselijke verkenners aanzien. Jackie Lemancyzk heeft me verteld dat hij haar graag vastbond.

Ze hebben geen idee dat zij morgen zal getuigen.

We praten over de afdeling Vergoedingen en de rol van die sectie binnen de organisatie van Great Eastern. Lufkin werkt er al acht jaar, de laatste zes jaar als adjunct-directeur. Hij heeft zijn afdeling goed in de hand, het type manager dat overal bovenop zit. Hij wil indruk maken op de jury en binnen een paar minuten hebben we al vastgesteld dat hij alles weet wat er op zijn afdeling gebeurt. Niet dat hij iedere claim persoonlijk onder ogen krijgt, maar hij is de verantwoordelijke man. Ik probeer hem in slaap te sussen met een saaie discussie over bureaucratie, totdat ik plotseling vraag: 'Wie is Jackie Lemancyzk?'

Hij deinst zichtbaar terug. 'Een voormalig medewerkster.'

'Op uw afdeling?'

'Ja.'

'Wanneer is ze weggegaan bij Great Eastern?'

Hij haalt zijn schouders op. De juiste datum weet hij niet meer.

'Dertien oktober vorig jaar?'

'Dat zou best kunnen.'

'Was dat niet twee dagen voordat ze een verklaring moest afleggen in deze zaak?'

'Dat kan ik me echt niet herinneren.'

Ik fris zijn geheugen op door hem twee documenten te laten zien. Het eerste is haar ontslagbrief van 13 oktober, het tweede mijn aankondiging dat ik haar op 15 oktober wilde ondervragen. O ja, nu weet hij het weer. Met tegenzin geeft hij toe dat ze inderdaad vlak voor die verklaring is vertrokken.

'Zij was de medewerkster die deze claim heeft afgehandeld?'

'Dat klopt.'

'En u hebt haar ontslagen?'

'Natuurlijk niet.'

'Hoe bent u dan van haar afgekomen?'

'Ze heeft zelf ontslag genomen. Dat staat ook in haar brief.'

'Waarom?'

Hij buigt zich gewichtig over de brief en leest het de jury hardop voor: 'Hierbij neem ik ontslag om persoonlijke redenen.'

'Dus ze wilde zelf weg?'

'Ja, dat staat er.'

'Hoe lang heeft ze onder u gewerkt?'

'Er werken zoveel mensen onder mij. Ik kan me niet meer alle bijzonderheden herinneren.'

'Dus u weet het niet?'

'Een paar jaar, denk ik.'

'Kende u haar goed?'

'Niet echt. Ze was een van mijn vele medewerksters.'

Morgen zal Jackie getuigen dat hun smerige kleine affaire bijna een jaar heeft geduurd.

'Bent u getrouwd, meneer Lufkin?'

'Ja. Een gelukkig huwelijk.'

'Hebt u kinderen?'

'Ja, twee. Ze zijn al volwassen.'

Ik laat hem even zitten als ik naar mijn tafel loop om een stapeltje papieren te pakken. Het is het verzekeringsdossier van de Blacks. Ik geef het aan Lufkin. Hij bladert het rustig door en zegt dat het compleet lijkt. Ik vraag hem nog eens nadrukkelijk of hij zeker weet dat dit het volledige dossier is en dat er niets ontbreekt.

Ter wille van de jury stel ik hem een aantal droge vragen – met even droge antwoorden – over de afhandeling van een claim. In ons hypothetische voorbeeld gedraagt Great Eastern zich natuurlijk correct.

Maar dan volgt de werkelijkheid. Ik laat hem hardop, in de microfoon, de eerste zeven afwijzingsbrieven lezen. En bij alle brieven vraag ik om uitleg. Wie heeft ze geschreven, en waarom? Komen ze overeen met de richtlijnen uit het handboek Vergoedingen? Welke sectie van het handboek? Heeft hij ze zelf ook gezien?

Daarna vraag ik hem om Dots brieven voor te lezen. Die brieven zijn een kreet om hulp. Haar zoon is stervende. Luistert er nog iemand naar haar? En weer vraag ik een verklaring bij alle brieven. Wie heeft ze ontvangen? Wat is ermee gebeurd? Wat schrijft het handboek voor? Heeft hij ze zelf gezien?

De jury wacht ongeduldig op de 'Stomme Brief', maar natuurlijk is Lufkin daarop voorbereid. Hij leest hem voor en verklaart dan met eentonige stem en zonder een spoor van gevoel dat de brief is geschreven door iemand die later is ontslagen. De man zat fout, het bedrijf zat fout, en hier, in de rechtszaal, wil Great Eastern zich openlijk verontschuldigen voor deze brief.

Ik laat hem maar praten. Dan loopt hij vanzelf wel in de val.

'Komt u niet wat laat met die verontschuldiging?' onderbreek ik hem ten slotte.

'Misschien wel.'

'De jongen is dood.'

'Ja.'

'En Great Eastern heeft nooit schriftelijk excuses aangeboden, is het wel?'

'Niet dat ik weet.'

'Dus dit is de eerste keer?'

'Inderdaad.'

'Is het u bekend of Great Eastern ooit excuses heeft gemaakt in andere gevallen?'

'Ik protesteer,' zegt Drummond.

'Toegestaan. Gaat u verder, meneer Baylor.'

Lufkin zit al bijna twee uur in de getuigenbank. De jury heeft waarschijnlijk onderhand genoeg van hem. En anders ik wel. Het wordt tijd om toe te slaan.

Ik heb opzettelijk zoveel aandacht aan het verzekeringsdossier besteed om aan te tonen dat het de hoeksteen is van Great Easterns bedrijfspolitiek. Ik geef Lufkin het exemplaar van het handbock dat ik van Drummond heb gekregen. Ik voel hem scherp aan de tand, en steeds opnieuw bevestigt hij dat dit inderdaad de officiële richtlijnen zijn voor de afhandeling van een claim. Zo nu en dan worden ze herzien en aangepast aan de veranderende tijden, uitsluitend om de cliënten nog beter van dienst te kunnen zijn.

Op het moment dat het eentonig dreigt te worden, vraag ik hem: 'Dus dit is het volledige handboek Vergoedingen, meneer Lufkin?'

Hij bladert het snel door, alsof hij alle secties en ieder woord kent. 'Ja.'

'Weet u het zeker?'

'Ja.'

'En dit exemplaar moest u mij opsturen als bewijsstuk?'

'Inderdaad.'

'Ik heb uw advocaten om het handboek gevraagd en dit hebben ze me gegeven?'

'Ja.'

'Hebt u hun dit exemplaar persoonlijk toegestuurd?'

'Ja.'

Ik haal diep adem en loop een paar stappen naar mijn tafel. Eronder staat een kleine kartonnen doos met dossiers en andere papieren. Ik zoek er even in, kom abrupt weer overeind, met lege handen, en draai me naar de getuige toe. 'Zoudt u in het handboek Sectie U voor me kunnen opzoeken, als u wilt?' Terwijl ik dat zeg, kijk ik naar Jack Underhall, de bedrijfsjurist van Great Eastern, die achter Drummond zit. Hij sluit even zijn ogen. Zijn hoofd zakt naar voren; hij leunt op zijn ellebogen en staart naar de vloer. Kermit Addy, die naast hem zit, lijkt naar adem te happen.

Drummond weet van niets.

'Pardon?' vraagt Lufkin met overslaande stem. Onder het toeziend oog van de hele zaal haal ik Cooper Jacksons exemplaar van het handboek uit de doos en leg het op mijn tafel. Iedereen kijkt ernaar. Ik werp een blik op Kipler, die zich kostelijk amuseert.

'Sectie U, meneer Lufkin. Slaat u die maar even op. Ik wilde er iets over zeggen.'

Hij pakt daadwerkelijk het handboek en bladert het door, alsof Sectie U als door een wonder weer in zijn exemplaar is opgenomen. In ruil voor zo'n mirakel zou hij op dit moment zijn kinderen willen verkopen, daar ben ik van overtuigd.

Helaas.

'Ik heb geen Sectie U,' zegt hij zielig en haast onverstaanbaar.

'Sorry?' zeg ik luid. 'Ik versta u niet.'

'Eh... Sectie U staat hier niet in.' Hij is half versuft door de klap, niet omdat Sectie U ontbreekt, maar omdat hij is betrapt. In paniek kijkt hij naar Drummond, Underhall en Addy, alsof die iets kunnen doen – een time-out aanvragen of zoiets.

Leo F. Drummond weet niet welke streek zijn cliënt hem heeft geleverd. Ze hebben op eigen houtje met het handboek geknoeid, zonder hun advocaat iets te zeggen. Hij zit te fluisteren met Morehouse. Wat is hier in godsnaam aan de hand?

Met veel theater pak ik het handboek op en loop naar de getuigenbank. De twee boeken zien er precies hetzelfde uit. In het colofon staat dezelfde datum van de herziene editie: 1 januari 1991. Ze zijn volslagen identiek, maar het ene boek bevat een Sectie U en het andere niet.

'Herkent u dit, meneer Lufkin?' vraag ik terwijl ik hem Jacksons exemplaar aanreik en het mijne van hem aanpak.

'Ja.'

'Wat is het?'

'Een exemplaar van het handboek Vergoedingen.'

'En bevat dit exemplaar een Sectie U?'

Hij slaat de bladzijden om en knikt.

'Wilt u antwoord geven, meneer Lufkin? Een hoofdknik is niet voldoende voor de stenografe.'

'Sectie U staat erin.'

'Dank u. Volgende vraag. Hebt u Sectie U persoonlijk uit mijn exemplaar verwijderd of hebt u iemand anders daar opdracht toe gegeven?'

Voorzichtig legt hij het boek op het hekje rond de getuigenbank en vouwt nadrukkelijk zijn armen voor zijn borst. Zwijgend staart hij naar de vloer tussen ons in en wacht. Volgens mij is hij in dromenland. De seconden verstrijken. Iedereen wacht.

'Wilt u de vraag beantwoorden!' blaft Kipler van boven.

'Ik weet niet wie dat heeft gedaan.'

'Maar het is wel gebeurd, nietwaar?' vraag ik.

'Blijkbaar.'

'Dus u geeft toe dat Great Eastern documenten heeft achtergehouden?'

'Ik geef niets toe! We hebben het over het hoofd gezien, dat is alles.'

'Over het hoofd gezien? Toe nou, meneer Lufkin. Iemand bij Great Eastern heeft opzettelijk Sectie U uit mijn exemplaar verwijderd, of niet soms?'

'Dat weet ik niet. Eh... het is wel gebeurd, ja. Denk ik.'

Ik loop terug naar mijn tafel, zogenaamd om iets op te zoeken. In werkelijkheid wil ik hem daar een paar seconden laten zitten, zodat de jury goed de pest aan hem kan krijgen. Hij staart verslagen voor zich uit. Hij wou dat hij ergens anders was.

Zelfverzekerd loop ik naar de tafel van de verdediging en overhandig Drummond een kopie van Sectie U, vergezeld van een gemene grijns naar hem en Morchouse. Daarna geef ik een exemplaar aan rechter Kipler. Ik neem er alle tijd voor, zodat de jury niets hoeft te missen. De spanning stijgt.

'Goed, meneer Lufkin, hoe zit dat met die geheimzinnige Sectie U? Kunt u dat de jury uitleggen? Wilt u in het boek kijken, alstublieft?'

Hij pakt het handboek en bladert het door.

'Sectie U is op 1 januari 1991 in werking getreden. Correct?'

'Ja.'

'Hebt u die sectie opgesteld?'

'Nee.' Natuurlijk niet.

'Wie dan wel?'

Weer een verdachte stilte als hij naar een leugen zoekt. De twaalf juryleden zien hem spartelen.

'Dat weet ik niet,' zegt hij.

'Dat weet u niet? Maar u hebt zojuist verklaard dat dit alles onder uw verantwoordelijkheid valt.'

Hij staart weer naar de grond, in de vergeefse hoop dat ik hem met rust zal laten.

'Goed,' zeg ik. 'Laten we de eerste twee alinea's maar overslaan. Wilt u ons de derde voorlezen?'

De derde alinea instrueert de afdeling Vergoedingen om iedere claim binnen drie dagen na binnenkomst af te wijzen. Zonder uitzondering. Iedere claim. De vierde alinea behandelt de verdere afwikkeling van sommige claims, met alle controles die nodig zijn om van tevoren vast te stellen dat het slechts om een geringe en daarom geldige claim gaat. De vijfde alinea bepaalt dat alle claims van vijfduizend dollar en hoger naar de afdeling

335

Acceptatie moeten worden gestuurd, met een afwijzingsbrief naar de verzekerde, hangende het onderzoek door Acceptatie.

Er zo gaat het maar door. Ik laat Lufkin de betreffende passages lezen en bestook hem met vragen die hij niet kan beantwoorden. Herhaaldelijk gebruik ik het woord 'truc', zeker nadat Drummond tevergeefs heeft geprotesteerd. De elfde alinea bevat een hele woordenlijst van geheime codes die de medewerkers in het dossier moeten opnemen als de verzekerde zich actief verzet. Het is duidelijk een afweging. Als de verzekerde met advocaten en een rechtszaak dreigt, wordt de afwijzing onmiddellijk herzien. Komt er geen verzet, dan blijft de afwijzing gehandhaafd.

In alinea 18b krijgt de medewerker opdracht een cheque voor het bedrag van de claim naar de afdeling Acceptatie te sturen, samen met het dossier en de instructie de cheque pas op te sturen na een bevestiging door de afdeling Vergoedingen. Die bevestiging komt dus nooit. 'Wat gebeurt er dan met die cheque?' vraag ik Lufkin. Hij weet het niet.

De andere helft van de tactiek is te vinden in Sectie U van het handboek Acceptatie. Maar dat neem ik morgen wel door, met de andere adjunct-directeur.

Nodig is het niet. Als we nu zouden stoppen, zou de jury bereid zijn ons ieder bedrag toe te kennen. En ze hebben Donny Ray nog niet eens gezien.

Om half vijf is er een korte pauze. Ik heb Lufkin nu tweeënhalf uur ondervraagd en het wordt tijd om er een punt achter te zetten. Als ik de gang in stap, op weg naar het toilet, zie ik Drummond nijdig naar een kamertje wijzen om met Lufkin en Underhall te overleggen. Ik zou er graag bij zijn als hij hen onder handen neemt.

Twintig minuten later zit Lufkin weer in de getuigenbank. Ik laat de handboeken even rusten. De juryleden kunnen de kleine lettertjes wel lezen als ze zich terugtrekken voor hun beraad.

'Nog een paar korte vragen,' zeg ik verkwikt en met een glimlach. 'Hoeveel ziektekostenpolissen liepen er in 1991 bij Great Eastern?'

Weer kijkt de wezel hulpeloos naar zijn advocaat. Die informatie had ik al drie weken geleden in mijn bezit moeten hebben.

'Dat weet ik niet precies,' zegt hij.

'En hoeveel claims zijn er in 1991 ingediend?'

'Dat weet ik niet.'

'U bent adjunct-directeur Vergoedingen, maar dat wéét u niet?'

'Het is een groot bedrijf.'

'Hoeveel claims zijn er in 1991 afgewezen?'

'Dat weet ik niet.'

Precies op het juiste moment mengt rechter Kipler zich in de discussie. 'Zo is het wel genoeg voor vandaag. De getuige kan gaan. We schorsen de zitting tot morgenochtend negen uur.'

Hij bedankt de juryleden en geeft ze hun instructies. Sommigen glimlachen tegen me als ze langs mijn tafel lopen. We wachten tot ze vertrokken zijn. Als de dubbele deur achter het laatste jurylid is dichtgevallen, zegt Kipler tegen de stenografe: 'Noteert u dit. Meneer Drummond,' vervolgt hij, 'u en uw cliënt hebben zich schuldig gemaakt aan minachting van het hof. Een paar weken geleden heb ik u opgedragen de eiser deze informatie toe te sturen. Dat is niet gebeurd. Het gaat om relevante, belangrijke gegevens, die u opzettelijk achterhoudt. Zijn u en uw cliënt bereid zich in gijzeling te laten nemen totdat de eiser deze informatie heeft ontvangen?'

Leo komt overeind. Hij is doodmoe en je ziet hem ouder worden. 'Edelachtbare, ik heb geprobeerd de gegevens boven water te krijgen. Ik heb eerlijk mijn best gedaan.' Die arme Leo. Zijn hoofd gonst nog na door de klap van Sectie U. Ik geloof hem echt. Zijn cliënten hebben zojuist toegegeven dat ze rustig documenten voor hem verborgen houden.

'Is meneer Keeley in de buurt?' vraagt zijne edelachtbare.

'Ja. Hij zit in de getuigenkamer,' zegt Drummond.

'Haal hem maar.' Even later wordt de president-directeur van Great Eastern door de parketwachter binnengebracht.

Dot heeft er genoeg van. Ze moet plassen en ze wil een sigaret.

Kipler wijst naar de getuigenbank en neemt Keeley zelf de eed af. Daarna vraagt hij hem of er een goede reden is waarom zijn bedrijf de gegevens waarom ik had gevraagd niet heeft opgestuurd.

Hakkelend probeert hij de schuld op de bijkantoren af te schuiven.

'U weet wat minachting van het hof betekent?' vraagt Kipler.

'Eh... niet helemaal.'

'Het is heel eenvoudig. Uw bedrijf heeft zich schuldig gemaakt aan een strafbare weigering. Dat is minachting van het hof, meneer Keeley. Ik kan uw bedrijf een boete opleggen of u, als president-directeur, in gijzeling nemen. Wat zal het zijn?'

Ik weet zeker dat sommigen van zijn kameraden al ervaring hebben met zo'n luxe strafkamp op het platteland, maar hier in Memphis zou hij zijn cel met een stel ongure types moeten delen. 'Ik wil niet naar de gevangenis, edelachtbare.'

'Dat dacht ik al. Dan veroordeel ik Great Eastern hierbij tot een boete van tienduizend dollar. Het bedrag moet vóór morgenmiddag vijf uur aan de eiser worden uitbetaald. Bel uw kantoor maar en regel een telefonische overschrijving. Oké?'

Keeley kan niets anders doen dan knikken.

'Als de gevraagde informatie niet voor negen uur morgenochtend is gefaxt, wordt u alsnog naar het huis van bewaring in Memphis overgebracht, om daar te blijven tot de gegevens zijn ontvangen. Iedere dag extra kost uw bedrijf nog eens vijfduizend dollar.'

Kipler draait zich om en wijst naar Drummond. 'Ik heb u herhaaldelijk herinnerd aan deze documenten, meneer Drummond. Dit gedrag accepteer ik niet.'

Nijdig geeft hij een tik met zijn hamer en vertrekt.

– 44 –

Normaal gesproken zou ik me nogal belachelijk voelen in een keurig pak met een blauw-wit petje op mijn hoofd met 'Tiger' erop. Maar dit is nu eenmaal een krankzinnige dag. Ik leun tegen een muur in de aankomsthal van het vliegveld van Memphis. Ik ben afgepeigerd, maar de adrenaline stroomt nog volop. De eerste dag van de zitting had niet beter kunnen verlopen.

Het vliegtuig uit Chicago landt op tijd en al gauw word ik herkend aan mijn pet. Een vrouw met een grote zonnebril op komt naar me toe, neemt me van hoofd tot voeten op en vraagt ten slotte: 'Meneer Baylor?'

'Dat ben ik.' Ik schud Jackie Lemancyzk en haar vriend, die zich slechts voorstelt als Carl, de hand. Hij heeft een weekendtas bij zich en ze willen zo snel mogelijk weg. Deze mensen zijn nerveus.

We rijden naar hun hotel, een Holiday Inn in het centrum, zes straten van de rechtbank. Jackie zit naast me, Carl op de achterbank. Hij zegt geen woord, maar hij bewaakt haar als een Rotweiler. Ik vertel hun hoe de eerste dag van de procedure is verlopen. Nee, Great Eastern heeft geen flauw vermoeden dat Jackie komt getuigen. Haar handen trillen. Ze is zwak, kwetsbaar en bang voor haar eigen schaduw. Ik kan geen reden bedenken waarom ze hiertoe besloten heeft, behalve om wraak te nemen. Op haar verzoek heb ik de kamer op mijn eigen naam geboekt. We nemen de lift naar de veertiende verdieping en gaan aan een klein tafeltje zitten om mijn vragen door te nemen. Ik heb ze in volgorde voor haar uitgetypt. Als ze werkelijk een mooie vrouw is, weet ze dat goed te verbergen. Haar haar is afgeknipt en lelijk donkerrood geverfd. Volgens haar advocaat is ze in therapie, dus ik vraag maar niet te veel. Haar ogen zijn bloeddoorlopen en droevig. Ze heeft ze niet opgemaakt. Ze is eenendertig, gescheiden en heeft twee kleine kinderen. Het is nauwelijks voorstelbaar dat ze bij Great Eastern van het ene bed in het andere klom.

Carl is heel beschermend. Hij klopt haar op de arm en geeft zo nu en dan zijn mening over een vraag. Jackie wil morgenochtend zo vroeg mogelijk getuigen om daarna meteen weer op het vliegtuig te stappen.

Om middernacht laat ik hen alleen.

Dinsdagochtend om negen uur opent rechter Kipler de zitting maar vraagt de parketwachter de jury nog even in de jurykamer te laten. Daarna informeert hij bij Drummond of de gevraagde gegevens zijn aangekomen. Tegen een tarief van vijfduizend dollar per dag hoop ik bijna dat hij nee zal zeggen.

'Ik heb ze een uur geleden ontvangen, edelachtbare,' antwoordt hij, duidelijk opgelucht. Hij geeft me een keurige stapel papier van bijna drie centimeter dik. Met een bleke glimlach overhandigt hij de rechter hetzelfde pakket.

'Meneer Baylor, u zult nog wel wat tijd nodig hebben,' merkt zijne edelachtbare op.

'Een half uur, denk ik.'

'Goed, dan laten we de jury om half tien binnenkomen.'

Deck en ik lopen snel naar een kleine spreekkamer verderop in de gang en ploegen de informatie door. Het lijkt wel Grieks, totaal onbegrijpelijk, maar dat had ik wel verwacht. Daar zullen ze spijt van krijgen.

Om half tien komt de jury de rechtszaal binnen en wordt door rechter Kipler hartelijk begroet. Iedereen is gezond en niemand heeft contact gehad met een van de partijen in de zaak.

'Uw getuige, meneer Baylor,' zegt Kipler, en de tweede dag is begonnen.

'We zouden graag verder gaan met Everett Lufkin,' zeg ik.

Lufkin wordt opgehaald en neemt plaats in de getuigenbank. Na het fiasco met Sectie U zal niemand nog een woord geloven van wat hij zegt. Ik weet zeker dat Drummond hem gisteravond de huid vol heeft gescholden. Hij maakt een opgejaagde indruk. Ik geef hem het dossier dat ik vanochtend heb gekregen en vraag hem of hij het herkent.

'Het is een computeroverzicht van de claims en de bijbehorende informatie.'

'Afkomstig van de computers van Great Eastern?'

'Inderdaad.'

'Wanneer is deze uitdraai gemaakt?'

'Gistermiddag en gisteravond.'

'Onder uw supervisie, als adjunct-directeur Vergoedingen?'

'Zo zou u het kunnen zeggen.'

'Goed. Meneer Lufkin, wilt u de jury dan vertellen hoeveel ziektekostenpolissen Great Eastern in 1991 in portefeuille had?'

Hij aarzelt en bladert nerveus de uitdraai door. We wachten tot hij klaar

339

is. Het duurt een hele tijd. Het enige geluid in de rechtszaal is het geritsel van het papier op Lufkins schoot.

Het 'dumpen' van documenten is een geliefde tactiek van verzekeringsmaatschappijen en hun advocaten. Ze wachten tot het laatste moment, bij voorkeur één dag voor de zitting, om dan vier dozen met dossiers op de stoep bij de advocaat van de eiser te deponeren. Met de hulp van Tyrone Kipler heb ik dat kunnen voorkomen.

Maar dit is een laatste poging. Ze dachten zeker dat ze eronderuit konden komen door me een uitdraai van zeventig pagina's in mijn handen te drukken waar geen mens iets van begrijpt.

'Ik kom er niet helemaal uit,' mompelt hij. 'Als ik wat meer tijd had...'

'U hebt twee maanden de tijd gehad,' zegt Kipler luid. Zijn microfoon werkt perfect. Iedereen schrikt van de toon en het volume van zijn stem. 'Geeft u antwoord, alstublieft.' Achter de tafel aan de overkant krimpen ze alweer in elkaar.

'Ik wil drie dingen van u weten, meneer Lufkin,' zeg ik. 'Het aantal lopende polissen, het aantal claims dat op grond van die polissen is ingediend, en het percentage dat is afgewezen. En dan spreek ik over het jaar 1991.'

Hij bladert nog wat. 'Als ik het me goed herinner, lag dat in de orde van zevenennegentigduizend polissen.'

'Dat kunt u dus niet met zekerheid uit uw eigen cijfers aflezen?'

Nee, dat kan hij niet. Hij doet alsof hij zo in de uitdraai is verdiept dat hij mijn vraag niet hoort.

'En u bent adjunct-directeur Vergoedingen?' tart ik hem.

'Jazeker!' valt hij uit.

'Laat me u dan één ding vragen, meneer Lufkin. Bevat deze uitdraai wel de informatie waarom ik heb verzocht?'

'Ja.'

'Dus het is een kwestie van goed zoeken?'

'Als u nu eindelijk uw mond houdt, kan ik het misschien vinden!' Hij snauwt naar me als een gewond dier. Dat komt niet prettig over op de jury.

'Ik hoef mijn mond niet te houden, meneer Lufkin.'

Drummond staat op en spreidt zijn handen. 'Edelachtbare, in alle redelijkheid... de getuige probeert de gegevens te vinden.'

'Meneer Drummond, de getuige heeft twee maanden de tijd gehad om de gegevens te vinden. Hij is adjunct-directeur Vergoedingen, dus ik neem aan dat hij zijn eigen uitdraai begrijpt. Protest afgewezen.'

'Vergeet die uitdraai maar even, meneer Lufkin,' zeg ik. 'Wat is de verhouding tussen de polissen en de claims in een gemiddeld jaar? Noem maar een percentage.'

'Gemiddeld krijgen we claims op acht tot tien procent van onze polissen.'
'En welk percentage van die claims wordt uiteindelijk afgewezen?'
'Omstreeks tien procent van alle claims wordt verworpen,' zegt hij. Hoewel hij nu opeens de antwoorden weet, heeft hij weinig zin die informatie openbaar te maken.
'Hoeveel dollar bedraagt de gemiddelde claim, toegekend of afgewezen?'
Het blijft lange tijd stil als hij daarover nadenkt. Volgens mij heeft hij het opgegeven. Hij wil nog maar één ding: weg uit deze rechtszaal en weg uit Memphis.
'Gemiddeld zo'n vijfduizend dollar.'
'Dus soms gaat het maar om een paar honderd dollar, nietwaar?'
'Ja.'
'En soms om tienduizenden dollars. Correct?'
'Ja.'
'Dat gemiddelde is dus theoretisch.'
'Inderdaad.'
'Die cijfers en percentages die u me zojuist hebt genoemd, gelden die voor de hele bedrijfstak of alleen voor Great Eastern?'
'Ik kan niet voor de hele bedrijfstak spreken.'
'Dus u weet het niet?'
'Dat zei ik niet.'
'O, u weet het wèl? Geef dan antwoord, alstublieft.'
Hij krimpt ineen. Hij wil hier vandaan. 'Ze zijn vrij gemiddeld, zou ik zeggen.'
'Dank u.' Ik wacht even voor het effect, raadpleeg mijn notities, schakel over naar een andere versnelling en knipoog tegen Deck, die onopvallend de zaal verlaat. 'Dan nog een andere kwestie, meneer Lufkin. Hebt u Jackie Lemancyzk geadviseerd om ontslag te nemen?'
'Nee.'
'Hoe goed was zij in haar werk?'
'Gemiddeld.'
'Weet u waarom de functie van bureauchef haar is ontnomen?'
'Als ik het me goed herinner, had het iets te maken met haar gebrek aan contactuele eigenschappen.'
'Heeft ze een afvloeiingsregeling gekregen toen ze vertrok?'
'Nee. Ze heeft zelf ontslag genomen.'
'Zonder enige compensatie?'
'Ja.'
'Dank u. Geen vragen meer.'
Drummond kan twee dingen doen. Hij kan Lufkin nu meteen ondervragen of hem later nog eens oproepen. Maar Lufkin is uitgevloerd en ik denk niet dat Drummond het risico zal nemen.

'Edelachtbare, wij willen meneer Lufkin later terugroepen,' verklaart Drummond, zoals verwacht. Volgens mij krijgt de jury hem nooit meer te zien.

'Goed. Uw volgende getuige, meneer Baylor.'

'Wij roepen Jackie Lemancyzk als getuige op,' zeg ik met luide stem.

Snel draai ik me opzij om de reactie van Underhall en Addy te zien. Ze zaten met elkaar te fluisteren, maar ze verstijven als ze haar naam horen. Hun mond valt open en hun ogen puilen uit hun kassen.

Die arme Lufkin is al bijna bij de deur als hij Jackies naam hoort. Hij blijft als aan de grond genageld staan, staart met grote ogen naar Drummonds tafel en vlucht dan de rechtszaal uit.

Drummond springt overeind, te midden van zijn trawanten. 'Edelachtbare, kunnen we even overleggen?'

Kipler wenkt ons naar zich toe, op veilige afstand van de microfoon. Mijn opponent wendt heftige verontwaardiging voor. Hij zal heus wel verbaasd zijn, maar zijn woede slaat nergens op. Het lijkt wel of hij hyperventileert. 'Edelachtbare, dit is een complete verrassing,' sist hij. De jury mag hem niet horen of zijn reactie zien.

'Hoezo?' vraag ik zelfvoldaan. 'Ze stond oorspronkelijk als getuige genoteerd.'

'We hebben het recht op enige waarschuwing vooraf. Wanneer heb je haar gevonden?'

'Ik wist niet dat ze zoek was.'

'Het is een redelijke vraag, meneer Baylor,' zegt zijne edelachtbare. Voor het eerst fronst hij tegen mij. Ik kijk hen allebei onschuldig aan, alsof ik wil zeggen: Hé, ik ben maar een beginneling. Geef me een kans.

'Ze stond op de oorspronkelijke lijst,' zeg ik nog eens. We weten natuurlijk alle drie dat Jackie Lemancyzk gaat getuigen. Misschien had ik het hof moeten zeggen dat ze gisteren in de stad was, maar ach... dit is mijn eerste geding.

Ze komt samen met Deck de rechtszaal binnen. Underhall en Addy weigeren haar aan te kijken. De vijf pakken van Trent & Brent volgen iedere stap. Ze heeft zich aardig opgeknapt. Ze verbergt haar magere figuur in een wijde blauwe jurk die tot vlak boven haar knie valt. Ook haar gezicht is veel knapper dan gisteravond. Ze legt de eed af, gaat in de getuigenbank zitten, werpt de jongens van Great Eastern een giftige blik toe en is klaar voor haar verhaal.

Ik vraag me af of ze ook met Underhall of Addy heeft geslapen. Gisteravond had ze het over Lufkin en iemand anders, maar toen vertelde ze nog niet alles.

We werken snel de personalia af en komen dan ter zake.

'Hoe lang hebt u bij Great Eastern gewerkt?'

'Zes jaar.'

'En wanneer bent u er weggegaan?'

'Op 13 oktober.'

'Hoe?'

'Ik ben ontslagen.'

'U hebt niet zelf ontslag genomen?'

'Nee. Ik ben ontslagen.'

'Door wie?'

'Het was een samenzwering... Everett Lufkin, Kermit Addy, Jack Under-hall en nog een paar anderen.' Ze knikt naar de schuldigen en alle hoofden in de zaal draaien zich naar de afgezanten van Great Eastern.

Ik loop naar haar toe en geef haar een kopie van haar ontslagbrief. 'Dat is de brief die ik heb uitgetypt en ondertekend,' bevestigt ze.

'Maar in die brief staat dat u zelf ontslag neemt, om persoonlijke redenen.'

'Die brief is gelogen. Ik ben ontslagen vanwege de zaak Donny Ray Black, waarin ik op 15 oktober een verklaring moest afleggen. Als ik niet meer bij Great Eastern werkte, kon ik ook niet worden opgeroepen voor een getuigenverklaring.'

'Wie heeft u gedwongen die brief te schrijven?'

'De mensen die ik zojuist noemde. Het was een komplot.'

'Kunt u daar wat meer over zeggen?'

Voor het eerst draait ze zich naar de juryleden, die haar allemaal aankijken. Ze slikt even en begint dan haar verhaal. 'De zaterdag voor het afleggen van de verklaring moest ik naar kantoor komen. Daar zat Jack Underhall, de man in dat grijze pak daar. Hij is de bedrijfsjurist. Hij zei me dat ik meteen zou worden ontslagen. Ik kon kiezen uit twee dingen. Als ik me liet ontslaan, kreeg ik geen cent. Als ik zelf een ontslagbrief zou schrijven, zou Great Eastern me tienduizend dollar zwijggeld betalen. Contant. Ik moest meteen beslissen, waar hij bij was.'

Gisteren, in het hotel, kon ze dat nog zonder emoties vertellen, maar hier in de rechtszaal ligt dat anders. Ze bijt op haar lip en probeert zich goed te houden. Na een minuutje gaat ze verder. 'Ik ben een alleenstaande moeder met twee kinderen, en het leven is duur. Ik had geen keus. Ik was opeens werkloos. Ik heb die brief geschreven, het geld aangepakt en een verklaring getekend dat ik nooit met anderen over mijn werk zou praten.'

'Ook niet over het dossier Black?'

'Vooral niet over het dossier Black.'

'Maar als u het geld hebt aangepakt en die verklaring hebt ondertekend, waarom bent u dan hier?'

'Toen ik over de eerste schrik heen was, heb ik met een advocaat gesproken. Een heel goede advocaat. Hij zei me dat de verklaring die ik had ondertekend onwettig was.'

'Hebt u een kopie van die verklaring?'

'Nee. Die kreeg ik niet van meneer Underhall. Maar vraagt u het hem maar. Hij heeft het origineel nog wel.' Ik draai me langzaam om naar Jack Underhall. De hele zaal staart hem nu aan. Opeens is hij mateloos geïnteresseerd in zijn schoenveters. Hij plukt er wat aan, ogenschijnlijk doof voor haar woorden.

Ik kijk naar Leo Drummond en voor het eerst zie ik een verslagen uitdrukking op zijn gezicht. Natuurlijk heeft zijn cliënt hem niets verteld over deze omkoperij of die afgedwongen verklaring.

'Waarom bent u naar een advocaat gegaan?'

'Omdat ik advies nodig had. Ik was ten onrechte ontslagen, maar vóór die tijd was er al sprake van discriminatie omdat ik een vrouw ben. En sommige mannelijke collega's hadden mij seksueel geïntimideerd.'

'Mensen die wij kennen?'

'Ik protesteer, edelachtbare,' zegt Drummond. 'Het is misschien een smeuïg verhaal, maar het heeft niets met deze zaak te maken.'

'Voorlopig afgewezen. Ik wil even zien waar het toe leidt. Beantwoord de vraag, mevrouw Lemancyzk.'

Ze haalt diep adem en zegt: 'Ik heb drie jaar lang een seksuele verhouding gehad met Everett Lufkin. Zolang ik deed wat hij wilde, kreeg ik opslag en maakte ik promotie. Toen ik er genoeg van had en er een eind aan maakte, werd ik uit mijn functie van bureauchef gezet en werd mijn salaris met twintig procent gekort. Toen besloot Russell Krokit – die op dat moment afdelingschef was maar later gelijk met mij is ontslagen – dat hij met mij naar bed wilde. Hij drong zich op en dreigde met ontslag als ik niet meewerkte. Als ik een tijdje zijn vriendinnetje wilde zijn, zou hij ervoor zorgen dat ik weer promotie maakte. Benen wijd of de straat op, daar kwam het op neer.'

'En beide heren waren getrouwd?'

'Ja. En ze hebben kinderen. Het was algemeen bekend dat ze achter de meiden van mijn afdeling aan zaten. Ik kan u genoeg namen geven. En zij waren niet de enige kerels die promotie beloofden voor seks.'

Weer richten alle ogen zich op Underhall en Addy.

Ik wacht even om iets van mijn tafel te pakken. Het is een trucje dat ik inmiddels heb geleerd: een sappig verhaal even laten bezinken voordat ik verder ga.

Ik kijk naar Jackie, die met een papieren zakdoekje in haar betraande ogen wrijft. De jury staat helemaal aan haar kant en is bereid een moord voor haar te plegen.

'Laten we nog even teruggaan naar het dossier Black,' zeg ik. 'U hebt de nota behandeld toen hij binnenkwam?'

'Dat klopt. Het allereerste formulier van mevrouw Black kwam bij mij terecht. Volgens de instructies heb ik haar meteen een afwijzingsbrief gestuurd.'

'Waarom?'

'Waarom? Omdat alle claims meteen werden afgewezen. Tenminste, zo was het beleid in 1991.'

'Alle claims?'

'Ja. In eerste instantie werden ze allemaal afgewezen, en pas daarna werden de lagere claims herzien. Daar werden er een paar van betaald, maar de grote bedragen werden nooit uitgekeerd tenzij er een advocaat aan te pas kwam.'

'Wanneer werd dit het officiële beleid?'

'Op 1 januari 1991. Het was een experiment. Een soort truc.' Ik knik naar haar. Ga door. 'De directie besloot iedere nota van meer dan duizend dollar – legitiem of niet – een jaar lang af te wijzen. Een groot percentage van de lagere claims werd ten slotte ook afgewezen, als we een of ander argument konden vinden. Een paar hogere nota's werden wel uitgekeerd, maar pas nadat de verzekerde een advocaat in de arm had genomen en met een rechtszaak had gedreigd.'

'Hoe lang heeft die strategie bestaan?'

'Twaalf maanden. Het was een experiment van één jaar. Het was nog nooit eerder geprobeerd, door geen enkele maatschappij, en de directie vond het een geweldig idee. Je wijst een jaar lang alles af, je telt de winst op, je trekt de schikkingen eraf, en je hebt een kapitaal verdiend.'

'Hoeveel?'

'Ongeveer veertig miljoen dollar extra.'

'Hoe weet u dat?'

'Als je maar vaak genoeg met die ellendelingen naar bed gaat, krijg je van alles te horen. Ze praten maar door, over hun werk, over hun vrouw... Hoor eens, ik ben hier niet trots op, oké? Ik heb het nooit leuk gevonden. Ik was een slachtoffer.' Ze heeft weer rode ogen en haar stem trilt een beetje.

Weer een lange pauze als ik mijn aantekeningen raadpleeg. 'Hoe is de zaak Black afgehandeld?'

'Eerst werd de nota afgewezen, volgens de instructies. Maar het ging om een hoog bedrag en daarom kreeg hij een andere code. Toen we de term "acute leukemie" lazen, werd alles wat ik deed nog eens gecontroleerd door Russell Krokit. Ze beseften al vrij gauw dat beenmergtransplantaties niet expliciet in de polis waren uitgesloten. Het werd een heel belangrijk dossier, om twee redenen. Er was veel geld mee gemoeid, geld dat Great Eastern niet wilde betalen, en bovendien had de verzekerde een dodelijke ziekte.'

345

'Dus de afdeling Vergoedingen wist dat Donny Ray zou sterven?'
'Natuurlijk. Zijn medische dossier was duidelijk genoeg. Ik herinner me een rapport van een arts die schreef dat de chemokuur was geslaagd maar dat de leukemie terug zou komen, waarschijnlijk binnen een jaar, en dat de patiënt uiteindelijk zou overlijden, tenzij hij een beenmergtransplantatie kreeg.'
'Hebt u dat rapport aan anderen laten zien?'
'Ja, aan Russell Krokit. Die ging ermee naar Everett Lufkin, zijn baas. Maar ze besloten de claim toch af te wijzen.'
'U wist dat het een legitieme claim was?'
'Dat wist iedereen, maar het bedrijf nam gewoon het risico.'
'Hoe bedoelt u?'
'Ze hoopten dat de verzekerde niet naar een advocaat zou stappen.'
'Wist u op dat moment hoe groot die kans was?'
'Het scheen dat maar één op de vijfentwintig mensen een advocaat in de arm nam. Dat is de enige reden waarom ze hiermee begonnen zijn. Ze wisten dat ze heel ver konden gaan. Die polissen worden verkocht aan mensen die geen hoge opleiding hebben. Great Eastern rekende erop dat ze de afwijzing zonder slag of stoot zouden accepteren.'
'Wat gebeurde er als er een brief van een advocaat binnenkwam?'
'Dan veranderde de situatie. Als het bedrag lager was dan vijfduizend dollar en de claim was legitiem, werd er onmiddellijk uitgekeerd, met een verontschuldigend briefje. Een administratief misverstand, u kent dat wel. Of een computerfout. Ik heb tientallen van zulke brieven verstuurd. Als het om meer dan vijfduizend dollar ging, werd de zaak mij van hogerhand uit handen genomen. In de meeste gevallen werd er toch betaald. Als de advocaat al een procedure was begonnen of op het punt stond dat te doen, trof Great Eastern een discrete schikking.'
'Hoe vaak gebeurde dat?'
'Dat zou ik echt niet weten.'
Ik bedank haar en loop bij het podium vandaan. 'Uw getuige,' zeg ik met een glimlach tegen Drummond.
Ik ga naast Dot zitten, die stilletjes zit te huilen. Ze heeft zichzelf altijd verweten dat ze niet eerder naar een advocaat is gegaan. Daarom is Jackies verhaal extra pijnlijk voor haar. Hoe dit ook afloopt, ze zal het zichzelf nooit vergeven.
Gelukkig zien sommige juryleden dat ze in tranen is.
Die arme Leo loopt zo ver mogelijk bij de jury vandaan voordat hij aan zijn verhoor begint. Ik heb geen idee wat hij wil vragen, maar hij zal wel eens eerder in een benarde positie hebben verkeerd.
Hij stelt zich hartelijk voor en zegt tegen Jackie dat ze elkaar nooit eerder hebben ontmoet. Op die manier wil hij de jury duidelijk maken dat hij

volledig door deze getuige is overvallen. Ze kijkt hem vernietigend aan. Ze heeft niet alleen de pest aan Great Eastern maar ook aan iedere advocaat die zo'n zak is dat hij voor hen wil werken.

'Is het waar, mevrouw Lemancyzk, dat u kort geleden in een inrichting bent opgenomen wegens uiteenlopende problemen?' Hij vraagt het heel voorzichtig. Bij een zitting moet je nooit vragen stellen waarvan je het antwoord niet weet. Maar ik heb zo'n idee dat Leo volkomen in het duister tast. Zijn enige bron is wat gefluisterde informatie uit het afgelopen kwartier.

'Nee! Dat is helemaal niet waar.' Ze zet al haar stekels op.

'Neem me niet kwalijk. Maar u werd toch behandeld?'

'Ik ben niet opgenomen. Ik heb twee weken vrijwillig therapie ondergaan. Ik mocht weg wanneer ik wilde. De behandeling werd zogenaamd gedekt door mijn werknemersverzekering bij Great Eastern, die nog twaalf maanden na mijn ontslag van kracht bleef. Maar natuurlijk weigeren ze te betalen.'

Drummond bijt op een nagel en tuurt op zijn aantekeningen alsof hij dat laatste niet heeft gehoord. Volgende vraag, Leo.

'Is dat de reden waarom u hier bent? Omdat u kwaad bent op Great Eastern?'

'Ik háát Great Eastern en de meesten van die etters die er werken. Dat wilde u toch horen?'

'En is die haat het motief voor uw getuigenverklaring hier?'

'Nee. Ik ben hier omdat ik weet hoe ze opzettelijk duizenden mensen hebben belazerd. En dat moet nu maar eens bekend worden.'

Geef het maar op, Leo.

'Waarom bent u in therapie gegaan?'

'Ik heb problemen met drank en depressies. Op dit moment gaat het redelijk, maar volgende week? Wie zal het zeggen? Vijf jaar lang ben ik door uw cliënten als een stuk vlees behandeld. Ik ging rond als een doos snoepjes waaruit iedereen zijn keus kon doen. Ze zaten achter me aan omdat ik een lekker kontje had. En ik was een makkelijke prooi – een alleenstaande moeder, geen geld, twee kinderen. Ze hebben me mijn zelfrespect ontnomen. Maar nu vecht ik terug, meneer Drummond. Ik probeer mezelf te redden, en als ik daar therapie bij nodig heb, zal ik geen moment aarzelen. Ik wou alleen dat uw cliënt de rekeningen betaalde. Dat stelletje tuig.'

'Geen vragen meer, edelachtbare.' Drummond vlucht naar zijn tafel. Ik help Jackie uit de getuigenbank en breng haar bijna tot aan de deur. Ik bedank haar nog een paar keer en beloof haar advocaat te bellen. Deck zal haar naar het vliegveld rijden.

Het is bijna half twaalf. Het lijkt me een goed idee om de jury tijdens de lunch over haar verklaring te laten nadenken, dus vraag ik rechter Kipler om wat eerder te schorsen, zogenaamd omdat ik tijd nodig heb om de computeruitdraai te bestuderen voordat ik de andere getuigen kan oproepen.

De tienduizend dollar boete is binnengekomen toen wij in de rechtszaal zaten. Drummond heeft het in depôt gegeven, vergezeld van een protest van twintig pagina's. Hij wil beroep aantekenen tegen de sancties. Voorlopig blijft het geld op een rekening van de rechtbank staan tot er uitspraak is gedaan. Ik heb wel andere dingen aan mijn hoofd.

– 45 –

Een paar juryleden glimlachen naar me als ze na de lunch weer naar hun plaatsen lopen. Ze mogen eigenlijk niet over de zaak praten tot aan het moment waarop ze zich officieel moeten beraden, maar iedereen weet dat ze met elkaar fluisteren als ze de rechtszaal verlaten. Een paar jaar geleden zijn twee juryleden nog slaags geraakt omdat ze het niet eens waren over de betrouwbaarheid van een bepaalde getuige. Helaas was dat pas de tweede getuige in een zaak die twee weken zou duren. De rechter verklaarde de procedure onbeslist en begon opnieuw.

Ze hebben twee uur de tijd gehad om Jackies verklaring op zich te laten inwerken. Nu is het moment aangebroken om hun duidelijk te maken hoe ze een deel van dit onrecht kunnen herstellen. Het wordt tijd om over geld te praten.

'Edelachtbare, ik roep M. Wilfred Keeley op als getuige.' Keeley wordt opgehaald en stapt energiek de rechtszaal binnen, alsof hij popelt om zijn verhaal te doen. Hij maakt een zelfverzekerde, vriendelijk indruk – een heel contrast met Lufkin – ondanks de brutale leugens waarop zijn bedrijf al is betrapt. Blijkbaar wil hij de jury tonen dat hij de baas is en dat ze hèm kunnen vertrouwen.

Ik begin met een paar algemene vragen om vast te stellen dat hij de president-directeur is, de hoogste baas van Great Eastern. Dat geeft hij volmondig toe. Daarna overhandig ik hem een exemplaar van het laatste jaarverslag van zijn maatschappij. Hij doet alsof hij het iedere ochtend bestudeert.

'Meneer Keeley, kunt u de jury vertellen hoeveel uw bedrijf waard is?'

'Wat bedoelt u daar precies mee?' reageert hij.

'De nettowaarde.'

'Dat is geen duidelijk begrip.'

'O jawel. Kijkt u maar naar uw eigen jaarrekening hier – de activa aan de ene kant, de verplichtingen aan de andere. Trek die cijfers van elkaar af en vertel de jury wat er overblijft. Dat is de nettowaarde.'

'Zo simpel ligt dat niet.'

Ik schud ongelovig mijn hoofd. 'Bent u het met me eens dat uw bedrijf een nettowaarde heeft van omstreeks vierhonderdvijftig miljoen dollar?'

Een van de voordelen als je een manager op een leugen betrapt, is dat zijn collega's daarna wel verplicht zijn de waarheid te spreken. Keeley kan zich geen enkele misstap meer permitteren. Drummond heeft hem daar ongetwijfeld van doordrongen. Dat zal geen leuk gesprek zijn geweest.

'Dat klopt wel ongeveer. Daar ga ik mee akkoord.'

'Dank u. Hoeveel contant geld bezit uw maatschappij?'

Dat is een onverwachte vraag. Drummond staat op om te protesteren, maar Kipler wuift hem terug.

'Moeilijk te zeggen,' antwoordt Keeley en opeens wordt hij bevangen door die Great Eastern-twijfels die we al zo goed kennen.

'Toe nou, meneer Keeley, u bent president-directeur. U werkt daar al achttien jaar. U hebt een financiële achtergrond. Hoeveel contant geld bezit uw firma?'

Hij bladert geagiteerd de gegevens door, terwijl ik rustig afwacht. Ten slotte noemt hij een bedrag. Op dat punt ben ik Max Leuberg bijzonder dankbaar. Ik pak mijn eigen exemplaar en vraag hem een bepaalde reservepost te verklaren. Toen ik tien miljoen eiste van Great Eastern, hebben ze dat bedrag meteen gereserveerd voor het geval ze de procedure zouden verliezen. Dat doen ze altijd. Het is nog wel hun geld, het wordt nog geïnvesteerd en het brengt rente op, maar nu staat het opeens genoteerd als een verplichting. Verzekeringsmaatschappijen vinden het prachtig als ze voor een miljard worden aangeklaagd, want dan kunnen ze het geld reserveren en beweren dat ze bankroet zijn.

En het is nog legaal ook. De Amerikaanse verzekeringswereld valt buiten alle regels en heeft een geheel eigen boekhouding.

Keeley begint een omslachtig betoog met allerlei financiële termen die geen hond begrijpt. Hij wil de jury liever in verwarring brengen dan de waarheid vertellen.

Ik ondervraag hem over een andere reservering en ga dan verder met de boekwaarde. Activa, passiva. Ik zaag hem een tijdje door en ik geloof zelfs dat ik redelijk intelligent overkom. Met behulp van Leubergs aantekeningen tel ik alles op en vraag dan aan Keeley of Great Eastern zo'n vierhonderdvijfentachtig miljoen in contant geld bezit.

'Was dat maar zo,' zegt hij lachend. Niemand in de zaal glimlacht ook maar.

'Hoeveel dan wel, meneer Keeley?'

'O, dat weet ik niet. Ergens rond de honderd miljoen.'

Zo is het wel voldoende. Tijdens mijn slotpleidooi zal ik de cijfers op een schoolbord kalken en uitleggen waar het geld zit.

Ik geef hem een exemplaar van de uitdraai met de claims. Hij kijkt verbaasd. Bij de lunch heb ik besloten hem voor het blok te zetten nu ik hem toch in de getuigenbank heb. Dan kan ik Lufkin verder met rust laten. Hij kijkt hulpzoekend naar Drummond, maar die kan ook niets doen. Keeley is president-directeur en moet ons kunnen helpen bij onze speurtocht naar de waarheid. Waarschijnlijk denken ze dat ik Lufkin weer zal oproepen om de cijfers te verklaren. Maar hoe graag ik Lufkin ook mag, ik ben klaar met hem. Ik wil hem niet de kans geven de verklaring van Jackie Lemancyzk te ondermijnen.

'Herkent u deze uitdraai, meneer Keeley? Die heb ik vanochtend van uw maatschappij ontvangen.'

'Natuurlijk.'

'Goed. Kunt u de jury vertellen hoeveel polissen Great Eastern in 1991 in portefeuille had?'

'Dat weet ik niet precies. Ik zal eens kijken.' Hij bladert de pagina's door, haalt er een uit, legt hem weer neer, en pakt een volgende.

'Waren het er ongeveer achtennegentigduizend? Zou dat kunnen?'

'Misschien. Ja, dat zal wel kloppen.'

'En hoeveel claims zijn er in dat jaar op die polissen ingediend?'

De bekende aarzeling. Keeley bladert nog wat en mompelt een paar getallen. Het is bijna gênant. Minuten verstrijken. Ten slotte vraag ik: 'Ongeveer elfduizendvierhonderd claims?'

'Dat is heel goed mogelijk, maar dat moet ik controleren.'

'Hoe wilt u dat controleren?'

'Dan zou ik deze uitdraai moeten doorwerken.'

'Dus de informatie staat er wel in?'

'Ik denk het wel.'

'Kunt u de jury ook zeggen hoeveel van die claims door uw bedrijf zijn afgewezen?'

'Ook dat zou ik moeten nazien. Hierin.' Hij tilt de uitdraai met twee handen op.

'Dus die informatie is daar ook in te vinden?'

'Misschien. Ja, ik denk het wel.'

'Mooi zo. Kijkt u dan even op de pagina's elf, achttien, drieëndertig en eenenveertig.' Hij gehoorzaamt meteen. Hij bladert liever dan dat hij vragen beantwoordt.

'Komt het cijfer eenennegentighonderd u bekend voor?'

Hij is geschokt door die suggestie. 'Natuurlijk niet. Dat is absurd.'

'Maar u weet het niet?'

'Ik weet wel dat het er veel minder moeten zijn.'

'Dank u.' Ik loop naar hem toe, neem de uitdraai van hem over en geef hem de polis die Max Leuberg bij Great Eastern heeft opgevraagd. 'Herkent u dit?'

'Natuurlijk,' zegt hij opgelucht, blij dat hij van die uitdraai is verlost.

'Wat is het?'

'Een ziektekostenpolis van mijn maatschappij.'

'Van welke datum?'

Hij kijkt ernaar. 'September 1992. Vijf maanden geleden.'

'Kijkt u dan even op pagina elf, sectie F, vierde alinea, sub c, clausule dertien. Hebt u dat?'

De lettertjes zijn zo klein, dat hij de polis bijna tegen zijn neus moet houden. Ik kijk grinnikend naar de juryleden. Die zien er de humor ook van in.

'Ja, dat heb ik,' zegt hij eindelijk.

'Goed. Wilt u het even oplezen?'

Moeizaam turend leest hij de bepaling voor. Als hij klaar is, glimlacht hij geforceerd. 'Oké.'

'Wat is de strekking van die bepaling?'

'Dat bepaalde medische ingrepen van dekking zijn uitgesloten.'

'Met name?'

'Met name alle transplantaties.'

'Staan beenmergtransplantaties er ook bij?'

'Ja, die worden genoemd.'

Ik loop naar hem toe, geef hem een kopie van de polis van de Blacks en vraag hem een bepaald gedeelte te lezen. Hij heeft weer grote moeite met de kleine lettertjes, maar hij slaat zich er dapper doorheen.

'Welke transplantaties worden hier met name uitgesloten?'

'Alle belangrijke organen: nieren, lever, hart, longen en ogen. Die staan er allemaal bij.'

'En beenmerg?'

'Dat wordt niet genoemd.'

'Beenmergtransplantaties worden dus niet specifiek uitgesloten?'

'Nee.'

'Wanneer is deze procedure aangespannen, meneer Keeley? Weet u dat nog?'

Hij kijkt naar Drummond, die hem natuurlijk niet kan helpen. 'Vorig jaar zomer, als ik het me goed herinner. Juni, misschien?'

'Inderdaad,' zeg ik. 'In juni. En weet u wanneer de tekst van uw polissen

is gewijzigd om beenmergtransplantaties specifiek uit te sluiten?'
'Nee, dat weet ik niet. Ik ben niet betrokken bij het opstellen van de voorwaarden.'
'Wie doet dat dan? Wie produceert die kleine lettertjes?'
'Onze juridische afdeling.'
'Juist. Kunnen we ervan uitgaan dat de tekst is gewijzigd nadat deze procedure was aangespannen?'
Hij kijkt me onderzoekend aan en zegt dan: 'Nee. Dat kan ook eerder zijn gebeurd.'
'Is de tekst dan gewijzigd nadat de claim is ingediend, in oktober 1991?'
'Dat weet ik niet.'
Zijn antwoorden klinken verdacht. Of hij weet niet wat er in zijn eigen bedrijf omgaat, of hij zit te liegen. Het maakt mij niet uit. Ik heb mijn punt gescoord. De jury weet nu dat beenmergtransplantaties niet specifiek waren uitgesloten in de polis van de Blacks. Alle andere transplantaties wel. Pas in deze nieuwe polis worden ook beenmergtransplantaties met name genoemd. Great Eastern is dus door haar eigen teksten aan de kaak gesteld.
Er is nog maar één kwestie die ik met Keeley wil bespreken. 'Hebt u een kopie van de verklaring die Jackie Lemancyzk heeft ondertekend op de dag dat ze werd ontslagen?'
'Nee.'
'Hebt u die verklaring ooit gezien?'
'Nee.'
'Hebt u toestemming gegeven om Jackie Lemancyzk tienduizend dollar contant te betalen?'
'Nee. Dat liegt ze.'
'Ze liegt?'
'Ja, dat zeg ik.'
'En Everett Lufkin? Heeft hij ook tegen de jury gelogen over dat handboek?'
Keeley wil iets zeggen maar bedenkt zich. Wat hij ook antwoordt, hij zit altijd fout. De jury weet heel goed dat Lufkin heeft gelogen, dus Keeley kan hem niet steunen. Maar hij kan evenmin bevestigen dat een van zijn adjunct-directeuren leugens heeft verteld.
De vraag kwam spontaan bij me op, en ik ga nog even door. 'Ik vroeg u iets, meneer Keeley. Heeft Everett Lufkin tegen de jury gelogen over het handboek?'
'Ik geloof niet dat ik daar antwoord op hoef te geven.'
'Jawel,' wijst zijne edelachtbare hem streng terecht.
Er valt een pijnlijke stilte. Keeley kijkt me nijdig aan. Je kunt een speld horen vallen in de rechtszaal. Alle juryleden wachten op zijn reactie. De

waarheid is wel duidelijk, en daarom besluit ik me begripvol op te stellen. 'U kunt geen antwoord geven omdat u niet kunt toegeven dat een adjunct-directeur van uw bedrijf tegen de jury liegt?'

'Ik protesteer.'

'Toegestaan.'

'Dan heb ik geen vragen meer.'

'Ik ook niet, edelachtbare,' zegt Drummond. Hij wil wachten tot het stof is opgetrokken voordat hij deze mensen ondervraagt. Op dit moment wil Drummond zoveel mogelijk afstand scheppen tussen Jackie Lemancyzk en de jury.

Kermit Addy, adjunct-directeur Acquisitie waaronder ook de afdeling Acceptatie valt, is mijn op één na laatste getuige. Eigenlijk heb ik zijn verklaring niet meer nodig, maar ik wil wat tijd vullen. Op deze tweede dag van de zitting is het inmiddels half drie en ik kom vanmiddag gemakkelijk klaar. Ik wil dat de jury vooral het beeld van twee mensen zal onthouden: dat van Jackie Lemancyzk en dat van Donny Ray Black.

Addy is bang en kort van stof. Hij beperkt zich tot het hoogst noodzakelijke. Ik weet niet of hij met Jackie heeft geslapen, maar op dit moment is iedereen van Great Eastern verdacht. Ik heb de indruk dat de jury er ook zo over denkt.

Snel werken we de eerste vragen af. De details van Addy's werk zijn zo saai, dat ik er niet lang bij stil wil staan. De man zelf is ook slaapverwekkend en dus heel geschikt voor zijn functie. Ik wil de aandacht van de jury niet laten verslappen, en daarom maak ik voort.

Het wordt weer spannend als ik hem mijn exemplaar van het handboek Acceptatie geef zoals ik het van Great Eastern heb gekregen. Het zit in een groene klemband en het lijkt sprekend op het handboek Vergoedingen. Niemand – Addy, Drummond of wie dan ook – weet of ik ook de andere versie van het boek in mijn bezit heb, compleet met Sectie U.

Hij kijkt ernaar alsof hij het nooit eerder heeft gezien, maar geeft toe dat dit het handboek is dat hij mij heeft toegestuurd. Iedereen weet de volgende vraag al.

'Is dit het complete handboek?'

Hij bladert het langzaam door. Hij heeft het voordeel dat hij weet hoe het Lufkin gisteren is vergaan. Als hij zegt dat het compleet is en ik een andere versie produceer, is hij de klos. Als hij toegeeft dat er wat ontbreekt, krijgt hij ook problemen. Toch vermoed ik dat Drummond voor het laatste heeft gekozen.

'Eh... even kijken. Het lijkt compleet. Nee, toch niet. Er ontbreekt een gedeelte achterin.'

'Sectie U misschien?' vraag ik ongelovig.

'Ik geloof het wel, ja.'

'Maar waarom zou iemand Sectie U hebben verwijderd?' vraag ik met gespeelde verbazing.

'Dat weet ik niet.'

'Weet u wel wíe dat gedeelte eruit heeft gehaald?'

'Nee.'

'Natuurlijk niet. Wie heeft bepaald dat dit exemplaar aan mij moest worden gestuurd?'

'Dat kan ik me niet herinneren.'

'Maar het staat wel vast dat Sectie U is verwijderd voordat ik het heb ontvangen?'

'Dat gedeelte zit er in elk geval niet bij, als u het dan per se weten wilt.'

'Ik wil de waarheid weten, meneer Addy. En u kunt me daarbij helpen. Is Sectie U verwijderd voordat het boek naar mij is opgestuurd?'

'Blijkbaar.'

'Betekent dat ja?'

'Ja. Die sectie is eruit gehaald.'

'Bent u het met me eens dat dit handboek bijzonder belangrijk is voor het functioneren van uw afdeling?'

'Natuurlijk.'

'Dus u kent het goed?'

'Ja.'

'Wilt u de jury dan een samenvatting geven van de belangrijkste punten in Sectie U?'

'O. Eh... het is wel een tijd geleden dat ik het voor het laatst heb ingezien.'

Hij weet nog steeds niet of ik een compleet exemplaar heb, met Sectie U.

'Probeert u het maar. De hoofdpunten.'

Hij denkt even na en vertelt dan dat Sectie U bepalingen bevat voor de controle op bepaalde claims en de relatie tussen Acceptatie en Vergoedingen. Beide afdelingen zijn belast met de beoordeling van de ingediende nota's. Er komt heel wat administratie voor kijken om een claim goed af te handelen.

Zo gaat hij nog een tijdje door. Zijn zelfvertrouwen neemt toe, omdat ik nog steeds geen kopie van Sectie U te voorschijn heb getoverd. Hij begint al te geloven dat ik het complete boek niet heb.

'De bedoeling van Sectie U is dus ervoor te zorgen dat iedere claim op de juiste wijze wordt afgewikkeld?'

'Ja.'

Ik buk me naar de doos onder mijn tafel, haal het handboek Acceptatie eruit en loop naar de getuigenbank. 'Dan heb ik nog een paar vragen voor u.' Ik geef hem het complete boek. Hij zakt wat onderuit. Drummond probeert een zelfverzekerde houding uit te stralen, maar dat lukt niet echt.

Sectie U in het handboek Acceptatie is net zo dubieus als de overeenkomstige sectie in het handboek Vergoedingen. Ik zaag Addy nog een uurtje door en maak er dan een eind aan. De jury weet genoeg.

Drummond heeft geen vragen. Kipler schorst de zitting voor een kwartier om Deck en mij de gelegenheid te geven de monitors op te stellen. Onze laatste getuige is Donny Ray Black. De parketwachter dimt de lichten en de juryleden buigen zich naar het grote televisiescherm toe. We hebben de band ingekort tot eenendertig minuten. De jury luistert en kijkt gefascineerd naar de moeizame verklaring van de doodzieke jongen.

In plaats van de band voor de honderdste keer te bekijken, ga ik naast Dot zitten en let ik op de gezichten van de juryleden. Ik zie veel medeleven. Dot veegt met de rug van haar hand over haar wangen. Tegen het eind heb ik ook een brok in mijn keel.

Het blijft minstens een minuut doodstil in de zaal als de band is afgelopen en de parketwachter naar de knop van het licht loopt. In het halfduister klinkt duidelijk het zachte snikken van Donny Ray's moeder achter onze tafel.

We hebben alles gedaan wat ik maar kon bedenken. De overwinning ligt voor het grijpen. De kunst is nu om geen fouten te maken.

Het licht gaat aan en ik verklaar plechtig: 'Edelachtbare, ik heb geen getuigen meer.' Ik ben klaar.

Als de jury is vertrokken, zitten Dot en ik nog lange tijd in de verlaten rechtszaal en praten over de sensationele verklaringen die we de afgelopen twee dagen hebben gehoord. We hebben duidelijk aangetoond dat Dot in haar recht staat en Great Eastern niet, maar dat is een schrale troost. Haar leven lang zal ze een schuldgevoel houden omdat ze niet harder heeft gevochten op het moment dat het er werkelijk op aankwam.

Het kan haar niet schelen wat er verder nog gebeurt, zegt ze. Zij heeft haar zegje kunnen doen. Ze zou het liefst naar huis gaan en nooit meer terugkomen. Dat gaat niet, zeg ik. We zijn pas halverwege. Nog even volhouden.

Ik ben benieuwd welke tactiek Drummond zal kiezen bij zijn verdediging. Het is riskant om nog meer mensen van het hoofdkantoor te laten opdraven om te proberen hun schandalige gedrag goed te praten. Hij weet ook wel dat ik dan Sectie U er weer bij pak en allerlei lastige vragen ga stellen. Misschien hebben ze nog wel meer leugens verteld zonder dat ik het weet. De enige manier om daarachter te komen is een streng kruisverhoor.

Drummond heeft een lijstje met achttien potentiële getuigen ingediend. Ik heb geen idee wie hij het eerst zal oproepen. Toen ik onze eigen zaak presenteerde, had ik het voordeel dat ik steeds wist wat er daarna ging komen – de volgende getuige, het volgende document. Dat wordt nu anders. Ik zal moeten improviseren, en snel.

Laat in de avond bel ik nog met Max Leuberg in Wisconsin en vertel hem met veel bravoure hoe de eerste twee dagen zijn verlopen. Hij geeft me wat adviezen en voorspellingen over hoe het verder zal gaan. Hij is erg enthousiast en denkt erover om op het vliegtuig te stappen.

Ik loop tot drie uur 's nachts door mijn kamer te ijsberen, pratend in mezelf. Wat zal Drummond nog proberen?

Ik ben aangenaam verrast als ik Cooper Jackson zie wanneer ik om half negen de rechtszaal binnenkom. Hij stelt me voor aan twee andere advocaten, allebei uit Raleigh in North Carolina. Ze zijn speciaal gekomen voor deze zitting. Hoe gaat het, willen ze weten. Ik geef een voorzichtige samenvatting van wat er tot nu toe is gebeurd. Een van de advocaten was er ook op maandag en heeft het drama met Sectie U gevolgd. Ze hebben met hun drieën zo'n twintig zaken, ze adverteren in de krant en er komen steeds meer klachten binnen. Ze willen binnenkort tot actie overgaan.

Cooper geeft me een krant en vraagt of ik die al heb gezien. Het is *The Wall Street Journal* van gisteren, en op de voorpagina staat een stuk over Great Eastern. Ik heb al in geen week een krant gelezen, zeg ik. Ik weet niet eens welke dag het is. Ze kennen dat gevoel.

Haastig lees ik het artikel door. Het gaat over het toenemende aantal klachten over Great Eastern en de massale afwijzing van claims. In veel staten is inmiddels een onderzoek gestart en overal worden procedures voorbereid. De laatste alinea vermeldt dat er op dit moment een kleine zaak in Memphis speelt, dat door iedereen met belangstelling wordt gevolgd omdat het de eerste duidelijke uitspraak tegen Great Eastern kan opleveren.

Ik loop naar Kiplers kamer en laat hem de krant zien. Hij maakt zich niet druk. Hij zal de juryleden vragen of ze het hebben gezien. Ze mogen geen kranten lezen en we betwijfelen of *The Journal* hun lijfblad is.

De eerste getuige van de verdediging is André Weeks, vice-voorzitter van de Verzekeringskamer van Tennessee, een getuige die Drummond al eerder heeft gebruikt. Hij moet de suggestie wekken dat de officiële instanties vierkant achter Great Eastern staan.
Weeks is een knappe vent van een jaar of veertig, met een mooi pak, een snelle glimlach en een eerlijk gezicht. Bovendien heeft hij één groot voordeel: hij werkt niet bij Great Eastern. Drummond stelt hem een reeks zakelijke vragen over de rol van zijn organisatie, waarbij hij een beeld schetst alsof de Verzekeringskamer de verzekeringsmaatschappijen met de zweep in de hand onder de duim houdt. Omdat Great Eastern nog altijd een erkend bedrijf is in Tennessee, houden ze zich blijkbaar aan de regels. Anders zouden André en zijn cowboys wel hebben ingegrepen.
Drummond heeft tijd nodig. Hij wil de jury begraven onder een lawine van nieuwe getuigenverklaringen, in de hoop dat ze de gruwelijke verhalen van de eerste twee dagen zullen vergeten. Drummond doet het rustig aan. Hij beweegt zich traag en praat heel langzaam, als een bejaarde professor. Maar hij is zeer effectief. Als hij een betere zaak in handen had, zou hij dodelijk zijn.
Hij geeft Weeks de polis van de Blacks en een half uur lang proberen ze de jury te doordringen van het feit dat iedere polis de goedkeuring van de Verzekeringskamer moet hebben. Het woord 'goedkeuring' krijgt alle nadruk.
Omdat ik nu rustig achter mijn tafel zit, heb ik meer tijd om rond te kijken. Ik let op de juryleden, van wie sommigen terugkijken. Ze staan aan mijn kant. Ik zie ook een paar onbekenden in de zaal, jonge mannen in pakken. Cooper Jackson en zijn collega's zitten achterin, bij de deur. Er zijn nog geen vijftien toeschouwers. Wie komt er nu kijken naar een civiele procedure?
Na een saai betoog van anderhalf uur over de officiële controle op verzekeringsmaatschappijen zie ik de juryleden in slaap sukkelen. Drummond vindt het best. Hij wil de zitting zo lang mogelijk rekken, minstens tot volgende week. Tegen elf uur laat hij zijn getuige eindelijk gaan. De ochtend is bijna voorbij. Kipler schorst de zitting een kwartier en daarna is het mijn beurt voor een paar schoten in het duister.
Volgens Weeks opereren er ruim zeshonderd verzekeringsmaatschappijen in Tennessee. Zijn kantoor telt eenenveertig medewerkers, van wie er maar achttien bij de controle van polissen zijn betrokken. Met tegenzin geeft hij toe dat elk van die zeshonderd bedrijven minstens tien verschil-

357

lende typen polissen uitgeeft, zodat zijn kantoor minimaal zesduizend polissen in het archief heeft. En de voorwaarden worden voortdurend aangepast en herzien.

Na dit rekensommetje is het wel duidelijk dat geen enkel kantoor zo'n oceaan van kleine lettertjes kan controleren. Ik geef hem de polis van de Blacks. Hij zegt dat hij de voorwaarden heeft gelezen, maar alleen als voorbereiding op deze zitting. Ik stel hem een vraag over de vergoeding van een klinische behandeling na een ongeluk. Opeens lijkt de polis veel zwaarder. Hij bladert hem snel door, in de hoop de voorwaarden te vinden en mijn vraag te kunnen beantwoorden. Dat duurt lang. Hij fronst, bladert terug, tuurt naar de tekst en vindt eindelijk wat hij zoekt. Zijn antwoord is min of meer correct, dus ik laat het erbij. Daarna vraag ik hem naar de juiste werkwijze om de regels ten aanzien van de begunstigden te wijzigen. Ik krijg bijna medelijden met hem. In doodse stilte bestudeert hij de polis. De tijd verstrijkt. De juryleden kijken geamuseerd toe. Kipler grijnst. Drummond is woedend, maar kan er weinig tegen doen. Eindelijk krijgen we antwoord. Ik weet niet eens of het klopt, maar dat doet er niet toe. Ik heb mijn punt bewezen. Dan leg ik de twee groene handboeken op mijn tafel, alsof ik die nog eens grondig wil doornemen met Weeks. De zaal wacht in spanning af. Ik pak het handboek Vergoedingen en vraag hem of hij de interne afhandeling van claims bij de verschillende maatschappijen regelmatig controleert. Hij wil ja zeggen, maar hij heeft al over Sectie U gehoord, dus hij zegt nee. Ik doe alsof ik hevig geschokt ben. Ik stel hem nog een paar sarcastische vragen en laat hem dan op adem komen. De schade is al aangericht en door de jury genoteerd.

Ik vraag hem of hij weet dat de Verzekeringskamer in Florida een onderzoek heeft ingesteld naar Great Eastern. Nee, dat weet hij niet. En in South Carolina? Nee, dat is ook nieuw voor hem. North Carolina dan? Daar heeft hij vage geruchten over gehoord, maar meer ook niet. Kentucky? Georgia? Nee, hij weet van niets. En het kan hem ook niet schelen wat er in andere staten gebeurt. Ik bedank hem voor zijn antwoord.

Drummonds volgende getuige is evenmin een werknemer van Great Eastern, hoewel het niet veel scheelt. Zijn naam is Payton Reisky en hij heeft de indrukwekkende titel van uitvoerend directeur en president van de National Insurance Alliance. Hij maakt een zeer gewichtige indruk als hij ons vertelt dat zijn club een politieke organisatie is, gevestigd in Washington en gefinancierd door de gezamenlijke verzekeringsmaatschappijen om hun geluid in Washington te laten horen. Lobbyisten dus, mct een zak vol geld. Ze zetten zich in voor een goed en verantwoord assurantiebeleid, verzekert Reisky ons.

Zo gaat hij nog even door. We zijn om half twee begonnen en om twee uur is iedereen ervan overtuigd dat de NIA de wereld zal redden. Wat een idealisten!

Reisky zit al dertig jaar in het verzekeringsvak. Hij geeft ons een uitvoerig overzicht van zijn carrière. Drummond probeert hem als een groot deskundige naar voren te schuiven, vooral op het gebied van de afhandeling van claims. Ik heb geen enkel bezwaar. Ik ken zijn verklaringen tijdens een andere procedure en ik weet dat ik hem wel klein zal krijgen. Zelfs Reisky kan Sectie U onmogelijk goedpraten, hoe geniaal hij ook is. Bijna uit zichzelf geeft hij ons een uitgebreide beschrijving van de juiste manier om met nota's en vergoedingen om te gaan. Drummond staat er ernstig bij te knikken, alsof hij het ene punt na het andere scoort. Want kijk eens aan, Great Eastern heeft zich keurig gedragen! Misschien hebben ze een paar schoonheidsfoutjes gemaakt, maar het is een groot bedrijf, met veel verzekerden, en er gaat wel eens iets mis. Nee, er valt Great Eastern niets te verwijten.

De kern van Reisky's betoog komt erop neer dat Great Eastern de claim terecht heeft afgewezen omdat het bedrag veel te hoog was. Een verzekering met een premie van achttien dollar per week, verklaart hij ernstig tegenover de jury, kan natuurlijk nooit toereikend zijn om een transplantatie te vergoeden die tweehonderdduizend dollar kost. Deze colportageposten dekken alleen de basisvoorzieningen, geen dure operaties.

Drummond begint over de handboeken en de ontbrekende Sectie U. Heel ongelukkig, geeft Reisky toe, maar nauwelijks van belang. Handboeken worden voortdurend aangepast. Ervaren verzekeringsmensen hebben geen handboek nodig, die weten wel wat ze doen. Maar goed, omdat er zoveel drukte over is gemaakt, wil hij er wel zijn mening over geven. Hij bladert het handboek Vergoedingen door en legt de verschillende onderdelen aan de jury uit. Het staat allemaal zwart op wit. Alles in orde.

Van de handboeken komen ze op de cijfers. Drummond vraagt hem of hij de gegevens over de polissen, de claims en de afwijzingen al heeft bekeken. Reisky knikt ernstig en pakt de uitdraai van Drummond aan.

Great Eastern heeft in 1991 inderdaad veel claims afgewezen, geeft hij toe, maar daar kan een goede reden voor zijn. Het komt wel vaker voor. En cijfers zeggen niet alles. Als je de statistieken over de afgelopen tien jaar bekijkt, blijkt dat het aantal door Great Eastern afgewezen claims nog geen twaalf procent bedraagt. En dat komt overeen met het gemiddelde in de branche. Hij goochelt nog even met getallen totdat niemand het meer begrijpt, wat precies Drummonds bedoeling is.

Reisky stapt uit de getuigenbank, hangt een kleurig schema op en begint een soort college. Hij spreekt de jury toe als een volleerde professor. Ik vraag me af hoe vaak hij dit al heeft gedaan. Volgens hem vallen alle statistieken van Great Eastern ruim binnen het gemiddelde van de bedrijfstak als geheel.

Om half vier gunt Kipler ons gelukkig een korte pauze. Op de gang loop ik snel naar Cooper Jackson en zijn vrienden. Het zijn ervaren pleiters die goede adviezen voor me hebben. We zijn het erover eens dat Drummond de zaak probeert te rekken en hoopt op het weekend.

Na de pauze stel ik geen enkele vraag. Reisky blijft tot laat in de middag aan het woord en besluit met een uitvoerige verklaring dat Great Eastern volkomen juist heeft gehandeld. Aan de gezichten van de juryleden te zien, zijn ze blij dat de man eindelijk is uitgesproken. En ik ben dankbaar voor de paar extra uren waarin ik zijn kruisverhoor kan voorbereiden.

Deck en ik genieten met Cooper Jackson en drie andere advocaten van een uitgebreide maaltijd bij Grisanti's, een oud Italiaans restaurant. Big John Grisanti, de kleurrijke eigenaar, brengt ons naar een privé-zaaltje dat de Press Box wordt genoemd. Hij komt met een uitstekende wijn die we niet eens besteld hadden en hij adviseert ons over het menu.

De wijn kalmeert de zenuwen en voor het eerst in lange tijd voel ik me bijna ontspannen. Misschien kan ik vannacht zelfs slapen.

De rekening, meer dan vierhonderd dollar, wordt door Cooper Jackson van de tafel gegrist. Goddank. Het advocatenkantoor van Rudy Baylor staat misschien op het punt een grote slag te slaan, maar voorlopig heeft het nog geen cent.

– 47 –

Een paar seconden nadat Payton Reisky donderdagochtend vroeg in de getuigenbank plaats heeft genomen, geef ik hem een kopie van de 'Stomme Brief' en wacht tot hij hem gelezen heeft. 'Meneer Reisky,' vraag ik daarna, 'is dit naar uw deskundige mening een eerlijke en redelijke reactie van Great Eastern?'

Hij is gewaarschuwd. 'Natuurlijk niet. Dit is heel erg.'

'Schandelijk, nietwaar?'

'Ja. Maar ik begrijp dat de schrijver van die brief inmiddels is ontslagen.'

'Wie heeft u dat verteld?' vraag ik argwanend.

'Dat weet ik niet meer. Iemand van het bedrijf.'

'En heeft die onbekende u ook gezegd waaròm meneer Krokit is weg-gestuurd?'

'Nee. Misschien had het iets met die brief te maken.'

'Misschien? Weet u dat zeker of raadt u ernaar?'

'Ik weet het niet zeker, nee.'

'Dank u. Heeft die persoon u ook verteld dat meneer Krokit is ontslagen vlak voordat hij een verklaring moest afleggen in deze zaak?'

'Nee, dat geloof ik niet.'

'U weet dus niet waarom hij is ontslagen?'

'Nee.'

'Goed. Ik dacht even dat u wilde suggereren dat hij was ontslagen omdat hij die brief had geschreven. Maar dat bedoelt u toch niet?'

'Nee.'

'Dank u.'

Gisteravond bij de wijn hebben we besloten dat het niet verstandig is om Reisky met de handboeken lastig te vallen. Daar zijn een paar goede re-denen voor. Om te beginnen is die kwestie al voldoende uitgespeeld. In de tweede plaats hebben we dat gedaan op een zeer effectieve en dramati-sche manier, door Lufkin als een leugenaar te ontmaskeren. In de derde plaats is Reisky goed van de tongriem gesneden en zullen we moeite heb-ben om hem klem te zetten. In de vierde plaats heeft hij zich kunnen voor-bereiden en zal hij dus beter partij geven. In de vijfde plaats zal hij die ge-legenheid aangrijpen om de jury nog meer in verwarring te brengen. En wat nog belangrijker is: het gaat veel tijd kosten. Het heeft geen enkele zin om een hele dag met Reisky over de handboeken en de statistische gegevens te discussiëren.

'Wie betaalt uw salaris, meneer Reisky?'

'Mijn werkgever, de National Insurance Alliance.'

'En waar krijgt de NIA haar geld vandaan?'

'Van de verzekeringsbedrijven.'

'Dus ook van Great Eastern?'

'Ja.'

'Hoe groot is de bijdrage van Great Eastern?'

Hij kijkt naar Drummond, die al overeind is gesprongen. 'Ik protesteer. Dit is niet ter zake, edelachtbare.'

'Afgewezen. Het lijkt me wel degelijk relevant.'

'Hoeveel, meneer Reisky?' herhaal ik behulpzaam.

Hij wil het liever niet zeggen, dat is duidelijk. 'Tienduizend dollar per jaar,' antwoordt hij met een benauwd gezicht.

'Dus ze betalen u meer dan ze Donny Ray Black hebben betaald.'

'Protest!'

'Toegewezen.'

'Neem me niet kwalijk, edelachtbare. Die woorden neem ik terug.'

'Laat die opmerking schrappen, edelachtbare!' zegt Drummond nijdig. 'Bij dezen.'

We halen allemaal diep adem, en de rust keert weer. 'Sorry, meneer Reisky,' zeg ik nederig, alsof het me vreselijk spijt. 'Komt al het geld van verzekeringsmaatschappijen?'

'We hebben geen andere fondsen.'

'Hoeveel bedrijven dragen bij aan de NIA?'

'Tweehonderdtwintig.'

'En hoe hoog waren de totale inkomsten vorig jaar?'

'Zes miljoen dollar.'

'Dat geld gebruikt u om te lobbyen?'

'Dat ook, ja.'

'Wordt u betaald om tijdens deze zitting te getuigen?'

'Nee.'

'Waarom bent u dan hier?'

'Omdat ik ben benaderd door Great Eastern. Zij vroegen mij of ik wilde getuigen.'

Heel langzaam draai ik me om en wijs naar Dot Black. 'En, meneer Reisky, kunt u mevrouw Black recht in de ogen kijken en zeggen dat de claim voor de behandeling van haar zoon eerlijk en correct door Great Eastern is afgehandeld?'

Hij slikt even voordat hij in Dots richting kijkt, maar hij heeft geen keus. Ten slotte knikt hij en zegt op ferme toon: 'Ja. Dat houd ik staande.'

Dat had ik ook wel verwacht. Ik wilde op een snelle en dramatische manier een eind maken aan Reisky's getuigenis, maar ik had er niet op gerekend dat het komisch zou worden. Mevrouw Beverdee Hardaway, een gezette zwarte vrouw van eenenvijftig, jurylid nummer drie in het midden van de voorste rij, begint opeens spontaan te lachen om Reisky's absurde reactie. Geschrokken slaat ze haar handen voor haar mond. Ze klemt haar kaken op elkaar en kijkt snel om zich heen om te zien of ze zich ernstig misdragen heeft. Ze houdt haar lachen in, maar haar lichaam schokt nog steeds.

Helaas voor mevrouw Hardaway, maar gelukkig voor ons, werkt haar lach aanstekelijk. Ranson Pelk, die recht achter haar zit, begint ook te grinniken, net als Ella Faye Salter, die naast mevrouw Hardaway zit. Binnen enkele seconden zit het grootste deel van de jury te lachen. Sommigen kijken naar mevrouw Hardaway alsof het haar schuld is, anderen staren naar Reisky en schudden hun hoofd in verbazing en ongeloof. Reisky weet dat hij een figuur heeft geslagen en tuurt met gebogen hoofd naar de grond. Drummond negeert de uitbarsting van vrolijkheid, hoewel het vreselijk pijnlijk voor hem moet zijn. Zijn briljante jonge medewerkers verbergen hun gezicht door zich diep over hun boeken en aantekeningen te buigen. Addy en Underhall bestuderen hun glimmend gepoetste schoenen.

Ook Kipler heeft moeite om zich goed te houden. Hij wacht tot iedereen weer wat bedaard is voordat hij een tik met zijn hamer geeft, alsof hij daarmee wil vastleggen dat de getuige Payton Reisky door de jury is uitgelachen.

Het ging allemaal heel snel: het belachelijke antwoord, het lachsalvo, de geschrokken reactie en het onderdrukte gegiechel. Maar toch bespeur ik enige opluchting bij sommige juryleden. Ze wilden graag hun ongeloof demonstreren en Reisky en Great Eastern laten merken wat ze van hun praatjes vinden.

Hoe kort het ook duurde, het is een gouden moment. Ik glimlach tegen de jury. Ze glimlachen terug. Mijn getuigen geloven ze onvoorwaardelijk, Drummonds getuigen vertrouwen ze voor geen cent.

'Geen vragen meer, edelachtbare,' zeg ik vermoeid, alsof ik genoeg heb van deze leugenachtige boef.

Drummond is verbaasd. Hij had verwacht dat ik Reisky de rest van de dag met handboeken en cijfers om de oren zou slaan. Hij ritselt wat met zijn papieren, fluistert iets tegen T. Pierce en staat dan op en zegt: 'Onze volgende getuige is Richard Pellrod.'

Als bureauchef Vergoedingen was Pellrod de baas van Jackie Lemancyzk. Tijdens de eerste verklaring was hij een bijzonder lastige en prikkelbare getuige, en het verbaast me niets dat hij nu wordt opgeroepen. Ze moeten toch iets doen om Jackie Lemancyzk in een kwaad daglicht te stellen. En Pellrod was haar directe chef.

Hij is zesenveertig, een man met een gemiddeld postuur en een bierbuik. Hij begint al te kalen, hij heeft een onaangenaam gezicht met levervlekken en hij draagt een uilebril. Hij heeft niets aantrekkelijks, maar dat kan hem blijkbaar niet schelen. Als hij straks zegt dat Jackie Lemancyzk gewoon een slet was die het op zijn lichaam had voorzien, vrees ik dat de jury weer een lachbui krijgt.

Pellrod heeft de norse houding die je van iemand die twintig jaar op zo'n afdeling heeft gewerkt kunt verwachten. Hij is net iets vriendelijker dan een deurwaarder, maar hij straalt geen warmte of vertrouwen uit. Hij is een kleine kantoortiran die waarschijnlijk al jaren in hetzelfde hokje zit te werken. Maar toch is hij de beste troef van de verdediging! Lufkin, Addy of Keeley kunnen ze niet meer oproepen, omdat die al hun geloofwaardigheid hebben verspeeld. Drummond heeft nog een stuk of zes andere mensen van Great Eastern op zijn lijstje staan, maar ik betwijfel of hij die nog zal laten opdraven. Wat moeten ze zeggen? Dat die handboeken niet bestaan? Dat hun bedrijf nooit liegt of documenten verdonkeremaant?

Drummond en Pellrod werken een half uur lang een ingestudeerd vraag-en-antwoordspelletje af met betrekking tot het functioneren van de afdeling en de dappere pogingen van Great Eastern om haar verzekerden zo eerlijk mogelijk te behandelen. De jury begint al te geeuwen.

Rechter Kipler besluit in te grijpen. Verveeld vraagt hij: 'Meneer Drummond, kunnen we voortmaken?'

Drummond reageert gekwetst. 'Maar edelachtbare, ik heb het volste recht deze getuige grondig aan de tand te voelen.'

'Jawel, maar alles wat hij zegt hebben we al eerder gehoord. Het zijn herhalingen.'

Drummond kijkt hem ongelovig aan, met een gezicht alsof de rechter hem onredelijk behandelt. Niemand trapt erin.

'Ik kan me niet herinneren dat u de advocaat van de eiser tot extra spoed hebt gemaand.'

Dat had hij beter niet kunnen zeggen. Hij probeert er een conflict van te maken, maar daarmee is hij aan het verkeerde adres. 'Nee, maar bij meneer Baylor viel de jury ook niet in slaap. Schiet op, meneer Drummond.'

Na de lachbui van mevrouw Hardaway en de vrolijkheid van de anderen is de sfeer onder de juryleden wat losser geworden. Opnieuw beginnen ze te grinniken, ten koste van de verdediging.

Drummond werpt Kipler een woedende blik toe, alsof hij hier later nog op terug zal komen. Hij wendt zich weer tot Pellrod, die als een pad met halfdichte ogen voor zich uit zit te staren, zijn hoofd een beetje schuin. Ja, er zijn wel fouten gemaakt, erkent Pellrod met een zwakke poging tot berouw, maar geen echte blunders. Bovendien was dat grotendeels de schuld van Jackie Lemancyzk, een jonge vrouw met ernstige problemen. Terug naar de claim van de Blacks. Pellrod geeft uitleg over een paar algemene stukken. Hij zegt niets over de afwijzingsbrieven, maar wijdt langdurig uit over formulieren die volstrekt niet ter zake doen.

'Meneer Drummond,' onderbreekt Kipler hem streng, 'ik heb u gevraagd om voort te maken. De jury kan deze documenten inzien als dat nodig is, en deze verklaring is een herhaling van feiten die al door andere getuigen naar voren zijn gebracht. Zet u er wat meer haast achter.'

Drummond is diep geschokt. Hij is het weerloze mikpunt van een volstrekt onredelijke rechter. Het kost hem moeite zich van deze oneerlijke aanval te herstellen.

Hij heeft wel eens beter geacteerd.

Bij het handboek aangekomen kiest de verdediging voor een nieuwe strategie. Volgens Pellrod is het zomaar een boek waar hij al jaren niet meer in kijkt. Ze veranderen het zo vaak, dat de ervaren mensen er liever niet mee werken. Drummond toont hem Sectie U, en verdorie, die ziet hij nu pas voor het eerst! Het zegt hem niets. En zijn medewerkers ook niet. Niemand trekt zich iets van het handboek aan.

Hoe wordt een claim dan afgehandeld? Pellrod zal het ons wel eens even vertellen. Hij beschrijft de ontvangst van een hypothetische nota en neemt daarna de hele procedure door, stap voor stap, formulier voor formulier, memo voor memo. Zijn stem dreunt maar door, zonder enige intonatie, en de jury verveelt zich suf. Lester Days, jurylid nummer acht op de laatste rij, zit al te knikkebollen. Anderen beginnen te gapen en hun oogleden worden zwaar. Ze hebben de grootste moeite om wakker te blijven.

Dat blijft niet onopgemerkt.

Als Pellrod het al pijnlijk vindt dat hij de jury zo verveelt, laat hij daar niets van blijken. Hij reutelt dapper door, zonder iets aan zijn presentatie te veranderen. Hij eindigt zijn verhaal met een paar shockerende onthullingen over Jackie Lemancyzk. Ze had een drankprobleem en kwam vaak met een kegel op haar werk. Ze verzuimde veel vaker dan haar collega's. Ze ging zich steeds onverantwoordelijker gedragen en haar ontslag was onvermijdelijk.

En haar seksuele escapades?

Op dit punt moeten Pellrod en Great Eastern heel voorzichtig zijn, omdat deze kwestie nog door een ander hof zal worden behandeld. Alles wat hier wordt gezegd, kan in die zaak worden gebruikt. Drummond is dus niet zo dom om Jackie als een slet af te schilderen die met iedereen het bed in dook.

'Daar weet ik niet veel van,' zegt Pellrod, wat de jury in hem kan waarderen.

Ze praten de tijd nog even vol, tot het bijna twaalf uur is en Drummond klaar is met zijn vragen. Kipler wil pauzeren voor de lunch, maar ik verzeker hem dat ik maar weinig tijd nodig heb. Met tegenzin gaat hij akkoord.

Eerst geef ik Pellrod een kopie van een afwijzingsbrief die hij zelf heeft ondertekend en aan Dot Black heeft verstuurd. Dat was de derde afwijzing, met het argument dat Donny Ray al ziek zou zijn geweest op het moment dat de verzekering werd afgesloten. Ik laat hem de brief hardop voorlezen en hij bevestigt dat hij hem zelf geschreven heeft. Ik vraag hem om een uitleg, maar die heeft hij natuurlijk niet. Het is nooit de bedoeling geweest dat die brief openbaar zou worden, zeker niet in een rechtszaal. Hij zegt iets over een formulier dat verkeerd was ingevuld door Jackie, en over een misverstand met meneer Russell Krokit en... nou ja, het ging helemaal verkeerd. En dat spijt hem oprecht.

'Is het daar niet wat laat voor?' vraag ik.

'Misschien wel.'

'Toen u die brief stuurde, wist u niet dat er nog vier afwijzingsbrieven zouden volgen, is het wel?'

'Nee.'

'Dus deze brief had de laatste moeten zijn. De definitieve afwijzing. Correct?'

In de brief is letterlijk sprake van een 'definitieve afwijzing'.

'Dat zal wel.'

'Waaraan is Donny Ray Black overleden?'

Hij haalt zijn schouders op. 'Leukemie.'

'En op welke gronden heeft hij een nota bij Great Eastern ingediend?'

'Leukemie.'

'Welke bestaande ziekte noemt u in uw brief?'

'Griep.'

'En wanneer had hij die griep?'

'Dat weet ik niet meer.'

'Ik kan het dossier wel even pakken.'

'Nee, dat hoeft niet.' Ze houden me liever bij het dossier vandaan. 'Toen hij vijftien of zestien was, geloof ik.'

'Dus hij had griep toen hij vijftien of zestien was, lang voordat de verzekering werd afgesloten, en Dot Black had dat niet op het aanvraagformulier vermeld.'

'Inderdaad.'

'Meneer Pellrod, hebt u met uw grote ervaring ooit een geval meegemaakt waarin griep enig verband hield met het ontstaan van leukemie, vijf jaar later?'

Daarop is maar één antwoord mogelijk, maar hij heeft er moeite mee. 'Ik geloof het niet.'

'Betekent dat nee?'

'Ja, dat betekent nee.'

'Dus die griep had niets te maken met de leukemie?'

'Nee.'

'Dus u hebt gelogen in uw brief, nietwaar?'

Natuurlijk heeft hij gelogen in zijn brief. Als hij dat ontkent, liegt hij nu weer. Dat begrijpt de jury ook. Hij zit in de val, maar Drummond heeft hem instructies gegeven.

'Die brief was een vergissing,' zegt Pellrod.

'Een leugen of een vergissing?'

'Een vergissing.'

'Een vergissing waardoor Donny Ray Black overleden is?'

'Ik protesteer!' brult Drummond vanaf zijn plaats.

Kipler denkt even na. Ik verwachtte een protest en ik neem aan dat Kipler het zal toekennen. Maar zijne edelachtbare denkt er anders over.

'Afgewezen. Geeft u antwoord op de vraag.'

'Ik blijf protesteren tegen deze manier van ondervragen,' reageert Drummond nijdig.

'Dat is genoteerd. Geef antwoord op de vraag, meneer Pellrod.'

'Het was een vergissing, dat is alles wat ik kan zeggen.'

'Dus geen leugen?'

'Nee.'

'En uw getuigenverklaring voor deze jury? Zijn dat leugens of vergissingen?'

'Geen van beide.'

Ik draai me om, wijs naar Dot Black en kijk dan de getuige weer aan. 'Meneer Pellrod, kunt u, als bureauchef Vergoedingen, mevrouw Black recht in de ogen kijken en zeggen dat haar claim eerlijk en correct door uw afdeling is afgehandeld? Kunt u dat?'

Hij knijpt zijn ogen half dicht, fronst zijn voorhoofd, schuift heen en weer op zijn stoel en kijkt vragend naar Drummond. Dan schraapt hij zijn keel, probeert beledigd te kijken en zegt: 'Ik geloof niet dat u me daartoe kunt dwingen.'

'Dank u. Ik heb geen vragen meer.'

Ik ben in minder dan vijf minuten klaar en aan de overkant breekt paniek uit. Drummond en de zijnen hadden verwacht dat ik de hele dag met Reisky bezig zou zijn, en morgen met Pellrod. Maar ik heb geen zin om tijd te verspillen aan dat stel. Ik wil een uitspraak van de jury.

Kipler besluit de zitting twee uur te schorsen voor de lunch. Ik neem Leo apart en geef hem een lijst van zes extra getuigen.

'Wat stelt dit voor?' vraagt hij.

'Zes artsen, plaatselijke oncologen die bereid zijn persoonlijk te getuigen als jij die kwakzalver van je laat opdraven.' Walter Kord is woedend over Drummonds strategie om beenmergtransplantaties als experimenteel af te schilderen. Hij heeft druk uitgeoefend op collega's en vrienden, en zij zullen hem steunen.

'Hij is geen kwakzalver.'

'Dat is hij wel, en dat weet jij ook. Hij is een malloot uit New York of ergens ver weg. Ik heb hier zes artsen uit de stad. Roep jij je getuige maar op, dan kunnen we lachen.'

'Die getuigen van jou staan niet op de oorspronkelijke lijst. Dit is een overval.'

'Ik roep ze alleen op om de verklaring van jóuw getuige te weerleggen. Ga maar klagen bij de rechter.' En ik laat hem achter in de zaal, starend naar mijn lijstje.

Na de lunch, voordat de zitting wordt hervat, praat ik even met dr. Walter Kord en twee van zijn collega's. Op de voorste rij achter de tafel van de verdediging zit dr. Milton Jiffy, Drummonds kwakzalver, moederziel alleen. Terwijl iedereen zich voorbereidt op de zitting van vanmiddag, roep ik Drummond en stel hem voor aan Kords collega's. Het is een pijnlijk moment. Drummond is zichtbaar ontdaan door hun aanwezigheid hier. De drie artsen gaan ook op de voorste rij zitten, maar achter mijn tafel. De vijf jongens van Trent & Brent staren ongerust onze kant uit. De jury komt binnen en Drummond roept Jack Underhall als getuige op. Hij legt de eed af, neemt plaats en grijnst onnozel naar de jury. Ze hebben al drie dagen tegen hem aan gekeken en het is me een raadsel waarom Drummond denkt dat de man nog enige geloofwaardigheid bezit.

Maar al snel wordt zijn bedoeling duidelijk. Het gaat over Jackie Lemancyzk. Ze heeft gelogen over die tienduizend dollar in contanten. Ze heeft gelogen over die verklaring, want die bestaat helemaal niet. Ze heeft gelogen over de richtlijnen om alle claims per definitie af te wijzen. Ze heeft gelogen over haar affaires met haar chefs. Ze heeft zelfs gelogen toen ze beweerde dat Great Eastern haar ziektekostennota's niet betaalt. Underhall begint op redelijk milde toon, maar klinkt als snel venijnig en haatdragend. Zulke dingen zeg je natuurlijk niet met een glimlach, maar Underhall maakt het wel erg bont.

Het is een gewaagde en riskante manoeuvre. Het is op zichzelf al een gotspe dat deze boef iemand anders van leugens durft te beschuldigen. Blijkbaar hebben ze besloten dat deze zaak belangrijker is dan een mogelijke procedure die Jackie nog zal aanspannen. En Drummond waagt de gok om de jury totaal van zich te vervreemden in de hoop voldoende twijfel te zaaien. Hij denkt zeker dat hij niets te verliezen heeft met deze laaghartige aanval op een jonge vrouw die niet aanwezig is en zich niet kan verdedigen.

Jackie was waardeloos in haar werk, vertelt Underhall. Ze dronk te veel en ze had problemen met haar collega's. Er moest iets gebeuren. Ze hebben haar de kans geboden ontslag te nemen, zodat ze geen slechte aantekening op haar conduitestaat zou krijgen. Dat ze twee dagen later een verklaring moest afleggen in de zaak Black had er helemaal niets mee te maken.

Zijn getuigenis is opvallend kort. Ze proberen hem heelhuids uit de getuigenbank te krijgen. Ik kan niet veel anders doen dan hopen dat de jury hem net zo'n etterbuil vindt als ik. Maar hij is advocaat, niet iemand met wie ik in discussie wil gaan.

'Meneer Underhall, houdt uw bedrijf personeelsdossiers bij?' vraag ik heel beleefd.

'Inderdaad.'

'Had u een dossier over Jackie Lemancyzk?'

'Ja.'

'Hebt u dat bij u?'

'Nee, meneer.'

'Waar is het dan?'

'Op kantoor, neem ik aan.'

'In Cleveland?'

'Ja. Op het hoofdkantoor.'

'Dus we kunnen het niet inzien?'

'Ik heb het niet bij me, oké? Niemand heeft gezegd dat ik het moest mee-nemen.'

'Staan er ook gegevens in over haar functioneren en zo?'

'Ja.'

'Als een werknemer een berisping krijgt, of wordt gedegradeerd of over-geplaatst, wordt dat dan in het dossier vermeld?'

'Ja.'

'Staan er zulke dingen in Jackies dossier?'

'Ik geloof het wel.'

'Zit er ook een kopie in van haar ontslagbrief?'

'Ja.'

'Maar verder moeten we u op uw woord geloven. Correct?'

'Ik had geen instructie het dossier mee te brengen, meneer Baylor.'

Ik kijk op mijn aantekeningen en schraap mijn keel. 'Meneer Underhall, hebt u een exemplaar van de verklaring die Jackie heeft ondertekend toen u haar dat zwijggeld betaalde?'

'Blijkbaar luistert u niet goed.'

'Pardon?'

'Ik heb zojuist gezegd dat zo'n verklaring niet bestaat.'

'O nee?'

Hij schudt nadrukkelijk zijn hoofd. 'Dat heeft ze gelogen.'

Verbaasd loop ik naar mijn tafel, die bezaaid ligt met papieren. Ik vind het vel dat ik zoek, lees het door terwijl iedereen toekijkt en loop ermee naar de getuigenbank. Underhall verstijft en kijkt angstig naar Drum-mond, die naar het vel papier staart dat ik in mijn handen houd. Ze den-ken aan Sectie U. Rudy Baylor heeft het weer geflikt! Hij heeft het ver-duisterde document gevonden en gaat ons weer voor leugenaar zetten.

'Maar Jackie Lemancyzk was heel specifiek in haar beschrijving van die verklaring. Herinnert u zich haar getuigenis nog?' Ik zwaai met het pa-pier.

'Ja, die heb ik gehoord,' zegt hij kortaf, met een wat hogere stem.

'Ze zei dat u haar tienduizend dollar in contant geld had gegeven en dat ze een verklaring moest ondertekenen. Weet u dat nog?' Ik kijk op het pa-pier alsof ik het voorlees. Jackie heeft me verteld dat het bedrag in dollars in de eerste alinea van de verklaring vermeld stond.

'Ja, dat heb ik gehoord,' zegt hij met een blik naar Drummond. Underhall denkt dat ik geen kopie van de verklaring kan hebben omdat hij het origineel heeft verdonkeremaand. Maar hij weet het niet zeker. Er gebeuren wel vreemdere dingen. Want hoe ter wereld heb ik die Sectie U boven water gekregen?

Hij kan niet toegeven dat die verklaring bestaat, maar hij kan het ook niet ontkennen. Want als hij het ontkent en ik kom met een kopie, zal de schade nog groter zijn. Vertwijfeld schuift hij op zijn stoel heen en weer en veegt het zweet van zijn voorhoofd.

'U kunt dus geen kopie van die verklaring aan de jury laten zien?' vraag ik, wapperend met het vel papier in mijn hand.

'Nee, want die verklaring bestaat niet.'

'Weet u dat heel zeker?' vraag ik, spelend met een hoekje van het papier.

'Heel zeker.'

Ik staar hem een paar seconden aan en geniet van zijn angst. De juryleden zitten niet meer te slapen. Ze wachten tot de val zal dichtklappen, tot ik de verklaring te voorschijn zal toveren om Underhall met de grond gelijk te maken.

Maar ik heb de verklaring niet. Ik frommel het vel papier tot een prop en gooi die dramatisch op mijn tafel. 'Geen vragen meer,' zeg ik. Underhall slaakt een diepe zucht. Hij was een hartaanval nabij. Snel stapt hij uit de getuigenbank en loopt de rechtszaal uit.

Drummond vraagt om een schorsing van vijf minuten. Kipler vindt dat de jury meer tijd heeft verdiend en gunt ons een kwartier pauze.

De strategie van de verdediging om de getuigenissen te rekken en de jury in verwarring te brengen heeft weinig resultaat, dat is duidelijk. De jury heeft Reisky uitgelachen en is bij Pellrods verhaal in slaap gevallen. Underhalls optreden liep bijna op een ramp uit omdat Drummond doodsbang was dat ik een kopie had van een document dat volgens zijn cliënt niet bestond.

Drummond heeft er genoeg van. Hij zet al zijn kaarten nu op een krachtig slotpleidooi, iets dat hij zèlf in de hand heeft. Na de pauze verklaart hij dat de verdediging geen vragen of getuigen meer heeft.

De procedure is bijna voorbij. Kipler plaatst de slotpleidooien voor vrijdagochtend negen uur op de rol en belooft de jury dat ze die zelfde ochtend om elf uur aan hun beraad kunnen beginnen.

48

Lang nadat de jury is vertrokken en Drummond en zijn gevolg haastig zijn verdwenen naar hun kantoor, ongetwijfeld voor de zoveelste pittige discussie over wat er nu weer is misgegaan, zitten we nog rond onze tafel in de rechtszaal en praten over morgen. Cooper Jackson en de twee advocaten uit Raleigh, Hurley en Grunfeld, willen me geen adviezen opdringen, maar ik hoor juist graag wat ze ervan denken. Iedereen weet dat dit mijn eerste zaak is. Ze lijken verbaasd dat ik het er zo goed heb afgebracht. Ik ben moe, nog steeds behoorlijk gespannen en heel nuchter over mijn optreden. Ik heb toevallig een ideale zaak in handen gekregen, met een steenrijke gedaagde die volkomen fout zit en een rechter die aan mijn kant staat. De ene meevaller na de andere. Ook de jury lijkt me gunstig gezind, hoewel dat nog moet blijken.

Zo'n prachtige kans krijg ik nooit meer, zeggen ze. Ze zijn ervan overtuigd dat het vonnis in de zeven cijfers zal lopen. Jackson was al twaalf jaar bezig voordat hij zijn eerste miljoen in de rechtszaal binnensleepte. Ze vertellen sterke verhalen om me een steuntje in de rug te geven. Het is een prettige manier om de middag door te komen. Deck en ik zitten waarschijnlijk nog de hele avond op kantoor, maar nu geniet ik even van het gezelschap van gelijkgestemde geesten die oprecht hopen dat ik Great Eastern een grote slag zal toebrengen.

Jackson is wat geschrokken van het nieuws uit Florida. Een advocaat die niet langer kon wachten heeft vanochtend maar liefst vier procedures tegen Great Eastern aangespannen. Ze dachten dat hij zich bij hun gemeenschappelijke procedure zou aansluiten, maar blijkbaar wilde hij geld zien. Voorlopig hebben deze drie advocaten negentien zaken tegen Great Eastern in voorbereiding en willen ze begin volgende week een gezamenlijke procedure aanspannen.

Ze duimen voor me. Ze willen ons graag een etentje aanbieden, maar we hebben nog werk te doen. Het laatste waar ik vanavond behoefte aan heb is een uitgebreid diner met wijn en sterke drank.

Daarom eten we op kantoor, met sandwiches en frisdrank. Ik zet Deck op een stoel in mijn kantoor en oefen mijn slotpleidooi tegenover hem. Ik heb al zoveel versies uit mijn hoofd geleerd, dat ze door elkaar beginnen te lopen. Met een krijtje noteer ik de belangrijkste punten op een schoolbord. Ik vraag om een eerlijk oordeel, maar ook om een enorm bedrag aan geld. Deck onderbreekt me regelmatig en we bekvechten als kleine kinderen.

We hebben geen van beiden ooit een slotpleidooi tegenover een jury gehouden, maar toch heeft hij meer ervaring dan ik en daarom is hij de expert. Er zijn momenten waarop ik me onoverwinnelijk voel, zelfs arrogant, omdat ik het tot nu toe zo voortreffelijk heb gedaan. Deck merkt dat onmiddellijk en brengt me weer met beide benen op de grond. Hij herhaalt voortdurend dat de zaak pas morgenochtend gewonnen of verloren wordt.

Het grootste deel van de tijd ben ik gewoon doodsbenauwd. Die angst raak ik niet kwijt, maar ik houd me goed. Het is ook een prikkel om door te gaan, hoewel ik blij zal zijn als ik ervan af ben.

Om een uur of tien doen we het licht uit en gaan naar huis. Ik drink één biertje om in slaap te komen, en dat helpt. Na elven doe ik mijn ogen dicht en dommel in. Ik droom van succes.

Nog geen uur later gaat de telefoon. Het is een onbekende vrouwenstem, jong en heel bezorgd. 'U kent mij niet, maar ik ben een vriendin van Kelly,' zegt ze bijna fluisterend.

'Wat is er?' vraag ik, meteen klaarwakker.

'Kelly is in moeilijkheden. Ze heeft uw hulp nodig.'

'Wat is er gebeurd?'

'Hij heeft haar weer geslagen. Hij kwam dronken thuis, zoals gewoonlijk.'

'Wanneer?' Ik sta al in het donker naast mijn bed en tast naar het lichtknopje.

'Gisteravond. U moet haar helpen, meneer Baylor.'

'Waar is ze?'

'Hier, bij mij. Nadat Cliff door de politie was afgevoerd, is ze naar het ziekenhuis gegaan voor eerste hulp. Gelukkig heeft ze niets gebroken. Ik heb haar opgehaald en nu houdt ze zich schuil bij mij.'

'Hoe ernstig is het?'

'Ze is er slecht aan toe, maar gelukkig heeft ze niets gebroken. Veel blauwe plekken en vleeswonden.'

Ze geeft me haar naam en adres. Ik hang op en kleed me haastig aan. Het is een groot appartementencomplex in de buitenwijken, niet ver bij Kelly vandaan, en ik rijd wat rondjes door de straten met eenrichtingverkeer voordat ik eindelijk het juiste gebouw heb gevonden.

Robin, de vriendin, opent de deur op een kier, met de ketting er nog voor. Ik moet me eerst legitimeren voordat ze me binnenlaat. Ze bedankt me dat ik gekomen ben. Robin is nog heel jong, een kind bijna. Ik denk dat ze gescheiden is en niet veel meer verdient dan het minimumloon. Ik stap de kleine huiskamer binnen, die met gehuurde meubels is ingericht. Kelly zit op de bank met een ijszak tegen haar hoofd.

Ik gelóóf tenminste dat het Kelly is. Haar linkeroog is dichtgeslagen en opgezwollen, met blauwe randen eromheen. Er zit een verband boven waar het bloed doorheen komt. Haar wangen zijn dik en haar onderlip is gebarsten en steekt vreemd naar voren. Ze draagt een lang T-shirt, verder niets, en ik zie zware kneuzingen op haar knieën en dijen.

Ik buig me over haar heen, kus haar op het voorhoofd en ga op een krukje tegenover haar zitten. Een traan welt op in haar rechteroog. 'Fijn dat je gekomen bent,' mompelt ze, slecht verstaanbaar door haar gescheurde lip en haar opgezwollen wangen. Ik klop haar voorzichtig op de knie. Ze streelt de rug van mijn hand.

Ik kan hem wel vermoorden.

Robin gaat naast haar zitten en zegt: 'Ze mag niet praten. De dokter zei dat ze zich zo min mogelijk moest bewegen. Deze keer heeft hij zijn vuisten gebruikt. Hij kon het slaghout niet vinden.'

'Hoe is het gebeurd?' Ik vraag het aan Robin, maar ik kijk naar Kelly. 'Ruzie over een creditcard. De rekeningen voor Kerstmis. Hij had te veel gedronken. De rest begrijpt u wel.' Ze vertelt het kort en bondig. Ik denk dat Robin ook al het een en ander heeft meegemaakt. Ze draagt geen trouwring. 'Ze kregen ruzie, hij sloeg haar in elkaar en de buren hebben de politie gebeld. Die hebben hem in de cel gegooid en Kelly is naar een dokter gegaan. Wilt u cola of zo?'

'Nee, dank je.'

'Gisteravond heb ik haar hier gebracht en vanochtend ben ik met haar naar het opvangcentrum geweest. Ze heeft met een hulpverleenster gepraat, die haar heeft gezegd wat ze moest doen en haar een stapeltje folders heeft meegegeven. Daar liggen ze, als u ze wilt zien. Het komt erop neer dat ze de echtscheiding moet aanvragen en uit zijn buurt moet blijven.'

'Hebben ze foto's van je gemaakt?' vraag ik terwijl ik nog steeds haar knie streel. Ze knikt. De tranen banen zich nu ook een weg uit haar dichtgeslagen oog en druppelen langs haar wang. Ze lijkt wel een boksbal.

'Ja, een heel stel foto's. Ze heeft nog veel meer kneuzingen. Laat maar zien, Kelly. Hij is je advocaat.'

Ondersteund door Robin komt ze langzaam overeind, draait haar rug naar me toe en trekt haar T-shirt omhoog. Haar dijen en heupen zijn bont en blauw. Ze trekt het shirt nog hoger om de kneuzingen op haar rug te laten zien. Dan draait ze zich om en gaat weer voorzichtig op de bank zitten.

'Hij heeft haar ook met zijn riem geslagen,' zegt Robin. 'Hij legde haar over zijn knie en heeft haar gewoon afgetuigd.'

'Heb je een tissue?' vraag ik aan Robin als ik de tranen van Kelly's gezicht veeg.

'Ja hoor.' Ze geeft me een grote doos en ik droog voorzichtig Kelly's tranen.

'Wat ga je nu doen, Kelly?' vraag ik.

'Dat is wel duidelijk,' zegt Robin. 'Ze moet een echtscheiding aanvragen. Anders slaat hij haar nog dood.'

'Is dat zo? Wil je scheiden?'

Kelly knikt en zegt: 'Ja. Zo gauw mogelijk.'

'Ik zal het morgen regelen.'

Ze geeft me een kneepje in mijn hand en sluit haar rechteroog.

'En daarmee komen we op het volgende probleem,' zegt Robin. 'Ze kan hier niet blijven. Cliff is vanochtend weer vrijgelaten en hij belt nu al haar vriendinnen. Ik ben vandaag thuisgebleven van mijn werk, maar dat kan ik niet blijven doen. Om een uur of twaalf belde Cliff. Ik zei dat ik nergens van wist. Een uur later belde hij nog eens, met allerlei dreigementen. Die arme Kelly heeft niet zoveel vriendinnen, dus het zal niet lang duren voordat hij haar gevonden heeft. Bovendien deel ik deze flat met iemand anders. Ze kan hier dus niet blijven.'

'Nee,' zegt Kelly zacht en verlegen.

'Waar wil je dan heen?' vraag ik.

Robin heeft daar al over nagedacht. 'De hulpverleenster van vanochtend had het over een blijf-van-mijn-lijf-huis, met een geheim adres. Het is een huis hier in de stad, maar het staat nergens geregistreerd. De vrouwen zijn er veilig omdat hun mannen hen daar niet kunnen vinden. Alleen, het kost honderd dollar per dag en je mag maar een week blijven. Zoveel geld verdien ik niet.'

'Is dat waar je naartoe wilt?' vraag ik Kelly. Ze knikt moeizaam.

'Goed, dan zal ik je er morgen heen brengen.'

Robin slaakt een zucht van verlichting. Ze verdwijnt naar de keuken om het kaartje te pakken met het adres van het huis.

'Laat me je tanden eens zien,' zeg ik tegen Kelly.

Ze doet haar mond zo ver mogelijk open – niet ver, dus. Ik zie alleen haar voortanden. 'Niets gebroken?' vraag ik.

Ze schudt haar hoofd. Ik leg mijn vinger op het verband boven haar oog. 'Hoeveel hechtingen?'

'Zes.'

Ik buig me nog dichter naar haar toe en knijp in haar handen. 'Dit zal nooit meer gebeuren, hoor je me?'

Ze knikt en fluistert: 'Beloof je dat?'

'Dat beloof ik.'

Robin gaat weer naast haar zitten en geeft me het kaartje, met een advies. 'Hoor eens, meneer Baylor, u kent Cliff niet. Ik wel. Hij is gestoord en gewelddadig, vooral als hij dronken is. Wees alstublieft voorzichtig.'

'Maak je geen zorgen.'

'Misschien houdt hij zich al in de straat verborgen om dit appartement in de gaten te houden.'

'Ik ben niet bang.' Ik sta op en geef Kelly nog een kus op haar voorhoofd. 'Morgenochtend zal ik meteen echtscheiding voor je aanvragen. Daarna kom ik je halen, oké? Ik zit midden in een grote rechtszaak, maar ik regel het wel.'

Robin brengt me naar de deur en we bedanken elkaar. De deur valt achter me dicht en ik hoor de geluiden van de ketting en de grendels.

Het is bijna één uur 's nachts. Buiten is het helder en koud. Niemand houdt zich in het duister verborgen.

Slapen lukt niet meer, dat weet ik al, daarom rijd ik naar kantoor. Ik parkeer langs de stoep, recht onder mijn raam, en ren naar de voordeur. 's Nachts is het hier niet veilig.

Ik doe de deuren achter me op slot en loop naar mijn kamer. Ondanks de ellende die er vaak mee gepaard gaat, is een echtscheiding een vrij simpele juridische procedure. Ik ga achter de tekstverwerker zitten. Ik kan niet erg goed typen, maar ik doe mijn best. En in dit geval geloof ik echt dat ik er een leven mee kan redden.

Deck arriveert om zeven uur en maakt me wakker. Ergens na vieren ben ik in mijn stoel in slaap gevallen. Hij zegt dat ik er afgepeigerd uitzie. Waarom ben ik niet naar bed gegaan?

Ik vertel hem het verhaal en hij reageert helemaal verkeerd. 'Wel, verdomme! Heb je vannacht aan een lullige echtscheiding zitten werken? Over twee uur moet je je slotpleidooi houden!'

'Geen paniek, Deck, het komt wel goed.'

'Waarom zit je zo stom te grijnzen?'

'We zullen ze verpletteren, Deck. Great Eastern gaat voor de bijl.'

'Nee, dat is het niet. Je hebt eindelijk die meid gekregen, daarom ben je zo tevreden.'

'Onzin. Waar blijft mijn koffie?'

Deck springt overeind. Hij is op van de zenuwen. 'Komt eraan,' zegt hij, en hij verdwijnt.

Het echtscheidingsverzoekschrift ligt op mijn bureau, klaar om te worden ondertekend. Ik zal Cliff de papieren op zijn werk laten brengen, anders is hij misschien moeilijk te vinden. Ik heb ook om een straatverbod gevraagd.

49

Als je nog maar een beginner bent, heb je in elk geval het voordeel dat je bang en nerveus mag zijn. De jury weet dat ik pas ben afgestudeerd, dus de verwachtingen zijn niet hoog gespannen. Ik heb niet de aanleg of de ervaring om een indrukwekkend betoog te houden.

Daarom moet ik dat ook niet doen. Over een aantal jaren, honderden rechtszaken later, als mijn haar grijs is en mijn stem veel krachtiger, zal ik een jury misschien kunnen verbluffen met mijn redenaarstalent. Maar vandaag nog niet. Vandaag ben ik gewoon Rudy Baylor, een nerveus jochie dat zijn vrienden op de jurytribune om hulp wil vragen.

Zo sta ik dus voor hen, angstig en gespannen, hoewel ik mijn best doe een rustige indruk te maken. Ik weet wat ik ga zeggen, want dat heb ik al honderd keer gerepeteerd. Maar ik moet proberen om het niet op te dreunen. Ik begin met te zeggen dat dit een heel belangrijke dag is voor mijn cliënte, omdat het haar enige mogelijkheid is om haar recht te halen tegenover Great Eastern. Ze krijgt geen tweede kans. Daarna vraag ik de juryleden om zich voor te stellen wat Dot allemaal heeft doorstaan. Ik zeg een paar woorden over Donny Ray, niet al te dramatisch, maar ik vraag de jury wel hoe het moet zijn om een langzame en pijnlijke dood te sterven terwijl je weet dat er een behandeling mogelijk is die je door een onwillige verzekeringsmaatschappij wordt onthouden. Ik praat langzaam en duidelijk, vanuit het hart, en dat heeft effect. Mijn stem is rustig en ik kijk de twaalf juryleden open en eerlijk aan. Ze luisteren instemmend.

In het kort behandel ik de polisvoorwaarden en de mogelijkheden van een beenmergtransplantatie. Ik wijs erop dat de verdediging geen enkel weerwoord had op de verklaring van dr. Walter Kord. Het gaat niet om een experimentele behandeling, maar om een erkende ingreep die waarschijnlijk Donny Ray's leven zou hebben gered.

Ik praat wat sneller als we bij het spannende gedeelte komen: de achtergehouden documenten en de leugens van Great Eastern. Die zijn tijdens de zitting al zo breed uitgemeten, dat ik er nu niet te diep op inga. Het voordeel van zo'n verkorte procedure is dat de gebeurtenissen van de eerste twee dagen de jury nog vers in het geheugen liggen. Ik herinner hen aan het getuigenis van Jackie Lemancyzk en de statistische gegevens van Great Eastern, en ik noteer wat cijfers op een schoolbord: het aantal polissen in 1991, de hoeveelheid claims en vooral het aantal afwijzingen. Ik houd het kort en simpel, zodat zelfs een kind het kan begrijpen en het niet snel meer zal vergeten. De boodschap is duidelijk en onweerlegbaar. De anonieme machten achter Great Eastern hebben een truc bedacht om legitieme claims twaalf maanden lang op te houden. Volgens Jackies woorden was het een experiment om te zien hoeveel contant geld op die manier in één jaar kon worden binnengehaald. Het was een kil en zakelijk besluit, ingegeven door winstbejag, zonder enig mededogen met patiënten als Donny Ray Black.

Nu we het toch over geld hebben, pak ik de jaarrekening van Great Eastern erbij en vertel de jury dat ik de cijfers vier maanden lang heb bestudeerd en dat ik ze nog steeds niet begrijp. De branche heeft haar eigen merkwaardige boekhoudsysteem. Maar volgens de computers van Great Eastern zelf moet het bedrijf heel wat geld bezitten. Op het schoolbord tel ik de liquide middelen, de reserves en de overschotten op. De uitkomst is vierhonderdvijfenzeventig miljoen dollar, vijfentwintig miljoen dollar meer dan de officieel erkende netto waarde van de maatschappij. Hoe kun je een bedrijf straffen dat zo rijk is? Als ik die vraag stel, zie ik de ogen van de juryleden al glinsteren. Ze kunnen nauwelijks wachten. Ik geef een voorbeeld dat al jaren bekend is en door veel advocaten wordt aangehaald. Ik ken er minstens tien verschillende versies van. Het werkt, omdat het zo simpel is. Ik vertel de jury dat ik een ploeterende jonge advocaat ben, pas afgestudeerd en met nauwelijks genoeg geld om van rond te komen. Stel dat ik hard werk, zuinig ben en mijn geld op de bank zet, dan heb ik over twee jaar misschien tienduizend dollar. Voor dat geld heb ik hard gewerkt en daarom wil ik het beschermen. Maar als ik een keer mijn zelfbeheersing verlies, iemand een klap voor zijn kop verkoop en zijn neusbeentje breek? Dan moet ik niet alleen de medische kosten vergoeden, maar krijg ik ook een boete, zodat ik het niet weer zal doen. Ik bezit maar tienduizend dollar. Hoe hoog moet die boete zijn om indruk te maken? Eén procent is honderd dollar. Ik heb natuurlijk geen zin om honderd dollar te betalen, maar ik lig er niet wakker van. Vijf procent dan? Zou een boete van vijfhonderd dollar genoeg zijn om me ervan te weerhouden nog eens iemand te slaan? Misschien, misschien ook niet. Tien procent? Als ik duizend dollar boete kreeg, zouden er twee dingen gebeuren. Om te beginnen zou ik verdomd veel spijt hebben, en in de tweede plaats zou ik het niet nog een keer proberen.

Hoe kunnen we Great Eastern straffen? Op precies dezelfde manier als je een gewone burger een boete oplegt. Je kijkt naar het banksaldo en je bepaalt een boete die hard aankomt, maar zonder het bedrijf te gronde te richten. Bedrijven zijn niet beter of slechter dan wij allemaal.

Ik laat de beslissing aan de jury over. We hebben Great Eastern aangeklaagd voor tien miljoen, maar dat cijfer is niet heilig. De jury is vrij om te beslissen en het ligt niet op mijn weg om een bedrag te adviseren.

Ik besluit met een bedankje en een glimlach. Als zij nu niet ingrijpen, kunnen ze zelf het volgende slachtoffer van Great Eastern zijn. Een paar juryleden knikken instemmend, anderen glimlachen of turen naar de getallen op het schoolbord.

Ik loop naar mijn tafel. Deck zit in de hoek en grijnst van oor tot oor. Op de achterste rij steekt Cooper Jackson zijn duimen op. Ik ga naast Dot zitten en wacht in spanning af of de grote Leo F. Drummond nog zal proberen zijn nederlaag in een overwinning om te zetten.

Hij begint met een slijmerige verontschuldiging voor zijn gedrag tijdens de juryselectie. Dat was geen goed begin, zegt hij, maar toch vraagt hij nu hun vertrouwen. Opnieuw verontschuldigt hij zich als hij een verhaal houdt over zijn cliënt, een van de oudste en meest gerespecteerde verzekeringsmaatschappijen in Amerika. Maar in dit geval hebben ze een fout gemaakt. Een ernstige fout. Die onsympathieke afwijzingsbrieven waren bijzonder tactloos en zelfs beledigend. Zijn cliënt zat fout. Maar zijn cliënt heeft ook zesduizend mensen in dienst en het valt niet mee om iedereen te controleren en alle brieven te lezen. Dat is natuurlijk geen excuus. Er zijn fouten gemaakt.

Zo gaat hij nog een paar minuten door, om de indruk te wekken dat het om een toevallige en zeker geen opzettelijke misstap gaat. Hij brengt het heel overtuigend. Het dossier, de handboeken, de achtergehouden documenten en de leugens laat hij onbesproken. Dat is een mijnenveld voor Drummond. Hij gooit het over een andere boeg.

Hij geeft eerlijk toe dat Great Eastern de claim had moeten toewijzen – het volledige bedrag van tweehonderdduizend dollar. Dat is een opmerkelijke bekentenis en de jury klappert met haar oren. Drummond probeert hen voor zich te winnen en dat lukt hem aardig. Het is nu wel duidelijk wat zijn bedoeling is: de schade zo beperkt mogelijk houden. Hij is verbijsterd over mijn suggestie dat de jury Dot Black een percentage van de waarde van het bedrijf zou moeten toewijzen. Dat is een schandelijke gedachte! Wat schieten we daarmee op? Hij heeft toch al toegegeven dat zijn cliënt fout zat? De verantwoordelijke mensen zijn inmiddels ontslagen. Great Eastern zal haar leven beteren.

Dus welk doel dient een zware boete? Geen enkel.

Voorzichtig herhaalt Drummond zijn argumenten dat zulke hoge bedragen alleen voortkomen uit hebzucht. Hij moet oppassen dat hij Dot niet beledigt, want dan krijgt hij de jury tegen zich. Hij zegt een paar dingen over de Blacks, waar ze wonen, in wat voor een huis, in welke buurt, hoe lang al, enzovoort. Hij schetst een beeld van hen als een doorsnee Amerikaans gezin dat een eenvoudig maar gelukkig leven leidt. Het klinkt heel positief. Norman Rockwell had het niet mooier kunnen tekenen. Ik zie de schaduwrijke straat en de vrolijke krantenjongen al voor me. De jury hangt aan Drummonds lippen. Hij beschrijft hun eigen leven, of hoe ze graag zouden willen leven.

Waarom zou u, de jury, geld van Great Eastern willen eisen om het aan de Blacks te geven? Dat zou dit idyllische beeld alleen maar verstoren. Het zou chaos veroorzaken in hun leven. Het zou hen vervreemden van hun vrienden en buren. Kortom, het zou een ramp voor hen zijn. Trouwens, wie heeft er recht op zoveel geld als waar ik, Rudy Baylor, de jury om heb gevraagd? Niemand toch? Het is oneerlijk en onterecht om een bedrijf leeg te zuigen omdat het toevallig rijk is.

Hij loopt naar het schoolbord en noteert het bedrag $ 746. Dat is het maandelijkse inkomen van de Blacks, zegt hij tegen de jury. Daarnaast schrijft hij een bedrag van $ 200.000 en vermenigvuldigt dat met zes procent, met als uitkomst $ 12.000. Daarna vertelt hij de jury wat hij werkelijk wil. Het lijkt hem een goed idee om het maandelijkse inkomen van de Blacks te verdubbelen. Zouden we dat allemaal niet willen? En het kàn. Als u, de jury, de Blacks het bedrag van tweehonderdduizend dollar toewijst dat Great Eastern voor de behandeling had moeten uitkeren, en als de Blacks dat geld investeren in belastingvrije obligaties tegen zes procent, houden ze precies duizend dollar per maand belastingvrij over. Great Eastern is zelfs bereid om Dot en Buddy te helpen bij die investering.

Dat is toch een prachtig aanbod!

Drummond heeft dit zo vaak gedaan, dat hij er bijzonder goed in is. Het is een aantrekkelijke redenering en ik zie dat de juryleden erover nadenken. Ze turen nog eens naar het schoolbord. Het lijkt zo'n redelijk compromis.

Maar ik hoop en bid dat ze zich Dots belofte herinneren om het geld aan de Amerikaanse Vereniging van Leukemiepatiënten te geven.

Drummond besluit met een beroep op hun gezonde verstand en hun rechtvaardigheidsgevoel. Zijn stem wordt dieper en hij spreekt steeds langzamer. Hij straalt oprechtheid uit. Neem alstublieft een eerlijke beslissing. En hij loopt terug naar zijn stoel.

Als advocaat van de eiser krijg ik het laatste woord. In totaal mag ik een half uur spreken. Tien minuten daarvan heb ik gereserveerd voor mijn weerwoord op Drummonds pleidooi. Glimlachend loop ik naar de jurytribune. Hopelijk zal ik ooit net zo prachtig kunnen spreken als meneer Drummond, zeg ik. Ik prijs hem als een uitstekend advocaat, een van de beste pleiters in het land. O, wat ben ik toch een aardige jongen.

Maar ik wil nog een paar opmerkingen maken. Om te beginnen geeft Great Eastern toe dat ze fout zaten. In feite bieden ze nu die tweehonderdduizend dollar als vredeoffer aan. Waarom? Omdat ze hopen en bidden dat ze niet méér hoeven te betalen dan die twee ton. En dan nog iets. Kwam meneer Drummond al met dit aanbod toen hij de jury maandagochtend voor het eerst toesprak? Nee. Toch wist hij toen alles wat hij nu ook weet. Waarom gaf hij dan niet meteen toe dat zijn cliënt een fout had gemaakt? Omdat hij toen nog hoopte dat de jury de waarheid niet zou ontdekken. Maar nu alles bekend is, kruipen ze opeens door het stof.

Ik besluit met een regelrechte provocatie aan het adres van de jury. 'Als u mijn cliënte niet meer dan tweehonderdduizend dollar wilt toewijzen,' zeg ik, 'houdt u het geld dan maar. Dan hoeven we het niet. Het was bestemd voor een operatie die nooit zal worden uitgevoerd. Als u niet vindt dat Great Eastern straf verdient, houdt u dan die tweehonderdduizend dollar, dan gaan we allemaal naar huis.' Rustig kijk ik de juryleden één voor één in de ogen als ik langs de tribune loop. Ze zullen me niet teleurstellen.

'Dank u,' zeg ik, en ik ga weer naast mijn cliënte zitten. Terwijl rechter Kipler de juryleden hun laatste instructies geeft, maakt zich een geweldige opluchting van me meester. In tijden heb ik me niet zó ontspannen gevoeld. Geen getuigen, geen dossiers en geen documenten meer. Geen eisen, geen zittingen, geen werkdruk en geen zorgen over de achtergrond van dit of dat jurylid. Ik zucht eens diep en laat me onderuitzakken in mijn stoel. Ik zou dagen kunnen slapen.

Die rust duurt ongeveer vijf minuten, totdat de juryleden opstaan en zich terugtrekken voor hun beraad. Het is bijna half elf.

Nu begint het wachten.

Deck en ik nemen de trap naar de eerste verdieping om Kelly's eis tot echtscheiding in te dienen. We lopen meteen door naar de kamer van Tyrone Kipler. De rechter feliciteert me met mijn optreden en ik bedank hem voor de honderdste keer. Maar ik heb nog een ander probleem. Ik laat hem een kopie van de echtscheidingsformulieren zien en leg hem in het kort de situatie van Kelly en haar gewelddadige echtgenoot uit. Ik vraag hem of hij meneer Riker met onmiddellijke ingang een straatverbod wil opleggen, zodat hij niet meer bij mevrouw Riker in de buurt kan komen. Kipler heeft een hekel aan echtscheidingszaken, maar ik heb hem klem. Een straatverbod is heel gebruikelijk bij geweldsdelicten binnen het gezin. Kipler vertrouwt me en tekent het bevel. Er is nog geen nieuws van de jury. Ze zijn pas een kwartier weg.

Butch komt op de gang naar ons toe en neemt de kopieën van de echtscheidingsformulieren en het straatverbod mee. Hij zal ze Cliff Riker op zijn werk bezorgen. Ik vraag hem nog eens om de jongen niet voor schut te zetten.

We wachten een uurtje in de rechtszaal, Drummond en zijn makkers dicht bijeen aan de overkant, Deck, Cooper Jackson, Hurley, Grunfeld en ik achter onze eigen tafel. Geamuseerd zie ik dat de pakken van Great

Eastern duidelijk afstand houden van hun advocaten – of misschien is het andersom. Underhall, Addy en Lufkin zitten met sombere gezichten op de achterste rij, alsof ze een afspraak hebben met het vuurpeloton. Om twaalf uur wordt er een lunch naar de jurykamer gebracht, en Kipler stuurt ons weg tot half twee. Ik ben zo zenuwachtig, dat ik geen hap door mijn keel zou kunnen krijgen. Daarom rijd ik snel naar Robins appartement en bel Kelly via de autotelefoon.

Even later sta ik voor de deur. Kelly is alleen. Ze draagt een wijd joggingpak en geleende gympen. In haar paniek heeft ze zelfs geen kleren of toiletspullen meegenomen. Ze heeft nog overal pijn en ze loopt heel voorzichtig. Ik help haar naar mijn auto, open het portier en wacht tot ze zit. Dan til ik haar benen op en zwaai ze naar binnen. Ze klemt haar tanden op elkaar en geeft geen kik. De blauwe plekken op haar gezicht en in haar hals zijn veel donkerder in het zonlicht.

Als we wegrijden, zie ik haar om zich heen kijken, alsof ze verwacht dat Cliff ieder moment uit de bosjes te voorschijn kan springen. 'Dit hebben we zojuist ingediend,' zeg ik, en ik geef haar een kopie van het echtscheidingsverzoek. Ze houdt het dicht bij haar ogen en leest het door terwijl ik zigzaggend door het verkeer rijd.

'Wanneer krijgt hij dit?' vraagt ze.

'Ongeveer op dit moment.'

'Hij wordt gek.'

'Dat is hij al.'

'Hij zal achter je aan komen.'

'Ik hoop het. Maar ik denk het niet, want hij is een lafaard. Mannen die hun vrouw slaan zijn de grootste lafbekken. Maak je niet ongerust, ik heb een pistool.'

Het is een oud, onopvallend huis, verborgen in een gewone straat. Het heeft een groot, breed grasveld, met veel schaduw. De buren kunnen niet zien wie er komt of gaat. Ik stop aan het eind van de oprit en parkeer achter twee andere auto's. Kelly blijft in de auto zitten terwijl ik bij een zijdeur aanklop. Een stem via de intercom vraagt of ik me kan legitimeren. Veiligheid is hier heel belangrijk. Er zitten luiken voor alle ramen en de achtertuin wordt afgesloten door een houten hek van minstens tweeënhalve meter hoog.

De deur gaat een klein eindje open en een stevig gebouwde jonge vrouw neemt me op. Ik heb geen zin in een confrontatie. Ik ben al vijf dagen bezig met een zaak en ik sta op het punt om af te knappen. 'Ik kom voor Betty Norvelle,' zeg ik.

'Dat ben ik. Waar is Kelly?'

Ik knik naar de auto.

'Breng haar maar binnen.'

Ik zou haar gemakkelijk kunnen dragen, maar de achterkant van haar benen is nog te pijnlijk, daarom loopt ze liever. Voetje voor voetje schuifelen we over de tegels naar de veranda. Ik heb het gevoel of ik een negentigjarig omaatje help. Betty glimlacht tegen haar en brengt ons naar een kleine kamer. Het is een soort kantoor. We gaan naast elkaar aan een tafel zitten, met Betty tegenover ons. Ik heb haar vanochtend al gesproken en ze vraagt om kopieën van het echtscheidingsverzoek, die ze haastig doorleest. Kelly houdt mijn hand vast.

'Dus u bent haar advocaat?' vraagt Betty, die ons hand in hand ziet zitten.

'Ja. En een vriend.'

'Wanneer moet je weer naar de dokter?'

'Over een week,' zegt Kelly.

'Heb je in de tussentijd nog medische verzorging nodig?'

'Nee.'

'Medicijnen?'

'Alleen wat pijnstillers.'

De papieren lijken in orde. Ik schrijf een cheque uit voor tweehonderd dollar – een borgsom plus de kosten van de eerste dag.

'We hebben geen vergunning,' legt Betty uit. 'Dit is gewoon een schuilplaats voor mishandelde vrouwen die gevaar lopen. Het opvanghuis wordt geleid door een vrouw die zelf ooit is mishandeld. Er zijn nog meer van deze huizen in de buurt. Niemand weet ervan, en zo willen we het houden. Beloven jullie er met niemand over te praten?'

'Ja.' We knikken allebei en Betty schuift ons een formulier toe dat we moeten tekenen.

'Het is toch niet illegaal?' vraagt Kelly. Een redelijke vraag in deze onheilspellende omgeving.

'Niet echt. En als ze ons zouden sluiten, beginnen we ergens anders weer opnieuw. We zitten hier al vier jaar en niemand heeft ooit een woord gezegd. Je weet toch dat je niet langer dan een week kunt blijven?'

Dat hadden we begrepen.

'En je moet bedenken waar je hierna naartoe kunt.'

Ik wil meteen mijn appartement voorstellen, maar daar hebben we nog niet over gesproken.

'Hoeveel vrouwen zitten hier?' vraag ik.

'Vandaag vijf. Kelly, je krijgt een eigen kamer met bad. Drie maaltijden per dag. Het eten is goed. Je kunt op je kamer eten of samen met de andere vrouwen. We geven geen medische of juridische adviezen. We houden geen gesprekken en we geven geen therapie. Liefde en bescherming, anders niet. Je bent hier veilig. Niemand zal je vinden. En we hebben een gewapende bewaker.'

'Mag hij wel op bezoek komen?' Kelly knikt naar mij.
'Eén bezoeker tegelijk is toegestaan, als we het maar van tevoren weten. Bel als u komt, en zorg ervoor dat u niet wordt gevolgd. Maar u mag 's nachts niet blijven. Sorry.'
'Dat geeft niet,' zeg ik.
'Verder nog vragen? Zo niet, dan zal ik Kelly het huis laten zien. U mag vanavond terugkomen.'
Ik begrijp de hint. Ik neem afscheid van Kelly en beloof dat ik vanavond nog kom. Ze vraagt me een pizza mee te brengen. Het is tenslotte vrijdagavond.
Als ik wegrijd, heb ik het gevoel of ik haar in de illegaliteit heb achtergelaten.

Een journalist van een krant in Cleveland schiet me aan in de gang voor de rechtszaal en wil met me praten over Great Eastern. Er gaan geruchten dat de procureur-generaal van Ohio een onderzoek instelt naar het bedrijf. Wist ik dat al? Ik zeg niets. Hij loopt achter me aan de rechtszaal in. Deck zit in zijn eentje aan onze tafel. Aan de overkant zit de verdediging moppen te tappen. Kipler is nergens te zien. Iedereen wacht.
Butch heeft Cliff Riker de papieren gegeven toen hij naar buiten kwam om te lunchen. Riker begon te schelden. Butch gaf geen krimp, stroopte zijn mouwen op, en Riker ging ervandoor. Mijn naam staat op het echtscheidingsverzoek, dus van nu af aan moet ik oppassen.
Er druppelen nog meer mensen binnen als het tegen tweeën loopt. Booker verschijnt en komt bij ons zitten. Cooper Jackson, Hurley en Grunfeld komen terug van een uitgebreide lunch. Ze hebben wat gedronken. De journalist gaat achter in de zaal zitten. Niemand wil met hem praten. Er bestaan allerlei theorieën over het juryberaad. Een snelle uitspraak zou gunstig zijn voor de eiser in dit soort zaken. Als het lang duurt, zijn ze het niet eens. Ik luister naar al die wilde gissingen en heb moeite om stil te zitten. Ik stap de gang op om wat water te drinken, ik ga naar de wc en ik slenter naar de cafetaria. Heen en weer lopen is prettiger dan in de rechtszaal rond te hangen. Ik heb kramp in mijn maag en mijn hart pompt als een stoommachine.
Booker kent me beter dan wie ook en hij houdt me gezelschap. Hij is ook nerveus. We lopen door de marmeren gangen om de tijd te doden. Het wachten duurt lang. Op moeilijke momenten is het belangrijk om met vrienden te zijn. Ik bedank hem dat hij is gekomen. Hij zegt dat hij het voor geen goud zou willen missen.
Tegen half vier ben ik ervan overtuigd dat ik verloren heb. Het had een snelle beslissing moeten zijn, een eenvoudig rekensommetje om het juiste percentage te bepalen. Misschien ben ik te optimistisch geweest. Ik herin-

ner me weer dat deze staat erom berucht is dat er zulke geringe bedragen worden opgelegd. Ik dreig het volgende voorbeeld te worden, de volgende reden waarom een verstandige advocaat in Memphis beter een schikking kan acceperen. De minuten kruipen tergend langzaam voort.

Ergens in de verte hoor ik mijn naam roepen. Het is Deck, die voor de deur van de rechtszaal staat en woest met zijn armen zwaait. 'O, mijn god,' zeg ik.

'Rustig blijven,' zegt Booker, maar het volgende moment rennen we allebei naar de rechtszaal terug. Ik haal diep adem, prevel een schietgebedje en stap naar binnen. Drummond en de andere vier zitten al klaar. Dot zit in haar eentje aan onze tafel. Alle anderen zijn er ook. De jury komt binnen op het moment dat ik het hekje achter me sluit en naast mijn cliënte ga zitten. Op de gezichten van de juryleden staat niets te lezen. Als ze zitten, vraagt zijne edelachtbare: 'Is de jury tot een uitspraak gekomen?'

Ben Charnes, de jonge parttime student en voorzitter van de jury, antwoordt: 'Jawel, edelachtbare.'

'Is die uitspraak op schrift gezet volgens mijn instructies?'

'Ja, meneer.'

'Wilt u dan opstaan en het vonnis voorlezen?'

Charnes komt langzaam overeind. Het blad in zijn handen trilt. Mijn handen trillen nog heviger en ik heb moeite met ademen. Ik voel me duizelig worden. Dot blijft opvallend kalm. Zij heeft haar strijd tegen Great Eastern al gewonnen. Ze hebben voor de rechtbank hun fouten toegegeven. De rest kan haar niet schelen.

Ik ben vastbesloten mijn gezicht in de plooi te houden en geen enkele emotie te tonen, hoe de uitspraak ook zal luiden. Dat doe ik zoals ik dat heb geoefend, door poppetjes te tekenen op mijn blocnote. Een snelle blik naar links leert me dat de vijf advocaten van de verdediging hetzelfde doen.

Charnes schraapt zijn keel en leest: 'Wij, de jury, stellen de eiser in het gelijk en wijzen hem een schadevergoeding toe ter grootte van tweehonderdduizend dollar.' Een korte stilte. Iedereen kijkt naar het vel papier. Tot zover geen verrassingen. Hij schraapt opnieuw zijn keel en vervolgt: 'Wij, de jury, stellen de eiser in het gelijk en wijzen hem een immateriële schadevergoeding toe ter grootte van vijftig miljoen dollar.'

Achter me hoor ik een onderdrukte kreet. Drummond en zijn collega's verstijven en het blijft een paar seconden stil. De bom is gevallen en geëxplodeerd, en iedereen controleert snel of hij dodelijk getroffen is. Pas daarna is het moment gekomen om opgelucht adem te halen.

Ik noteer de bedragen werktuiglijk op mijn blocnote, hoewel mijn hanepoten nauwelijks leesbaar zijn. Ik weiger te grijnzen en bijt een gat in mijn onderlip. Ik zou van alles willen doen. Op de tafel springen en een vreugdedansje maken, als een voetballer die heeft gescoord. Naar de jurytribune rennen om het hele stel de voeten te kussen. Naar de tafel van de verdediging lopen om een obsceen gebaar te maken. Tyrone Kipler om zijn hals vliegen.

Maar ik weet me te beheersen en fluister slechts 'Gefeliciteerd' tegen mijn cliënte. Zij zegt niets. Ik kijk naar zijne edelachtbare, die het schriftelijke vonnis doorleest dat een assistent hem heeft aangereikt. Ik zie dat de meeste juryleden mijn kant op kijken. Nu kan ik een glimlach niet langer onderdrukken. Ik knik naar hen en bedank hen in stilte.

Ik teken een kruis op mijn blocnote en schrijf daaronder de naam van Donny Ray Black. Ik sluit mijn ogen en denk terug aan mijn favoriete beeld van hem, zoals hij op zijn klapstoel bij de softbalwedstrijd zat en popcorn at, blij om daar te zijn. Ik krijg een brok in mijn keel en mijn ogen worden vochtig. Hij had niet hoeven sterven.

'Het vonnis is correct,' verklaart Kipler. Heel correct, zou ik denken. Hij spreekt de jury toe, bedankt hen voor hun burgerzin, zegt dat de cheque voor de magere onkostenvergoeding de volgende week de deur uit gaat, vraagt hun met niemand over de zaak te spreken en zegt dat ze mogen vertrekken. Onder het toeziend oog van de parketwachter verlaten ze voor het laatst de rechtszaal. Ik zal hen nooit meer zien. Op dit moment zou ik ieder van hen graag een miljoen toestoppen.

Kipler heeft ook moeite zijn gevoelens te verbergen. 'Over ongeveer een week zullen we de zaak formeel afronden. Mijn secretaresse stuurt u wel een briefje. Verder nog iets?'

Ik schud zwijgend mijn hoofd. Wat zou ik nog meer kunnen wensen?

'Nee, edelachtbare,' zegt Leo zacht, zonder op te staan. Zijn mensen zijn opeens druk bezig hun koffertjes in te pakken en alle dossiers in dozen op de bergen. Ze willen hier zo snel mogelijk vandaan. Het is verreweg het hoogste bedrag dat ooit in Tennessee is toegekend en zij zullen altijd de mensen blijven die zo'n zware nederlaag hebben geleden. Als ik niet zo moe en versuft was, zou ik naar hen toe lopen om hun een hand te geven. Dat zou sportief zijn, maar ik kan het gewoon niet. Ik blijf liever hier naast Dot zitten, starend naar Donny Ray's naam op mijn blocnote.

Ik ben nog lang niet rijk. Het hoger beroep zal zeker een jaar in beslag nemen, misschien wel twee. En het gaat om zoveel geld, dat ik een heel leger advocaten tegenover me zal krijgen. Dat wordt nog een zware dobber. Maar voorlopig heb ik genoeg van mijn werk. Ik wil alleen nog met een vliegtuig naar de zon.

Kipler geeft een klap met zijn hamer en de zitting is officieel gesloten. Ik kijk naar Dot en zie haar tranen. Ik vraag haar hoe ze zich voelt. Deck komt ons meteen feliciteren. Hij is bleek, maar hij grijnst en ik zie zijn vier fraaie voortanden blikkeren. Ik heb meer aandacht voor Dot. Ze is een sterke vrouw die niet graag huilt, maar nu wordt het haar toch te veel. Ik klop haar op haar arm en geef haar een tissue.

Booker knijpt me even in de nek en zegt dat hij me volgende week zal bellen. Cooper Jackson, Hurley en Grunfeld blijven stralend bij mijn tafel staan en complimenteren me met de uitkomst. Ze moeten hun vliegtuig halen. We praten maandag wel verder. De journalist komt naar ons toe, maar ik stuur hem weg. Ik heb weinig aandacht voor andere mensen omdat ik begaan ben met mijn cliënte. Ze dreigt in te storten. De tranen stromen over haar wangen.

Ik let nauwelijks op Drummond en zijn jongens als ze, beladen als pakezels, haastig de zaal verlaten. We wisselen geen woord, maar ik zou wel eens willen horen wat er straks allemaal wordt gezegd in de burelen van Trent & Brent.

De parketwachter, de stenografe en de assistent ruimen hun spullen op en vertrekken. Dot, Deck en ik zijn de enigen die achterblijven. Ik wil naar Kiplers kantoor lopen om hem te bedanken voor zijn steun, maar dat doe ik later wel. Nu houd ik Dots hand vast als haar verdriet een uitweg zoekt. Deck zit zwijgend bij ons. Ik zeg niets. Mijn ogen zijn vochtig, mijn hart doet pijn. Het geld laat haar koud. Ze wil haar jongen terug. Iemand, waarschijnlijk de parketwachter, haalt een schakelaar over in het smalle gangetje bij de jurykamer en het licht gaat uit. Het is half donker in de zaal, maar we blijven zitten. Na een tijdje bedaart Dot wat. Met de tissue en met haar vingers veegt ze de tranen van haar gezicht.

'Het spijt me,' zegt ze schor. Ze wil weg, dus we staan op. Ik geef haar nog een klopje op haar arm als Deck onze papieren bijeengraait en in drie koffertjes propt.

We verlaten de schemerige zaal en stappen de marmeren gang in. Het is vrijdagmiddag tegen vijven, en het is stil in het gebouw. Geen camera's, geen journalisten, geen horde verslaggevers die op een paar woorden en beelden van de advocaat van de dag wacht.

Niemand let op ons.

– 50 –

De laatste plek waar ik nu naartoe wil is kantoor. Ik ben te moe en te versuft om naar de kroeg te gaan en mijn enige makker op dit moment is

Deck, die niet drinkt. Bovendien zou ik al na twee borrels plat gaan, dus dat is niet verstandig. Ik heb het gevoel dat er een feest zou moeten zijn, maar dat kun je niet van tevoren regelen. Een jury-uitspraak is altijd onzeker.

Morgen misschien. Dan is de kater voorbij en kunnen we gelukkig zijn met de uitspraak. Dan dringt de werkelijkheid pas tot ons door. Morgen vier ik feest.

In de hal van de rechtbank neem ik afscheid van Deck. Ik ben doodop, zeg ik hem. We spreken elkaar later wel. We zijn allebei in een soort shocktoestand en we hebben tijd nodig om alles te verwerken. Alleen. Ik rijd naar het huis van juffrouw Birdie en controleer alle kamers, zoals ik iedere avond doe. Een gewone dag, niets bijzonders. Ik ga op haar terras zitten, staar naar mijn kleine appartement en denk voor het eerst aan geld. Wanneer zal ik mijn eerste huis kopen of laten bouwen? Welke nieuwe auto wil ik? Ik probeer die gedachten uit mijn hoofd te zetten, maar dat lukt niet. Wat doe je met zestienenhalf miljoen dollar? Ik kan me er geen voorstelling van maken. Ik weet wel dat er nog van alles mis kan gaan. We kunnen de zaak nog verliezen in hoger beroep, of het bedrag kan worden verminderd of teruggeschroefd tot de oorspronkelijke vergoeding van tweehonderdduizend dollar, zodat ik niets zou krijgen. Dat weet ik allemaal, maar voorlopig reken ik me rijk.

Dromerig kijk ik naar de ondergaande zon. Het is helder maar erg koud. Morgen zal ik misschien de omvang beseffen van wat ik heb gedaan. Voorlopig is een groot deel van het venijn uit mijn bloed weggestroomd, en daar ben ik blij om. Bijna een jaar heb ik geleefd met een brandende haat tegen dat mythische monster dat Great Eastern voor me was geworden. Ik haatte de mensen die er werkten en die verantwoordelijk waren voor de gebeurtenissen die een onschuldig slachtoffer het leven hadden gekost. Ik hoop dat Donny Ray nu in vrede kan rusten. Er zal wel een engel zijn die hem vertelt wat er vandaag is gebeurd.

Great Eastern is aangeklaagd en in het ongelijk gesteld. Ik haat ze niet langer.

Kelly snijdt haar dunne pizzapuntje met haar vork en neemt heel kleine hapjes. Haar lippen zijn nog opgezwollen en haar kaak doet pijn. We zitten op haar eenpersoonsbed, met onze rug tegen de muur, onze benen voor ons uit en de pizzadoos tussen ons in. We kijken naar een western met John Wayne op een draagbare Sony-tv op de toilettafel, aan de andere kant van de kleine kamer.

Ze draagt nog steeds dat grijze joggingpak, zonder sokken of schoenen. Ik zie een klein litteken op haar rechter enkel, die Cliff vorig jaar zomer heeft gebroken. Ze heeft haar haar gewassen en in een paardestaart gebonden, en haar nagels lichtrood gelakt. Ze probeert vrolijk te zijn en een gesprek te voeren, maar ze heeft zoveel pijn dat dat niet meevalt. We zeggen niet veel. Ik ben nog nooit in elkaar geslagen en ik weet niet hoe dat voelt. De pijn kan ik me wel voorstellen, maar de psychische schok niet. Ik vraag me af op welk moment hij ermee stopte en haar losliet om zijn handwerk te bewonderen.

Ik probeer er niet aan te denken. Kelly heeft er geen woord over gezegd en ik zal er zelf niet over beginnen. Cliff heeft nog niets van zich laten horen sinds hij de papieren heeft gekregen.

Ze heeft hier in huis een oudere vrouw ontmoet, een moeder van drie opgroeiende kinderen, die zo bang en in de war was, dat ze moeite had een eenvoudig zinnetje af te maken. Zij heeft de kamer naast Kelly. Het is angstig stil in het opvanghuis. Kelly is maar één keer naar beneden gegaan om achter het huis op de veranda te zitten en wat frisse lucht op te snuiven. Ze heeft geprobeerd te lezen, maar dat gaat moeizaam. Haar linkeroog zit nog bijna dicht en haar rechter wordt soms wazig. Gelukkig is er volgens de dokter geen blijvende schade toegebracht.

Ze heeft een paar keer gehuild. Ik beloof haar steeds dat dit nooit meer zal gebeuren. Al zal ik die klootzak eigenhandig moeten vermoorden. Dat meen ik. Als hij nog eens bij haar in de buurt komt, zal ik zijn kop van zijn romp af schieten.

Laten ze me maar arresteren. Ik zal het de jury wel uitleggen. Mij kan niets gebeuren.

Ik zeg niets over de rechtszaak. Zoals we hier zitten, in dit donkere kamertje, starend naar John Wayne op zijn paard, lijkt Kiplers rechtszaal heel ver weg.

En zo wil ik het ook houden.

We eten de pizza op en kruipen wat dichter tegen elkaar aan. Als kinderen zitten we hand in hand. Ik moet voorzichtig met haar omgaan, want ze is letterlijk over haar hele lichaam bont en blauw.

Om tien uur is de film afgelopen en begint het nieuws. Opeens ben ik benieuwd of ze wat over de zaak Black zullen zeggen. Na de verplichte verkrachtingen en moorden en het eerste reclameblok verklaart de nieuwslezer gewichtig: 'Vandaag is in een rechtszaal in Memphis geschiedenis geschreven. Een jury in een civiele procedure heeft de verzekeringsmaatschappij Great Eastern uit Cleveland, Ohio, veroordeeld tot de betaling van smartegeld ter hoogte van vijftig miljoen dollar, een recordbedrag in deze staat. Een verslag van Rodney Frate.'

Onwillekeurig begin ik te grijnzen. We zien Rodney Frate bibberend voor de rechtbank staan, dat natuurlijk al lang verlaten is. 'Arnie, een uur geleden sprak ik met Pauline MacGregor, de griffier, die bevestigde dat de jury in Sectie Acht – het hof van rechter Tyrone Kipler – de verzekeringsmaatschappij een schadevergoeding van tweehonderdduizend dollar plus een genoegdoening van vijftig miljoen dollar heeft opgelegd. Ik heb ook gesproken met rechter Kipler, die echter niet voor de camera wilde verschijnen. Hij zei me dat het een geval van wanprestatie betrof. Meer wilde hij niet loslaten, behalve dat het volgens hem het hoogste bedrag is dat ooit in Tennessee is toegekend. Ik heb met enkele advocaten in de stad gesproken, en niemand had ooit van zo'n zwaar vonnis gehoord. Leo F. Drummond, de advocaat van Great Eastern, wilde niets zeggen. Rudy Baylor, de raadsman van de eiser, was niet bereikbaar voor commentaar. Terug naar jou, Arnie.'

Arnie gaat snel verder met een vrachtwagenongeluk op Interstate 55.

'Dus je hebt gewonnen?' vraagt ze, aarzelend maar niet verbaasd.

'Ja.'

'Vijftig miljoen dollar?'

'Ja. Maar het geld staat nog niet op de bank, hoor.'

'Rudy!'

Ik haal mijn schouders op alsof het niets bijzonders is. 'Ik heb geluk gehad,' zeg ik.

'Maar je komt pas van de universiteit!'

Wat moet ik daarop zeggen? 'Het was niet zo moeilijk. We hadden een geweldige jury en de feiten lagen voor de hand.'

'Je zegt het alsof je het dagelijks meemaakt.'

'Was dat maar zo.'

Ze pakt de afstandsbediening en zet het geluid van de televisie wat zachter. Ze wil nog meer weten. 'Je bent helemaal niet zo bescheiden als je je voordoet. Ik kijk er dwars doorheen.'

'Ja, je hebt gelijk. Op dit moment ben ik de beste advocaat van de hele wereld.'

'Dat klinkt beter,' zegt ze met een poging tot een glimlach. Ik raak een beetje gewend aan haar gehavende gezicht. Ik staar niet meer zo naar haar blauwe plekken als vanmiddag. Maar ik hoop dat ze snel verdwijnen, zodat ze weer net zo knap wordt als vroeger.

Ik zou hem kunnen vermoorden, dat zweer ik.

'Hoeveel krijg jij daarvan?' vraagt ze.

'Je draait er niet omheen, is het wel?'

'Ik ben gewoon nieuwsgierig,' zegt ze met een bijna kinderlijk stemmetje. In gedachten zijn we al geliefden, en ik vind het heerlijk om met haar te giechelen.

'Een derde, maar dat duurt nog wel even.'

Ze draait zich naar me toe en slaakt een kreet van pijn. Ik help haar om op haar buik te gaan liggen. Ze vecht tegen de tranen en ik voel hoe gespannen ze is. Ze kan niet op haar rug liggen vanwege de kneuzingen.

Ik streel haar haren en fluister in haar oor, totdat de intercom begint te zoemen. Het is Betty Norvelle, van beneden. Ik moet vertrekken.

Kelly knijpt me stevig in mijn hand als ik haar pijnlijke wang kus en haar beloof om morgen terug te komen. Ze smeekt me om niet weg te gaan.

De voordelen van zo'n grote triomf in mijn allereerste rechtszaak zijn wel duidelijk. Het enige nadeel is dat de toekomst alleen maar kan tegenvallen. Al mijn nieuwe cliënten zullen dezelfde resultaten verwachten. Maar goed, dat zien we later wel.

Zaterdagochtend laat zit ik op kantoor op een journalist en een fotograaf te wachten als de telefoon gaat. 'Met Cliff Riker,' hoor ik een hese stem. Meteen druk ik de knop van de cassetterecorder in.

'Wat moet je?'

'Waar is mijn vrouw?'

'Je mag blij zijn dat ze niet in het lijkenhuis ligt.'

'Ik sla je in elkaar, flinke jongen.'

'Je zegt het maar. De recorder loopt mee.'

Hij hangt snel op en ik staar naar de telefoon. Het is een andere, een goedkoop toestel dat we bij de K-Mart hebben gekocht. Tijdens het proces gebruikten we het wel eens als we niet wilden dat Drummond zou meeluisteren.

Ik bel Butch thuis en vertel hem dat Riker heeft gebeld. Butch heeft nog een appeltje met hem te schillen vanwege die scheldpartij toen hij hem gisteren de papieren bracht. Cliff beledigde niet alleen Butch, maar ook zijn moeder. Als er niet twee collega's van Cliff op het parkeerterrein waren geweest, had Butch ter plekke met hem afgerekend. Als Cliff me bedreigt, moet ik hem maar een seintje geven, zei Butch gisteravond tegen me. Rocky, zijn maatje, werkt als uitsmijter en samen vormen ze een indrukwekkend paar. Ik druk hem op het hart dat hij de jongen alleen mag afschrikken, maar hem niets mag doen. Butch is van plan hem in een donker steegje op te wachten, hem aan dit telefoontje te herinneren en hem te vertellen dat hij en Rocky mijn lijfwachten zijn. Nog één zo'n dreigement en Cliff zal het bezuren. Butch verheugt zich er al op.

Daar zou ik wel bij willen zijn. Ik heb geen zin om steeds over mijn schouder te moeten kijken.

De journalist van de *Memphis Press* arriveert om elf uur. Hij neemt me een interview af terwijl de fotograaf een rolletje volschiet. Hij wil alles weten over de zaak en de zitting, en ik geef uitvoerig antwoord. Het is nu toch al bekend. Ik zeg vriendelijke dingen over Drummond, ik ben lovend over Kipler en ik prijs de jury de hemel in.

Het wordt een groot artikel in de zondagskrant, belooft hij.

Ik blijf op kantoor rondhangen, lees de post en kijk naar de paar telefonische boodschappen die de afgelopen week zijn binnengekomen. Werken lukt me niet, en bovendien besef ik nu weer hoe weinig zaken en cliënten ik eigenlijk heb. De helft van de tijd zit ik te denken aan de zitting, de andere helft droom ik van mijn toekomst met Kelly. Wat ben ik toch een geluksvogel.

Ik bel Max Leuberg en vertel hem hoe het is gegaan. O'Hare was gesloten vanwege een sneeuwstorm, zodat hij niet op tijd voor de zitting in Memphis kon zijn. We praten een uur.

De zaterdagavond brengen we op dezelfde manier door als de avond ervoor, maar met ander eten en een andere film. Kelly houdt van Chinees eten en ik breng een grote zak mee. We kijken naar een komedie die niet echt leuk is, en zitten hand in hand op bed.

Toch verveel ik me geen moment. Kelly begint langzaam te ontwaken uit haar nachtmerrie. Haar lichamelijke verwondingen genezen goed. Ze lacht nu gemakkelijker en beweegt zich al soepeler. We raken elkaar wat vaker aan, maar nog lang niet vaak genoeg.

Ze wil graag iets anders aan dan dat joggingpak. Het wordt iedere dag voor haar gewassen, maar ze baalt ervan. Ze wil weer aantrekkelijk zijn, in haar eigen kleren. We overwegen om stiekem naar haar appartement te gaan om haar spullen op te halen.

Over de toekomst praten we maar niet.

– 51 –

Maandagochtend. Nu ik een rijk man ben met veel vrije tijd, kan ik me de luxe veroorloven om pas om negen uur uit bed te komen. Ik trek een kakibroek, een kakihemd en een paar gemakkelijke schoenen aan – geen stropdas – en ga pas om tien uur naar kantoor. Mijn partner is druk bezig het dossier Black op te bergen en de klaptafeltjes op te ruimen die maandenlang in de weg hebben gestaan. We lopen allebei te grijnzen. De druk is van de ketel. We zijn goed uitgerust en het wordt tijd om aan de toekomst te denken. Deck loopt de straat door om koffie te halen en even later zitten we aan mijn bureau om na te genieten van onze triomf.

Deck heeft het artikel uit de *Memphis Press* van gisteren geknipt, voor het geval ik nog een extra kopie nodig heb. Ik bedank hem, hoewel ik nog tien knipsels in mijn appartement heb liggen. Ik heb de voorpagina van de krant gehaald met een lang, goed geschreven stuk over mijn zegetocht, compleet met een behoorlijk grote foto van mij achter mijn bureau. Ik heb gisteren de hele dag naar mezelf gestaard. Die krant wordt in drie-honderdduizend huisgezinnen gelezen. Zoveel reclame is onbetaalbaar. Er zijn een paar faxen binnengekomen, vooral van studiegenoten die me gelukwensen en als grapje om een lening vragen. Er is een lief bericht van Madeline Skinner van de faculteit en twee faxen van Max Leuberg: ko-pieën van een kort artikel uit een krant in Chicago over het vonnis, en een stukje uit een krant in Cleveland. Daarin wordt uitvoerig bericht over de zaak Black en de toenemende problemen bij Great Eastern. In minstens zeven staten wordt nu een onderzoek ingesteld naar het bedrijf, onder meer in Ohio. Verzekerden in het hele land hebben al procedures aan-gespannen, en hun aantal zal nog groeien. De uitspraak in Memphis zal vermoedelijk een stortvloed van procedures veroorzaken.

Ha, ha, ha. We genieten van de klap die we hebben uitgedeeld. Grijnzend herinneren we ons het wanhopige gezicht van M. Wilfred Keeley toen hij het jaarverslag doorbladerde op zoek naar de cijfers. Die moesten er toch in staan!

De bloemist belt aan met een prachtig boeket van Booker Kane en zijn collega's bij Marvin Shankle.

Ik had verwacht dat de telefoon roodgloeiend zou staan – allemaal nieu-we cliënten die een goede advocaat zoeken. Maar het is opvallend stil. Volgens Deck hebben er voor tien uur een paar mensen gebeld, waarvan er één verkeerd verbonden was. Ik zit er niet mee.

Kipler belt om elf uur en ik spreek met hem via het 'schone' toestel, voor het geval Drummond nog meeluistert. Hij heeft een interessant verhaal over de zaak, dat voor mij ook van belang kan zijn. Toen we maandag-ochtend met Kipler overlegden, voordat de zitting begon, heb ik Drum-mond gezegd dat mijn cliënte bereid was te schikken voor een bedrag van één komma twee miljoen. Drummond vond dat belachelijk en de zitting ging gewoon door. Maar kennelijk heeft hij dat aanbod nooit aan zijn cliënt overgebracht. Great Eastern beweert nu dat ze serieus over dat be-drag zouden hebben nagedacht. Of ze ermee akkoord zouden zijn gegaan is een andere vraag, maar achteraf is één komma twee miljoen natuurlijk een schijntje vergeleken bij vijftig komma twee miljoen. In elk geval hou-den ze nu vol dat ze voor dat bedrag hadden willen schikken en dat hun advocaat, de grote Leo F. Drummond, een grove blunder heeft begaan door mijn aanbod niet door te geven.

Underhall, hun eigen jurist, heeft vanochtend al druk gebeld met Drum-mond en Kipler. Great Eastern is woedend, gekwetst en vernederd, en zoekt kennelijk een zondebok. Drummond probeerde nog te ontkennen, maar Kipler heeft hem terechtgewezen. En nu komt mijn aandeel in de kwestie. Misschien zal Great Eastern mij om een officiële verklaring van de feiten vragen, zoals ik me die herinner. Geen punt, zeg ik. Ik zal het meteen op schrift stellen.

Great Eastern heeft Drummond en Trent & Brent al ontslagen, maar het kan nog erger. Underhall zinspeelde erop dat hij het advocatenkantoor voor de rechter wil slepen wegens wanprestatie. De implicaties zijn nauwelijks te overzien. Zoals alle advocatenkantoren is Trent & Brent natuurlijk tegen dit soort procedures verzekerd. Maar die dekking heeft een limiet. Niemand is verzekerd voor vijftig miljoen dollar. Dus dat kan nog een kostbaar foutje worden voor Trent & Brent.

Ik moet erom grijnzen, hoe gemeen dat ook is. Als ik heb opgehangen, vertel ik het verhaal aan Deck. De gedachte dat Drummond en zijn makkers nu door Great Eastern worden gedaagd werkt op mijn lachspieren. De volgende die belt is Cooper Jackson. Hij en zijn collega's hebben vanochtend een procedure tegen Great Eastern aangespannen bij het federale hof in Charlotte. Ze vertegenwoordigen meer dan twintig verzekerden die in 1991 – het jaar van de grote truc – door Great Eastern zijn opgelicht. Als het me uitkomt, zou hij graag eens bij me langskomen om mijn dossier door te nemen. Wanneer hij maar wil, zeg ik. Hij is welkom.

Deck en ik gaan lunchen bij Moe's, een oud restaurant in het centrum, niet ver van de rechtbank, waar veel advocaten en rechters komen. Ik vang een paar blikken op, schud iemand de hand en krijg een schouderklopje van een van mijn oude studievrienden. Ik moet hier toch vaker komen.

Maandagavond besluiten we ons plannetje uit te voeren. Het is eindelijk droog en de temperatuur is redelijk. De laatste drie wedstrijden zijn afgelast vanwege het slechte weer. Welke idioten spelen 's winters nog softbal? Kelly geeft geen antwoord. Zij kent die idioten. En ze weet zeker dat ze vanavond zullen spelen, want sport is het belangrijkste in hun leven. Ze zijn nu al twee weken beroofd van de bal, de kroegentocht na afloop en de stoere verhalen over hun heldendaden. Nee, Cliff zal die wedstrijd heus niet laten schieten.

Het begint om zeven uur en voor alle zekerheid rijden we langs het terrein. PFX Freight staat op het veld. Ik rijd snel door. Ik heb zoiets nog nooit gedaan en ik ben behoorlijk zenuwachtig. We zijn allebei bang en zeggen niet veel. Hoe dichter ik bij het appartement kom, des te sneller ik rijd. Ik heb een .38 onder mijn stoel liggen, die ik onder handbereik zal houden.

Aangenomen dat hij de sloten niet heeft veranderd kunnen we volgens

Kelly in tien minuten klaar zijn. Ze wil alleen haar kleren en een paar andere dingen meenemen. Tien minuten, langer niet, zeg ik tegen haar. Misschien houden de buren het appartement in de gaten, en als een van die buren Cliff zou waarschuwen...

Het is vijf dagen geleden dat Kelly is afgetuigd, en de ergste pijn is nu verdwenen. Ze kan weer redelijk lopen en ze denkt dat ze sterk genoeg is om snel haar kleren te pakken en te verdwijnen. Maar ze heeft wel mijn hulp nodig.

Het appartement ligt op een kwartier rijden van het softbalveld. Het complex bestaat uit zes gebouwen van drie verdiepingen, rondom een vijver en twee tennisbanen. In totaal achtenzestig woningen, volgens het bord. Gelukkig woonde Kelly op de begane grond. Ik kan niet voor de deur parkeren. Daarom besluiten we dat we eerst naar binnen zullen gaan om alles te verzamelen. Daarna zal ik de auto op het grasveld rijden en alles achterin gooien. En dan gaan we er als de bliksem vandoor.

Ik parkeer de auto en zucht eens diep.

'Ben je bang?' vraagt ze.

'Ja.' Ik tast onder mijn stoel en pak het pistool.

'Maak je geen zorgen. Hij is softballen. Dat geeft hij nooit op.'

'Jij zult het wel weten. Kom, opschieten maar.'

We sluipen door het donker naar haar appartement zonder dat we iemand tegenkomen. Haar sleutel past nog. De deur gaat open en we zijn binnen. Er brandt nog een lamp in de gang en in de keuken. Licht genoeg. Vuile kleren liggen verspreid over twee stoelen in de huiskamer. Op de tafeltjes en op de grond zijn lege bierblikjes en chipszakken neergesmeten. Cliff is bepaald geen nette vrijgezel. Kelly kijkt vol afkeer om zich heen.

'Sorry,' zegt ze.

'Vooruit, Kelly,' zeg ik. Ik leg het pistool op een smalle eetbar die de kamer van de keuken scheidt. We lopen naar de slaapkamer, waar ik een lampje aandoe. Het bed is al dagen niet opgemaakt. Nog meer lege bierblikjes, een pizzadoos en een *Playboy*. Ze wijst naar de laden van een goedkope toilettafel. 'Daar zitten mijn dingen in.' We fluisteren.

Ik haal de slopen van de kussens en begin ze vol te proppen met ondergoed, sokken en pyjama's. Kelly haalt de kleren uit de kast. Ik draag een stapel jurken en blouses naar de huiskamer, leg ze over een stoel en loop weer terug. 'Je kunt niet àlles meenemen,' zeg ik, met een blik in de overvolle kast. Kelly zegt niets, maar geeft me zwijgend nog een lading, die ik naar de huiskamer breng. We werken snel en geruisloos.

Ik voel me als een dief. Iedere beweging maakt te veel lawaai. Mijn hart bonkt in mijn keel als ik heen en weer ren naar de slaapkamer.

'Zo is het genoeg,' zeg ik ten slotte. Ze neemt nog een uitpuilend kussensloop mee. Ik pak een paar hangers met jurken en loop achter haar aan. 'We moeten hier weg,' zeg ik nerveus.

Ik hoor iets bij de deur. Iemand probeert binnen te komen. We staan als aan de grond genageld en staren elkaar aan. Kelly doet een paar stappen de gang in als de deur opeens openvliegt en haar tegen de muur smijt. Cliff Riker stormt naar binnen. 'Kelly! Ik ben thuis!' roept hij als hij haar ziet struikelen. Ik sta recht voor hem, nog geen drie meter bij hem vandaan. Hij reageert bliksemsnel. In een flits zie ik zijn gele shirt van PFX Freight, zijn bloeddoorlopen ogen en zijn wapen. Ik verstijf van schrik als hij de aluminium softbalknuppel naar mijn hoofd zwaait. 'Vuile klootzak!' brult hij. Hij legt al zijn kracht in de slag, maar op het laatste moment weet ik weg te duiken. Ik hoor de knuppel over mijn hoofd suizen en ik voel het geweld. In plaats van een homerun te slaan raakt Cliff een houten zuiltje op de hoek van de eetbar, dat volledig wordt versplinterd. Een stapel vuile borden klettert tegen de grond. Kelly begint te gillen. De klap was bedoeld om mijn schedel te verbrijzelen, maar nu hij mist, raakt Cliff uit balans en draait me zijn rug toe. Ik storm als een razende op hem af en smijt hem over de stoel met jurken en kleerhangers heen. Ik hoor Kelly weer gillen, ergens achter ons. 'Pak het pistool!' roep ik.

Hij is alweer op de been voordat ik mijn evenwicht heb hervonden. 'Ik sla je dood!' brult hij, en zwaait nog eens met het slaghout, maar weer duik ik bijtijds weg. De tweede klap raakt slechts lucht. 'Gore etterbak!' gromt hij als hij de knuppel weer opzij zwaait.

Ik ben niet van plan hem een derde kans te geven. Ik spring op hem af en raak hem met een rechtse hoek. Mijn vuist landt met volle kracht op zijn kaak en heel even is hij versuft. Daarvan maak ik gebruik door hem in zijn kruis te schoppen. Het is een goed gerichte trap. Cliff brult van pijn. Hij laat de knuppel zakken. Ik grijp het slaghout en wring het uit zijn handen.

Nu is het mijn beurt. Ik zwaai het slaghout naar achteren en raak hem vol tegen zijn linkeroor. Het geluid van brekend bot maakt me bijna misselijk. Cliff laat zich op handen en knieën zakken, schudt met zijn hoofd, draait zich om en kijkt me aan. Langzaam probeert hij overeind te krabbelen. Mijn tweede klap begint zowat bij het plafond. Ik raak hem met alle angst en haat die ik in me heb. De knuppel daalt met volle kracht op zijn schedel neer.

Ik wil nog een keer toeslaan, maar Kelly grijpt mijn arm. 'Hou op, Rudy!'

Ik laat het slaghout zakken en kijk van haar naar Cliff. Hij ligt nu plat op zijn buik, trillend en kreunend. Vol afschuw kijken we toe als er een paar stuiptrekkingen door hem heen gaan voordat hij stil ligt. Heel even beweegt hij zich nog en probeert iets te zeggen, maar hij komt niet verder dan een soort gerochel. Hij wil zijn hoofd omdraaien, dat onder het bloed zit.

'Kelly, ik vermoord hem, die klootzak,' hijg ik tegen haar, nog steeds woedend, nog steeds bang.

'Nee.'

'Ja. Hij zou ons ook hebben doodgeslagen.'

'Geef mij die knuppel,' zegt ze.

'Wat?'

'Geef mij die knuppel en verdwijn.'

Ik begrijp niet hoe ze opeens zo kalm kan zijn. Ze schijnt precies te weten wat we moeten doen.

'Wat...' begin ik weer. Ik kijk naar haar en dan naar hem.

Ze neemt de knuppel uit mijn handen. 'Ik heb dit al eerder meegemaakt. Ga weg. Hou je schuil. Jij bent hier vanavond niet geweest. Ik bel je nog wel.'

Ik verroer geen vin en staar nog steeds naar de stuiptrekkende, stervende man op de grond.

'Ga nou alsjeblieft, Rudy,' zegt ze. Voorzichtig duwt ze me naar de deur. 'Ik bel je nog.'

'Oké, oké.' Ik loop naar de keuken, pak de .38 en stap de huiskamer weer binnen. We kijken elkaar aan en staren dan naar de grond. Ik verdwijn uit het appartement, doe zachtjes de deur achter me dicht en kijk of ik geen nieuwsgierige buren zie. Geen mens te bekennen. Ik aarzel even, maar in het appartement blijft alles stil.

Ik voel me misselijk. Zachtjes sluip ik door het donker weg. Opeens breekt het zweet me uit.

Het duurt tien minuten voordat de eerste politiewagen op het toneel verschijnt. Een tweede volgt al snel. Dan een ambulance. Ik zit diep weggezakt achter het stuur van mijn Volvo op het drukke parkeerterrein en zie de ziekenbroeders naar binnen gaan. Nog een politiewagen. De rode en blauwe zwaailichten trekken een grote menigte nieuwsgierigen aan. Minuten verstrijken, maar nog steeds geen spoor van Cliff. Een van de broeders komt weer naar buiten en haalt rustig iets uit de ambulance. Hij heeft geen haast.

Kelly is helemaal alleen daarbinnen. Ze is vast doodsbang en ze moet tientallen vragen beantwoorden over wat er is gebeurd. Daar zit ik dan, plotseling een angsthaas die verscholen in de auto zit in de hoop dat niemand me ziet. Waarom heb ik haar daar gelaten? Moet ik haar gaan redden? Mijn hoofd loopt om en mijn blik wordt vertroebeld door de rode en blauwe zwaailichten.

Hij kan niet dood zijn. Kreupel misschien. Maar niet dood!

Misschien moet ik toch terug.

Nu de eerste schrik voorbij is, slaat de angst toe. Ik bid vurig dat ze Cliff op een brancard naar buiten zullen brengen om hem bliksemsnel naar het ziekenhuis te rijden. Opeens wil ik dat hij het overleeft. Levende mensen kan ik wel aan, hoe gestoord ze ook zijn. Toe nou, Cliff. Vooruit, opstaan! Flink zijn en op je tanden bijten!

Ik heb toch niemand vermoord?

De menigte groeit aan en een politieman dringt de toeschouwers naar achteren.

Ik verlies ieder besef van tijd. De auto van de lijkschouwer arriveert, tot grote opwinding van het publiek. Cliff hoeft niet meer met de ambulance mee. Hij gaat naar het mortuarium.

Ik word misselijk. Voorzichtig open ik het portier op een kier en probeer zo geruisloos mogelijk naast de auto te braken. Niemand hoort het. Ik veeg mijn mond af, kom moeizaam overeind en loop naar de menigte toe. 'Hij heeft haar eindelijk vermoord,' hoor ik iemand zeggen. Politiemensen lopen af en aan. Ik sta op vijftien meter afstand, anoniem in een zee van gezichten. De politie spant een geel lint langs de gevel. Binnen is het flitslicht van een camera te zien.

We wachten. Ik wil haar zien, maar ik kan nu niets doen. Weer gaat er een gerucht door de menigte, en deze keer klopt het. Hij is dood en ze denken dat zíj hem heeft vermoord. Ik luister scherp. Als iemand een onbekende heeft gezien die vlak na het geschreeuw de deur uit is gekomen, wil ik het weten. Ik beweeg me onopvallend tussen de toeschouwers door, luisterend naar wat ze zeggen, maar ik hoor niets bijzonders. Na een tijdje verdwijn ik achter de struiken om nog eens te kotsen.

Opeens gaat de deur open. Een broeder stapt achterwaarts naar buiten, met een brancard. Het lichaam zit in een zilverkleurige zak. Voorzichtig rijden ze de brancard de stoep af naar de wagen van de lijkschouwer, die vertrekt. Een paar minuten later verschijnt Kelly, tussen twee politiemensen in. Ze lijkt nietig en bang. Goddank hebben ze haar geen handboeien omgedaan. Ze heeft zich wel omgekleed. Ze draagt een spijkerbroek en een parka.

Ze zetten haar achter in een politiewagen en rijden weg. Snel loop ik naar mijn auto en rijd naar het bureau.

Ik meld me bij de dienstdoende brigadier. Ik zeg hem dat ik advocaat ben, dat mijn cliënte zojuist is gearresteerd en dat ik erbij wil zijn als ze wordt verhoord. Blijkbaar maak ik genoeg indruk, want hij pakt meteen de telefoon. Een andere brigadier komt me halen en brengt me naar de eerste verdieping, waar Kelly in haar eentje in een verhoorkamertje zit. Een rechercheur van Moordzaken kijkt naar haar door een doorkijkspiegel. Ik geef hem mijn kaartje. Zijn naam is Smotherton, zegt hij, maar hij geeft me geen hand.

'Jullie zijn er ook snel bij,' zegt hij op verachtelijke toon.

'Ze heeft me gewaarschuwd zodra ze de politie had gebeld. Wat is er precies gebeurd?'

We kijken nu allebei naar haar. Ze zit aan het korte eind van een lange tafel en veegt met een papieren zakdoekje in haar ogen.

Smotherton bromt wat en overweegt wat hij me kan vertellen. 'We hebben haar man dood in de huiskamer gevonden. Gebroken schedel. Ze heeft hem met een honkbalknuppel de hersens ingeslagen. Tenminste, daar lijkt het op. Ze zei niet veel, behalve dat ze in scheiding liggen en dat ze vanavond stiekem was teruggekomen om haar kleren te halen. Hij vond haar en ze kregen ruzie. Hij was behoorlijk dronken, zij kreeg de knuppel te pakken en nu ligt hij in het lijkenhuis. Regelt u haar echtscheiding?'

'Ja. Ik zal u een kopie van de papieren sturen. Vorige week heeft de rechter hem een straatverbod opgelegd. Hij mishandelt haar al jaren.'

'Ja, we hebben haar blauwe plekken gezien. Ik wil haar nog een paar vragen stellen, oké?'

'Natuurlijk.' We gaan samen de kamer binnen. Kelly had me niet verwacht, maar ze weet haar verbazing te verbergen. Ik leg zakelijk mijn arm om haar schouder – een advocaat tegenover zijn cliënte. Smotherton krijgt gezelschap van een andere rechercheur in burger, Hamlet genaamd, die een cassetterecorder bij zich heeft. Ik heb geen bezwaar. Zodra hij de recorder aanzet, neem ik het initiatief. 'Voor de goede orde, ik ben Rudy Baylor, raadsman van Kelly Riker. Het is vandaag maandag, 15 februari 1993. Wij bevinden ons op het hoofdbureau van politie in Memphis. Ik ben hier aanwezig omdat ik omstreeks kwart voor acht vanavond een telefoontje van mijn cliënte kreeg. Ze had zojuist de politie gebeld en ze dacht dat haar man dood was.'

Ik knik naar Smotherton alsof ik hem toestemming geef om verder te gaan. Hij werpt me een vernietigende blik toe. Smerissen hebben de pest aan advocaten, maar dat zal me nu een zorg zijn.

Smotherton begint met een reeks simpele vragen over Kelly en Cliff: leeftijden, huwelijksdatum, werk, kinderen, enzovoort. Kelly geeft geduldig antwoord, met een afwezige blik in haar ogen. De zwellingen in haar gezicht zijn wat minder geworden, maar haar linkeroog is nog blauw en ze heeft nog steeds een verband over haar wenkbrauw. Ze is doodsbang.

Ze beschrijft de mishandeling zo gedetailleerd, dat we er alle drie beroerd van worden. Smotherton stuurt Hamlet weg om de gegevens op te vragen over de drie keer dat Cliff al is gearresteerd. Kelly vertelt over de keren dat hij haar heeft geslagen zonder dat ze naar de politie is gegaan. Ze vertelt hoe hij met een softbalknuppel haar enkel heeft gebroken. Maar hij heeft haar veel vaker afgetuigd zonder haar botten te breken.

Ze besluit met de laatste mishandeling, toen ze de beslissing nam om bij hem weg te gaan en een echtscheiding aan te vragen. Het klinkt allemaal heel geloofwaardig, omdat het de waarheid is. Maar straks komen de leugens, en die zie ik angstig tegemoet.

'Waarom bent u vanavond teruggegaan?' vraagt Smotherton.

'Om mijn kleren te halen. Ik wist zeker dat hij niet thuis zou zijn.'

'Waar hebt u de afgelopen dagen gelogeerd?'

'In een blijf-van-mijn-lijf-huis.'

'Waar?'

'Dat zeg ik liever niet.'

'Hier in Memphis?'

'Ja.'

'Hoe bent u vanavond naar uw huis gekomen?'

Mijn hart slaat een slag over, maar Kelly heeft die vraag verwacht. 'Met mijn auto,' zegt ze.

'Wat voor merk?'

'Een Volkswagen Golf.'

'Waar staat die nu?'

'Op het parkeerterrein bij mijn appartement.'

'Mogen we hem bekijken?'

'Niet voordat ik hem heb gezien,' zeg ik. Opeens herinner ik me dat ik haar advocaat ben, niet haar medeplichtige.

Smotherton schudt zijn hoofd. Als blikken konden doden...

'Hoe bent u binnengekomen?'

'Met mijn sleutel.'

'Wat hebt u gedaan toen u binnen was?'

'Ik ben naar de slaapkamer gegaan en heb mijn kleren gepakt. Ik heb drie of vier kussenslopen gebruikt om kleinere dingen in te doen, en daarna heb ik alles naar de huiskamer gesjouwd.'

'Hoe lang was u daar al toen meneer Riker binnenkwam?'

'Tien minuten, misschien.'

'En wat gebeurde er toen?'

Op dat punt val ik hem in de rede. 'Die vraag hoeft ze niet te beantwoorden tot ik met haar gesproken heb. Ik maak nu een eind aan dit verhoor.'

Ik buig me naar voren en druk op de rode stoptoets van de recorder. Smotherton zit nog een minuutje te mokken terwijl hij zijn aantekeningen doorneemt. Hamlet komt terug met de computerprints en ze bestuderen de gegevens. Kelly en ik negeren elkaar, maar onder de tafel vindt haar voet de mijne.

Smotherton schrijft iets op een vel papier en geeft het aan mij. 'Dit wordt behandeld als moord, maar het gaat als mishandeling naar de officier, Morgan Wilson. Zij regelt het verder wel.'

'U arresteert haar dus?'

'Ik heb geen keus. Ik kan haar niet laten gaan.'

'Op welke gronden houdt u haar vast?'

'Doodslag.'

'U kunt haar toch aan mij overdragen?'

'Nee, natuurlijk niet,' zegt hij nijdig. 'Wat bent u eigenlijk voor een advocaat?'

'Laat haar dan op borg vrij.'

'Dat gaat ook niet,' zegt hij met een vermoeid lachje naar Hamlet. 'Er is een dode gevallen. Alleen de rechter kan haar op borgtocht vrijlaten. Als hij het goedvindt, mag ze naar huis. Ik ben maar een eenvoudige rechercheur.'

'Moet ik naar de gevangenis?' vraagt Kelly.

'We hebben geen keus, mevrouw,' zegt Smotherton, opeens veel vriendelijker. 'Als uw advocaat zijn werk goed doet, krijgt hij u morgen wel vrij, denk ik. Als iemand uw borgtocht betaalt. Maar ik kan u niet zomaar laten gaan.'

Ik buig me naar haar toe en pak haar hand. 'Maak je geen zorgen, Kelly. Ik zal het zo snel mogelijk regelen. Morgen kun je weer gaan.' Ze knikt kort, bijt op haar tanden en probeert zich flink te houden.

'Kunt u haar een cel alleen geven?' vraag ik Smotherton.

'Luister nou eens, zeikerd, ik heb niets te zeggen over de gevangenis, oké? Als je een speciale behandeling wilt, zul je met de cipiers moeten praten. Die zijn dol op advocaten.'

Drijf me niet tot het uiterste, vriend. Ik heb vanavond al iemand de schedel ingeslagen.

We kijken elkaar woedend aan. 'Bedankt,' zeg ik.

'Graag gedaan.' Hij en Hamlet schoppen hun stoelen achteruit en stampen naar de deur. 'U hebt vijf minuten,' zegt hij over zijn schouder. De deur slaat dicht.

'Niet bewegen,' fluister ik tegen Kelly. 'Ze houden ons in de gaten door die ruit daar. En waarschijnlijk zitten hier microfoontjes, dus wees voorzichtig met wat je zegt.'

Ze zegt helemaal niets.

Ik neem mijn rol van advocaat weer op. 'Het spijt me dat het zo is afgelopen,' zeg ik formeel.

'Wat betekent doodslag?'

'Een heleboel dingen, maar in principe is het moord zonder voorbedachten rade.'

'Hoe lang kan ik daarvoor krijgen?'

'Dan moet je eerst worden veroordeeld, en dat zal niet gebeuren.'
'Beloof je me dat?'
'Dat beloof ik je. Ben je bang?'
Voorzichtig wrijft ze in haar ogen en denkt een hele tijd na. 'Hij heeft een grote familie, en ze zijn allemaal net als hij. Een agressief stel dat te veel drinkt. Ik ben als de dood voor ze.'
Daar weet ik niets op te zeggen. Ik ben zelf ook bang.
'Ze kunnen me niet dwingen naar de begrafenis te gaan. Nee, toch?'
'Nee.'
'Mooi zo.'
Een paar minuten later komen ze haar halen, en nu krijgt ze wel handboeien om. Ik kijk haar na als ze de gang door loopt. Ze blijven bij een lift staan en Kelly buigt zich met moeite om een van de rechercheurs heen om me nog even te zien. Ik steek aarzelend mijn hand op. Dan is ze verdwenen.

– 52 –

Als je een moord pleegt, maak je vijfentwintig fouten. Als je er achteraf tien van weet te bedenken, ben je een genie. Dat heb ik tenminste eens in een film gehoord. Dit was geen moord, maar zelfverdediging. Toch schieten de fouten me één voor één te binnen.
Ik ijsbeer om mijn bureau heen, dat vol ligt met vellen schrijfpapier. Ik heb een plattegrond getekend van het appartement, met het lichaam, de kleren, het pistool, het slaghout, de bierblikjes – alles wat ik nog weet. Ik heb zelfs de positie van mijn auto, haar auto en zijn jeep op het parkeerterrein aangegeven. Ik heb vellen vol geschreven met alle stappen en alle gebeurtenissen van die avond zoals ik ze me herinner. Ik vermoed dat ik nog geen kwartier in het appartement ben geweest, maar op papier lijkt het wel een dunne roman. Hoe vaak heb ik zo hard geschreeuwd, dat mijn stem buiten het appartement te horen is geweest? Niet meer dan vier keer, denk ik. Hoeveel buren hebben een onbekende man zien vertrekken, vlak na het tumult? Wie zal het zeggen?
Dat was de eerste fout, denk ik. Ik had niet meteen mogen weggaan. Ik had tien minuten moeten wachten, totdat ik wist of de buren iets hadden gehoord. Pas daarna had ik ervandoor kunnen gaan. Of misschien had ik

beter de politie kunnen bellen om de waarheid te vertellen. Kelly en ik hadden het volste recht om in dat appartement te zijn. Het is duidelijk dat Cliff op de loer heeft gelegen op een tijdstip dat hij ergens anders had moeten zijn. Ik had het recht mezelf te verdedigen, hem te ontwapenen en hem met zijn eigen wapen terug te slaan. Gezien zijn gewelddadige karakter en zijn verleden zou geen enkele jury me dat kwalijk nemen. Bovendien was er maar één getuige, en die zou mijn verhaal bevestigen.

Waarom ben ik dan niet gebleven? Omdat Kelly me de deur uitzette en het op dat moment de verstandigste oplossing leek. Wie kan nog rationeel denken als je binnen vijftien seconden van slachtoffer in een moordenaar bent veranderd?

De tweede fout was die leugen over haar auto. Toen ik van het politiebureau kwam, ben ik meteen naar het parkeerterrein gereden. Haar Volkswagen Golf stond inderdaad naast zijn 4-WD. Maar dat leugentje houdt alleen stand als niemand de politie vertelt dat haar auto al dagen niet van zijn plaats is geweest.

En stel dat Cliff en een vriend haar auto onklaar hebben gemaakt toen Kelly in het opvanghuis zat, en dat die vriend over een paar uur met de politie gaat praten? Mijn fantasie gaat met me aan de haal.

De domste leugen die me de afgelopen vier uur te binnen is geschoten is mijn bewering dat Kelly me zou hebben gebeld nadat ze de politie had gewaarschuwd. Dat was de enige verklaring waarom ik zo snel op het bureau kon zijn. Maar het is een onnozele leugen, omdat de politie de gegevens van de telefooncentrale kan controleren. En als ze dat doen, zit ik pas goed in de nesten.

In de loop van de nacht herinner ik me nog meer fouten. Gelukkig zijn de meeste het produkt van mijn eigen angst en blijken ze in werkelijkheid wel mee te vallen als ik ze op papier heb geanalyseerd.

Ik laat Deck tot vijf uur slapen voordat ik hem bel. Een uurtje later zit hij tegenover me met koffie. Ik geef hem mijn versie van het verhaal en zijn eerste reactie is opbeurend. 'Geen enkele jury ter wereld zal haar veroordelen,' verklaart hij zonder enige aarzeling.

'Het proces komt later wel,' zeg ik. 'Eerst moet ik haar zo snel mogelijk uit de gevangenis zien te krijgen.'

We stellen een plan op. Ik heb papieren nodig: aanhoudingsrapporten, gerechtelijke dossiers en een kopie van Kelly's eerste echtscheidingsverzoek. Deck kan nauwelijks wachten om aan het werk te gaan. Om zeven uur vertrekt hij om een krant te kopen en nog wat koffie te halen.

Het verhaal staat op pagina drie van het stadskatern. Drie alinea's maar, zonder een foto van het slachtoffer. Het is te laat op de avond gebeurd om er nog veel van te maken. 'Vrouw aangehouden na dood echtgenoot' luidt de kop, maar dat komt in Memphis wel vaker voor. Als ik er niet speciaal naar had gezocht, was het me nooit opgevallen.

Ik bel Butch, die grote moeite heeft met wakker worden. Hij is een nacht-dier, woont in zijn eentje nadat hij drie keer is gescheiden, en komt graag in de kroeg. Ik vertel hem dat zijn vriend Cliff Riker ontijdig het leven heeft gelaten. Dat vrolijkt hem wat op. Kort na achten verschijnt hij op kantoor. Ik vraag hem om wat in de buurt van Kelly's appartement rond te neuzen om te ontdekken of iemand iets heeft gezien of gehoord – en om te kijken of de politie er al rondneust. Butch valt me snel in de rede. IIij is privé-detective, hij kent het klappen van de zweep.

Ik bel Booker op kantoor en leg hem uit dat een cliënte van mij, die ik vertegenwoordig in een echtscheidingszaak, gisteravond haar man heeft doodgeslagen. Maar het is een lieve meid, zeg ik erbij, en ik probeer haar uit de gevangenis te krijgen. Daarom heb ik zijn hulp nodig. De broer van Marvin Shankle is rechter bij het betreffende hof. Hij kan haar voor-waardclijk vrijlaten tegen een niet al te hoge borgtocht.

'Ben je nou van een zaak van vijftig miljoen dollar in een groezelige echt-scheiding terechtgekomen?' vraagt Booker lachend.

Ik lach geforceerd. Hij moest eens weten.

Marvin Shankle is de stad uit, maar Booker belooft dat hij zal bellen. Om half negen vertrek ik van kantoor en rijd snel naar de binnenstad. De hele nacht heb ik geprobeerd het beeld van Kelly in haar cel uit mijn hoofd te zetten.

Als ik de rechtbank binnenkom, loop ik rechtstreeks naar de kamer van Lonnie Shankle. Maar hij blijkt ook de stad uit te zijn, net als zijn broer, en hij komt pas laat in de middag terug. Ik loop naar een telefoon en pro-beer Kelly's papieren op te sporen. Ze was maar een van de tientallen ar-restanten van vannacht en ik weet zeker dat haar dossier nog op het poli-tiebureau ligt.

Om half tien tref ik Deck in de hal op de begane grond. Hij heeft de aan-houdingspapieren. Ik stuur hem naar het bureau om Kelly's dossier te vinden.

Het Openbaar Ministerie van Shelby County bevindt zich op de vierde verdieping. Er werken meer dan zeventig officieren, verdeeld over vijf di-visies. Geweldsdelicten binnen het gezin worden behandeld door twee vrouwelijke officieren, Morgan Wilson en een collega. Gelukkig is Mor-gan Wilson op kantoor. Nu moet ik haar nog te spreken zien te krijgen. Ik flirt een half uurtje met de receptioniste, en tot mijn verbazing heeft dat succes.

Morgan Wilson is een bijzonder knappe vrouw van een jaar of veertig. Ze heeft een stevige handdruk en een glimlach die zegt: 'Ik heb het vreselijk druk, dus maak het kort.' Haar kamer ligt vol met dossiers, maar wel overzichtelijk ingedeeld. Ik word al moe als ik al dat werk zie dat op haar ligt te wachten. We gaan zitten en opeens dringt het tot haar door.

'De man van vijftig miljoen?' vraagt ze, opeens met een heel andere glimlach.

'Klopt.' Ik haal mijn schouders op. Ach, je doet je werk.

'Gefeliciteerd.' Ze is zichtbaar onder de indruk. De prijs van de roem. Ik vermoed dat ze doet wat alle andere advocaten ook doen: een derde deel van vijftig miljoen dollar uitrekenen.

Zelf verdient ze hooguit veertigduizend per jaar, dus wil ze wel even praten over mijn grote mazzel. Ik geef haar een beknopte beschrijving van de zaak en hoe ik me voelde toen de jury met de uitspraak kwam. Maar al snel breng ik het gesprek op de reden van mijn komst.

Ze kan goed luisteren en ze maakt veel aantekeningen. Ik geef haar kopieën van het huidige echtscheidingsverzoek, van het vorige en van de rapporten over de drie keer dat Cliff is aangehouden wegens mishandeling van zijn vrouw. Ik beloof dat Kelly's medische dossier nog voor het eind van de dag op haar bureau zal liggen. Ik beschrijf een paar van haar kneuzingen en verwondingen.

Bijna al die dossiers om me heen gaan over mannen die hun vrouw, hun kinderen of hun vriendin hebben geslagen. Het is dus niet moeilijk te raden naar wie Morgans sympathie uitgaat. 'Dat arme kind,' zegt ze, en ze heeft het niet over Cliff.

'Hoe groot is ze?' vraagt ze dan.

'Een meter vijfenzestig, ongeveer. Vijfenvijftig kilo, schoon aan de haak.'

'Hoe heeft ze hem dan dood kunnen slaan?' Ze vraagt het bijna met ontzag, niet beschuldigend.

'Ze was bang. Hij was dronken, en op de een of andere manier kreeg ze die knuppel te pakken.'

'Flinke meid,' zegt ze, en ik krijg een warm gevoel. Dit is de officier!

'Ik zou haar graag uit de gevangenis halen,' zeg ik.

'Dan heb ik het dossier nodig. Ik zal de dienstdoende officier wel even bellen om te zeggen dat we geen bezwaar hebben tegen een lage borgtocht. Waar woont ze nu?'

'In een opvanghuis, een van die anonieme blijf-van-mijn-lijf-huizen.'

'Ja, die ken ik. Heel nuttig.'

'Daar is ze veilig, maar die arme meid zit nu in de cel, terwijl ze nog bont en blauw is van de laatste afranseling.'

Morgan wuift naar de stapels dossiers om ons heen. 'Dat is mijn leven.' We spreken af dat ik morgenochtend om negen uur terugkom.

Deck, Butch en ik treffen elkaar op kantoor voor een broodje en een tactische bespreking. Butch heeft bij alle buren van de Rikers aangebeld en maar één buurvrouw gevonden die misschien iets heeft gehoord. Ze woont recht boven het appartement en ik betwijfel of ze me kon zien toen ik wegging. Ik denk dat ze die eerste klap van Cliff tegen de houten eetbar heeft gehoord. De politie heeft niet met haar gesproken. Het appartement van de Rikers is verzegeld en er is nog veel publiek. Twee forse jonge kerels, waarschijnlijk vrienden van Cliff, kregen op een gegeven moment gezelschap van een auto vol met andere jongens van zijn werk. Dat groepje bleef achter de afzetting staan vloeken en riep dat ze wraak zouden nemen. Het was geen prettig stelletje, verzekert Butch me.

Hij heeft ook iemand gevonden die borg wil staan, voor maar vijf procent in plaats van de gebruikelijke tien. Dat scheelt mij weer geld.

Deck heeft het grootste deel van de ochtend op het politiebureau doorgebracht om Kelly's papieren op te sporen. Hij kan goed overweg met Smotherton, vooral omdat Deck een grote afkeer van advocaten voorwendt. Hij noemt zich nu geen 'praktijkjurist' maar onderzoeker. Smotherton vertelde hem dat Kelly vanochtend al telefonisch met de dood is bedreigd.

Ik besluit naar het huis van bewaring te gaan om haar op te zoeken. Deck zal wel een beschikbare rechter aanklampen om haar borgtocht te regelen. Butch brengt zijn vriend mee, die borg wil staan. Als we willen vertrekken, gaat de telefoon. Deck neemt op en geeft de hoorn aan mij.

Het is Peter Corsa, de advocaat van Jackie Lemancyzk uit Cleveland. Ik heb hem het laatst gesproken na haar getuigenverklaring, waarvoor ik hem uitvoerig heb bedankt. Hij zei toen dat hij over een paar dagen ook een procedure zou aanspannen.

Corsa feliciteert me met de uitspraak. Ook de zondagskrant in Cleveland heeft er veel aandacht aan besteed, zegt hij. Mijn roem verbreidt zich snel. Daarna vertelt hij me over een paar vreemde zaken bij Great Eastern. Vanochtend heeft de FBI, in samenwerking met het kantoor van de procureur-generaal en de Verzekeringskamer, een inval in het hoofdkantoor gedaan en dossiers meegenomen. Met uitzondering van de systeembeheerders van de computerafdeling zijn alle medewerkers naar huis gestuurd met de mededeling dat ze twee dagen niet hoefden terug te komen. Volgens de krant zou PennTron, het moederbedrijf, verliezen hebben geleden op de effectenmarkt en daardoor tot massale ontslagen zijn gedwongen.

Ik weet er niet veel op te zeggen. Vijftien uur geleden heb ik een man gedood en ik kan me moeilijk op andere zaken concentreren. We praten nog even en ik bedank hem. Hij belooft dat hij me op de hoogte zal houden.

Ze doen er anderhalf uur over om Kelly in de doolhof te vinden en haar naar een bezoekkamertje over te laten brengen. We zitten tegenover elkaar, aan weerszijden van een glazen ruitje, en praten via een telefoon. Ze zegt dat ik er moe uitzie. Zij ziet er juist heel goed uit, zeg ik. Ze heeft een cel alleen, dus ze voelt zich veilig, maar ze kan niet slapen door de herrie. Ze wil hier weg. Ik zeg dat ik mijn best doe en ik vertel haar over mijn gesprek met Morgan Wilson. Ik leg haar uit hoe de borgtocht werkt. Over de telefonische dreigementen zeg ik niets.

We hebben zoveel te bepraten, maar niet hier.

Als ze wordt teruggebracht naar haar cel en ik de gang op stap, hoor ik mijn naam roepen door een bewaarster in uniform. Ze vraagt of ik Kelly Rikers advocaat ben en geeft me een computeruitdraai. 'Binnengekomen telefoontjes. De afgelopen twee uur is er vier keer gebeld over dat meisje.' Ik kan de uitdraai niet lezen. 'Wat voor telefoontjes?'

'Dreigementen dat ze haar zullen vermoorden. Gestoorde types.'

Rechter Lonnie Shankle komt om half vier zijn kantoor binnen. Deck en ik zitten al te wachten. Hij heeft nog honderd dingen te doen, maar Booker heeft gebeld en met zijn secretaresse gesmoesd, dus ons pad is geëffend. Ik geef de rechter een stapeltje papieren, vertel hem in het kort waar het om gaat en vraag hem om een lage borgtocht, omdat ik als haar advocaat voor de kosten moet opdraaien. Shankle bepaalt de borg op tienduizend dollar. We bedanken hem en vertrekken weer.

Een half uur later treffen we elkaar allemaal in het huis van bewaring. Ik weet zeker dat Butch een pistool onder zijn oksel heeft en ik vermoed dat de borg, een zekere Ricky, ook gewapend is. We zijn op alles voorbereid. Ik schrijf een cheque van vijfhonderd dollar voor de borgstelling uit, geef die aan Ricky en onderteken de formulieren. Als haar zaak niet wordt geseponeerd en ze niet komt opdagen voor de zitting, heeft Ricky de keus om de resterende vijfennegentighonderd dollar te betalen of haar zelf te gaan zoeken en haar naar de gevangenis terug te slepen. Ik verzeker hem dat de aanklacht zal worden ingetrokken.

Het kost heel wat tijd voordat alle administratieve handelingen achter de rug zijn, maar ten slotte zien we haar naar ons toe komen, zonder handboeien en met een blijde lach. Snel brengen we haar naar mijn auto. Ik heb Butch en Deck gevraagd om ons een paar straten te volgen, voor alle zekerheid.

Ik vertel haar nu dat ze is bedreigd, waarschijnlijk door Cliffs geschifte familie en zijn agressieve vriendjes. We praten niet veel als we haastig vanuit het centrum naar het opvanghuis rijden. Ik wil niet praten over gisteravond, en zij al evenmin.

Dinsdagmiddag om vijf uur dienen de advocaten van Great Eastern bij het federale hof in Cleveland een verzoek in tot uitstel van betaling. Het faillissement kan niet lang meer uitblijven. Peter Corsa belt ons kantoor terwijl ik met Kelly onderweg ben. Deck neemt het telefoontje aan. Als ik een paar minuten later terugkom, is hij doodsbleek.

Een hele tijd zitten we met onze voeten op het bureau, zonder een woord te zeggen. Het is doodstil. Geen stemmen, geen telefoon, geen verkeersgeluiden. We hadden nog niet besproken wat Decks percentage van het honorarium zou zijn, dus hij weet niet precies hoeveel hij verloren heeft, maar we beseffen allebei dat we van papieren miljonairs opeens weer arme sloebers zijn geworden. Onze prachtige dromen van gisteren lijken nu heel onnozel.

Er is nog één sprankje hoop. Vorige week waren de boeken van Great Eastern nog voldoende om een jury ervan te overtuigen dat het bedrijf vijftig miljoen dollar zou kunnen missen. M. Wilfred Keeley schatte dat Great Eastern honderd miljoen op de bank had staan. Dat moet toch kloppen, voor een deel. Maar ik herinner me de waarschuwing van Max Leuberg. Vertrouw nooit op de eigen cijfers van een verzekeringsmaatschappij omdat er in die branche een heel andere boekhouding wordt gevoerd.

Toch moet er ergens nog wel een slordig miljoentje voor ons liggen, zou je denken.

Ik geloof het niet echt. Deck ook niet.

Corsa heeft zijn privé-nummer achtergelaten, en eindelijk schraap ik voldoende moed bijeen om hem te bellen. Hij verontschuldigt zich voor het slechte nieuws. Het gonst van de geruchten in het juridische en financiële wereldje van Cleveland, vertelt hij. Het is nog te vroeg om iets met zekerheid te zeggen, maar het ziet ernaar uit dat PennTron zware klappen heeft opgelopen bij de handel in buitenlandse valuta's. Die verliezen zijn aangevuld met de reserves van de dochtermaatschappijen, waaronder Great Eastern. Maar het ging van kwaad tot erger, en ten slotte heeft PennTron al het geld van de andere maatschappijen opgeslokt en naar Europa overgebracht. Het grootste deel van de aandelen wordt beheerd door een stel Amerikaanse piraten die vanuit Singapore opereren. Het lijkt wel of de hele wereld tegen me samenspant.

Het dreigt een onoverzichtelijke zaak te worden, die zich nog maanden kan voortslepen, maar de procureur-generaal van Ohio is al op de televisie geweest om stappen aan te kondigen. Niet dat wij daar iets mee opschieten.

Ik vertel het hele verhaal aan Deck en we weten allebei dat het hopeloos is. Het geld is weggesluisd door handige boeven die zich niet laten pakken. Duizenden verzekerden die al eerder zijn gedupeerd, zullen nu weer achter het net vissen. Net als Deck en ik. En Dot en Buddy. Maar dat alles verbleekt bij de prijs die Donny Ray heeft moeten betalen.

Drummond zal raar opkijken als hij zijn torenhoge rekening indient, zeg ik tegen Deck, maar die kan er niet om lachen.

Het personeel en de tussenpersonen van Great Eastern zullen een klap krijgen, net als Jackie Lemancyzk en anderen zoals zij.

Een ongeluk komt zelden alleen, maar toch vind ik dat ik er méér bij inschiet dan de meesten. De pech van anderen is een schrale troost.

Ik denk aan Donny Ray. Ik zie hem weer zitten onder die boom, toen hij zo dapper zijn verklaring aflegde voor de videocamera. Hij is het droevigste slachtoffer van de praktijken van Great Eastern.

De afgelopen zes maanden heb ik het grootste deel van mijn tijd aan deze zaak besteed. Verspilde tijd, blijkt nu. Sinds we begonnen heeft ons kantoor een nettowinst behaald van ongeveer duizend dollar per maand. Maar de zaak Black moest alles goedmaken. We hoopten op de zak met goud aan het eind van de regenboog. De rest van onze dossiers zal niet eens genoeg opbrengen om er twee maanden van te leven, en ik ben niet van plan om achter ambulances aan te rennen. Deck heeft nog één verkeersongeluk in portefeuille, waarvoor pas een schikking kan worden getroffen als de patiënt volledig is hersteld. Dat kan nog zes maanden duren en het bedrag zal niet hoger zijn dan twintigduizend dollar.

De telefoon gaat. Deck neemt op, luistert even en legt snel weer neer. 'Een vent die roept dat hij je zal vermoorden,' zegt hij nonchalant.

'Dat is lang niet het ergste telefoontje van vandaag.'

'Ze mogen mij wel doodschieten,' zegt hij.

Als ik Kelly zie, vrolijk ik wat op. We eten weer Chinees op haar kamer, met de deur op slot en mijn pistool op een stoel onder mijn jas.

We worden door zoveel verschillende emoties bestormd, dat we niet weten waar we moeten beginnen. Ik vertel haar over Great Eastern. Ze is teleurgesteld, maar alleen omdat ik zo'n ontmoedigde indruk maak. Het geld zegt haar niets.

Soms moeten we lachen, dan weer zitten we haast te huilen. Ze maakt zich zorgen over wat de politie zal ontdekken. Ze is doodsbang voor de Riker-bende. Die gaan als kleuters van vijf jaar al mee op jacht. Vuurwapens zijn voor hen een manier van leven. Ze is bang dat ze weer naar de gevangenis moet, hoewel ik haar verzeker dat dat niet zal gebeuren. Als de politie en de officier de zaak toch doorzetten, zal ik de waarheid wel vertellen.

Ik zeg iets over gisteravond, maar daar kan ze niet tegen. Ze begint te huilen en we praten een hele tijd niet met elkaar.

Ik open de deur en loop zachtjes door de donkere gang van het grote huis, op zoek naar Betty Norvelle. Ze zit in haar eentje tv te kijken in de huiskamer. Ze weet in grote lijnen wat er gisteravond is gebeurd. Ik zeg tegen haar dat Kelly te labiel is om haar alleen te laten. Ik wil bij haar blijven. Desnoods slaap ik wel op de vloer. Het is streng verboden voor mannen om te blijven slapen in het opvanghuis, maar in dit geval maakt ze een uitzondering.

We liggen samen op het smalle bed, boven op de lakens en dekens, en houden elkaar vast. Ik heb vannacht geen oog dichtgedaan. Alleen vanmiddag heb ik een uurtje geslapen. Ik voel me geradbraakt. Ik durf haar niet te stevig vast te houden, uit angst dat ik haar pijn zal doen. Langzaam val ik in slaap.

– 53 –

De ondergang van Great Eastern mag dan groot nieuws zijn in Cleveland, in Memphis wordt er nauwelijks aandacht aan besteed. De krant van woensdag schrijft er niets over. Wel staat er een stukje over Cliff Riker in. Bij de sectie is gebleken dat hij om het leven is gebracht door meervoudige slagen op het hoofd met een stomp voorwerp. Zijn weduwe is aangehouden en weer vrijgelaten. Zijn familie wil dat er recht geschiedt. Morgen wordt hij begraven in de kleine stad die Kelly en hij waren ontvlucht.

Terwijl Deck en ik de krant lezen, komt er een fax binnen van het kantoor van Peter Corsa. Het is een kopie van een lang artikel op de voorpagina van een krant uit Cleveland, met de laatste ontwikkelingen in het PennTron-schandaal. Minstens twee onderzoeksjury's houden zich nu met de zaak bezig. De ene procedure na de andere wordt tegen het bedrijf en zijn dochterondernemingen aangespannen, met name tegen Great Eastern. Aan het faillissement van de verzekeraar is zelfs een apart artikel gewijd. De advocaten hebben dagwerk.

M. Wilfred Keeley is gistermiddag op JFK gearresteerd toen hij op een vliegtuig naar Heathrow wilde stappen. Zijn vrouw was bij hem en ze beweerden dat ze op weg waren voor een korte vakantie. Maar ze konden geen hotel in Europa noemen waar ze werden verwacht.

Het ziet ernaar uit dat de dochtermaatschappijen de afgelopen twee maanden zijn leeggeplunderd, aanvankelijk om de verliezen uit mislukte investeringen te dekken. Daarna is de rest van het geld over de hele wereld verspreid. Verdwenen, weg.

De eerste die 's ochtends belt is Leo Drummond. Hij vertelt me het verhaal over Great Eastern alsof ik nog van niets weet. Ik vraag me af wie van ons tweeën het diepst in de put zit. We zullen geen van beiden betaald krijgen voor onze inspanningen. Hij zegt niets over de procedure die zijn voormalige cliënt tegen hem heeft aangespannen omdat hij mijn aanbod voor een schikking heeft verzwegen, maar dat is inmiddels een zuiver academische kwestie. Great Eastern is niet meer in een positie om te procederen. Het bedrijf heeft het vonnis in de zaak-Black effectief ontdoken en kan dus niet beweren dat het schade heeft geleden door wanprestatie van Leo F. Drummond. Daar mag Trent & Brent de handen bij dichtknijpen.

Het tweede telefoontje is van Roger Rice, de nieuwe advocaat van juffrouw Birdie. Hij feliciteert me met de uitspraak. Hij moest eens weten. Hij heeft steeds aan me gedacht, zegt hij, sinds hij mijn foto in de zondagskrant heeft gezien. Juffrouw Birdie wil haar testament weer wijzigen en haar familie in Florida krijgt genoeg van haar. Delbert en Randolph hebben eindelijk haar handtekening gekregen op een volmacht die ze zelf hadden opgesteld. Daarmee zijn ze naar de advocaten in Atlanta gegaan om inzage te eisen in de financiën van hun lieve moeder. De advocaten weigerden. De broers bivakkeerden twee dagen voor hun deur, tot een van de advocaten ten slotte Roger Rice belde, waarna de waarheid aan het licht kwam. Delbert en Randolph vroegen de advocaat op de man af of hun moeder twintig miljoen dollar bezat. De advocaat begon te lachen, tot grote woede van beide zoons. Ervan overtuigd dat juffrouw Birdie een spelletje met hen speelde, reden ze weer terug naar Florida.

Maandagavond laat werd Roger Rice thuis gebeld door juffrouw Birdie, die hem zei dat ze op de terugweg was naar Memphis. Ze had geprobeerd mij te bellen, maar ik was nooit thuis. Rice vertelde haar over de procedure en het vonnis van vijftig miljoen, en daar was ze heel enthousiast over. 'Wat leuk,' zei ze. 'Niet slecht voor een tuinknecht.' Ze vond het prachtig dat ik nu rijk was.

In elk geval wilde Rice me even waarschuwen dat ze ieder moment op de stoep kan staan. Ik bedank hem voor zijn telefoontje.

Morgan Wilson heeft het dossier Riker grondig doorgenomen en is niet van plan om Kelly te vervolgen. Alleen haar chef, Al Vance, heeft nog twijfels. Ik loop met haar mee naar zijn kantoor.

Vance is jaren geleden tot procureur-generaal gekozen en heeft daarna iedere verkiezing met gemak gewonnen. Hij is een jaar of vijftig en had ooit serieuze politieke ambities. Maar die kans heeft zich niet voorgedaan en hij is nu tevreden met deze baan. Hij bezit een eigenschap die nogal zeldzaam is voor mensen in zijn positie: hij houdt niet van camera's.

Hij wenst me geluk met de uitspraak. Ik bedank hem vriendelijk maar ga er niet op door, om redenen die ik voorlopig liever voor mezelf houd. Ik neem aan dat het nieuws over de ondergang van Great Eastern binnen vierentwintig uur ook in Memphis bekend zal zijn en dat het einde van mijn roem dus nabij is.

'Die mensen zijn gek,' zegt hij als hij het dossier op zijn bureau legt. 'Ze bellen voortdurend op. Vanochtend al twee keer. Mijn secretaresse heeft Rikers vader en een van zijn broers aan de telefoon gehad.'

'Wat willen ze?' vraag ik.

'De doodstraf voor uw cliënte. Zonder enige vorm van proces. Meteen de elektrische stoel. Vandaag nog. Is ze al uit de gevangenis?'

'Ja.'

'Heeft ze een veilig adres?'

'Ja.'

'Mooi zo. Die lui zijn niet alleen geschift, maar nog dom ook. Ze weten zeker niet dat het tegen de wet is om zulke dreigementen te uiten.'

We zijn het er met ons drieën over eens dat de Rikers stupide en gevaarlijk zijn.

'Morgan wil niet vervolgen,' zegt Vance. Morgan knikt.

'Het ligt heel eenvoudig, meneer Vance,' zeg ik. 'Misschien dat u geluk hebt en dat de onderzoeksjury tot een proces besluit. Maar dat proces wint u nooit. Ik zal de jury die aluminium knuppel laten zien en een hele reeks getuigen laten opdraven om iets te zeggen over mishandeling binnen het huwelijk. Ik maak haar tot een symbool en jullie tot een stelletje harteloze bullebakken. Jullie krijgen nog niet één jurylid aan jullie kant. Het kan me niet schelen wat Rikers familie allemaal doet,' ga ik verder, 'maar als u onder druk van die idioten tot vervolging besluit, zult u daar spijt van krijgen. Ik denk dat ze nòg gevaarlijker worden als de jury tot vrijspraak besluit.'

'Hij heeft gelijk, Al,' zegt Morgan. 'Geen enkele jury zal haar veroordelen.'

Vance was al bereid om toe te geven voordat we zijn kantoor binnenkwamen, maar hij wilde onze argumenten nog eens horen. Hij stemt erin toe de zaak te seponeren. Morgen tegen het einde van de ochtend krijg ik de fax met de bevestiging, belooft Morgan.

Ik bedank hen en vertrek weer snel. Mijn stemming wisselt voortdurend. Als ik in mijn eentje in de lift sta, grijns ik tegen mezelf in het glimmende koper boven de genummerde knopjes. De zaak wordt geseponeerd! Voorgoed!

Op het parkeerterrein aangekomen, loop ik bijna rennend naar mijn auto toe.

De kogel is afgevuurd vanuit de straat en heeft een keurig rond gaatje achtergelaten in het raam van het kantoor, ruim een centimeter in doorsnee. Daarna heeft hij zich door de gipsplaat in de muur geboord. Deck zat toevallig in de voorkamer toen hij het schot hoorde. De kogel vloog op een afstand van iets minder dan drie meter langs hem heen, maar dat vond hij al angstig genoeg. In plaats van naar het raam te lopen, dook hij onder de tafel en bleef daar een paar minuten liggen.

Daarna deed hij de deur op slot en wachtte tot er iemand kwam. Tevergeefs. Het gebeurde omstreeks half elf, toen ik nog bij Al Vance zat. Niemand heeft de schutter blijkbaar gezien of het schot gehoord. Het geluid van geweerschoten is trouwens niets ongewoons in dit deel van de stad. Deck heeft eerst Butch gebeld, die nog in bed lag. Twintig minuten later was hij al op kantoor, zwaar gewapend, om Deck gerust te stellen.

Ze zijn juist bezig het kogelgat te inspecteren als ik binnenkom. Deck vertelt me wat er is gebeurd. Ik weet zeker dat hij zelfs zenuwtrekjes heeft als hij slaapt, maar nu is het helemaal verschrikkelijk. Hij zegt dat alles in orde is, maar zijn stem trilt nog steeds. Butch belooft de wacht te houden onder het raam, voor het geval ze nog terugkomen. Hij heeft twee jachtgeweren en een AK-47 in zijn auto liggen. God helpe de Rikers als ze nog een aanslag willen plegen.

Ik kan Booker niet bereiken. Hij is samen met Marvin Shankle de stad uit voor een getuigenverhoor. Ik schrijf hem een kort briefje en beloof dat ik nog zal bellen.

Deck en ik besluiten tot een rustige lunch, ver van de bewonderende meute en buiten het bereik van verdwaalde kogels. We halen broodjes bij een snackbar en eten ze op in de keuken van juffrouw Birdie. Butch staat op de oprit achter mijn Volvo geparkeerd. Het zou een enorme afknapper voor hem zijn als hij vandaag zijn AK-47 niet kan gebruiken.

Gisteren is de werkster geweest, dus alles ziet er weer fris uit en de lucht van schimmel is tijdelijk verdreven. Het huis wacht op de thuiskomst van juffrouw Birdie.

We komen snel en pijnloos tot een akkoord. Deck krijgt de dossiers die hij wil, en ik krijg tweeduizend dollar. Hij zal met andere advocaten samenwerken als het nodig is. Mijn lopende dossiers geeft hij wel aan anderen door. De incassozaken van Ruffin's gaan terug naar Booker. Dat zal hij niet leuk vinden, maar hij komt er wel overheen.

Het sorteren van de dossiers kost weinig moeite. Het is droevig hoe weinig zaken en cliënten we in acht maanden tijd hebben binnengehaald.

Het kantoor heeft nog vierendertighonderd dollar op de bank. Een paar rekeningen moeten nog worden betaald.

We bespreken de details onder het eten. De zakelijke kwesties zijn snel opgelost. Het persoonlijke aspect is moeilijker. Deck heeft geen toekomst. Hij zal het rechtbankexamen nooit halen en hij kan nergens naartoe. Hij kan nog een paar weken besteden aan het afhandelen van mijn dossiers, maar zonder een Bruiser of een Rudy is hij werkloos. Dat weten we allebei, maar we zeggen er niets over.

Hij vertrouwt me toe dat hij bankroet is. 'Gokken?' vraag ik.

'Ja. De casino's. Ik kan er niet vandaan blijven.' Hij maakt een kalme, bijna ontspannen indruk. Hij neemt een grote hap van een broodje.

Toen we in de zomer van vorig jaar met ons kantoor begonnen, hadden we juist het geld gekregen van de zaak Van Landel: ieder vijfenvijftighonderd dollar. Daarvan hebben we allebei tweeduizend dollar in het kantoor gestoken. Ik heb een paar keer mijn spaargeld moeten aanspreken, maar ik heb nog achtentwintighonderd dollar op de bank omdat ik redelijk zuinig heb geleefd. Deck geeft ook weinig geld uit – hij verliest het aan de goktafels.

'Ik heb gister Bruiser gesproken,' zegt hij. Ik ben niet eens verbaasd.

'Waar zit hij?'

'Op de Bahama's.'

'De Prins ook?'

'Ja.'

Dat is goed nieuws. Ik ben blij het te horen. Deck weet het al een tijdje, daar ben ik van overtuigd.

'Dus ze hebben het gered,' zeg ik. Ik staar uit het raam en probeer me dat tweetal voor te stellen met zonnebrillen en strooien hoeden. Hier leefden ze altijd in het donker.

'Ja, ik weet niet hoe. Sommige dingen vraag je niet.' Deck is diep in gedachten verzonken. 'Het geld ligt nog hier, weet je.'

'Hoeveel?'

'Vier miljoen, contant. Dat hebben ze van de inkomsten van de clubs afgeroomd.'

'Vier miljoen?'

'Ja. Op één plaats, ergens in de kelder van een pakhuis hier in Memphis.'

'En hoeveel bieden ze jou?'

'Tien procent. Als ik het naar Miami weet te krijgen, regelt Bruiser het verder wel.'

'Niet doen, Deck.'

'Er kan me niets gebeuren.'

'Ze grijpen je in de kraag en gooien je in de bak.'

'Ik denk het niet. De FBI houdt ons niet meer in de gaten en ze weten niets van het geld. Iedereen neemt aan dat Bruiser genoeg heeft meegenomen en dat hij niets meer nodig heeft.'

'En is dat zo?'

'Geen idee. Hij zit er wel om te springen.'

'Niet doen, Deck.'

'Het is een fluitje van een cent. Je kunt het geld gemakkelijk verbergen in een 4-WD. Volgens Bruiser kost het nog geen twee uur om het in te laden. Daarna rijd ik naar Miami en wacht daar op instructies. Twee dagen werk, en ik ben rijk.'

Zijn stem heeft een dromerige klank. Ik weet zeker dat hij het zal proberen. Hij en Bruiser hebben alles al geregeld. Ik heb genoeg gezegd. Hij luistert toch niet naar me.

We stappen naar buiten en lopen naar mijn appartement. Deck helpt me mijn spullen in te laden. De kofferbak en de halve achterbank liggen vol. Ik ga niet meer terug naar kantoor, en daarom nemen we hier afscheid.

'Ik begrijp best dat je hier weg wilt,' zegt hij.

'Wees voorzichtig, Deck.'

We omhelzen elkaar onhandig en ik schiet bijna vol.

'Je hebt geschiedenis geschreven, Rudy, weet je dat?'

'Wij samen.'

'Ja, maar wat hebben we eraan overgehouden?'

'Een mooi verhaal.'

We geven elkaar een hand. Decks ogen zijn vochtig. Ik kijk hem na als hij met zijn vreemde loopje over de oprit verdwijnt en bij Butch in de auto stapt. Ze rijden weg.

Ik schrijf een lange brief aan juffrouw Birdie en beloof haar nog te bellen. Ik leg hem op de keukentafel, omdat ik zeker weet dat ze gauw thuis zal komen. Ik loop nog één keer door het huis en neem afscheid.

Dan rijd ik naar de bank om mijn rekening af te sluiten. Het stapeltje van achtentwintig honderdjes voelt prettig aan. Ik verberg het onder de vloermat.

Het is bijna donker al ik bij de Blacks aanklop. Dot doet open en er verschijnt een glimlach op haar gezicht als ze me ziet.

Het huis is donker en stil, nog altijd in de rouw. Ik vraag me af of dat ooit zal veranderen. Buddy ligt met griep in bed.

Bij een kop oploskoffie vertel ik haar voorzichtig dat Great Eastern failliet is en dat ze voor de tweede keer haar geld niet zal krijgen. Als er geen wonder gebeurt, zijn we onze centen kwijt. Haar reactie verbaast me niet. Er zijn verschillende, ingewikkelde redenen voor de ondergang van Great Eastern, maar op dit moment is het heel belangrijk voor Dot om te denken dat zíj het bedrijf in de afgrond heeft gestort. Haar ogen glanzen en haar hele gezicht licht op als het nieuws tot haar doordringt. Zíj heeft hun de das omgedaan. Eén kleine, vastberaden vrouw in Memphis, Tennessee, heeft die schoften de vernieling in geholpen. Morgen zal ze naar het graf van Donny Ray gaan om het hem te vertellen.

Kelly zit nerveus in de huiskamer te wachten, samen met Betty Norvelle. Ze houdt de kleine leren tas die ik gisteren voor haar heb gekocht in haar handen geklemd. Er zitten een paar toiletspullen in en wat kleren die ze van het opvanghuis heeft gekregen. Het is alles wat ze nog bezit.
We tekenen de formulieren en bedanken Betty. Hand in hand lopen we naar de auto. Als we zijn ingestapt, halen we diep adem en ik rijd weg. Het pistool ligt onder mijn stoel, maar ik ben niet bang meer.
'Waarheen, lieve?' vraag ik als we de snelweg naderen die zich om de stad heen slingert. We lachen. Heerlijk toch? We kunnen overal naartoe!
'Ik zou graag de bergen zien,' zegt ze.
'Ik ook. Oost of west?'
'Hoge bergen.'
'Naar het westen dus.'
'En sneeuw.'
'Die is wel ergens te vinden.'
Ze schuift naar me toe en legt haar hoofd op mijn schouder. Ik streel haar. We steken de rivier over naar Arkansas. Achter ons vervaagt het silhouet van Memphis. Deze reis is totaal onvoorbereid. Vanochtend wisten we nog niet eens of Kelly het district wel mocht verlaten. Maar de zaak is geseponeerd en ik heb een brief van de procureur-generaal zelf. Om drie uur vanmiddag is haar borgtocht opgeheven.
We zullen een stadje zoeken waar niemand ons kan vinden. Ik ben niet bang dat ze ons zullen achtervolgen, maar ik wil gewoon met rust worden gelaten. Geen verhalen over Deck en Bruiser. Geen nieuws over de situatie bij Great Eastern. Geen juffrouw Birdie die me opbelt voor advies. Geen herinneringen aan Cliffs dood en alles wat daarmee samenhangt. Kelly en ik zullen er ooit wel over praten, maar voorlopig niet.
Het moet een stadje worden met een kleine universiteit, want Kelly wil studeren. Ze is pas twintig. Ik ben zelf nog een kind. We hebben een zware tijd achter de rug en nu hebben we recht op wat plezier. Ik zou het heerlijk vinden om geschiedenis te geven op een middelbare school. Dat moet mogelijk zijn. Ik heb een goede opleiding.
Maar ik wil nooit meer iets te maken hebben met de advocatuur. Ik zal mijn vergunning laten verlopen. Ik zal me niet eens in het kiesregister laten inschrijven, zodat ze me niet kunnen oproepen om mijn juryplicht te vervullen. Ik zal nooit meer vrijwillig één voet in een rechtszaal zetten.
We lachen en giechelen terwijl het landschap steeds vlakker wordt en het verkeer steeds minder druk. Memphis ligt dertig kilometer achter ons. Ik ga nooit meer terug.

John Grisham

Achter gesloten deuren

Aanvankelijk lijkt het toeval. Met niet meer dan twee uur tijdsverschil overlijden twee belangrijke rechters van het Amerikaanse Hooggerechtshof. Abe Rosenberg was al 91 jaar oud en ernstig ziek, maar de veel jongere Jensen was kerngezond. 'Moord', zo luidt de onweerlegbare conclusie van de FBI, maar men legt geen direct verband tussen beide zaken.
De beeldschone en niet minder briljante rechtenstudente Derby Shaw ziet echter wel een verband. Hoe gevaarlijk dicht zij bij de onthullende waarheid komt, wordt pas duidelijk wanneer zij zelf ternauwernood aan een moordaanslag ontkomt.
Samen met de al even geïntrigeerde journalist Gray Graham stelt Derby op haar eigen manier een onderzoek in. Ze stuiten op een overstelpende hoeveelheid feiten en... één naam.

ISBN 90 229 8168 1

John Grisham werd in één klap wereldberoemd als bestsellerauteur met zijn debuut *Advocaat van de duivel* (*The Firm*), waarmee hij een nieuw genre creëerde: de *legal thriller*.
Achter gesloten deuren (*The Pelican Brief*), is verfilmd door Alan J. Pakula met Julia Roberts en Denzel Washington in de hoofdrollen. De video van *The Pelican Brief* (Warner Home Video) is nu te koop. (Prijs: ƒ 39,95/795 Bfr.)

ISBN 90 5608 125 X
Nederlands ondertiteld.